NUR-U KADİM

Evrenin Nazım Planı - Kristalografik Geometri

ve

Her şey Kuramı RABİA yani dörtlük

Tamer Kutdoğa

NUR-U KADİM

Evrenin Nazım Planı - Kristalografik Geometri

Ve

Her şey Kuramı RABİA yani dörtlük

Tamer Kutdoğa

Yazar, yayıncı: Tamer Kutdoğa
ISBN e-kitap için: 978-605-65318-8-0

Yazar Hakkında

TAMER KUTDOĞA [1938-]

1938 yılında İstanbul'da doğdu. İlkokulu 1950'de İstanbul'da, ortaokulu ve liseyi Anadolu'nun güneyinde bulunan Adana'da 1957'de bitirdi.

1963 yılında askerlik hizmetini tamamladıktan sonra, daha yaşanabilir bir dünya için araştırma yapan bir enstitü bulup, ömür boyu orada çalışmaya karar verdi.

1968'de Ankara İktisadi ve Ticari İlimler Akademisinden mezun oldu ve Almanya'ya gitti. Almanya'da iki üç yıl boyunca, adres kitaplarından bulduğu, Belçika, Almanya ve İsviçre'de bulunan 300'e yakın adresten bazılarıyla bağlantı kurdu ve bunların aslında göstermelik insani amaçlarla kurulmuş, siyasi kurumlar olduğu kanaatine vardı.

1978 yılında Almanya'dan döndükten sonra, yaptığı çalışmalar sonucu, 1963'te belirlediği amaca 2013 yılında, tam yarım asır sonra, bu kitabın eski halinin Amerika'da e-kitap olarak yayınlanmasıyla, bir ölçüde amacına ulaşmış oldu.

2018 yılında kitabının hem adını, hem ön kapağını, hem de içeriğini RABİA ağırlıklı olarak değiştirmek suretiyle kitabına son şeklini verme ihtiyacı duydu.

Yazar bu kitapta dünya insanlarının bilmek isteyip de bilemediği, söylemek isteyip de söyleyemediği şeyleri yazdığını, ancak insanlığın asıl ülkü olan tasavvuf 'un "kıyam billah" mertebesine ve "Beka billah" istikametine yöneltilmesinin ve altın çağın başlatılmasının, günümüz üniversitelerindeki kozmoloji kürsülerinde filozof tanımına giren akademisyenlerin önce **Rabia**'nın gerçekten **"Her şey kuramı"** olduğunu onaylayıp, bu kitaptaki konuları yeni gelişmelerin ışığında sürekli güncellemeleri, geliştirmeleri ve dünya eğitim sistemine aktarmalarıyla mümkün olabileceğine, böylece "Sezar'ın hakkını sezada verir gibi, Sümer, Babil ve Mısır tapınak rahiplerinin hakkını da rahiplere vermiş olacağımıza inanıyor.

İÇİNDEKİLER

ÖNSÖZ

Tarihten günümüze dünya üzerindeki insanların bilgi evrimini tahlil edersek, ortaya çıkan şu tespiti yapmak aydınlatıcı olur; bilgi evrimi, Orta Asya, Sümer, Babil, Mısır, Hindistan, Yunan, İslam ve Avrupa yolunu takip etmiştir. Bugün batı toplumları, Ortaçağ'ın Haçlı-İslam kavgasının etkisiyle, her şeyi Yunanlılardan başlatma temayülünden kurtulamamaktadır. Özellikle, **Endülüs yolu ile Avrupa'ya geçip, Rönesans'ı yaratan Endülüs ve öncesindeki dünya bilgi birikiminden, bugün bile hâlâ değerlendirilmemiş çok şey bulunmaktadır. Bu hususlardan çok önemli birisi de VIII. yüzyıldan sonra yaşamış yüzlerce İslam âliminin büyük çoğunluğunun, çağının bütün bilimleri ile ilgilenmiş ve edindikleri bilgilerin sentezini de eserlerinde ifade etmiş; filozof tanımına giren kişiler olmasıdır. İbn-i Sina bunların en önemli örneklerden biridir. Hem bu bilginlerin hem onların el yazması eserlerini okuyup, halkı aydınlatma konumunda olan kişilerin, o zamanki ifadeyle,** *dedelerin* **sözü dinleniyordu. XIII. asırda, Konya'da, Mevlâna'nın kapısında onunla konuşmak için çok beklediği için ağlayan Selçuklu Sultanı buna örnektir. Atatürk'ün "En hakiki mürşit, ilimdir." sözüne kim hayır diyebilir. Ancak bugün 21. asırda, kendi bilim dalı dışında, çağının diğer bilimlerini de yeteri kadar edinip, filozof tanımına giren ve ulaştığı sentezi sokaktaki insanlara da mesaj verecek şekilde eserlerinde anlatan "Mürşit profesörler" ne kadar vardır sormak gerekiyor. Kutsal kitaplarda Allah'ın cc.** Evreni yaratmadan evvel herzeyi Levha-i Mahfuz'a yazdığı anlatılır, tasavvufta bu yazı "Nur-u kadim" olarak tanımlanmıştır.

Bu kitapta, sürekli olmasa da yarım asırdan fazla, daha iyi bir dünya ve insanlık amacına yönelik, insanlara yol gösterecek, evrensellik adına, evrenin sırlarını bulma adına, toplanan bilgiler birleştirilip çağdaş, evrensel, kolay anlaşılır bir senteze ulaşılmaya çalışıldı. Böylece **XIII. asrın İslâm Tasavvufu** yani **Kesrette Vahdet'**iyle (çoklukta birlik), Einstein'ın 30 sene uğraşıp denklemlerle hesaplayamadığı **"atomun içindeki dört kuvvetin, Big-Bang anında, tek bir kuvvet olduğu"** tezi, **"kuantum, kütle çekim, birleşik alan"** ve **"kütle çekimsel elektro-manyetik alan"** teorileri (EK-Ia, Ia1 ve ön kapağın ortasında) gibi, 21. asrın önemli çalışmalarından bir sonuç çıkarılmaya çalışıldı. Dördüncü bölümdeki, **"HER ŞEY KURAMI RABİA'**yla ise, amacı aşıp, henüz bilinmeyenleri de aydınlatmaya yönelik bir çalışma sonucunda Evrenimizin özü ve yaratılış şifresinin **RABİA ve ÇİFT RABİA** olduğu sonucuna varıldı.

Şimdi bazı bilimsel tanımların, tariflerini verelim:

BİLİM: Evrenin yasalarını bulmak amacı güder. Bu yasalar iki yolla aranır.

    1- KURAM (Teori): **Soyut** yani **düşünce** alanındaki bilgidir.

    2- KILGI (Pratik): **Somut** yani **madde ve hareket** alanındaki bilgidir.

    "Kuram" varsa "kılgı" da vardır, yoksa "kılgı" da yoktur; ikisi birbirinden ayrılamaz.

    Madde, hareket, zaman: üçü de **enerji**nin farklı halleridir ve bütündür.

DÜZENSİZ BİLGİ VE DÜŞÜNCE: Birleştirilmemiş bilgidir.

BİLİMSEL BİLGİ VE DÜŞÜNCE: Yarı birleştirilmiş bilgidir.

FELSEFİ BİLGİ VE DÜŞÜNCE: Daha net bir ifadeyle **"Evrensel bilgi"** veya **"kozmoloji"** tam birleştirilmiş bilgidir. Başka bir ifadeyle, bilgi her zaman tamlığın doğrultusunda ilerleyen eksik ve tamamlanmamış bir süreçtir. **Bu kitabın dördüncü bölümünün sonunda bahis konusu tamamlanmış bilginin Rabialar olduğu ortaya kondu.**

FİLOZOF: Devrinin bilgilerini akli esaslar dahilinde birleştiren ve bir sistem oluşturan kişidir. Ancak bugün dünyada kaç üniversitede kozmoloji kürsüsü var? Bilmiyorum. İş felsefecilere kaldı, onlar da "Akıl, akıl mı? Fikirfikirmi? kavgasında. Eski fikirlere, bilgilere, çağdaş bilgiler de katılarak, felsefe özellikle matematikle yapılmalıdır.

Bildiğimiz kadarıyla Allah'ın yarattığı en mükemmel varlık olarak "**insan**" Dünya üzerinde yaşadığı sorunları ortadan kaldırıp, hem evrenin mükemmelliğine, senfonisine, hem de kendi mükemmelliğine uygun bir mutlu toplum düzeni kurmak için, önce evreni ve kendini bütün olarak iyi tanımak zorundadır. Bütün kötülükler, olumsuzluklar, bilmemekten veya yanlış bilmekten kaynaklanmaktadır. Evrensel doğrular insanlara anlatılmadıkça yanlış yapana kim kabahat bulabilir?

Körleri toplamışlar, bir fil getirmişler, her kör filin başka bir yerine dokunmuş ve ne olduğunu sormuşlar, hiçbiri fil dememiş. Bugün dünyada insanlar, filin sadece kulağına kuyruğuna göre inisiyatif kullanıyor. İçinde yaşadığımız ve parçası olduğumuz evrenin ve insanın ne olduğunu tam anlayamazsak, dünyada yaşadığımız "**kör dövüşü**" sürecektir. **Kozmoloji Bilimi**'nin insanlara, doğru inisiyatif kullanabilmeleri için evrenin bütününü izah edebilmiş olması gerekir. Ancak ondan sonra, bu güzel dünyamızda, evrenin ve insanın mükemmelliğine uygun başta "**BİLGİ**"ye (kozmoloji, Cihanın öz bilgisi Rabialar) **AHLÂK**'a, **ADALET**' e, (denge, uyum, harmoni, nizam, düzen, ahenk, denklem, simetri ilh.) dayalı bir "**DÜNYADA BARIŞ**" olmasını, yöneticilerden bekleyebiliriz. **(S-9)** Aksi halde yanlış inisiyatiflerle dünyayı yaşanmaz hale getirenlere kimse kabahat bulamaz.

Günümüz dünyasında karmaşayı ortadan kaldıracak "Kime göre, neye göre doğru?" sorusunun en kesin cevabı **matematik** olabilirdi. Bugün matematiğin bütün bilimlerin üstünde olduğunu kabul etmeyen kimse yok. Oysa Sümer, Babil ve Mısır rahipleri binlerce yıl çalışmadan sonra matematiğin özünün sayı olarak **1, 2, 3**, **4** ve geometri olarak da üçgen piramit, yani onların ifadesiyle **RABİA** olduğu sonucuna varmışlardı.

Bu kitabın birinci bölümünde "*EVREN*", ikinci bölümünde "İNSAN" ile ilgili çağdaş bilgiler verildi. Üçüncü bölümdeyse ilk iki bölümde verilen çağdaş bilgilere göre, evrenin ve insanın sentezinin; insanı, "**mikro kozmosu**" temsil eden ve Mevlevi dervişinin de geometrisi olan "**üçgen piramit**" yani **RABİA** olduğu sonucuna varıldı. Kitabın dördüncü bölümünde de daha kapsamlı bir çalışma sonucu kitabın sonundaki ek tablolara dayalı olarak çıkan, çağdaş literatürde olmayan ve Dünyanın kurtuluş algoritması olan sonuç yine hem "üçgen piramit" **(Her şey kuramı)** hem "çift üçgen piramit" **(çift RABİA) oldu.**

Genelde geometriyi ciddiye almayan bilim camiasına cevap olarak; RABİA'nın geometrisinin, temelde somut element kristallerinin geometrilerine dayalı olarak ortaya konulmuş olmasıdır. Ön kapağın üstünde verdiğimiz Rabia'ları oluşturan tanecikler gibi, evren de zaten astral ölçekten, atom altı ölçeğe algılayabildiğimiz kadarıyla, üç boyutlu kürecikler, taneciklerden oluşmaktadır.

Böylece kitabın adında da ifade edilen **Nur-u Kadim**'inde, **Evrenin Nazım Planı**'nında, **Her şey Kuramı**'mızında, **Nizam-ı Alem**'inde özünün **RABİA** olduğu sonucuna varıldı. "**RABB**" kelimesinin Arapça ve İbranice **ALLAH** cc. anlamına gelmesi, acaba Sümer, Babil ve Mısır rahipleri, **Allah**'a cc giden yolunda **RABİA** olduğunu mu anlatmak istediler? Müzikte Pisagor'a göre kulağa hoş gelen seslerin frekanslarının birbirine oranlarının 1, 2, 3, 4 ve bunların katları olması, altın oranların matematiğindeki 1, 2 ve 3'ün ölçümleri keza Arap harfleriyle yazılan sülüs (1/3) yazıdaki altın oranlar ve binlerce rengin kaynağı **mavi, sarı, kırmızı** olan 3 ana rengin, **Rabia**'nın 4 sayısından ayrı düşünülemeyeceği açıktır.

EK-Ia, b, c, d' de verilen "İki **Big-Bang Arasındaki Evrenimiz**" tabloları; yüksek matematiğin, bugüne kadar erişilememiş zirvesi olan **Kalkülüs kemeri ve denklemini**; evrenlerin temel fonksiyonlarını hesaplayabilir hale getirerek zirveye ulaştırmıştır. "**Evrenlerin Kalkülüs Denklemi**", bu kitapta ortaya konan geometrileri, fantezi olmaktan büyük ölçüde kurtarıp, bugün amatörce olsa da ileride son sözü söyleyebileceğine inanıyorum. Kitapta anlatılanlar, herkese hitap etmekle beraber, bilim insanlarına da hitap ettiğinden, okuyucular anlamakta zorluk çektikleri detayları okumasalar da olur. **RABİA**'nın herkesin anlayabileceği basit bir geometri ve 4 sayı olarak evrende de dünyamızda da her şeyi açıklayabileceği sonucuna varılmış olması; insanlığın "**evrensel hakikat**i bulmasını, dolayısıyla Mevlevi dervişinin "**mistik yolla**" Allah'a yönelme Amacına, "**Bilgi**" ve "**Matematik**" yoluyla da ulaşılmasını sağlayabilir. Bilim ile din birleşir, Allah cc. tanımazlık, kural tanımazlık ortadan kalkabilir. **Einstein'a** göre en iyi çözüm en basit çözümdür. **Newton'a görede gerçek sadelikte saklıdır.** Dünya literatüründe **Evrene** ve **insana** dair ne varsa 60 yıldır her şeyi toplamaya çalışırken, hep sonunda ne çıkacak, bende merakediyordum. **Sayfa 185**'den itibaren ortaya çıkan, Rabiaların bir kısmını aşağıda sıralayalım:

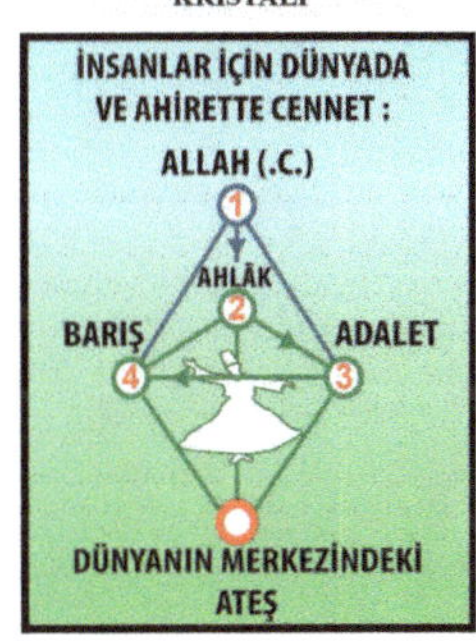

1) CİHANDA VE DÜNYADA BARIŞIN KRİSTALİ:

Yanda görülen çift üçgen piramidin (C3h trigonal bi pramidal 6 kristali) (S-44) üst yarısındaki Rabia hem "Her devlet için" hem "Her millet için Cennet" algoritmasıdır.

2) İNSANLAR İÇİN DÜNYADA VE AHRETTE CENNET (S-186):

Yanda görülen tablodaki yukarı doğru üçgen piramitin tabanındaki Üçgenin köşelerindeki üç temel kavram, dünyada **BARIŞ** (4) için **ADALET** (3), adalet için **AHLÂK** (2), ahlâk için yukarı doğru üçgen Piramitin tepesinde **ALLAH** (1) cc. verildi. Ateist'ler ona RABİA diyebilir, çünkü RABİA mısır tapınak rahiplerine göre, hem sayısal hem Geometri olarak matamatiğin özüdür. Keza enerji veya pisagor gibi Sadece matamatik veya Big-bang'de ve insan beyninde de olan ve insana kendi bilincine varmasını sağlayan "Bose-Einstein kuvantum yoğunlaşması" da **(S-137,140,178-179)** diyebilirler. Çünkü inanmamak sorumluluk duygusunu ortadan kaldırır ve sorumsuz insanlar eğer ahlâklı da değillerse, toplumda serseri mayın gibi olur. Ancak Ahlâk, Adalet, Barış varsa, dünya erdemli kadınlar, erdemli erkekler ve çocuklarla Cennete dönüştürülebilir. Dünyada doğru kelimeleri, atomlar gibi doğru geometrilerle biraraya getirebilirsek altın çağı başlatabiliriz.

3) İSLÂMIN SİLM (BARIŞ) KELİMESİNDEKİ SAYISAL RABİA:

İslâm'da **dört türlü barış vardır** (S-190):

1) EVRENDEKİ BÜTÜN VARLIKLAR ARASINDAKİ BARIŞ.

2) DEVLETLER, MİLLETLER ARSINDAKİ BARIŞ.

3) AİLE FERTLERİ ARASINDAKİ BARIŞ

4) İNSANIN NEFSİ (İHTİYAÇLARI) İLE AKLI ARASINDAKİ BARIŞ.

4) İNSANLIĞIN BEKA RABİASI, KESRETTE VAHDET VE BEKA BİLLAH:

Kitabın ön kapağının üstündeki Mevlevi dervişinin başı üzerindeki,

1) BİR ALLAH

2) BİR EVREN

3) BİR DÜNYA

4) BİR İNSANLIK

Kitabın ön kapağında Mevlevi dervişinin ayağının altındaki Einstein'nın $E=MxC^2$ formülü hem **Evren** hem **insan** için geçerlidir. **Mevlevi dervişinin başı ve elleri arasındaki üçgenlerin tekrarıyla, iki boyutta daire dahil, üç boyutta üçgen piramitlerin tekrarıyla küre dahil bütün geometriler elde edilebilir.** Herkesin kolayca anlayabileceği böyle basit bir evren özeti akademik otoriteler tarfından genel kabul görürse, Dünyada yaşayabileceğimiz bir **cennetin** yani **altın çağın** anahtarı olabilir. İslam Tasavvufunda "**Kıyam billah**"; İnsanlığın Manevi yani Ahlâki mertebelerin hepsini aştıktan sonra, Allah cc. için ayağa kalkması ve "**Beka Billah**" mertebesine yönelmesi anlamına gelmektedir. Böylece İnsanlığın bekasının, **AHLÂK**'a bağlı olduğu anlatılmak istenmiştir. İzninizle herkesi sadece bu saydıklarım için bile "Dünya'da İnsanlığın Bekası, barışın ve altın çağın başlaması için, yaşasın "**CİHANDA BARIŞIN BİLGİSİ RABİALAR**" demeye davet edelim.

Tamer Kutdoğa

BİRİNCİ BÖLÜM EVREN

A) ASTRAL EVREN

I)   EVRENİMİZİN TARİHİ EVRİMİ:

13,7 Milyar yıl önce	Evren Big-Bang (büyük patlama) ile oluşmaya başladı.
13,2 " " "	Aydınlandı (önce karanlıktı).
7 " " "	Evren ilk atom olan hidrojen gazından oluşan bir gaz kümesi halinde (Nebula).
4,5 " " "	Güneş ve gezegenlerinin dünyanın oluşumu.
3 " " "	Dünyada Güneydoğu Afrika'da ilk canlı bitki tek hücreli yosun (alg) kömürden oluştu.
565 Milyon " "	İlk hareket eden deniz hayvanı.
300 " " "	İlk kara bitkileri.
225-75 " " "	Dinozorların yaşam süreci.
260-180 " " "	Daha önce bitişik olan Avrupa ve Amerika ayrılıyor.
100 " " "	İlk böcekler.
55-30 " " "	Atların atası "Mayohipis" (çift tırnaklı).
7 " " "	Afrika'nın orta güneyinden Suriye'ye, Hatay'a kadar "Rif çöküntüsü" ve Tanganika gölü (4 bin metre derin) oluştu.
İ.Ö. 3–200 milyon	Dağlar oluşmaya başladı.
İ.Ö. 1 milyon - 600 bin	En eski buz devri (Nil Vadisi gölle kaplı).
İ.Ö. 600 bin -540 bin	I. Buz devri (Nil Vadisi gölü kurudu).
İ.Ö. 540 bin - 480 bin	480 bin sıcak devir (ilk yabani at).
İ.Ö. 480 bin - 430 bin	II. Buz devri.
İ.Ö. 400 bin - 240 bin	II. Ara buz devri.
İ.Ö. 240 bin - 180 bin	III. Buz devri.
İ.Ö. 180 bin -120 bin	Sıcak devir.
İ.Ö. 60 bin- 10 bin	**Son ara buz devri. Kuzey yarım küre Himalayalar'a, Alpler'e İstanbul'a Orta Amerika'ya kadar buzlarla kaplıdır. Sadece Orta Asya okyanusların etkisinden uzak olduğu için yaşanabilir iklime sahiptir. Orta Asya'da Hazar'dan da büyük bir göl var.**
İ.Ö. 10 bin	**Kuzey yarım küredeki buzlar eriyor. Dünya denizleri 80 metre** yükseliyor. İ.S. 2003'de Atmosferdeki oksijen oranı **%21.**

Yukarıda belirtildiği gibi **13,7 milyar yıl önce** (10^{10} yıl önce) evren, Big-Bang ile oluşmaya başladığında, ısı 5 milyar C° idi. **13,2 milyar yıl önce** aydınlandı. Işığı oluşturan **"Foton"** parçacıklarından diğer parçacıklar oluşmaya başladı. Big-Bang'den **300-700 bin** yıl sonra ilk atomlar olan, **hidrojen atomları** oluştu, bugün **evrenin %80' i** hâlâ **Hidrojen**'dir.Günümüzden yaklaşık 5-10 milyar yıl sonra güneşin içinde yakmakta olduğu hidrojen tükenince çapı yüz kat genişleyecek **"Kızıl Dev"** olacak, parlaklığı bin kat artacak, sıcaklığıyla yakın gezegenleri (Merkür'ü ve Venüs'ü) eritecek, dünyada okyanuslar buhar haline gelecek. Sonra güneş yakıtını tamamen bitirecek, dış örtüsü kaybolup **"Beyaz Cüce"** olacak. Bugün galaksimiz Samanyolu'nun içindeki yıldızların (güneşlerin) onda biri bu durumdadır. Özgül ağırlıkları, bir çay kaşığı kadarı bir ton, parlaklıkları az, renkleri mavi-beyazdır. Sonra yoğunluk daha da artacak, **elektronlar** ve **protonlar** birleşip **nötron** ve **anti-nötrinolar** oluşacak. Nötrinolar yıldızlara kaçıp uzaklaşacak. Kalan nötronlar yoğunlaşmaya devam edecek ve güneş bir **"nötron yıldızı"** haline gelecek. Halen Samanyolu'nda 100-200 milyar yıldızdan 200 tanesi, nötron yıldızıdır. Bunlar da yoğunlaşmaya ve küçülmeye devam edecek; güneşin kütlesinin üç katına çıkınca **"kara delik"** haline gelecek ve artık etrafındaki her şeyi çekip yutmaya başlayacak. Kara deliğe çekilenler ya yok olacak ya da **"ak delik"** olacak ve **"Big-Bang"** ile tekrar uzayda yeni bir evren oluşmaya başlayacaktır.

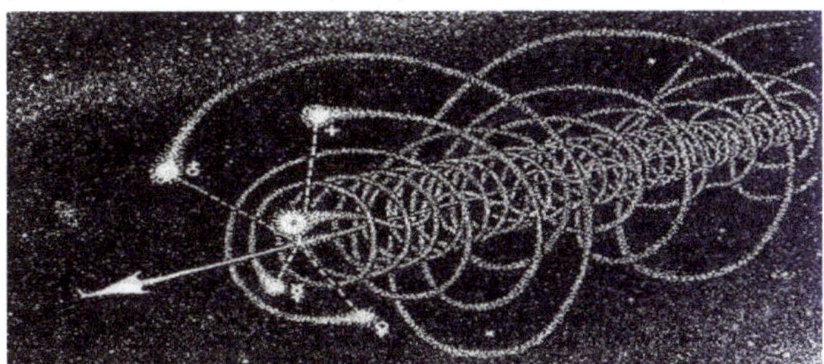

Güneş ve gezegenlerinin Samanyolu içerisindeki hareketi

GEZEGENLER	GEZEGEN EKSENLERİ	ÇAPI (KM)	GÜNEŞ'E ORTALAMA UZAKLIĞI (MİLYON KM)	GÜNEŞ ETRAFINDA DÖNÜŞÜ	KENDİ EKSENİ ETRAFINDA DÖNÜŞÜ
GÜNEŞ		1.391.000			24 GÜN
MERKÜR		5.140	57	88 GÜN	88 GÜN
VENÜS		12.190	108	225 GÜN	225 GÜN
DÜNYA		12.756	149	365 GÜN	24 SAAT
MARS		6.860	227	687 GÜN	245 SAAT
ASTEROITLER					
JÜPİTER		192.700	778	12 YIL	9 S 53 DK
SATÜRN		120.800	1427	29,5 YIL	10 S 14 DK
URANÜS		49.700	2871	84 YIL	10 S 42 DK
NEPTÜN		53.000	4499	165 YIL	15 S 48 DK
PLÜTON*		6.600	5910	250 YIL	?

II) GÜNEŞ SİSTEMİ:

Gezegenler güneş çevresinde düzlem bir yörüngede dönerler. Bu yörünge **"elips"** şeklindedir. Güneş bu elipsin odak noktalarından birindedir**.**

Güneşin üç ayrı hareketi:

1. Güneş kendi etrafında soldan sağa hareketini 24 günde tamamlar.
2. Samanyolu etrafındaki hareketini gezegenleriyle beraber, sağdan sola helezon yay çizerek, 230 milyon yılda tamamlar.
3. Civarındaki diğer yıldızlarla birlikte ortak hareketi.

Güneşin merkezinde **14 milyon** °C ısı vardır. Eğer ısı 5 milyar °C olsaydı **nötrino ve anti-nötrinolar** uzaya kaçar kalan nötronlar zincirleme patlamalar oluştururdu. Güneşin, buluttan geçişi sırasında dünya buz devri yaşar. Güneş sistemi Samanyolu'na ters yönde sağdan sola doğru helezon çizerek dönerken, **hızı 216 km/saniyedir**. Güneş sistemi Samanyolu'nun **160 milyarda** biri kadardır.

a) Ay: dünyadan **384 bin km** uzakta dünyanın etrafında soldan sağa doğru döner. **50 milyon yıl** sonra; Ay dünya dan uzaklaşacak ve dünyada kıtalar yer değiştirecek

b) Venüs: Yüzeyi **480 °C** sıcaklıktadır. "Güneş etrafında dünyanın tersi yönünde dönen tek gezegendir". Diğerlerinin hepsi dünya gibi sağdan sola dönerler.

c) Kuyruklu yıldızlar: Bize **15^{17} metre uzakta,** Güneş Sisteminin etrafında dönen bulut kümeleridir. Bu, güneşin sadece gezegenleri ile değil kuyruklu yıldızlarıyla da birlikte Samanyolu etrafında döndüğünü gösteriyor.

Kuyruklu yıldızlar güneşe yaklaştıkça arkalarında kuyrukları oluşur, uzaklaştıkça tekrar yuvarlak gezegen şeklinde görünürler. Üç yıl ile binlerce yıllık periyodlarla güneş etrafında dönen **42 tane** kuyruklu yıldız vardır.

d) Dünya: Güneş etrafında **300 milyon km** uzunluğunda elips bir yörünge üzerinde döner. Kendi etrafında sağdan sola doğru **465 m/sn hızla** güneş etrafında **29760 m/sn hızla** döner. **50 bin ile 1 milyon yıl sonra** dünyanın kutupları yer değiştirecek. En yakın yıldız dünyaya **40^{17}m uzakta** olup ışığı bize **4,5 yılda** gelmektedir. Dünyada Ay ve Güneş tutulmaları **18 yıl, 11 günde bir olur.**

DÜNYADA MEVSİMLERİN BAŞLANGIÇ TARİHLERİ		
MEVSİMLER	**KUZEY YARIMKÜRE**	**GÜNEY YARIMKÜRE**
İLK BAHAR	23 MART	22 ARALIK
YAZ	22 TEMMUZ	23 MART
SONBAHAR	23 EYLÜL	22 TEMMUZ
KIŞ	22 ARALIK	23 EYLÜwwL

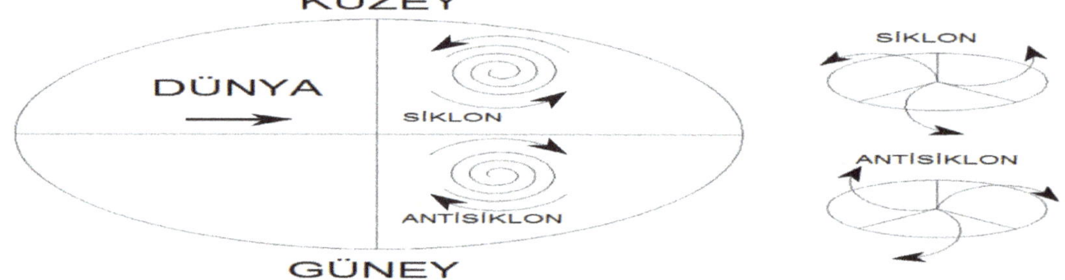

III) GALAKSİMİZ SAMANYOLU :

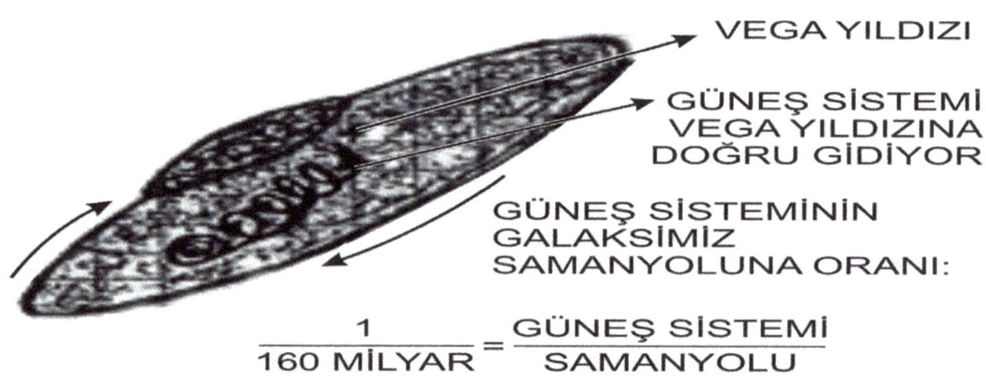

Çapı **110.000 ışık yılı**, (1 ışık yılı: 9450 milyar km), kalınlığı **20.000 ışık yılıdır**. Samanyolu'nun içinde Güneş gibi 200 milyar yıldız var. Samanyolu kendi etrafında soldan sağa doğru dönüşünü, **250 milyon yılda** tamamlar.

IV)   DİĞER GALAKSİLER

Bize en yakını olan **"Andromeda"** helezon şeklinde ve dünyaya **750 bin ışık yılı** uzakta; en uzağı ise **1 milyar ışık yılından** fazla uzakta. Yani galaksiler bugün **1 milyar yıl** önceki şekilleriyle görünüyor. Samanyolu galaksimiz, **6 milyar yıl** sonra kendine en yakın galaksi olan Andromeda ile çarpışıp birleşecek. Ancak, yıldızları birbiriyle çarpışmayacak fakat çevreleri ısınacak. Galaksiler her biri kendi çekim alanı olan gruplar halindedir. Bizim galaksimiz Samanyolu da böyle bir galaksi gurubu içindedir. Bunlardan **"Virgo"** grubunda 500 galaksi olduğunu biliyoruz. Evrendeki milyarlarca galaksi kümesinin, süper galaksi kümelerinin birbirine insan vücudundaki sinirlere benzer şekilde **"flamanlarlar"** bağlı olduğu özel teleskoplarla üç boyutlu olarak tespit edilebiliyor. Flamanlar, elektromanyetik kuvvetin etkisiyle genişleyen, evrenimizin temel taneciği olan fotonlardan oluşan ışın **huzmeleridir.** Keza galaksilerin de uydu galaksileri var. Evrende bütün galaksiler birbirinden **61.000 km/sn** hızla uzaklaşıyor. Yani evren gittikçe hızlanarak genişliyor. Bütün gök cisimlerinin hızı çekim merkezine yaklaştıkça artar.

V)   KUASARLAR

Uzayda 100 büyük galaksinin yaydığı enerjiden daha fazla enerji yayarlar. Oysa Güneş'in sadece birkaç katı büyüklüğünde olan uzay cisimleridir. Kuasarlar evrenin görülebilen en uzak cisimleri olarak kabul edilir. Big-Bang'den sonra, bazıları Güneş'ten yüz trilyon kat daha parlak kuasarlar oluştu. Sonra hepsi yok oldu. Ancak ışınları hâlâ yol aldığından, bugün hâlâ görülebiliyorlar. Bugün görünen 350 kuasardan bazıları **bize 10 milyar ışık yılı** uzak; **"Mavi Yıldız Kuasarı"** dünyadan **4 milyar ışık yılı uzaktadır.** Kuasarların ürettiği kadar büyük enerji, nükleer reaksiyon olamayacağı için, ancak **"madde, anti-madde** çarpışması"** sonucu meydana gelen dev görüntülerden oluştuğu tahmin edilmektedir. Bu, dördüncü bölümde bahsettiğimiz; bizim evrenimizden önceki evrenin, **anti-madde evreni** olduğu ve Big-Bang ile bizim madde evrenimizin başladığına dair tezimizin doğruluğunu gösteriyor. Teorisyenlere göre kuasarların daha önce galaksilerin ortasındaki kara delikler oldukları ve etraflarındaki her şeyi çektikten ve ışık hızını geçerek sırf enerji haline gelip patladıktan sonra dışarıya verdikleri kinetik enerji, bugün hâlâ ışık olarak görünmektedir. Yine dördüncü bölümde açıkladığımız; Big-Bang'den önceki evrenin sonunda toplanan ve kara delik haline gelen evrenin potansiyel enerjiyle toplanması ve sonra patlayıp kinetik enerjiyle genişlemesi tezinin isabeti, burada da görülmektedir. Evrendeki son kuasar 1 milyar yıl önce öldü**.

VI)   KARA DELİKLER

Kara deliklerin kütleleri küçüldükçe sıcaklığı artar. Isındıkça yaydığı ışıma (radyasyon) da artar ve kütle kaybeder, daha fazla ısınır ve daha fazla ışıma yayar. Sonuçta doyum haline geldiğinde, korkunç bir patlama olur. Güneş büyüklüğünde bir kara delik ilk ışımaya başladığı andan itibaren **13,7 milyar x 10^{60} sene** sonra patlar. Fakat kütlesi küçük bir dağ kadar olan kara delik evrenin yaşı kadar **(13,7 milyar)** süre içinde patlayacaktır. Patlayan kara delikler **gama** ışınları (γ) yayar. Burada tekrar dördüncü bölümdeki "Her şey Kuramı"na gidelim. **(S-178)** Bütün bilim çevreleri, Big-Bang'in bir noktada değil, evrenin her tarafında birden başladığı konusunda hem fikirler. Demek ki önceki anti-madde evreninin son aşamasında evrenin tamamı kara delikler haline geldi. Bu kara deliklerin tamamı aynı anda anti-maddelerini çekti bitirdi. Hiç kütle kalmadı ve kütle çekim gücü de kalmadı. Hepsi birden anti-madde/madde yakınlaşmasının büyük kinetik enerjisiyle önce atomaltı taneciklerinden oluşan kuasarlar, sonra ilk atomlardan oluşan galaksi ve yıldızlar ortaya çıktı. Kitabın sonundaki eklerde verdiğimiz BBY'nın (Big-Bang Yıldızı) kuasarların ve evrenimizin nüvesinin geometrisini oluşturup oluşturmadığı araştırılmaya değer.

ASTRAL EVRENE EK RESİM VE ÇİZİMLER :

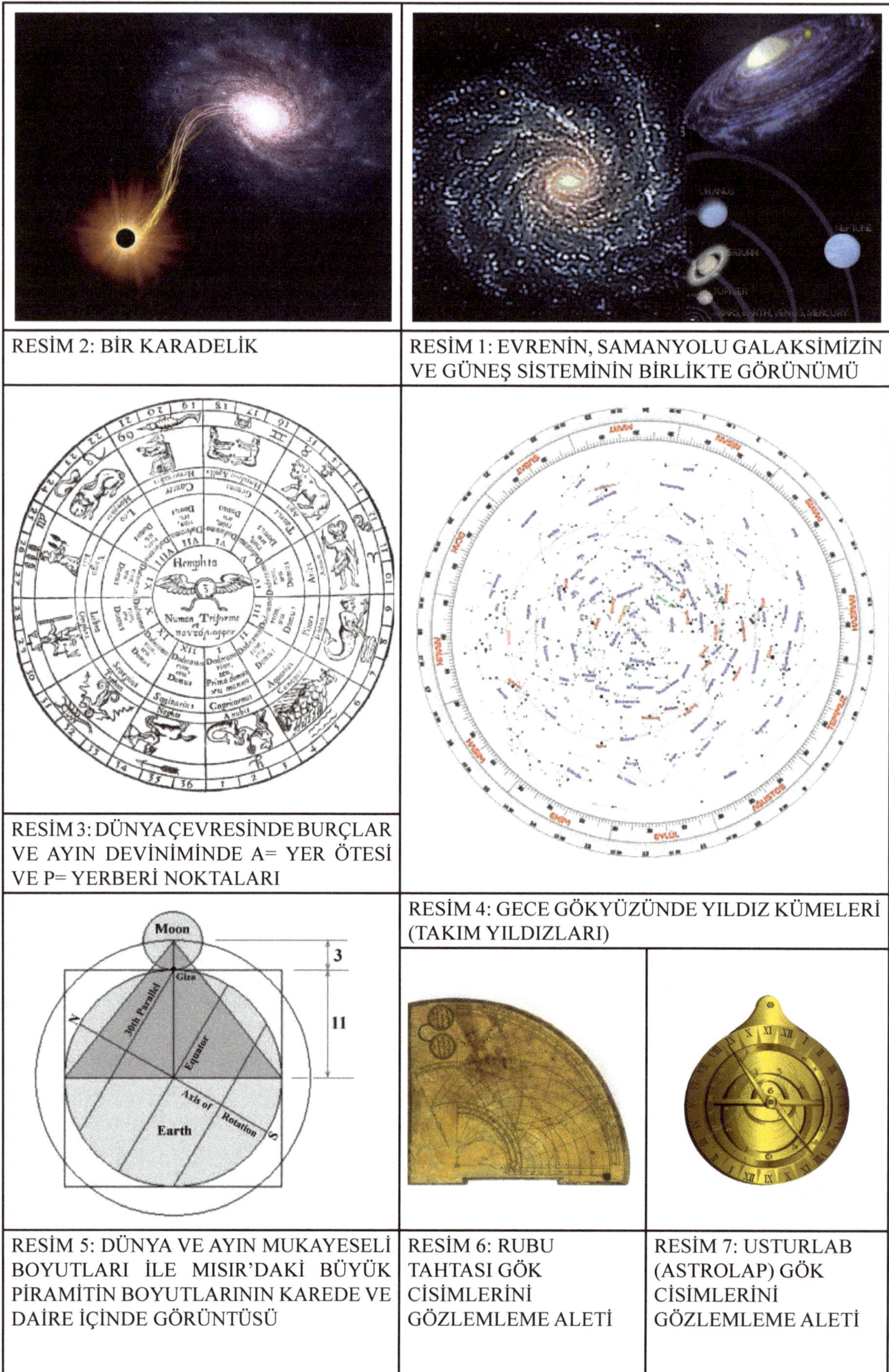

RESİM 2: BİR KARADELİK

RESİM 1: EVRENİN, SAMANYOLU GALAKSİMİZİN VE GÜNEŞ SİSTEMİNİN BİRLİKTE GÖRÜNÜMÜ

RESİM 3: DÜNYA ÇEVRESİNDE BURÇLAR VE AYIN DEVİNİMİNDE A= YER ÖTESİ VE P= YERBERİ NOKTALARI

RESİM 4: GECE GÖKYÜZÜNDE YILDIZ KÜMELERİ (TAKIM YILDIZLARI)

RESİM 5: DÜNYA VE AYIN MUKAYESELİ BOYUTLARI İLE MISIR'DAKİ BÜYÜK PİRAMİTİN BOYUTLARININ KAREDE VE DAİRE İÇİNDE GÖRÜNTÜSÜ

RESİM 6: RUBU TAHTASI GÖK CİSİMLERİNİ GÖZLEMLEME ALETİ

RESİM 7: USTURLAB (ASTROLAP) GÖK CİSİMLERİNİ GÖZLEMLEME ALETİ

B) ATOMAL EVREN

I)   ATOMALTI TANECİKLER:

Kitabın sonundaki **EK-IIi**'de verilen atomun üçlü taneciklerini, elektrik ve manyetik alanlar kullanılarak döndürmek suretiyle yüksek hızlara çıkarıp, hedefin üstüne atabilen ilk alet, **1932**'de "**siklotron**" oldu. İkinci Dünya Savaşından sonra "**betatron**" daha sonra "**sinkrotron**" ve "**kozmotron**" aletleri gibi **akselatörler** (hızlandırıcılar) geliştirildi. Atomun temel taneciklerini, ışık hızına yakın hızlandırıp birbirine çarpıştırabilen bu aletler sayesinde, bu çarpışmalar sonucu oluşan yeni tanecikler incelenip, atom hakkındaki bilgiler geliştirildi.

Mesela protonun protonla çarpışmasından "**mezon**" denen iki kuarklı tanecikler ortaya çıktı. Bunlar istikrarsız olduğundan, saniyenin milyonda biri kadar sonra, parçalanıp **elektron** (Θ) ve **fotonlar** (γ) haline dönüşüyordu. Bu kısa ömürlü mezonların düzinelerce çeşidinden bir kısmı, **EK-IIh**'deki "**Atomun İkili Tanecikleri**" tablosunda belirtilmiştir. Protonla proton daha hızlı ve şiddetli çarpıştırılırsa, oluşan daha büyük enerjiyle "**baryon**" denen proton ve nötrondan daha ağır olan, yine kısa ömürlü üçlü tanecikler (**EK-IIi**) ortaya çıktı ve kısa sürede protonlara ve fotonlara dönüştüler. **Mezonlar** ve **baryonlar** birlikte "**hadron**" olarak adlandırılırlar ve aralarındaki etkileşimi güçlü çekirdek kuvveti yönetir.

Atomun Temel Tanecikleri tablolarında (**EK-IIe, h, i**) belirtilen taneciklerin birçoğu, akselatörlerde yapılan tanecik çarpıştırma deneyleri sayesinde ortaya çıkarılmış olup, keza bugün laboratuarlarda enerji kullanılarak "**tanecik**" ve "**anti tanecik**" çiftleri üretilebilmektedir.

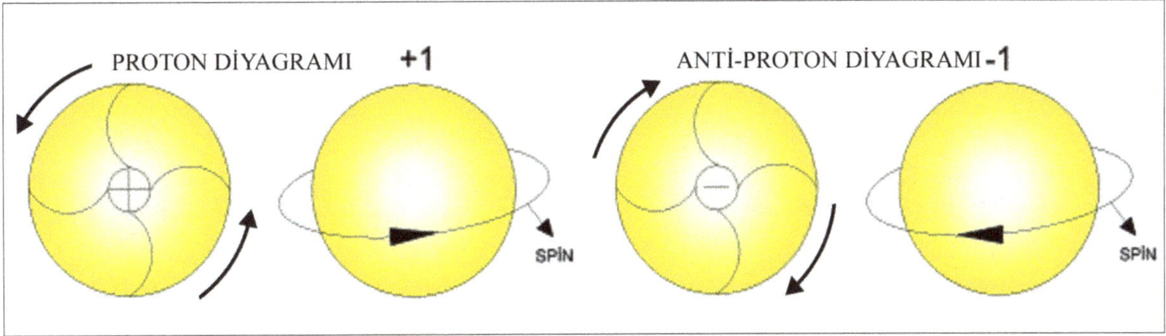

Evrende gezegenlerin güneş etrafında, elektronların atom çekirdeği etrafında dönmesiyle astral evren, atomal evrene yansımış olmaktadır. Gezegenlerin güneş etrafında dönerken kendi etrafında da dönmesi gibi, elektronların da çekirdek etrafında dönerken kendi etraflarında da dönmeleri, temel tanecikler tablolarında da (**EK-IIe, f, g, h, i**) belirtildiği gibi "**spin**" deyimiyle tanımlanmaktadır. Tablolarda görüldüğü gibi, atom altı tanecikleri sadece elektron değil diğer bütün tanecik ve anti-taneciklerin, kendi etrafında dönüşlerinin, manyetik ve açısal olarak, kuantum mekaniğinin kurallarına göre özellikleri vardır.

Proton ve **anti-proton** diyagramlarının yukarıda görülen çizimlerinde olduğu gibi, madde taneciklerinin kendi etrafında dönüşü sağdan sola doğru, anti-madde taneciklerinin ise soldan sağa doğru olmaktadır. Bir tanecik ile anti-taneciğin durgun kütleleri, spinleri, ortalama yaşam süreleri aynı; elektriksel çekirdek yükleri ve manyetik momentleri ise değerce eşit, işaretçe zıttır. Madde ile anti-madde atomları çarpışırsa; saniyenin 10 milyonda birinde ikisi de yok olur. Enerji açığa çıkar veya mezonlar (ikili tanecikler), mezonlardan da proton ve anti-proton oluşur. Kitabın sonundaki **EK-IIe**'deki "**Atomun Tekli Tanecikleri Tablosu**"nda bugün bilinen, kabul edilen tanecikler mavi renklerle ve "**reel**" tanımı altında verilmiştir. Diğerleri ileride bulunacağını öngördüğüm henüz bilinmeyenlerdir. Bu öngörüm, taneciklerin ilk "**10 ana taneciğin**" (7 bozon +3 lepton) **10 nötrinoyu** sonra ikisinin toplamı olan 20 taneciğin de "**20 kuarkı**" oluşturmuş olması gerektiği varsayımına dayanmaktadır. Şimdi temel tanecikler hakkında tek tek bilgi verelim:

1) **GRAVİTON ve ANTİ GRAVİTON: Atomun 4 kuvvetinden "kütle çekim kuvveti"nin tanecikleridir.**

2) **FOTON (γ):** Atomun 4 kuvvetinden **"elektro-manyetik kuvvet"**in taneciğidir. Atomun artı elektrik yüklü protonları ile eksi elektrik yüklü elektronları (Θ) arasında foton (γ) alışverişiyle elektro-manyetik etkileşim sağlanır. Işık taneciği olan foton güneşten dünyaya 8 dakikada ulaşır (ışık hızıyla).

3) **NÖTRİNOLAR:** Güneşin merkezinde hidrojen çekirdeklerinin birleşmesiyle (füzyon) enerji oluşurken bol miktarda **"nötrino"** yayılır. Nötrinoların fotonlardan farkı; elektromanyetik radrasyondan daha fazla nüfus gücüne sahip olmalarıdır. Nötrinolar da fotonlar gibi, güneşten dünyaya 8 dakikada ulaşır, içinden geçer öbür taraftan çıkar, uzayda yoluna engel tanımadan devam ederler. Dünya yüzeyinde her $cm^{2\prime}$den saniyede 100 milyar nötrino geçer. Nötrinolar atomun 4 kuvvetinden **"zayıf çekirdek kuvveti"** nin parçacıklarıdır ve bu kuvvet aracılığıyla etkileşirler. **"Güçlü çekirdek kuvveti"**ne karşı dokunulmazlıkları vardır. Yükü ve kütlesi sıfır olan nötrinonun, iki bileşenden oluştuğu, bunlardan ikincisinin bir protonla etkileşip bir nötron, bir pozitronun doğmasına yol açtığı deneyle kanıtlanmıştır. Bu iki bileşenin biri **nötrino** diğeri **anti-nötrino**dur.

$$MUON = \mu^+ \rightarrow e^+ + \overline{\vartheta_\mu} + \vartheta_e$$
$$ANTI\ MUON = \mu^- \rightarrow e^- + \overline{\vartheta_e} + \vartheta_\mu$$

4) **MUONLAR:** Kütlesi elektron (Θ) kütlesiyle nükleon kütlesi arasında (207Θ) olarak da adlandırılırlar.

5) **ELEKTRONLAR (Θ):** Birbirlerini ittikçe aralarında bir **"enerji kuantumu"** alışverişi olur. Elektromanyetik gücün kuantumu **foton** olduğuna göre (ışığa, elektromanyetik radyasyon da denmektedir), şarjlı tanecikler arasındaki **"elektromanyetik kuvvet"**in en temel düzeyde bir **"foton değiş tokuşu"** olduğu anlaşılır.

6) **KUARKLAR (Q):** Güçlü çekirdek kuvvetinin tanecikleridir ve bu kuvvet tarafından yönetilirler. Güçlü çekirdek kuvveti ise **"gluon"** denen **(g)** tanecikler tarafından taşınır. Başka bir ifadeyle, gluonlar, kuarkları birbirine bağlar. Kuarklar arası güç, aralarındaki mesafe çoğaldıkça azalmaz, aksine artar. Her kuarkın kırmızı, mavi, yeşil olmak üzere, üç rengi olup (bu renk bildiğimiz anlamda renk değil) keza **anti-kırmızı** (mor), **anti-mavi** (sarı), **anti-yeşil** (turuncu) renkte kuarklar da vardır. Kuarkların rengiyle ilgili olan gluonlar, **EK-IIe**'de, Atomun Tekli Tanecikleri Tablosunun altında görülebilir. Kuarkların yükleri, protonun veya elektronun yükünün **1/3** veya **2/3**'üne eşittir. Maddenin elementlerden meydana gelmesi gibi, atomu oluşturan temel taneciklerin de kuarklardan meydana geldiği var sayılmaktadır. Proton ve nötronları bir arada tutan Güçlü çekirdek kuvvetinin proton ve nötronları oluşturan kuarklar arasında takas edilen gluonlar nedeniyle oluştuğuna inanılmaktadır. Bu hadronlar arasındaki mezonların değişimine veya **"yüksüz atomların molekül içindeki durumuna"** benzer. Evrende maddeler arasındaki kalıcı ve sürekli etkileşim böyle tanecik alışverişleriyle sağlanmaktadır. Elektrik yüklü taneciklerin etkileşimi de gluon alışverişi ile olur. Baryonların üç kuarkı, daima farklı renklerdedir. **Hadronlar** (baryon ve mezonlar) renksizdir. Keza **leptonların, fotonların ve W⁺, W⁻, Z⁰ bozonların** renk yükleri yoktur. Bu yüzden güçlü çekirdek kuvvetinin etkileşimi değildirler.

7) **MEZONLAR:** EK-IIh'de verilen "iki kuarklı tanecikler" dir. Atom çekirdeğinde proton ve nötronların etrafını, bir veya birkaç mezonluk bir bulut sarar.

Atomun çekirdeğindeki enerji alışverişi güçlü çekirdek kuvvetinin mübadele edilen taneciği olan "mezonlar" aracılığıyla olur. Proton ve nötronların etrafındaki mezonlar yüksüzdür, ancak aralarında (+) ve (−) mezonlar mübadele edilir. Mesela nötron eksi mezon yayar ve kendisi protona dönüşür. Eksi mezon alan proton da nötrona dönüşür. Pi-mezon kendi başına kalırsa (EK-IIh) saniyenin 40 milyonda birinde, bir muon, bir nötrino taneciğine dönüşür. Bir pozitronla, bir elektron (Θ) çarpışırsa, "pi-mezon" (ud) olur. Pi-mezon güçlü çekirdek kuvvetinin alışverişinde kullanılır. Çekirdekte, bir nükleondan diğerine gide n bir mezon, ayrıldığı nükleonun enerjisinde azalmaya, kendisini soğuran nükleonun enerjisinde çoğalmaya neden olur. Çekirdek kuvvetinin etki uzaklığı ile mezonların etki uzaklığı aynıdır. (10^{-15} m) (EK-IIh)

Bazı taneciklerin bozunması ve başka taneciklere dönüşmesine örnekler:

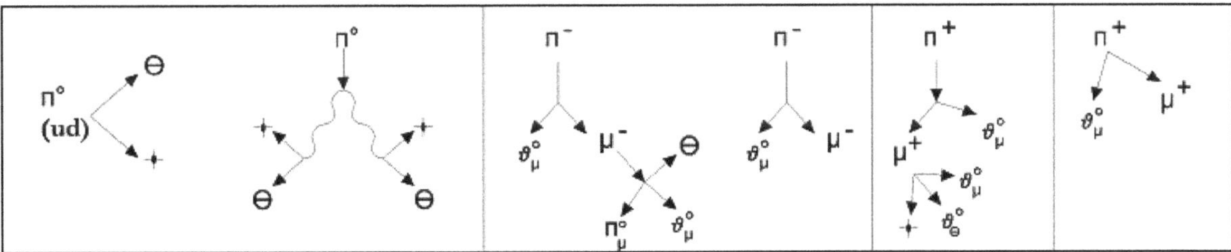

Pi-mezonlar:

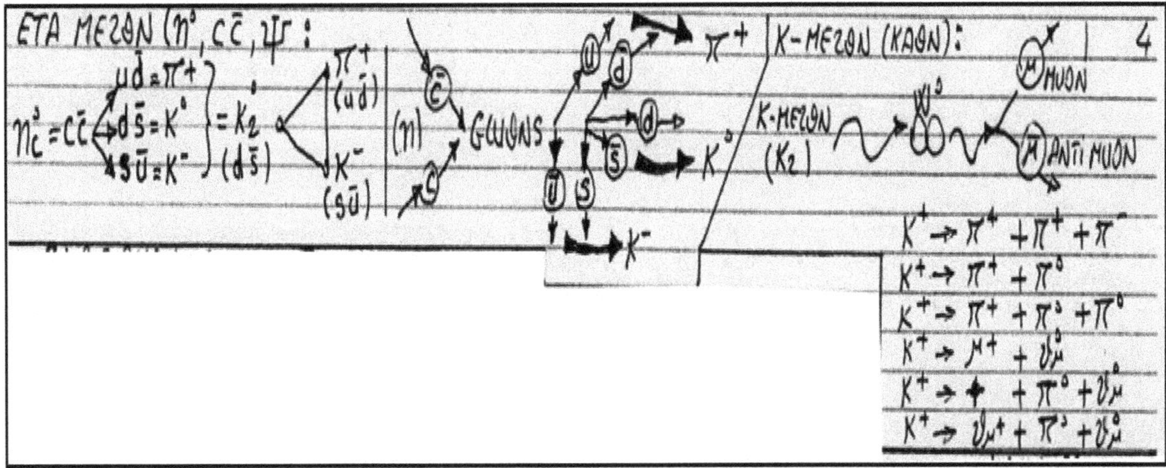

8) BARYONLAR: EK-IIi'de verilen üçlü taneciklerdir. Kitabın sonunda **EK-IIe**'de verilen **"Atomun Tekli Tanecikleri"** tablosunda sıralanan tanecikler, evrenin başlangıcı olan Big-Bang patlamasında var olan **graviton** ve **foton** taneciklerinden türemiştir. Tablolarda, bugün bilinen gravitondan sonraki tekli tanecikler olan bozonlardan başlanmış, sonra yine tekli tanecikler olan **fermiyonlar** (leptonlar ve kuarklar) verilmiştir. **Kuark- anti kuark** olarak ikili birleşmelerden mezonlar, üç kuarklı birleşmelerden de **baryonlar, nükleonlar** oluşur. Bilindiği gibi daha sonra nükleonların birleşmesinden **atomlar,** elementler; çeşitli **elementler**in atomlarının birleşmesinden **moleküller;** moleküllerin birleşmesinden de evrendeki **bileşikler;** bileşiklerin birleşmesinden de **canlılar** oluşacaktır.

PROTON ANTİ PROTON ÇARPIŞMASI:

$$\oplus^+ \longleftrightarrow \oplus^- \rightarrow \Lambda^\circ + \pi^\circ$$
$$\oplus^+ + \overline{\oplus}^- \rightarrow 4\pi^- + 4\pi^+$$
$$\oplus^+ + \overline{\oplus}^- \rightarrow \Lambda^\circ + \pi^\circ + 3\pi^- + 3\pi^+$$
$$\oplus^+ + \overline{\oplus}^- \rightarrow \overline{\nu} + + + 2\nu^- + \mu^+ + 4\pi^- + 4\pi^+$$

$$\text{PROTON} = -1/3, +2/3, +2/3 = 1 \quad (\oplus, P^+, duu)$$
$$\text{NÖTRON} = -1/3, -1/3, +2/3 = 0 \quad (\oplus, N^\circ, ddu)$$

BİR MİKTAR "NÖTRON" u PROTONDAN AYIRIP AYRI BİR YERE KOYARSAK 12 DAKİKA SONRA YARISI BOZULUR VE HER NÖTRONDAN:

$$\otimes \rightarrow \oplus \,\{\text{HİDROJEN ATOMU}\} \quad \text{VEYA} \quad \otimes \rightarrow \oplus + \theta + \overline{\nu} \quad \text{OLUŞUR.}$$

BİR MİKTAR "PROTON" u NÖTRONLARDAN AYRI BİR YERE KOYARSAK $\oplus \rightarrow 1 \otimes$ (NÖTRON) $\rightarrow 1 +$ (PÖZİTRON) AYRILIR
VEYA $\oplus \rightarrow \pi^\circ + +$

Xİ BARYONLARI:
$$\Xi^- (dss) \rightarrow \Lambda^\circ + \pi^-$$
$$\Xi^\circ (uss) \rightarrow \Lambda^\circ + \pi^\circ$$

OMEGA BARYONLARI:
$$\Omega (sss) = -1/3 - 1/3 - 1/3 = -1$$

LAMDA BARYONLARI:
$$\Lambda^\circ (uds) \rightarrow \oplus + \pi^-$$
$$\Lambda^\circ (\cdot) \rightarrow \oplus + \pi^\circ$$
$$\Lambda^\circ (\cdot) \rightarrow \oplus + \pi^+$$

SİGMA BARYONLARI:
$$\Sigma^+ (uus) \rightarrow \oplus + \pi^\circ$$
$$\Sigma^+ (\cdot) \rightarrow \oplus + \pi^+$$
$$\Sigma^- (dds) \rightarrow \oplus + \pi^-$$
$$\Sigma^\circ (uds) \rightarrow \Lambda^\circ + d^-$$

II) ATOMALTI TANECİKLERDEN OLUŞAN SANAL GEOMETRİLER:

ATOMALTI PARÇACIKLARDAN VİRÜSLERE HÜCRELERE BOYUTLAR

ATOMUN ELEKTRONLARININ			VİRUS / HÜCRE	MOLEKÜL	ATOM	ÇEKİRDEK	İKİLİ-ÜÇLÜ PARÇACIKLAR	TEKLİ TEMEL PARÇACIKLAR
YÖRÜNGELERİ	ELEKTRON SAYILARI	YÖRÜNGE YARIÇAPLARI						
1. YÖRÜNGE K	$1^2 \times 2 = 2$	$0{,}5\,X \quad A^\circ$	10^{-7} MR				MEZONLAR	BOZONLAR
2. YÖRÜNGE L	$2^2 \times 2 = 8$	$0{,}5 \times 4 = 2^\circ A$						$O^\circ, H^\circ, g^\circ,$
3. YÖRÜNGE M	$3^2 \times 2 = 18$	$0{,}5 \times 6 = 3^\circ A$						$Z^\circ, \overline{W}, W^+$
4. YÖRÜNGE N	$4^2 \times 2 = 32$	$0{,}5 \times 16 = 8^\circ A$						LEPTONLAR
5. YÖRÜNGE O	$5^2 \times 2 = 50$	$0{,}5 \times 25 = 12{,}5^\circ A$	10^{-5-6} MR				BARYONLAR	$e, \mu, T,$
6. YÖRÜNGE P	$6^2 \times 2 = 72$	$0{,}5 \times 36 = 18^\circ A$						$\vartheta_e^\circ\ \vartheta_\mu^\circ\ \vartheta_T^\circ$
7. YÖRÜNGE Q	$7^2 \times 2 = 98$	$0., \times 49 = 24{,}5^\circ A$						KUARKLAR $-Q, -Qd, -Qs$
								$+Qt, +Qu, +Qc$
1 MİKRON	$=1\backslash1\,000$ mm							
1 MİKRON	$=1\backslash1\,000\,000$ MR		10^{-5-7} MR	10^{-9} MR	10^{-10} MR	10^{-14} MR	10^{-15} MR	10^{-18} MR
1 MİKRON	$=1\backslash1\,000\,000\,000$ KM							

$$10^6 \text{ mm} = 1 \text{ ANGSTROM } (A^\circ) = 1\backslash10\,000 \text{ MİKRON}$$

Bu sanal geometriler dördüncü bölüm H'de **(S-178) "Her şey Kuramının ve Evrende var olan Barış'ın 1'den 4'e Kadar Sayısal ve geometrik Rabiası"** başlığı altında verilmiştir.

III) IŞINIMLAR:

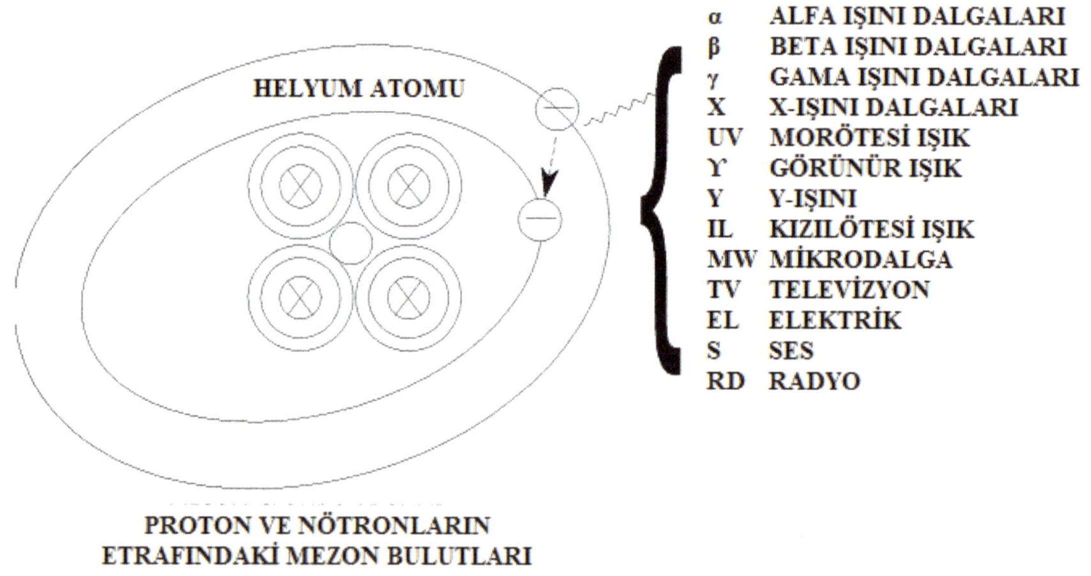

Bu bölümle ilgili **EK-Ie, f, h, i**'deki tablolara göz atılabilir, aşağıda iki proton, iki nötronlu, iki elektronlu bir "**helyum atomu**" modeli üzerinde atomun bazı parçacıkları ile çeşitli ışınımlar ve kaynaklandıkları bölge gösterilmiştir.

Çekirdeğin sadece içinde etkili olan zayıf çekirdek kuvvetinin tanecikleri W$^+$, W$^-$, Z° ve n**ötrino** tanecikleri çekirdek içi etkileşimi sağlar.

Durgun (statik hareketsiz) bir cisim üzerindeki (+) ve (–) elektrik yükü varsa bu cisim çevresinde bir "**elektrik alan**" oluşur. **Hareketli** (dinamik) bir cisim üzerindeki (+) **ve (–) elektrik yükü** varsa, bu cisim çevresinde "**manyetik alan**" oluşur. Manyetik alanın etkisi sadece hareket halindeki elektrik yükleri üzerinde olur.

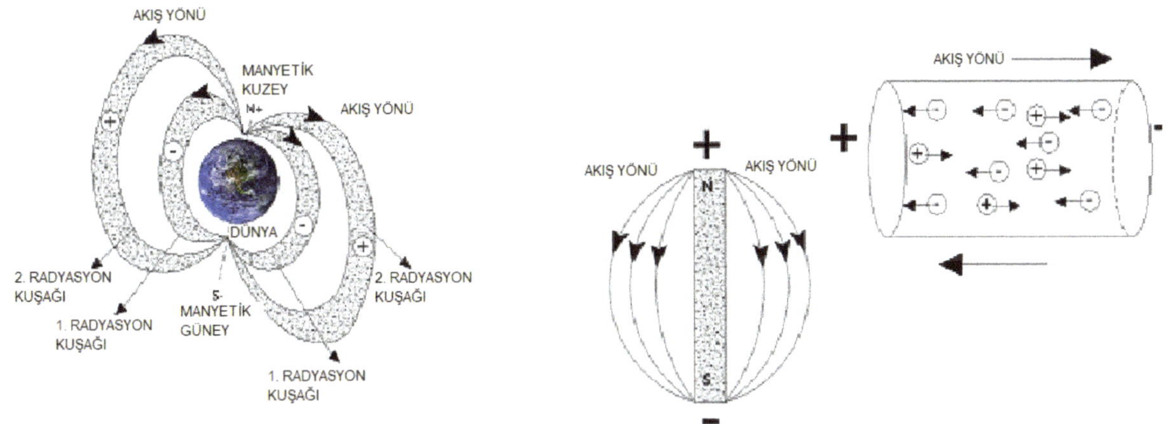

Yukarıda uzaydan gelen **kozmik ışınların** (taneciklerin) yerin manyetik alanıyla etkileşmesi sonucu, dünyanın etrafında oluşan iki adet radyasyon kuşağı (Van Alen kuşakları) görülmektedir. Bunlar çok yüksek enerjili, sağlığa zararlı, kozmik ışınların yeryüzüne ulaşmasını engeller.

1) ELEKTRO/MANYETİK DALGALAR:

Uzayın herhangi bir noktasındamanyetik alanda meydana gelen bir değişiklik, derhal aynı noktada bir "**elektrik alan**" değişimine sebep olur. Eğer elektrik ve manyetik alan değişimleri, periyodik olarak bir noktada oluşuyorsa bu da uzayda "**elektro-manyetik dalga**" yayılımına sebep olur. Aşağıda bu dalga görülmektedir. Elektrik alan (E) ve Manyetik alanlar **(M)** hem itme hem çekme yönünden birbirini etkilerler.

Elektro-manyetik dalgaların; 1mm-10cm arası "**mikro dalgaları**", 10 cm-10m arası "**televizyon dalgaları**" 100m-10m arası "kısa dalga", 100 m–1000 m arası "**orta dalga**" dadyo dalgalarıdır. Bu dalgalar atmosferin iyonosfer tabakasından yansıyarak yeryüzü etrafından çok uzak mesafelere radyo yayınlarının ulaştırılmasında kullanılır. Dalga boyu 1 km-100 km arasında olan radyo dalgaları "**uzun dalga**" radyo yayınlarıdır.

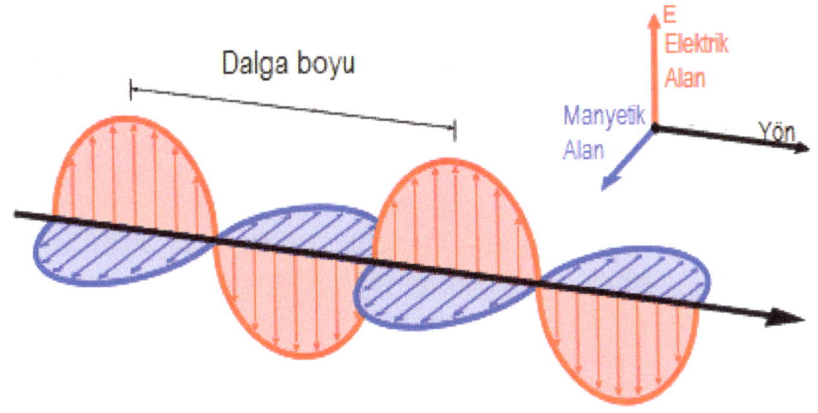

2) FOTON VE GRAVİTON:

FOTON: (γ) Belirli yörüngeler üzerinde dönen elektronlar, ışıma enerjisi yaymazlar. **Işıma** (radyasyon) yalnızca önceki sayfada görülen helyum atomunda olduğu gibi yüksek enerjili bir üst yörüngede dönen elektronların daha alçak enerji düzeyli bir alt yörüngeye geçmeleri esnasında, iki düzey arasındaki enerji farkına eşit dışa doğru bir foton yayınlanması şeklinde gerçekleşir.

$$E = h \times n$$

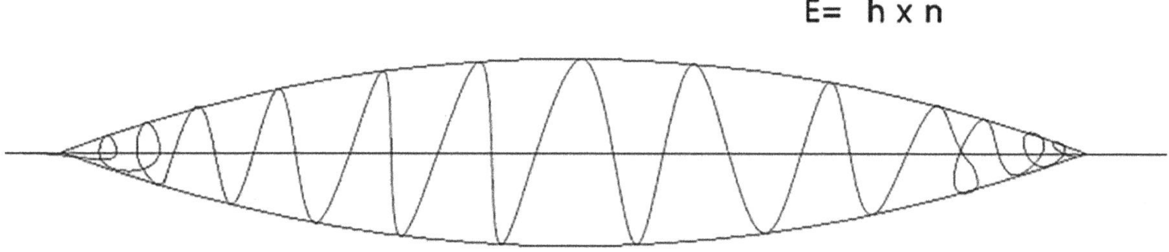

Ayrıca mutlak sıfırın üstünde (mutlak sıfır -273C°) ısıya sahip her cisim **"radyasyon"** (ışınım, elektro-manyetik dalga) yayar. Atom içindeki enerji, foton taneciği şeklinde açığa çıkar. Elektro-manyetik dalgaların en uzun dalga boyunda olan radyo dalgalarından: (radyo dalgalarının dalga boyu yaklaşık 100 km) telsiz dalgaları, televizyon dalgaları, radar dalgaları, mikro dalgalar, kızılötesi ışık, Y-ışını dalgaları, insan gözüyle görülebilen ışık (dalga boyu 4000 A°- 7500 A° arası), mor ötesi ışık, X-ışını, Gama ışını, (dalga boyları>0,1 A⁰) gibi ışınlar enerji şiddetleri farklı fotonlardır. **(EK-If).**

FOTONLAR: Yukarıda görüldüğü gibi, elektro-manyetik dalga paketçiklerinden (ışık kuantumları) oluşur. Bu dalga paketçiklerinin enerjileri çoğaldıkça **frekansları** (saniyede titreşim sayıları) artar. Dalga boyları ise kısalır ve daha ziyade **"tanecik"** özelliği gösterirler. Enerjileri azaldıkça da frekansları azalır, dalga boyları uzar ve **"dalga"** özelliği gösterirler. **"Işık"** düz hat şeklinde ilerler görünürken, mikro düzeyde bu hat paket paket veya tane tane kuantumu (kesikli) yapıdadır. Her kuanta **E= h x n** kadar enerji ihtiva eder. **n** = ışığın frekansı, **h**= kuanta sabit= 6.62x10²⁷ ERG/saniye (ERG/SN= enerji birimi).

GRAVİTON: Atomun 4 kuvvetinden **"kütle çekim kuvveti"**nin taneciğidir. Gravitasyon (çekme) alanları sadece çekme yönünde birbirini etkiler. Mikro cisimlerde bu çekme, eser düzeyde, makro cisimlerde kütle büyüdükçe çekme kuvveti güçlenir.

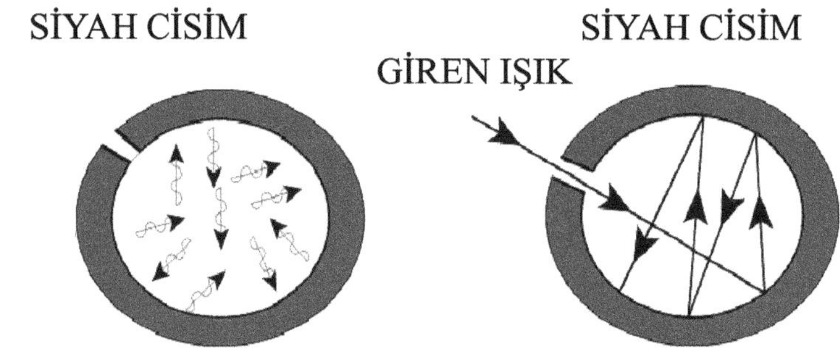

3) SİYAH CİSİM:

İç duvarları siyaha boyalı ve duvarında bir delik bulunan yukarıdaki gibi bir cisme üzerindeki delikten giren ışınlar, cismin iç duvarlarındaki yansımalar sonucu, duvarlar tarafından tamamen soğurulur ve dışarı çıkamazlar. Siyah cisim aynı zamanda en güçlü ışıma kaynağıdır. Siyah cismin ısısı arttıkça yaydığı ışığın dalga boyu kısalır, enerjisi yükselir. Işıma enerjisi **4700 A° dalga boyu** ve **6000-6500 °K** sıcaklıkta maksimum seviyededir. Siyah cisim mümkün olan her frekansta ışıma yapar veya soğurur. Siyah cismin içindeki ışık tanecikleri, yani fotonların hepsi aynı hıza (ışık hızına) sahiptir.

Ancak yukarıdaki siyah cismin içinde görüldüğü gibi bu ışık tanecikleri farklı enerji, frekans ve dalga boylarına sahiptirler. Birbirlerine çarpmazlar. Siyah cisim yaydığı ışımaya eşit miktarda enerji soğurur. Cismin içindeki foton sayısı sabit kalmaz. Her zaman yeni fotonlar oluşabileceği gibi bir kısmı da yok olur, başka bir deyişle soğurulur.

4) GÖRÜNEN IŞIK:

Işık şeklinde radyasyondur. **Elektro-manyetik dalgaların** insan gözünün görebildiği kısmını oluşturan **"görünen ışık"** yedi rengin birleşimidir. Aşağıda ışığın renklerinin dalga boyları verilmiştir:

GÖRÜNEN IŞIK

RENK	DALGA BOYU
MOR	4000-4500 A°
MAVİ	4500-5000 A°
YEŞİL	5000-5700 A°
SARI	5700-5900 A°
TURUNCU	5900-6100 A°
KIRMIZI	6100-7500 A°

Bu renklerin birleşimi bize normal ışık şeklinde görünür.

5) MOR ÖTESİ IŞIK:

Bu ışığın kaynağı atomun en dıştaki yörüngesidir. Buradan elektron eksilirse kalan elektronlar çekirdeğe daha sıkı bağlanır. Atomdan bir elektron daha almak için, eğer elektronu atomdan koparacak kadar enerji vermediysek, elektron tekrar üst yörüngeye dönerken **mor ötesi ışın** olarak radyasyon yayar. Önceki elektronun boşalttığı alt yörüngeye dönerse **görünen ışık** olarak radyasyon yayar.

6) KIZIL ÖTESİ IŞINLAR:

Atomlar ve moleküller arası titreşimlerden oluşurlar. Güneşten gelen radyasyondur. Isı şeklinde algılarız, özel topraklardan yapılan ve içindeki direnç tellerinden elektrik geçirilerek ısıtılan seramik plakalardan da **kızıl ötesi ışık** elde edilir. Isı da ses gibi enerjidir. Her türlü atom ve molekül hareketinden ısı çıkar.

7) RADYOAKTİVİTE (Radyoaktif Bozunma):

Elementler tablosunda bir proton ve bir elektrondan oluşan hidrojen atomundan başlayarak, **118 element (EK-IIIa)**; hidrojenin bir olmak üzere, proton sayıları yükseldikçe (Z=proton sayısı) (atom numarası) farklı elementler oluşmaktadır. Hidrojenin proton sayısı yani atom numarası 1, helyumun 2, Lityumun 3'tür.

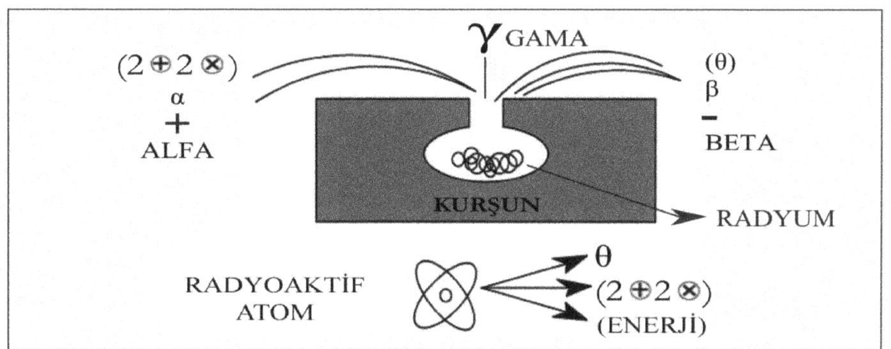

Ancak atom numarası dolayısıyla proton sayısı 84 olan polonyum ve daha sonraki elementler (**EK-IIIb**) çekirdeklerinde taşıdıkları çok sayıda proton ve nötron aynı oranda yüksek enerji yükleri sebebiyle kararsızdır ve zaman zaman, yukarıda görülen **radyum** (atom numarası 88) atomunda olduğu gibi sağa doğru negatif yüklü **"beta parçacıkları"** yani elektronlar (**Θ**), sola doğru pozitif yüklü **"alfa parçacıkları"** (α=2 proton+2 nötron=helyum çekirdeği) yukarıya doğru düz doğrultuda ise **"yüksüz"** yani sıfır yüklü gama parçacığına 1 nötrino eşlik eder. Radyoaktif element çekirdeklerinin hepsi zaman zaman yukarıdaki parçacıkların birini, birkaçını veya hepsini yayarak daha kararlı bir element haline dönüşme temayülü gösterirler. Bu olaya **"radyoaktif bozunma ve parçalanma"** denir.

ATOM NUMARASI: Bir elementin çekirdeğindeki proton sayısı yani atom numarası **Z**'dir. Çekirdeğindeki nötron sayısı **N**'dir. (**EK-IIIb**) **Z+N=A** ise elementin **"kütle numarası"**dır. Buna göre:

a) Bir çekirdek **"alfa taneciği"** verip bozulduğunda **"atom numarası"** 2, **"Kütle numarası"** 4 eksik olan yeni bir çekirdek ortaya çıkar.

b) Bir çekirdek **"beta taneciği"** verip bozunduğunda "atom numarası" önceki elementin atom numarasına eşit yeni bir çekirdeğe dönüşür.

c) Çekirdek **gama ışıması** yaptığı zaman ise atom ve kütle numaraları değişmemekle
birlikte çekirdeğin enerji düzeyinde bir azalma görülür.

ÖRNEK OLARAK:

Ra (RADYUM) < α (2$\oplus$,2$\otimes$)   } RADYUM 1 ALFA PARÇACIĞI
          Rn (RADON)   } YAYINLAYIP RADONA DÖNÜŞÜR

Po (POLONYUM) < α (2$\oplus$,2$\otimes$) } POLONYUM 1 ALFA PARÇACIĞI
          Pb (KURŞUN) } YAYINLAYIP KURŞUNA DÖNÜŞÜR

8) GAMA IŞINLARI:

Dalga boyları >0,1A^0 (Angstrom) veya daha kısa olur. Bir radyoaktif çekirdek alfa taneciği yayınlayıp bozulduğunda meydana gelen **"kız çekirdek"** uyarılmış durumda olur ve daha alttaki enerji düzeyine veya temel hale gelmesi esnasında **"gama fotonları"** yayınlar. Durum tıpkı uyarılmış bir atomun temel hale dönerken, elektron yörüngelerinden bir **"ışık fotonu"** veya bir **"X-ışını fotonu"** yayınlamasına benzer, aradaki en önemli fark, çekirdekteki enerji düzeyleri aralıklarının elektron düzeyleri arasındaki aralıklardan çok daha büyük olması ve buna bağlı olarak da çekirdekten kaynaklanan gama fotonlarının da enerjileri ve frekansları çok yüksek ve dalga boyları çok kısa olur.

Elektron düzeyi aralıkları, ~1eV (elektron volt) olmasına karşı, **çekirdekteki enerji düzeyi aralıkları ~0.1Mev** (Mikro elektron volt) düzeyindedir. Bu demek oluyor ki **100 bin kez** daha büyüktür.

Beta ışınları ~10Mev enerjiye sahip elektronlardır.

Alfa ışınları ~20Mev (Mikro elektron volt) düzeyindeki helyum çekirdekleridir. (2 proton, 2 nötron) **gama ışınları** minimum **1.02 Mev** (Mikro elektron volt) düzeyindeki fotonlardır.

Yüksek enerjili bir **"gama fotonu"** ağır bir çekirdeğin etki alanına girdiğinde, 1 elektron, 1 pozitron verip bozunur. Bir pozitron ile bir elektronla birleşince ikisi de yok olur ve 2 gama ışını fotonu açığa çıkar. Her radyoaktif elementin yayınladığı **"alfa tanecikleri"** yaklaşık olarak aynı hız ve enerjiye sahiptir. Bu durum taneciklerin çekirdek içinde tıpkı elektronların çekirdek etrafında yaptıkları gibi belirli düzeylerde toplanmış olmalarını, yani çekirdeği oluşturan parçacıklarında bazı yörüngeler üzerinde birbirleri etrafında dönmekte olabilecekleri ihtimalini akla getirmektedir. Elbette çekirdek içinde daha yoğun bir birikim vardır. Bu galaksilerin merkezine de benzetilebilir. Bütün çekirdekler içinde en kararlı olanları, proton sayısı elektron sayısına eşit olanlar (**N=Z**) ve en alçak enerjiye sahip atom çekirdekleridir.

9) X IŞINLARI

(Röntgen ışınları): Fotonlardan oluşur, yüksek hızlarla büyük enerjili elektronlar, metal bir yüzeye çarptığında enerjilerinin tamamını veya bir kısmını çarptıkları metalin elektronlarına devrederler. Enerji alan metal elektronları dışarı fırlar, boşalan bir alt yörüngeye daha üst yörüngedeki bir elektronun dönmesi sırasında kaybettiği enerji **X-ışını** olarak dışarı atılır. X-ışınları **"çok küçük dalga boylu, çok yüksek frekanslı, yüksek enerjili"** elektromanyetik dalgalardır. [Dalga boyları 0,1 -100 A^0 (Angström) arası] hem yüksüz hem çok kısa dalga boylu ve yüksek enerjili olmaları sebebiyle oldukça kalın ve sıvı ortamlardan geçebilirler.

10) RADYO DALGALARI ve MİKRODALGALAR (EK-If)

Radyo dalgaları, elektro manyetik dalgaların en uzun dalga boyu olanlarıdır (1 mm–100 km arası). **Kısa dalgalar** 100m-10m dalga boyunda, **orta dalgalar** 100m-1000m dalga boyunda, **uzun dalgalar**, dalga boyu 1 km-100 km arasında olan radyo dalgalarıdır.

Mikro dalgalar (1mm-1m arası) dalga boyundadır. Radar ve radyo iletişiminde kullanılırlar. Radyo dalgaları atmosferin iyonosfer tabakasından yansıyarak, yeryüzü etrafında çok uzak mesafelere radyo yayınlarının ulaştırılmasında kullanılır. Bu dalgalar her zaman atom ve moleküller arası bir enerji salınması sonucu oluşmazlar. Bunlar bir iletken üzerinden şiddeti ve yönü zamana bağlı olarak değişen bir elektrik akımı geçirilmesi ve böylece elektrik ve manyetik alanın periyodik olarak değişime uğraması sonucunda oluşurlar. Bu sırada periyodik bir kuvvet etkisinde kalan, katı sıvı ve gaz ortamdaki moleküller alan değişimlerine ve ortamın yapısına bağlı olarak belirli yönelme hareketlerinde bulunurlar. Bunlar atomun yüklü parçacıklarının hareketinden oluştuğu gibi, nötron yıldızlarının çok hızlı dönüşü yüzünden bazı elektronlar dışarı fırlar, fakat çekim yüzünden geri dönerler kaybettikleri enerji, **"mikro dalga"** olarak uzaya yayılır. Bir mikro dalga vericisinden gönderilen dalgaların frekansı; ortamı oluşturan moleküllerin titreşim veya dönme frekansına eşit olduğu takdirde, soğurma en büyük değere erişir.

11) TELEVİZYON DALGALARI

Verici sistemlerdeki elektron hareketlerinin enerjisinin, dalga haline dönüştürülmesiyle gerçekleştirilir. "Televizyon dalgaları, **10cm-10m** arası dalga boyunda olan dalgalardır".

12) KOZMİK IŞINIMLAR (EVREN IŞINIMLARI)

Uzaydan gelen çok yüksek hız ve enerjide **"atomaltı tanecikleri"** yani **"kozmik ışınlar"** dünya atmosferine çarpmaktadır. Bunların yüzde 90'ı **protonlar** yüzde 9'u **helyum çekirdekleri** (alfa tanecikleri = 2 proton+2 nötron) ve yüzde 1'i de daha ağır elementlerin çekirdekleridir. Bu ışınların atmosferin üst katmanlarında, azot ve oksijen çekirdekleri ve hava molekülleriyle çarpışmasından elektron, proton, foton, mezon, nötron gibi yeni parçacıklar ve gama ışınları oluşur. Kozmik ışınların enerjileri 10^{12}-10^{20} **eV** (elektron volt) kadardır. Bugün çekirdek fiziği laboratuarlarında ve en güçlü tanecik hızlandırıcılarında elde edebildiğimiz enerji 10^8 **eV-400 GeV** (giga elektron volt) civarında olmasına rağmen, kozmik ışınların enerjisinin çok altında kalınmaktadır.

Kozmik ışınlar dünyanın manyetik alanı ile etkileşir ve dünyanın çevresinde **radyasyon kuşakları** oluştururlar (Van Allen kuşakları). Kozmik ışınların bir kısmı güneşten, çok daha büyük bir kısmıysa uzayda çok daha büyük yıldızların patlamaları sonucu ortaya çıkan yüklü taneciklerden oluşurlar. (**Sayfa 19**).

13) LAZER IŞINLAR

Uyarılmış elektromanyetik ışınım yayan, ışık yükselticilerle elde edilirler. Yükselticide bir "elektrik deşarjı" ile elde edilen ışık ışınlarının yolu üzerinde, yayılma doğrultusuna dik olarak yerleştirilmiş **yarı gümüşlenmiş iki ayna** vardır. Aynalar arasındaki mesafe birkaç santimetreden birkaç metreye kadar değişir. Böylece ışık dalgalarının enerjisi 2 ayna arasında birikir ve çok büyük bir enerji yoğunluğuna ulaşır. Biriken enerjileri ya saydam katı bir cisim içinde (yakut kristalleri içinde krom atomları) veya uygun bir gaz karışımı (CO_2 gibi) içinde toplanır. Lazer ışınlarının meydana getirdiği elektrik alanı o kadar kuvvetlidir ki lazerden çıkan birbirine paralel ışınlar birbirine yaklaşır odaklanır, flamanlar halinde toplanır (galaksiler arasındaki flamanlar gibi). Bu birleşik kırmızı ışın demetleri ilerledikleri ortamda frekansı kendi frekanslarının iki katına eşit mor ötesi dalgalar oluşmasına sebep olur (lazer ışınlarının harmonikleri).

IV)   ATOMLAR

Bir atomun çekirdeği, güneşin kültesi büyüklüğünde olsaydı, etrafında dönen elektronlardan birinin kütlesi dünyanın kültesi kadar olurdu. Ancak elektronun çekirdekten uzaklığı ise güneşin en uzak gezegeninin uzaklığından 10 kat daha uzak olacaktı. Bir başka örnek: atomun çekirdeği 1 mm büyütülürse çekirdeğin kütlesinin 1/1836'da biri kadar elektronlar çekirdekten 10 ila 100 m uzaklıkta birinci yörüngede, 490 ila 4900m (yaklaşık 5 km) uzakta yedinci ve son yörüngede çekirdek etrafında dönerlerdi. Hidrojen atomunun kütlesinin yüzde 99,94'ü çekirdekte bulunur. Bir terzi yüksüğü kadar olan çekirdeğin ağırlığı **400 milyon** (4^8 ton) tondur. Atom çekirdeklerinin atomlar arası etkileşmelerde hiç etkileri olmaz. Çünkü çevrelerindeki elektronlar yeteri kadar birbirlerine yaklaşmalarına engel olur. Böylece atomun kimyasal özellikleri sadece elektronlarının sayısı ile yani "**Z**" yük sayısıyla belirlenir (**Z**=atom numarası **N**= nötron numarası, **A**= kütle numarası = proton+nötron toplam sayısı).

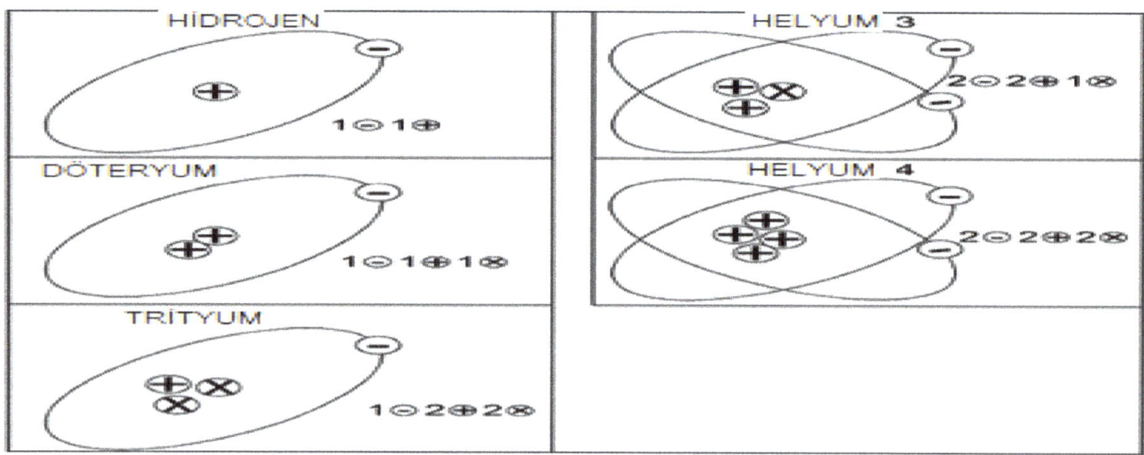

Evren, büyük patlamadan (Big-Bang) önce enerji yoğun bir kara delikten ibaretti. Evrenin bütün enerjisi sadece kütle çekim kuvveti (gravitasyonal kuvvet) ve onun taneciği olan gravitonlarda toplanmış durumdaydı. Büyük patlamadan sonra, atomun diğer üç kuvveti ve atomaltı tanecikleri, önceki astral evren bölümünde görüleceği gibi aşama, aşama oluştuktan sonra, taneciklerin en üst aşaması olan baryonlardan, protonlar, elektronlarla birleşerek ilk element olan "**hidrojeni**" meydana getirdi /EK-IIg). Yukarıda görüldüğü gibi sırayla **hidrojenin izotopları** ve **helyum** oluştu. Bu oluşumlar "**Periyodik Elementler ve İzotopları**" tablosunda (**EK-IIIb**) görüleceği gibi devam etti ve periyodik elementler tablosunda **(EK-IIIa)** görülen bütün elementler bugüne kadar oluştu **(EK-IIIc)**. Bugün hala yıldızların ve güneşin içinde yüksek sıcaklıkta hidrojen çekirdekleri birleşip helyum çekirdekleri oluşturmaktadır. Periyodik elementler tablosunda **(EK-IIIa)** bütün elementler atom numaralarına göre sıralanmış olup, yukarıdan aşağı doğru 7 periyoda (7 yörünge) ayrılır. Bu elementlerin, elektronlarının çekirdekleri etrafında dönerken çekirdekten farklı uzaklıkta yörüngeler takip etmelerini ifade eder. Periyotlar arasında benzer özellikte olan elementler alt alta yazılır ve soldan sağa doğru bütün elementler 18 grupta toplanır. Tablonun en sağında 18. grupta yukarıdan aşağı **2, 10, 18, 36, 54, 86**, .. atom numaralı sırayla; **He, Ne, Ar, Kr, Xe, Rn** elementlerinin, helyum hariç hepsinin dış yörüngelerinde 8 elektron vardır. Aşağıda görüldüğü gibi, dış yörüngelerinde 8 elektron bulunması, atomların en kararlı halidir. Bu nedenle kimyasal bakımdan etkisizdirler.

Periyodik elementler tablosunda **(EK-IIIa)** yukarıdan aşağı doğru düşey sıralanan element gruplarının dış yörüngelerinde aynı sayıda elektron bulunur.

SOYGAZLAR:

HELYUM	2
NEON	2, 8
ARGON	2, 8, 8
KRİPTON	2, 8, 18, 8
KSENON	2, 8, 18, 18, 8
RADON	2, 8, 18, 32, 18, 8

Örneğin, 18. gruptaki **soygazlar** dışında bütün elementler soygazlar gibi kararlı olma, yani en dış yörüngelerindeki elektronlarının sayısını 8 yapma temayülündedir. Elementler tablosunda soldan 1. düşey gruptaki **"alkali metaller"** dış yörüngelerindeki 1 elektronu, ikinci düşey gruptaki **"toprak alkali metaller"** dış yörüngelerindeki 2 elektronu verip, 13. ve 17. gruplar arasındaki **"A-metaller"** ile bileşikler yaparlar. Çünkü A-metaller de 3 ile 7 kadar elektronlarını 8'e tamamlayacak kadar elektron alma temayülündedirler. Bir atomun kaybettiği elektron sayısı **"pozitif değerliği"** aldığı elektron sayısı da **"negatif değerliği"** verir.

Periyodik elementler tablosunun sol tarafında (+) değerlikli metallerin metal özelliği sağdan sola ve yukarıdan aşağı doğru çoğalır. **(EK-IIIa)** En gerçek metal sol alt köşedeki **"fransiyum"**dur. Proton numarası 87, fakat çok çabuk bozunan radyoaktif bir metal olduğundan onun üstündeki **"sezyum"**, en gerçek (en pozitif) metaldir. Tablonun sağ üst kısmında yer alan **a**-metallerin ise soldan sağa ve aşağıdan yukarıya doğru, A-metal özellikleri artar. En gerçek a-metal (en negatif) sağ yukarıdaki **"flor"**dur. Elektron alma, yani negatif değerlikli olma yönünde en aktif element flor, elektron verme yani pozitif değerlikli olma yönünde en aktif element de sezyum olmaktadır. A-metaller metallerden elektron alarak iyon bileşikleri yaparlar. Metaller kendi aralarında bileşik yapamaz. Ancak a-metaller birbirleri ile elektron alıp vermeden elektronlarını ortak kullanarak **"kovalens bağla"** bileşikler yaparlar. Tabloda bir elementin pozitif değerliği ile negatif değerliği toplamının sayısı aynıdır. Bu sayı, **"elementin atom numarası"**dır.

Bir atomun çekirdeği etrafında dönen elektronların durumu, **4 kuantum sayısı** ile belirlenir:

n = Döndüğü yörüngenin çekirdeğe uzaklığı ile ilgilidir. Element tablosunda **(EK-IIIa)** sağ ve sol başta yukarıdan aşağı **K, L, M, N, O, P, Q** harfleri ile gösterilen 7 yörüngeden biridir.

L = Bulunduğu yörünge ile ilgilidir. Tabloda her yörüngenin yanında **s, p, d, f, g, h, j** harfleri ile sıralanmış alt yörüngelerden biridir.

Ml =Elektronun çekirdek çevresinde dönerken oluşturduğu manyetik alanla ilgili kuantumdur ve "spin" adını alır (EK-Ic). Eğer sağdan sola **doğru dönüyorsa +1/2, soldan sağa doğru dönüyorsa -1/2** gibi **spin** değerleri vardır. Aynı yönde dönen elektronlar bile saniyede 50 bin kilometre hızla dönerek çekirdeğin etrafını, yumak gibi örerler ve birbirine çarpmazlar, çünkü bir atomda birbirinin aynı iki elektron yani; yukarıdaki **4 kuantum sayısı aynı iki elektron yoktur**. Her yörüngede dönen elektronlar farklı düzeyde enerjiye sahiptir. Üst yörüngelerde dönen elektronların enerji düzeyleri daha yüksektir. Fakat enerji düzeyleri alçak olan çekirdeğe en yakın yörüngelerdeki (**K, L, M** yörüngeleri) elektronlardan en yüksek enerjili ışınlar (X ışınları gibi) yayınlanır. Yani, enerji düzeyi alçak olan çekirdeğe en yakın elektronların içinde en yüksek enerjiye sahip olan ışınlar saklanıyor denebilir. Sistemin enerjisi minimum olan en alt yörüngede çekme maksimumdur; belki de o yüzden, bu bölgedeki elektronların içinde en yüksek enerjili ışınlar oluşmaktadır.

Elektronlar, çekirdek çevresinde dönerken elektromanyetik dalgalar (ışınlar) yayarlar. Böylece elektronların kinetik enerjisi gittikçe azalır. Çekirdek çevresindeki yörüngeleri de gittikçe çekirdeğe yaklaşıp sonunda çekirdekle birleşmeleri gerekir. Oysa artı yüklü çekirdeğin, eksi yüklü elektrona yaptığı çekme kuvvetiyle elektronun dönerken kazandığı merkez kuvvet arasında denge oluşur ve dönmenin sürekliliği sağlanır.

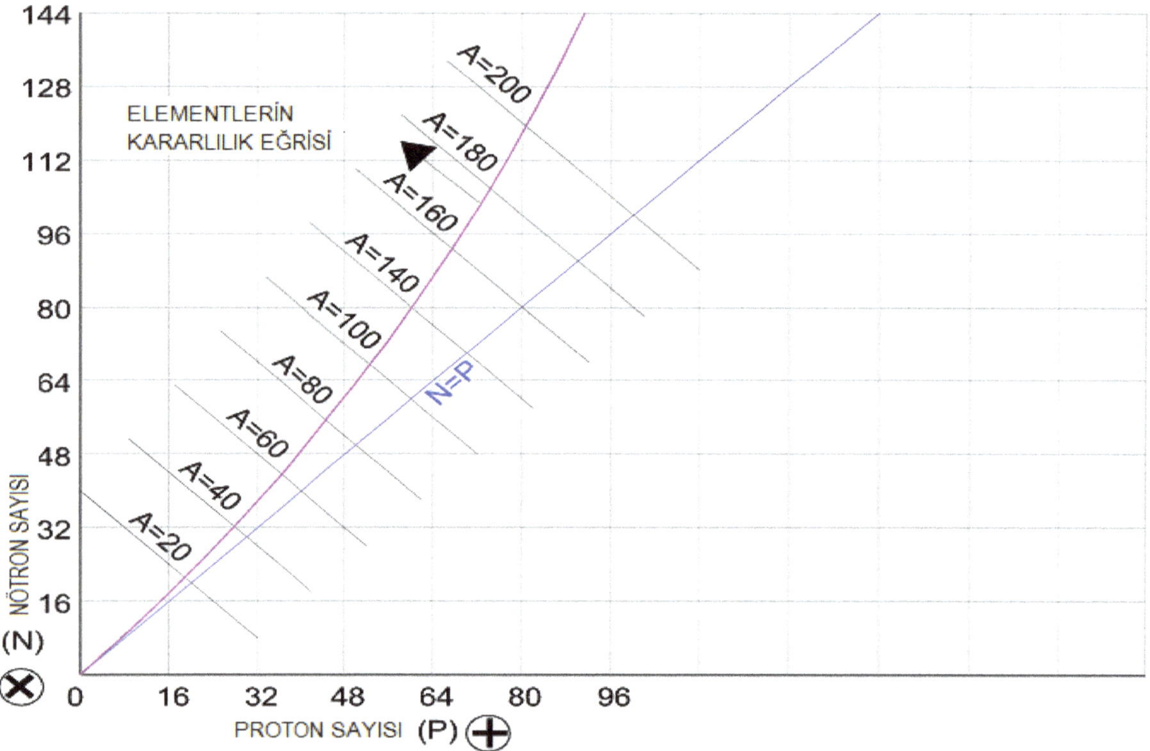

Elementlerin atom çekirdeklerindeki proton ve nötronların birbirine oranı yukarıdaki tabloda **"kararlılık eğrisi"** üzerinde gelişir. Atom numarası **20 olan kalsiyumdan sonra proton sayısı nötron sayısına eşit element yoktur (EK-IIIb)**. Elementlerin atom numaraları (p) ve kütleleri (A) büyüdükçe çekirdeklerde elektronlarla protonlar arasındaki dengeyi sağlamak için proton sayısından daha fazla nötrona ihtiyaç olduğu anlaşılmaktadır. Yukarıdaki tabloda kararlılık eğrisindeki oranlara uymayan durum da olur.

PROTON BOZUNMASI:

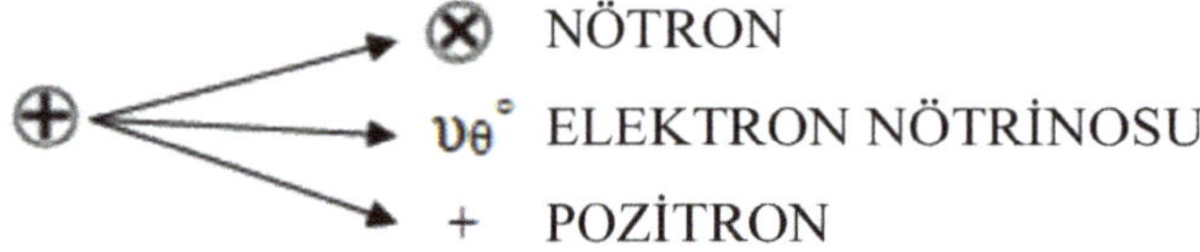

Radyoaktivite; bir atom çekirdeğinin kararsız bir durumdan kararlı bir duruma yani tabloda kararlılık eğrisi üzerindeki orana kavuşmak için çekirdeğinde nötron eksikse,

"proton bozunması" olur. Yani çekirdekteki 1 protondan, 1 pozitron, 1 elektron nötrinosu çekirdek dışına atılır ve proton, nötron haline gelir. Çekirdekte bir proton eksildiğinden, atom numarası kendisinden bir küçük çekirdeğe dönüşür. Eğer nötron fazla ise **"nötron bozunması"** olur. Yani çekirdekteki 1 nötrondan, **1 elektron** (beta taneciği), 1 anti–elektron nötrinosu aşağıda görüldüğü gibi çekirdek dışına atılır ve nötron, proton haline gelir. Çekirdek 1 proton çoğaldığından atom numarası kendinden bir üst çekirdeğe dönüşür.

NÖTRON BOZUNMASI:

Bazen de radyoaktif çekirdekten 1 alfa taneciği (2 proton+2 nötrondan oluşan helyum çekirdeği) atılır ve çekirdek atom numarası iki küçük çekirdeğe dönüşür ve gama ışınları yayınlanır. **Sayfa 22'de,** atom numarası 88 olan **radyumun,** atom numarası 86 olan **radona** dönüşmesi gibi bir çekirdek alfa taneciği yayınlayıp bozunduğunda, oluşan yeni çekirdek uyarılmış durumda olur ve daha alttaki bir enerji düzeyine geçerken **gama fotonları** yayınlanır. Bu uyarılmış bir atomun elektronlarının ışık fotonları, x-ışınları yayınlamasına benzer. Aradaki fark çekirdekteki enerji düzeyi aralıklarının, elektron yörüngeleri arasındaki enerji düzeylerinden çok daha büyük olması sonucu, gama fotonu enerjilerinin yüksek oluşudur. Elektron enerji düzeyleri yaklaşık 1 eV iken, atomun elektronlarının enerjii düzeyleri ve yörüngeleri olduğu gibi, çekirdekte de nükleonların enerji düzeyleri ve yörüngeleri olduğu düşünülmektedir. Buna göre çekirdek içinde, üzerinde 2, 8, 20, 28, 50, 82 proton ve nötronun ve 126 nötronun (**EK-III a,b**) döndüğü 7 yörüngenin olduğu; bu sayılarda proton ve nötrona sahip çekirdeklerin çok kararlı yapıda olmasından anlaşılmaktadır. Elektronlara ait enerji düzeylerinde olduğu gibi nükleonlara ait enerji düzeylerinin de bir doygunluğa ulaşmaları sonucu **kararlı çekirdek** yapıları oluşmaktadır. Çekirdeğin etrafında spinleri birbirine ters yönde olan **+1/2** ve **-1/2** spinli elektronların çiftler halinde yörüngelerde yer alması gibi, nükleonlarında kendi etrafında, birbirlerine ters yönde dönen **+1/2** ve **-1/2** spinli çiftler halinde, çekirdek içindeki yörüngelerinde döndüğü sonucuna varılmaktadır.
Periyodik element tablolarında (EK-IIIa) sıralanan, **118 elementin 90 kadarı doğada vardır.** Diğerleri laboratuarlarda elde edilmiştir. Doğadaki 90 elementin, **2'si sıvı (brom ve civa) 11'i gaz** [asal gazlar (soy gazlar; **He, Ne, Ar, Kr, Xe, Rn Uuq) ve klor, flor, oksijen, azot ve hidrojen**] geri kalanlar katıdır.

V)   ATOMUN 4 KUVVETİ:
Bu bölümde bahsedilecek **atomun temel tanecikleri** için **EK-IIe, f, h, i**'deki tablolara göz atılabilir. Atomun temel taneciklerinin karşılıklı etkileşimlerinden doğan ve bunun sonucu olarak temel taneciklerin davranışlarını düzenleyen kuvvetler 4 grupta toplanır:

1) KÜTLE ÇEKİM KUVVETİ (manyetik kuvvet): Bu kuvvet maddeler arasında **"graviton"** taneciklerinin alışverişi sonucu oluşur. Atomların çekirdeklerinde minimum, kara deliklerin merkezlerinde maksimum yoğunluk ve güçte olmak üzere; yıldızların, gezegenlerin (dünyanın) merkezindeki yüksek çekim atomun çekirdeği ile elektronlar arasındaki mesafeyi azaltır. Yıldızların (güneşin) merkezlerindeyse elektronlar, çekirdekler arasında serbestçe dolaşır. Yerçekimi de dünya ile çektiği maddeler arasında **"graviton"** alışverişi sonucu oluşur. Çekim kuvveti, adından da belli olduğu gibi, sadece çekme etkisine sahiptir. Atomun içindeki kuvvetlerin en zayıfı olmasına rağmen çekim kuvveti etkisini evrenin sonsuz uzaklıktaki maddelere "graviton" taneciklerinin alışverişi ile ulaştırır. Anti maddesi kendisidir. Gravitonlar, fotonlarla birlikte madde, anti-madde arasında da mübadele edilerek etkileşim sağlarlar. Graviton'un fotona göre taşıdığı enerji oranı yanda görüldüğü gibidir. Graviton'un kütlesiz olduğu ve etki uzaklığının evrende sonsuz olduğu kabul edilir.	PARÇACIKLAR GRAVITON (Θ) 10^{-39} MeV KÜTLESIZ
2) ZAYIF ÇEKİRDEK KUVVETİ: Çekirdek dışına taşamaz, bu kuvvet olmasa elektron olmazdı. Çekirdekte **muonlar** arasındaki etkileşimleri çekirdek içindeki değişimleri, dönüşümleri yönlendirir, **beta** (elektron) **bozunmalarını, pion, muon bozunmalarını, nötrino saçılmalarında birçok atomaltı taneciğin ve çekirdeğin radyoaktif bozunmasında** etkili olur. Bu, güneş ve yıldızların oluşumlarına yol açan temel kuvvettir. Bu kuvvet **W⁺, W⁻, Z⁰** taneciklerinin alışverişiyle oluşur. W taneciğinin iki yüksüz taşıyıcıya sahip olduğu; birinin elektromanyetik kuvveti de taşıyan ve kütlesiz enerji paketçiği olan, **"foton"** diğeri, yüksüz fakat kütleleri yaklaşık ~95 proton kütlesi kadar olan **"Z⁰"** taneciğidir.  **Nötrinolar:** Sadece bu kuvvetin oluşumlarına katılırlar çekirdekteki bazı nötronlar yanda tarafta görüldüğü gibi: 1 elektron, 1 nötrino verip **proton** haline dönüşür ve zayıf çekirdek kuvveti kazanır. Nötrinolar elektrik yükü taşımadıklarından maddeyle elektromanyetik etkileşmezler. Ayrıca güçlü çekirdek kuvvetine karşı da dokunulmazlıkları vardır. Nötrinolar karşısında madde, geniş ölçüde saydamdır. Nötrinolar maddeyle sadece zayıf çekirdek kuvvetiyle etkileşirler, nötrinolardan başka **diğer leptonlar** da (**muon, tau, elektron**) bu kuvvet etkileşimi içinde olan taneciklerdir. Bu kuvvetin etki süresi **10^{-10}–10^{-8} saniye** maksimum etki uzaklığı **10^{-18} m**'dir.	W^+, W^-, Z° ve NÖTRİNOLAR (υ) 10^{-11} MeV ETKİ SÜRESİ: 10^{-10}-10^{-8} SN MAKSİMUM ETKİ UZAKLIĞI: 10^{-18} m

### 3) GÜÇLÜ ÇEKİRDEK KUVVETİ: Çekirdeğin dışına taşamaz, çekirdeği bir arada tutar. Bu kuvvet **nükleonların** (proton ve nötronların) etrafında bir bulut halinde olduğu kabul edilen mezon taneciklerinin alışverişiyle oluşur. Yani çekirdeğin içindeki enerji alışverişi bu kuvvetin tanecikleri olan mezonların alışverişi ile gerçekleşir. Nükleonlara da (nötron ve protonlara) etkilidir. Nükleonlar arası etkileşmelere mezon oluşumlarına sebep olan çekirdek etkileşimleri, bu kuvvetle sağlanır. Nükleonların pionları yüksüzdür. Ancak aralarında (+) ve (–) yüklü **pion** alışverişi olur. Çekirdekteki yükten bağımsız kuvvetlere, çekirdek dışındaki Elektromanyetik kuvvetler etki eder ve mezon taneciklerinde kütle farkına sebep olur. Mesela, yüklü pi-mezonların (**EK-IIh**) durgun kütlesi, nötr pi-mezonların durgun kütlesinden büyüktür. Çekirdek dışından yani elektronlardan gelen bu etki; (+) veya (–) olabilir. nötron, (–) pion yayarak proton olur, (–) pion alan proton ise nötron olur. Bu kuvvetin, proton ve nötronları oluşturan **kuarkların** arasında takas edilen "**gluonlar**" (renk tanecikleri, zamk tanecikleri) nedeniyle ortaya çıktığı da gelişmelerin sonucunda kabul edilmektedir. Bu kuvvetin etkisi ~ **10^{-22} -10^{-23} saniyede** gerçekleşir ancak maksimum etki uzaklığı **10^{-15} m** gibi çok kısadır.	MESON ENERJİSİ: 10^3 MeV GLUON'UN ETKİ SÜRESİ: 10^{-22} - 10^{-23} SN ETKİ UZAKLIĞI: 10^{-15} m
### 4) ELEKTROMANYETİK KUVVET: Elektrik yüklü tanecikler arasında etkilidir. **proton** ve **nötronlar** arasında (+) ve (–) etki eder. Kendisi nötrdür. Bu kuvvetin sebep olduğu elektromanyetik etkileşmeler, elektron gibi yüklü tanecikler arasında **foton** alışverişiyle sağlanır. Yani bu kuvvet foton alışverişi ile oluşur. Elektronları çeker, atomların ve moleküllerin bir araya gelmesini sağlar. Elektromanyetik spektrumun görünen bütün ışınlarını ve dalgalarını doğuran kuvvettir. Bu kuvvetin etkisi **10^{-20}-10^{-18} saniyede** gerçekleşir. Etki uzaklığı uzayda sonsuz, yayılma hızı yaklaşık **300 bin km/saniyedir** (ışık hızı). Bu kuvvetin taneciği olan foton elektromanyetik dalgalar bölümünde anlatılmıştı.	FOTON (γ) ENERJİSİ 1 MeV ETKİ SÜRESİ: 10^{-20}-10^{-18} SN ETKİ UZAKLIĞI: SONSUZ

Atomun yukarıda verilen 4 kuvvetinin de etkileşimi kendi taneciklerinin (**kuantumlarının**) alışverişi ile olur. Kuantum mekaniğine göre tüm enerji birimleri "kuantize edilmiştir" yani "**kuanta**" denen küçük somut taneciklerden oluşur. Yukarıdaki **4 kuvvetin de aynı ana kuvvetin görünümleri** olduğunu kanıtlamaya çalışan bilim insanları "**Birleşik Alan Teorisi**" adını verdikleri bu projede bugüne kadar başarı sağlayamadılar. Albert Einstein yaşamının 30 yılını bu çalışmaya vermişti.

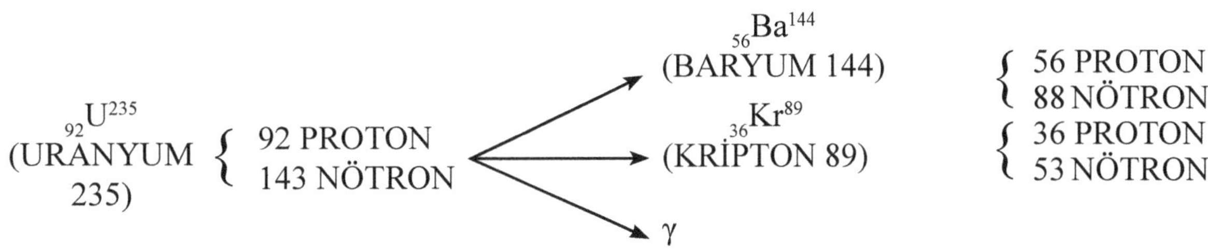

VI) FİZYON

Atom çekirdeğinin önceki sayfada görüldüğü gibi bölünmesidir.

1) KONTROL EDİLEBİLEN FİZYON (atom enerji santralleri ve radyoaktivite)
1937'de "uranyum çekirdekleri" nötron bombardımanına tutuldu ve neptünyum
(93 $Np^{239)}$), plutonyum (94 $Pu^{239)}$) ve amerikyum (95 $Am^{239)}$) gibi elementlere ayrıldığı
görüldü. 1939'da uranyum 235 nötron bombardımanına tutuldu ve baryum 144
($56Ba^{144}$) ve kripton 89 ($36Kr^{89}$) çekirdeklerine ayrıştırıldı. Buna biyolojideki hücre
bölünmesine benzediği için "fizyon" adı verildi. Sonra bu fizyon olayının sadece
uranyumda değil atom numaraları 95 ile 139 arasındaki bütün elementlerin yani
nötronları protonlarından çok fazla olan, kararsız atom çekirdeklerinde kendilerinden
yani nötron bombardımanına tutulmadan da kısa aralıklarla beta ışınları (β) yayarak,
nötron, proton dengesinin kurulduğu ve kararlı çekirdeklere dönüştükleri anlaşıldı.

Radyoaktif maddelere örnek:

$$\underset{51}{Sb^{133}} \xrightarrow[50\ DK]{\text{(ANTİMONYUM 133)}\ \beta} \underset{52}{Te^{133}} \xrightarrow[60\ DK]{\text{(TELLURYUM 133)}\ \beta} \underset{53}{I^{133}} \xrightarrow[22\ GÜN]{\text{(İYODİN 133)}\ \beta} \underset{54}{Xe^{133}} \xrightarrow[5\ GÜN]{\text{(KSENON 133)}\ \beta} \underset{55}{Cs^{133}}\ \text{(SEZYUM 133)}$$

Uranyum 238, herhangi bir bombardımana maruz kalmadan da 10^{16}-10^{17} yıllık bir yarı ömürle kendiliğinden fizyon ürünleri vermek üzere bölünmeye uğradığı ortaya çıkarıldı. Atom enerjisi santrallerinde tek bir nötronun tek bir uranyum çekirdeğini fizyona uğratmasıyla başlayan reaksiyon, serbest kalan nötronların komşu uranyum çekirdeklerini fizyona uğratması sonucunda giderek artan nötron sayısına bağlı olarak, fizyona giren çekirdeklerin sayısınında giderek artmasıyla, kendi kendini sürdüren bir **"zincir reaksiyonu"** meydana gelir ve bunun sonucu olarak da olağanüstü büyük enerji açığa çıkar. Atom enerjisi elde edilen **fizyon reaktörlerinin** (çekirdek reaktörlerinin) çalışması kontrol edilebilir zincir reaksiyonlarına dayandırılmaktadır. Fizyon maddesi olarak **uranyum 235, uranyum 238, plutonyum 239, toryum 232** kullanılmaktadır. Bugün dünyanın birçok ülkesinde, büyük bir kısmı elektrik enerjisi elde etmek için diğer bir kısmı nükleer gemileri hareket ettirilmesinden, bu alandaki personelin eğitilmesine kadar çeşitli amaçlar için kurulmuş değişik türlerde "çekirdek reaktörleri" çalıştırılmaktadır.

2) KONTROL EDİLMEYEN FİZYON (atom bombası):
Atom bombalarında fizyon maddesi olarak **uranyum 235, plutonyum 239** veya **uranyum 233**'ten herhangi biri kullanılır. Atom bombasının patlamasıyla sıcaklık yaklaşık **10 milyon** °C'ye yükselirken meydana gelen basınç dalgalarının tahrip gücü inanılmaz boyutlara ulaşır. 1945'te **Hiroşima**'ya ve **Nagazaki**'ye atılan bombalardan sonra yüz binlerce kişinin o anda ölümü ve insanın radyasyon etkisiyle zamanla ölümü ve sakat kalmasıyla olağanüstü boyutlara varan can kaybı yaşandı. Oluşan radyoaktif maddelerin zararlı etkileri bugün bile sürmektedir. 1960'larda ki bir atom bombasının atıldığı noktada 300-500 metrelik bir çukur açacağı ve 6 saat sonra, 500 km uzaklıktaki insanların üzerine yağacak küllerin radyoaktif etkisi olacağı söz konusuydu. Bugünkü atom bombalarının çok daha korkunç olacağını tahmin etmek zor değil.

VII) FÜZYON (atom çekirdeklerinin birleşmesi):

Termo Nükleer Reaksiyonlar: Atom çekirdeklerinin içindeki enerji, çekirdek parçalandığında enerji açığa çıktığı gibi, **çekirdekler birleştiğinde (füzyonda) ise yaklaşık 4 kat fazla enerji açığa çıkar.** Füzyon olayının gerçekleşmesi güneşin ve yıldızların sıcaklığına yakın (~ 10^7 °K) sıcaklığın oluşması şartına bağlıdır. Bu yüzden Füzyona **"termo nükleer reaksiyon"** da denir. Evrenin başlangıcında **Big-Bang** ile başlayıp önce atomun temel taneciklerinin sonra bu taneciklerin birleşmesinden de helyum çekirdeklerinin oluşması olayı, bugün hâlâ güneşin ve yıldızların içinde devam etmektedir. Halen güneşin yüzde 80'i **hidrojen,** yüzde 19,1'i **helyum,** geriye kalanı çok az miktarda; **karbon, azot** ve **oksijen** gibi daha ağır çekirdeklerden oluşmaktadır.

NÜKLEER FÜZYON REAKTÖRÜNDEKİ REAKSİYONLAR

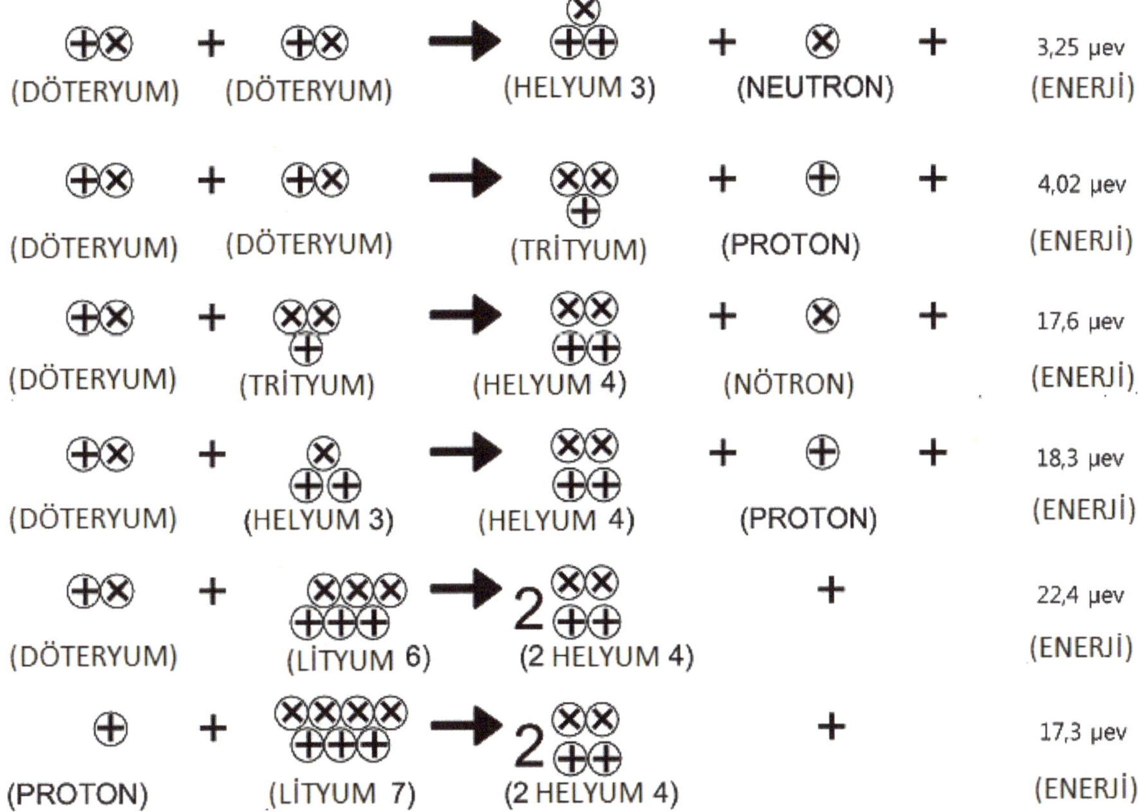

Evrende Big-Bang ile başlayan "füzyon", yani **birleşerek oluşturma,** önce **"temel tanecikleri"** sonra **"element atomlarını, molekülleri, bileşikleri ve canlıları"** oluşturarak devam etmektedir. Proton-proton çeviriminden veya karbon-azot çeviriminden başlayıp sonuçta **helyum 4 çekirdeği** (alfa taneciği) oluşturan, güneşteki füzyon reaksiyonlarından büyük enerjiler açığa çıkar **"helyum 4 çekirdeği"** doğanın en kararlı çekirdeklerindendir. **Güneşten çıkan enerjinin** yüzde 93'ü ısı, ışık olarak yayılırken, yüzde 7 enerjiyse, **n**ötrino **tanecikleri** olarak uzaya yayılır.

1) KONTROL EDİLEBİLEN FÜZYON:

Güneşin ve yıldızların içinde meydana gelen füzyon olayını dünyada gerçekleştirip, insanlığın enerji ihtiyacını karşılama amacına yönelik çalışmaları henüz tam başarıya ulaşmış değildir. Başarılırsa belki de sonsuza kadar enerji ihtiyacımız hiç çevre kirliliği yaratmadan karşılanmış olacak. Kontrol edilebilen füzyonun kendi kendini sürdürerek bir **"termonükleer reaksiyon"** meydana getirebilmesi için örneğin "döteryum plazması (eriyiği)" içindeki sıcaklığın birkaç yüz milyon °K'ye (Kelvin dereceye) çıkması gerekmektedir. Bu sıcaklıkta çekirdeklerin elektronlardan ayrılıp füzyon reaksiyonunun gerçekleştirilecek kadar birbirine yaklaşabilmeleri sağlanmış olacaktır. Son 20-30 senedir hidrojen çekirdeklerini birleştirme amacıyla Amerika, Japonya, İngiltere, Rusya ve Almanya'da çeşitli "nükleer füzyon reaktörleri" ile araştırmalar yapılmaktadır.

TOKAMAK:

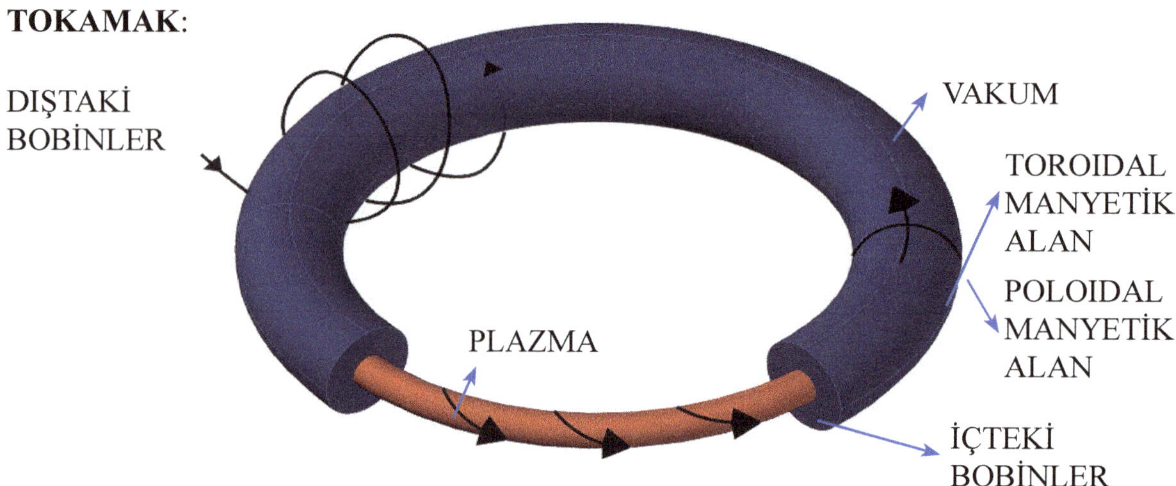

Yukarıda denenen tekniklerden biri olan "**TOKAMAK**" (Rusça içi boş halka şeklinde manyetik oda anlamında) (torus şeklinde) görülmektedir. Tokamak'a vakum uygulanırken kabin dışında yer alan bobinlerin ürettiği poloidal manyetik alanlarla ve içindeki bobinlerin plazmayı ısıtırken oluşturduğu vakum bölgesini çevreleyen duvarlara paralel **toroidal manyetik alan**ın birleşik etkisiyle plazma, duvarlardan uzakta torusun merkez hattında tutulur. Aksi halde duvarlar bir an içinde buharlaşırdı.

İkinci teknik, "lazerle füzyon": Bu teknikte lityum kaplı bir odaya alınan milimetreden daha küçük **döteryum** parçalarına çok yoğun lazer veya atom taneciklerinin ışınları gönderilir. Bu bombardıman altında parçalar hızla sıkışır ve kaynaşmanın gerçekleşmesine yeterli yükseklikte bir sıcaklık ortaya çıkar. Parçaların birbiri ardından hızla odaya alınmasıyla kesintisiz bir güç üretimi sağlanabilir. Eriyen lityum da türbinleri çalıştıracak buharın elde edilmesinde kullanılır.

HİDOJEN BOMBASININ FÜZYON REAKSİYONLARI

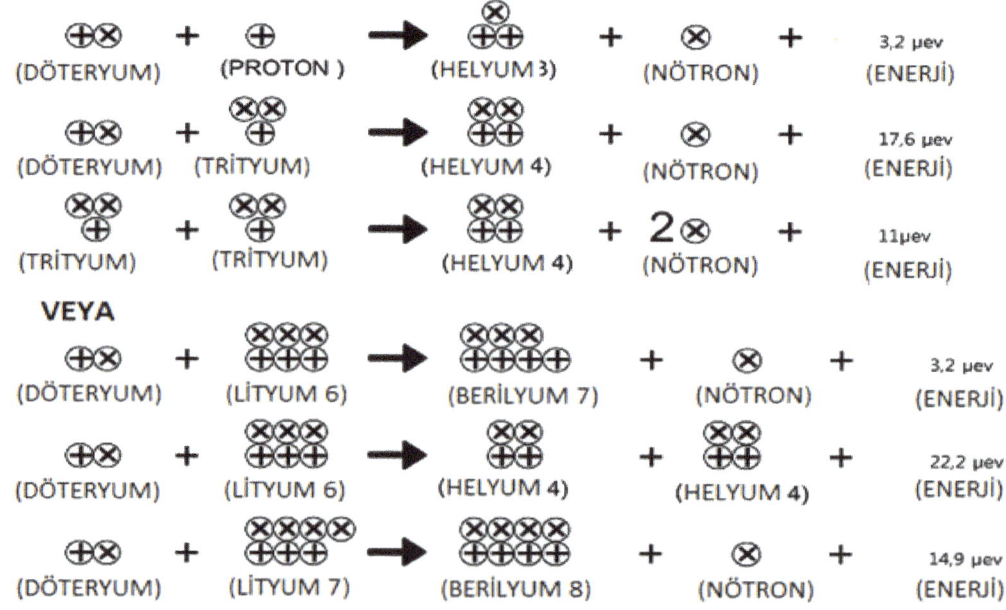

2) KONTROL EDİLMEYEN FÜZYON (Hidrojen Bombası):

Doğada yıldızların içinde milyonlarca yıldır devam ettiği halde ilk insan yapısı yapay füzyon reaksiyonu 1955'te **hidrojen bomba**sının patlatılmasıyla gerçekleşmiştir. Bombayı ateşlemede gerekli ilk ısı **atom bomba**sıyla, yani fizyonuyla (parçalanmasıyla) sağlanır. Sonra 0,1 mikro saniyelik sürede **döteryum** ve **trityum**dan oluşan füzyon (birleştirme) maddelerinin reaksiyonu başlatılır. Atom bombasının tahrip gücü sınırlı olmasına karşın, hidrojen bombalarının tahrip gücünde herhangi bir sınırlama maalesef yoktur. **Bunun anlamı, istenirse dünyayı da yok edebilir. Böylece 21. asrın kavgalar dünyasında insanlığın ne trajik bir** çağ yaşadığı anlaşıl**abilir.**

VIII) MOLEKÜLLER:

Aynı veya farklı cinsten atomların çeşitli biçimlerde bir araya gelmeleri sonucu oluşan atom gruplarına **"molekül"** denir. **Moleküller** bir araya gelip **"bileşikler"**i oluşturur. Bir bileşiğin kendi özelliğini taşıyan en küçük parçası moleküldür. Moleküllerdeki atom sayısı 1'den, 1 milyara kadar çıkabilir. (Bir galaksideki yıldızlar gibi) periyodik element tablosunda, **(EK-IIIa)** sağ kenardaki asal gazların, sol kenardaki metallerin molekülleri, 1 atomlu sağ üst köşede asal gazların solundaki **a-metaller,** 2 ila 8 arasında değişen atomludur. Moleküller tek bir elementin atomlarından veya farklı element atomlarından oluşabilir. Gazlar aynı elementin iki atomundan, bir organik madde olan **protein molekülü** 100 bin-200 bin atomlu olabilir.

Molekül büyüklüğü, 10^{-8}-10^{-7} cm olup, **atom gibi küre şeklinde** olduğu kabul edilir.
Oksijen molekülü çapı 2,9 A° (Angstrom) 2 atomlu
Azot molekülü çapı 3,1 A° (Angstrom)
Hidrojen molekülü çapı 2,7 A° (Angstrom) 2 atomlu
Helyum molekülü çapı 2,6 A° (Angstrom)
Ayrıca fosfor molekülü 4 atomlu
Kükürt molekülü 8 atomlu olur.

Her maddenin molekülleri arasında boşluklar olup (galaksiler arası boşluklar gibi) moleküller, sıcaklıkla artan bir hızla sürekli hareket halindedirler. Konuştuğumuz dillerde sözcüklerin, **belli sayıda, sesli ve sessiz harflerden** (alfabe) oluşması gibi, **evrendeki bütün maddeler**de; periyodik element tablosundaki 118 elementin yani; elementler tablosunun sol tarafındaki **pozitif değerlikli** "**metaller**" ile tablonun sağ üstündeki **negatif değerlikli** "**a-metaller**"in birleşmesinden oluşurlar. Asal gazlar tepkimeye girmez.

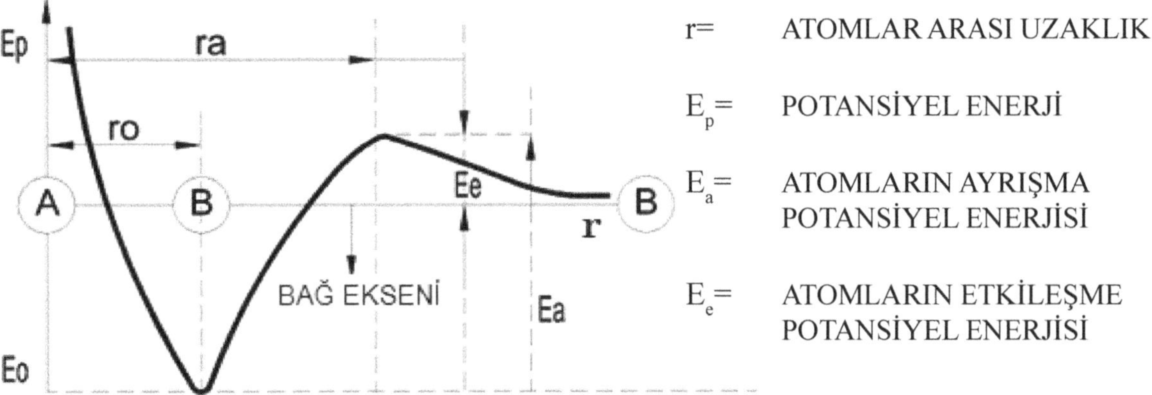

ATOMLARIN BİRLEŞİP MOLEKÜL OLUŞTURMASI:

Üstteki grafikte; iki atomun birleşip iki atomlu molekül oluşturmasına bir örnek verilmiştir. Grafikte görülen **B atomunun, A atomuna** yaklaşırken **potansiyel enerjilerinin** ve **itme çekme kuvvetlerinin** aralarındaki uzaklığa göre değişimi ifade edilmektedir. Atomlar birbirine yaklaştıkça karşılıklı potansiyel enerjileri (**Ep**) artar ve bu yüzden atomlar birbirini iter **r = ra** noktasında **itme kuvveti en büyük değeri alır**. Yaklaşan **B** atomunun bu potansiyel barajı geçmesi ile, karşılıklı potansiyel enerji düşmeye ve iki atom birbirini çekmeye başlar. **B** atomu r_0 uzaklığına geldiğinde, atomun iç kuvvetlerinin harcadığı **Ea** enerjisine karşılık, sistemin enerjisi E_0 sıfır değerini alır. Bu durumda iki atomun oluşturduğu molekül, karşılıklı potansiyel enerjilerinin minimum olduğu en kararlı duruma gelir. Yani "**molekül temel haldedir**" denir.

B atomu, **A** atomuna daha fazla yaklaşırsa; (**$r<r_0$ a**) için atomlar arası potansiyel enerji bu sefer daha büyük bir hızla artar ve atomlar arasında çok büyük bir itme kuvvetinin doğduğu görülür. Bunun nedeni birbirine çok yaklaşan iki atomun elektron katmanlarının artık birbiri içine girmeye başlamasıdır. Elementlerin atomları dış yörüngelerinden elektronlarla birbirine bağlanırlar. Bu elektronlar kancaya benzetilebilir. Hidrojen atomunun başka atomlarla bağlanması için, dış yörüngesinde 1 elektron yani 1 kancası, oksijenin 2 elektronu, yani 2 kancası var demektir.

MOLEKÜL OLUŞTURMAK ÜZERE ATOMLARI BİRBİRİNE BAĞLAYAN KANCALAR VEYA BAĞLAR İKİ TÜRLÜDÜR:

1) İYONİK BAĞLAR:

Belirli bazı atomların, bir veya birkaç elektronunu başka bir atoma vermesiyle oluşan bağlara denir. **Elektron alan atomun** negatif, **elektron veren atomun** pozitif iyon haline geçmesi sonucunda aralarında **elektriksel bir çekim kuvveti** dolayısıyla bir bağ kurulmuş olur. Örnek olarak **NaCl** (Sodyum klorür), **LiF** (Lityum Florür) verilebilir.

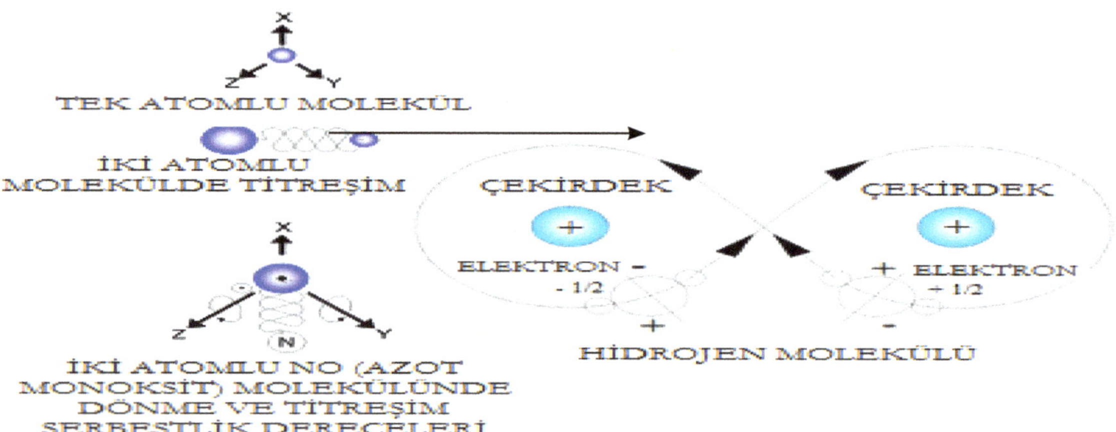

2) KOVALENS BAĞLAR:

Atomlar elektronlarını alıp vermeden, ortaklaşa kullanmak suretiyle, yukarıda görülen **hidrojen molekülünde** olduğu gibi "kovalens bağlar" oluştururlar. Bu bağlarla oluşan H_2 (hidrojen) CL_2 (klor), CH_4 (metan), CO_2 (karbondioksit), **HCl** (hidrojen klorür) örnek verilebilir. Moleküllerde yer alan atomlar artık serbest atomlar olmayıp, sahip oldukları elektronlar hem kendi hem diğer atomların elektron ve çekirdeklerinin etkisi altındadır. Örnek olarak yukarıda görülen 2 hidrojen atomundan oluşan, **hidrojen molekülünde** elektronların yörüngelerinin değişmediği sadece her iki elektronun da belirli zaman aralıkları ile atomlardan birine veya diğerine ait olabileceği düşünülür. Hidrojen molekülünü oluşturan iki hidrojen atomunun **elektron spinleri** yukarıda görüldüğü gibi birbirine zıt yönde paralel olması gerekir. Aksi halde iki atom arasında çekim kuvveti oluşmaz. Keza hidrojen atomunun çekirdeğini oluşturan **protonların da spinleri** (kendi etrafında dönüşleri) **aynı yönde paralel ise** oluşturdukları moleküle "orto hidrojen molekülü" eğer proton spinleri zıt yönde paralel ise **"para hidrojen molekülü"** adı verilir.

3) MOLEKÜLLERİN SERBESTLİK DERECELERİ:

Periyodik element tablosunun **(EK-IIIa)** en sağında **tek atomlu asal gazların (Hl, Ne, Ar, Kr, Xe ve cıva buharı) moleküllerinin,** uzayda serbest hareket edebildikleri yukarıda görüldüğü gibi **"üç öteleme serbestlik derecesi"** vardır. 2 atomlu hidrojen (H_2) azot (N_2), azot oksit **(NO),** karbonmonoksit **(CO)** gibi moleküller; 3 öteleme serbestlik derecesinden başka, yukarıda görülen titreşim ve dönme serbestlik derecelerine de sahiptirler. Bu moleküllere ait atomları kütle merkezleri doğrultusunda birbirine esnek fakat sert bir yayla bağlanmış iki küre gibi kabul etmek mümkündür. Bu tür moleküllerin atomları ortamdaki **ısı** ve **basınç** gibi değişimlere göre kütle merkezi etrafında titreşim hareketleri veya aynı nedenler ve moleküller arası çeşitli etkileşimler yoluyla kütle merkezinden geçen eksenler etrafında dönme hareketleri yapabilirler. İki atomlu bir molekül olan, **azotmonoksit (NO)** molekülü, 2 dönme, 1 titreşim hareketi olmak üzere yukarıda görüldüğü gibi **3 iç serbestlik** derecesine sahiptir.

IX)   BİLEŞİKLER

Moleküllerin birleşmesinden oluşurlar. Bir bileşiğin kendi özelliğini taşıyan en küçük parçası moleküldür. Bileşikler iki veya daha çok elementin atomlarından oluşan "özdeş" (birbirinin aynı) moleküllerin oluşturduğu maddelerdir. Doğada bulunan veya laboratuvarlarda elde edilen milyonlarca kimyasal bileşik vardır. Bunlar bir oksijen atomuna bağlanan iki hidrojen atomundan oluşan su molekülü gibi (H_2O) basit yapılı olanlardan, binlerce atomdan oluşan **nükleik asitler** gibi karmaşık yapıda olanlara kadar çeşitlilik gösterir. Doğada bulunan maddelerin büyük bölümü iki veya daha fazla bileşiğin karışımıdır.

1) BİLEŞİKLERİN MOLEKÜLLERİNDEKİ ELEMENTLERE GÖRE SINIFLANDIRILMASI:

a) İNORGANİK BİLEŞİKLER

Bunlar karbon dışındaki iki veya daha fazla elementin belirli oranlarda birleşmesiyle oluşan maddelerdir. Elementlere göre sınıflandırılırlar. **Klorürler, bromürler. iyodürler, florürler,** hidrojenin oluşturduğu hidrürler, oksijenin oluşturduğu **oksitler,** kükürdün oluşturduğu **sülfürler** tek elemente göre sınıflandırılmış ikili bileşik örnekleridir. İki elementli bileşiklere **alaşım** adı verilir.

b) ORGANİK BİLEŞİKLER

19. yüzyılda kimyacılar, sadece canlılardan kaynaklandığını sandıkları karbon bileşiklerini **"organik",** mineraller gibi cansız maddelerdeki bileşikleri ise" **inorganik"** olarak ikiye ayırdılar. Sonradan inorganik bileşiklerden laboratuvarda organik bileşiklerin yapılabildiği anlaşılsa da bugün kimyanın organik bileşiklerle ilgili bölümüne hâlâ **"organik kimya"** denmektedir. **Organik bileşiklerin kaynağı olan karbon elementi; atom yapısı nedeniyle elektron alma veya verme yerine elektron paylaşmaya (kovalens bağa) daha yatkındır.** Karbon atomunun dış yörüngesindeki 4 elektronun her biri, bir kovalens bağ oluşturabildiğinden aynı anda başka karbon atomları veya öteki elementlere ve bileşiklere de kovalens bağlarla bağlanabilir. **Bu yüzden karbon tek başına diğer elementlerin yaptığı bileşiklerden daha fazla bileşikler oluşturur.**

Karbonun en çok rastlanan bileşikleri, **hidrojen, oksijen, azot, klor ve kükürtle** yaptığı bileşiklerdir. Gıdaların başlıca bileşikleri olan; **yağlar, proteinler, karbonhidratlar, hemoglobin, klorofil, enzimler, hormonlar, vitaminler** gibi organik bileşikler canlıların büyük bölümünü oluşturur. Karbonun hidrojenle yaptığı bileşiklere **karbonhidratlar** denir. Organik bileşikler ikiye ayrılır.

b1) ALİFATİK BİLEŞİKLER

Karbon iskeleti **elmas şebekesine benzeyen bileşiklerdir. Elmas şebekesine benzeyen herhangi bir karbon iskeletinde, karbon atomlarının dış yörüngelerinde henüz ortak- lanmamış (kovalens bağla bağlanmamış) elektronların;** hidrojen, a-metaller veya çeşitli köklerin elektronlarıyla ortaklaşması **sonucu "alifatik bileşikler" türer. Aşağıda bunlara örnek verilmiştir:**

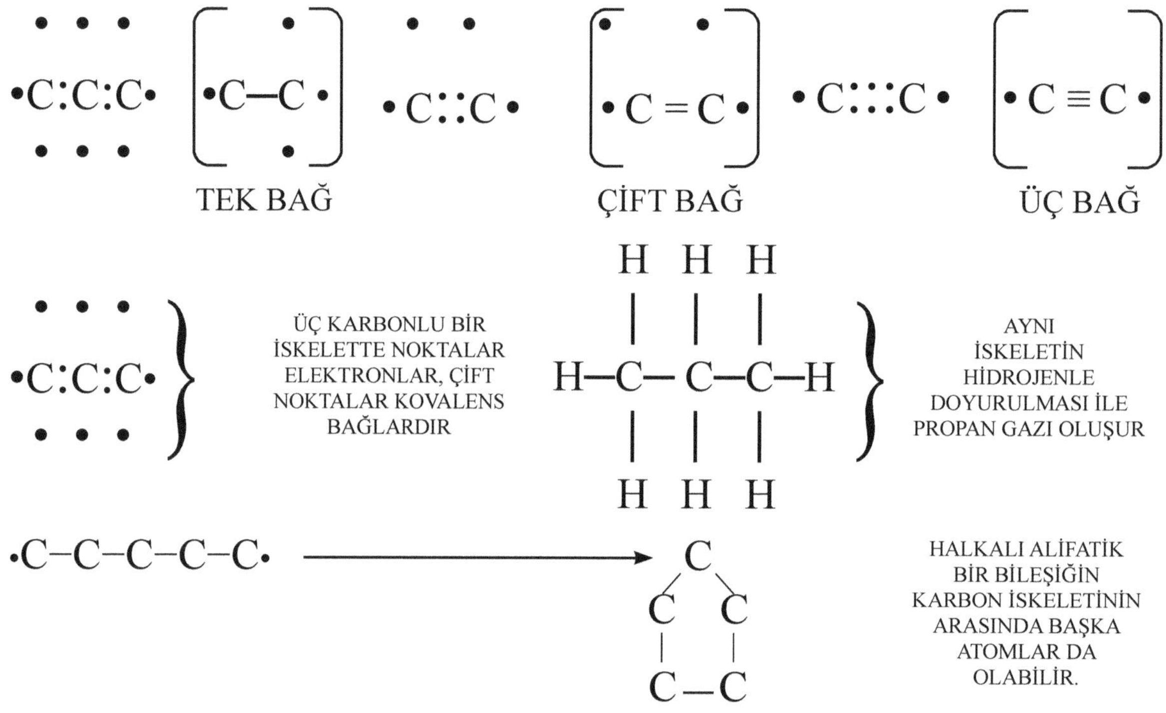

Alifatik bileşiklerde **karbon atomları** birbirine tek kovalens bağla bağlanabileceği gibi iki veya üç kovalens bağla da bağlanabilir. Karbon atomlarının birbirine, **tek bağ** ile bağlanmış bileşiklerine **"doymuş" iki veya üç bağ** ile bağlanmış bileşiklerine **"doymamış bileşikler"** denir. Alifatik karbon bileşikleri genelde yukarıdaki gibi açık zincirlidir. Ancak zincirin iki ucu aşağıdaki gibi birbiriyle birleşip **"kapalı zincir"** oluşturabilir.

b2) AROMATİK BİLEŞİKLER

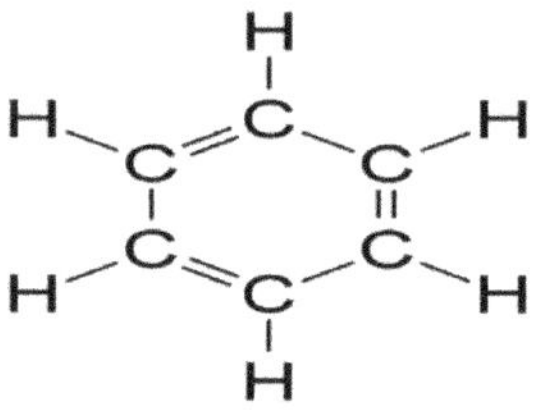

Bu ileşiklerde karbon iskeleti grafit yapısına benzediğinden **benzen** örneğinde görüldüğü gibi daima halkalı yapıdadırlar. Aynı kokulu olduğundan **"aromatik bileşikler"** denmiştir. Organik bileşiklerin ana maddesi olan **karbon** yer kabuğunda en fazla bulunan elementlerin on birincisidir. Bütün canlıların yapısı büyük oranda karbondan oluşur aynı zamanda ısı ve enerji kaynağıdır.

c) ORGANO-METAL BİLEŞİKLER

Metal atomlarının organik bileşiklerle oluşturdukları bu maddelere canlıların yapısında sıklıkla rastlanır. Örneğin; üstün yapılı hayvanların kanında bulunan ve bir **demir** atomuyla birleşmiş **karbon** bileşiği olan "**hemoglobin**" ile yeşil bitkilerdeki **magnezyumla** bağlanmış büyük bir organik molekül olan "**klorofil**" en iyi bilinen organo-metal bileşiklerdir.

2) BİLEŞİKLERİ KİMYASAL BAĞIN TÜRÜNE GÖRE SINIFLANDIRMA:

a) İYON BİLEŞİKLERİ:

Atomların iyon bağıyla bağlı olduğu bileşiklerdir. **Tuzlar, mineraller** bu gruba girer. Bunlar genellikle erime dereceleri yüksek kararlı ve sert maddelerdir.

b) KOVALENS BİLEŞİKLER (Ortaklaşım bağlı bileşikler):

Atomlar bir veya daha fazla elektronlarını, ortak kullanmak suretiyle bu bileşikleri yaparlar. Bunların başında, **karbon bileşikleri** gelir. Bunlar da moleküller arasındaki çekim kuvveti daha az olduğundan moleküller iyon bileşiklere göre birbirinden kolay ayrılırlar. Kovalens bağlarla binlerce veya daha çok atomun birleşmesiyle **polimer** adı verilen makro moleküller oluşabilmektedir. **Plastikler** canlıların yapısındaki **proteinler, karbonhidratlar, nükleik asitler,** kovelens bağlı polimerlerdir. Kuvars **(SiO$_2$)** ve kil **(alüminyum silikat)** gibi silisyum mineralleri de kovalens bağlı inorganik makro molekül bileşikleridir. **Silisyumun bilgisayarların temel maddesi olması, karbonun canlı yapısındaki temel madde olması özelliği ile akraba olduğunu gösteriyor.**

c) DÜZENLEŞİM BİLEŞİKLERİ:

Merkezdeki bir metal atomuyla, bu atomu çevreleyen atomlardan veya atom gruplarından oluşan bu bileşiklerdeki bağlar; elektronlar sadece bir atom tarafından verildiği için, bir kovalens bağ değildir.

3) KİMYASAL TEPKİMEYE GÖRE SINIFLANDIRMA:

a) ASİTLER, BAZLAR, TUZLAR

Bazı belirteçlerin rengini değiştiren **(mavi turnosol kağıdını kırmızılaştıran)** ve bazı metallerle tepkimeye girerek hidrojen açığa çıkaran bileşikler "asit", bu bileşiklere karşıt bir kimyasal etki gösteren bileşiklerse **"baz"** adı altında sınıflandırılır. Bazlar ihtiva ettikleri maddenin sonunda **hidroksit (KOH)** gibi halkın verdiği **kireç, soda** gibi **(CaOH, NaOH)** isimlere de sahiptir. **Asitlerin bazlarla** tepkimeye girmesiyle **tuzlar** oluşur.

b) YÜKSELTGEN VE İNDİRGENLER

Bir element atomundan, **elektronların uzaklaştırılmasıyla** o element yükseltgenir. **Elektron katılmasıyla** da indirgenir. Bu oluşumlar sırasında son olarak bu üç ana grup dışında bileşikler bazen fiziksel hallerine göre; **"gaz, sıvı, katı"** bazen de kaynağına göre **"doğal"** ve **"yapay"** bileşikler olarak da sınıflandırılırlar.

X) KRİSTALLER

Kristal, Yunanca **buz** anlamına gelir. Katı maddeler ısıyla veya çözücü maddelerle **sıvı** veya **gaz** haline geldiğinde atomları düzensiz hareket eder durumdadır. Soğuyunca tekrar **katılaşan madde** eğer soğuma yavaş olmuşsa, kendini meydana getiren atomların içindeki o maddeye özel farklı kuvvetlerin etkileşimi, o maddeye özel **kristal**in geometrik yapısını oluşturacak zamanı bulurlar. Eğer soğuma çok çabuk olmuşsa şekilsiz, **"amorf"** yapı ortaya çıkar. Çok özel koşullar altında gözle görülebilecek tek kristal yapı elde edilebilir. Doğal olarak bulunan **kıymetli taşlar** ve suyun çok yavaş donmasıyla tek büyük bir **buz kristali** oluşabilir. Yapay olarak elde edilen kristaller olağanüstü düzenlilik gösterirler. Bir kristal katı madde; maddenin gaz, sıvı ve cam halindeki düzensizliğine karşın bir düzen ve devirli yapıya sahiptir. Bir kristalde atomların veya moleküllerin bulunduğu noktalara **"düğüm noktası"** denir. Her katı maddenin kristalini oluşturan atomlar, **iyonlar** (+) veya (−) yüklü atomlar) veya **moleküller;** bir geometrik örneğe (**birim hücreye**) uygun olarak düğüm noktalarında konumlanırlar.

1) KRİSTALLERİN BİRİM HÜCRELERİ, DÜĞÜM NOKTALARINA GÖRE ÜÇE AYRILIR:

a) BASİT BİRİM HÜCRE

Düğüm noktaları, **köşelerdedir** "**P**" harfi ile temsil edilir.

b) HACİM MERKEZLİ BİRİM HÜCRE

Düğüm noktaları **hem köşelerde hem hücre merkezindedir**. "**İ**" harfi ile temsil edilir.

c) YÜZEY MERKEZLİ BİRİM HÜCRE

Düğüm noktaları **hem köşelerde hem yüzlerinin ortasındadır**. "**F**" harfi ile temsil edilir. **Birim hücre** kristalin tüm geometrik özelliklerini taşıyan en küçük birimdir. **Bütün katı maddelerin** (metaller, mineraller, alaşımlar, bileşikler, seramikler ve bazı katı organik maddelerin) her biri, kendi birim hücresinin üç boyutta; **kenarları, köşegenleri ve yüzey köşegenleri** doğrultusunda veya **tek boyutta**; eşit aralıklarla sıralanmış, milyonlarca tekrarından oluşan farklı kristal yapılara sahiptir. Kristal atomlarının, **molekülleri arasındaki mesafeye "periyot"** denir. Bu mesafe doğrultuya göre değişebilir. Fakat aynı kristalin aynı doğrultusunda daima aynıdır. **Kristallerin şekil farklılıklarına atomları ve molekülleri bir arada tutan kuvvetlerin özellikleri sebep olur.** Bazı metal kristalleri gözle görülebilir. Çinko kaplı **galvaniz saç** üzerindeki çinko kristalleri gibi. Bazen de demir, çelik kristallerinde olduğu gibi ancak mikroskopla görülebilirler.

KRİSTAL GÖRÜNÜMLERİ (HABİTUS): Bir kristalin oluşmasını etkileyen faktörler; **sıcaklık, basınç** ve **kimyasal çökelme** koşullarıdır. Aynı mineralin kristallerinde farklı görünümlere farklı kristalleşme koşulları sebep olabilir.

TEK KRİSTALLER: Geometrik, iğnemsi, kılcal, iplik şeklinde, yassı bıçak ağzı gibi.

KRİSTAL TOPLULUKLARI: Bunlarda; geometrik, çubuk şeklinde, tel şeklinde, ışınsal **(radyal), küresel, üzüm salkımı, böbrek şeklinde, yarımküresel, dallanmış ağ şeklinde mikroskobik küçük taneli, elipsoid, sarkıt, dikit vs. şeklinde** olabilir. Uzayda bir noktayı belirlemek için **koordinat** denen altta görüldüğü gibi üç doğru kullanılır. Ayrı yönlerdeki bu üç doğrunun kesiştiği noktaya **"koordinat başlangıcı"** denir. Kristallerdeyse bu doğrular, **"kristalografik simetri ekseni"**, kesiştikleri nokta da **"simetri merkezi"** adını alır.

Kristallerin birim hücrelerinde yine yanda görülen **X, Y, Z** eksenleri ve bu eksenler arasındaki α (alfa), β (beta), γ (gama) açıları birim hücrenin geometrik şeklinde belirleyici olur. "**Birim hücre**", bir birim kürenin içinde oluşur. **Simetri eksenlerinin uzunluğu,** simetri merkeziyle eksenin birim küreyi deldiği nokta arasındaki mesafedir. Atomların ve moleküllerin küresel yapısı gibi, atomlar ve moleküllerden oluşan, kristal birim hücrelerin geometrik yapısıda; genelde kristal birim hücresinin 3 boyutlu yapısı içinde, birim hücreyi oluşturan atomların moleküllerin merkezlerini birleştiren doğrular sonucu ortaya çıkar. Aşağıdaki resmin yanında görülen **kübik yapıda** bir kristalin ortasındaki bir atomun etrafında küpün köşelerinde konumlanan, sekiz tane ¼ atomun görüntüsünde olduğu gibi. Tabii görüntü, küme halinde atom, molekül kürecikleridir.

2) KRİSTAL BİRİM HÜCRELERİNİN 3 TEMEL KURALI:

a) AÇI DEĞİŞMEZLİĞİ

Birim hücrenin dış şekli ile ilgilidir. Buna göre aynı maddenin birim hücresinin kristal yüzleri arasında iki düzlemli açılar aynıdır ve değişmez.

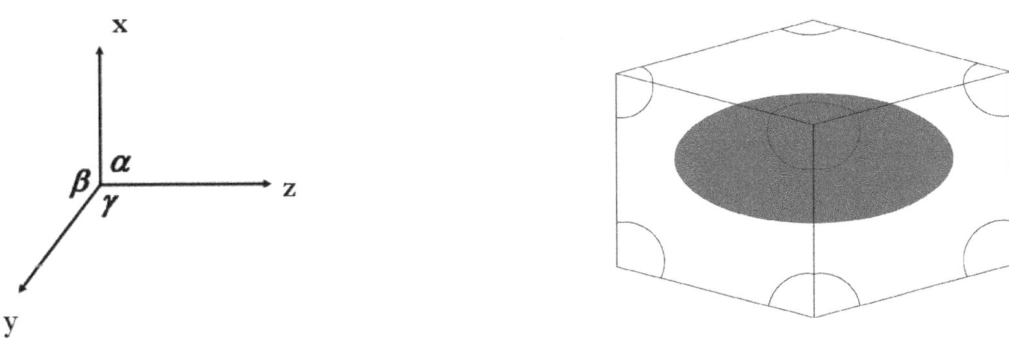

b) PARAMETRE DEĞİŞMEZLİĞİ

Önceki bölümde çizimi verilen **X, Y, Z** kristalografik eksenlerinin uzunluğu, yani kristalin birim hücresinin çeşitli yüzlerinin kristalografik eksenleri kestiği noktaların simetri merkezine olan uzaklığıdır ve birim hücrenin şeklini belirler.

c) SİMETRİ DEĞİŞMEZLİĞİ

Bir kristalin birim hücresinin simetrisi, üç simetri elemanına göre belirlenir.

c1) KRİSTALOGRAFİK SİMETRİ EKSENİ:

Önceki bölümde çizimi verilen **X, Y, Z** doğrultularıdır. **n:** Bir kristalin bir düzlemi içindeki eksen sayısıdır. **kristalografik simetri ekseni** birim hücrenin etrafında **360⁰/n (n,** 2 veya daha büyük bir tam sayıdır) değerinde bir açıyla döndürülmesi halinde ilk durumuyla çakışır hale geldiği doğru olarak tarif edilir. Bu eksenler, kristal yüzeylerini belirlemek üzere sanal olarak düşünülür.

c2) SİMETRİ DÜZLEMİ

Kristalin birim hücresinin bir yarısını, öbür yarısının bir düzlem aynadaki görüntüsü olacak şekilde bölen düzlemdir.

c3) SİMETRİ MERKEZİ

Her kristalin birim hücresinde merkez daima bir tanedir ve kristalografik simetri eksenlerinin kesiştiği noktadır. **Birim hücre** simetri merkezinin bulunduğu noktaya göre simetriktir. Bütün simetri elemanlarının geçtiği noktadır. Simetri işlemleri yapılırken bu nokta daima sabit kalır.

c4) SİMETRİ İŞLEMLERİ

Bir kristalin birim hücresinin başlangıç durumuyla çakışmasını sağlayan işlemlere denir. Başlıcaları:

1- **Bir eksen etrafında döndürme,**
2- **Bir düzlemden yansıtma,**
3- **İnversiyon** (bir noktaya göre simetri alma)
NOT: Bazen bu işlemlerden birkaçı birlikte olabilir.

3) KRİSTALLERİN SINIFLANDIRILMASI:
a) 230 UZAY GRUBU

Fiziksel özelliklerinin (ölçülebilen nicelikleri arasındaki bağıntıların) yansıması olan "**simetri elemanları**"na göre yapılır. Aşağıda sıralanan **6 simetri elemanına göre** kristaller "**230 uzay grubu**"na ayrılır.

a1) SİMETRİ MERKEZİ: Yukarıda belirtildi.

a2) SİMETRİ DÜZLEMİ: Yukarıda açıklandı.

a3) KAYMA DÜZLEMİ: Kristalin birim hücresine yapılan bir işlemdir. Kristalin her noktasını onun aynadaki görüntüsünün konumuna getirir ve ondan sonra ayna düzlemine paralel kaydırır.

a4) n KAT DÖNME EKSENİ: Verilen bir eksen etrafında **2 π /n**'lik dönme, birim hücreyi önceki durumuyla çakışır hale getiren doğrudur.

a5) n KAT VİDA EKSENİ: Verilen bir eksen etrafında **2π / n**'lik dönme ve ardından dönme eksenine paralel bir öteleme (ilerletme) verir.

a6) n KAT İNVERSİYON EKSENİ: verilen bir eksen etrafında **2 π / n**'lik dönme ve ardından bu eksen üzerinde verilen bir noktaya göre İnversiyon alma (o noktaya simetri olan noktayı bulma) işlemi sağlar.

<table>
<tr><td colspan="4" align="center">KRİSTALOGRAFİK EKSENLERİNE GÖRE 7 KRİSTAL SİSTEMİ</td></tr>
<tr><td align="center">7'Lİ SİSTEMDEKİLER</td><td colspan="2" align="center">32'Lİ GRUPTAKİLER</td><td align="center">ŞEKİL VE EKSENLERİ</td></tr>
<tr>
<td>I   TRİKLİNİK SİSTEM: SİMETRİSİZ SİSTEM:
- PARALEL KENAR TABANLI EĞİK PRİZMA
- BİRBİRİNİ FARKLI AÇILARDA KESEN FARKLI UZUNLUKTA 3 EKSENİ VAR. BASİT BİRİM HÜCRELİ =(P)
- $CuSO_4$, $CaSO_4$ v.s.</td>
<td>C1-
Ci-</td>
<td>EDİON
PİNAKOİD</td>
<td></td>
</tr>
<tr>
<td>II   MONOKLİNİK (KLİNOROMBİK) TEKLİ (MONO) SİSTEM:
EŞKENAR DÖRTGEN TABANLI EĞİK PRİZMA
- ALFA (α) AÇISI 90°, BETA (β) VE GAMA (γ) AÇILARI BİRBİRİNE EŞİT. FARKLI UZUNLUKTA 3 EKSENİ VAR. 1 SİMETRİ DÜZLEMİ VAR. BASİT VE YÜZEY MERKEZLİ BİRİM HÜCRE=(F,P)
- OKSALİK VE TARTARİK ASİT, Na_2SO_4 (●)</td>
<td>Cs-
C2-
C2h-</td>
<td>DOMA
SFENOİD
PRİZMA</td>
<td></td>
</tr>
<tr>
<td>III   ORTOROMBİK (ROMBİK) SİSTEM:
EŞKENAR DÖRTGEN TABANLI DİK PRİZMA
- BİRBİRİNE DİK (90°) FARKLI UZUNLUKTA 3 EKSENİ VAR. 3 SİMETRİ DÜZLEMİ VAR. YÜZEY VE HACİM MERKEZLİ BASİT BİRİM HÜCRE= (F,I,P)
- $ZnSO_4$, KNO_3 ve S (KÜKÜRT) v.s. (●)</td>
<td>V-
C2v-
Vh-</td>
<td>PRİZMATİK ÜÇGEN PİRAMİT
PRİZMATİK DÖRTGEN PİRAMİT
PRİZMATİK ALTALTA ÇİFT KARE PİRAMİT</td>
<td></td>
</tr>
<tr>
<td>IV-   TRIGONAL (ROMBOHEDRİK) (ÜÇLÜ)
- SİSTEM:
- EŞKENAR PARALEL YÜZ BİRBİRİNİ 60° AÇIYLA KESEN, 3 EŞİT UZUNLUKTA, 1 BUNLARA DİK FARKLI UZUNLUKTA 4 EKSENİ 3 SİMETRİ DÜZLEMİ VAR
- BASİT BİRİM HÜCRE (Δ)</td>
<td>C3-
C3v-
C3i-
D3-

D3a-</td>
<td>ÜÇGEN PİRAMİT
ÇİFT ÜÇGEN PİRAMİT
EŞKENAR DÖRTGEN PRİZMA
KÖŞELERİ KESİK ÜÇGEN YAMUK
ÇOK TAKSİMATLI ÜÇGEN PİRAMİT
$x + y = z = z'$</td>
<td></td>
</tr>
<tr>
<td>V-   TETRAGONAL (KARELİ) SİSTEM
- KARE TABANLI DİK PRİZMA
- BİRBİRİNE DİK (90°) İKİSİ EŞİT BİRİ FARKLI UZUNLUKTA 3 EKSENİ VAR. 5 SİMETRİ DÜZLEMİ VAR.
- HACİM MERKEZLİ BASİT BİRİM HÜCRE= (I,P)
$NiSO_4$, $2-SiO_4$ (zirkon) v.s. (t)</td>
<td>C4-
C4v-
C4h-
D4-
S4-
Vd-
D4h-</td>
<td>KARE PİRAMİT
ÇİFT KARE PİRAMİT
ALTALTA ÇİFT KARE PİRAMİT
KÖŞELERİ KESİK KARE YAMUK
ÇİFT SFENOİD4 YÜZLÜ PİRAMİT
TAKSİMATLI 4 YÜZLÜ PİRAMİT
ALTALTA ÇİFT 4 YÜZLÜ PİRAMİT</td>
<td></td>
</tr>
<tr>
<td>VI-   KÜBİK (İZOMETRİK) SİSTEM
- KÜP (DÜZGÜN SEKİZYÜZLÜ)
- 3 EKSENİ DE BİRBİRİNE DİK (90°) VE EŞİT UZUNLUKTA 9 SİMETRİ DÜZLEMİ VAR.
- YÜZEY HACİM MERKEZLİ VE BASİT BİRİM HÜCRE =(F,I,P)
NaCl, Ki (POTASYUM İYODÜR) (p)</td>
<td>T-
O-
Td-
Th-
Oh-</td>
<td>DÜZGÜN BEŞGEN 12 YÜZLÜ KÜP
BEŞGEN 24 YÜZLÜ KÜP
6 TANE 4 YÜZLÜ KÜP
12 YAMUK 4 YÜZLÜ KÜP
48 ÜÇGEN 4 YÜZLÜ KÜP</td>
<td></td>
</tr>
<tr>
<td>VII-   HEKSAGONAL SİSTEM
- ALTIGEN TABANLI DİK PRİZMA
- BİRBİRİNİ 60° AÇIYLA KESEN, 3 EŞİT UZUNLUKTA, 1 BUNLARA DİK FARKLI UZUNLUKTA 4 EKSENİ VAR. 6 SİMETRİ DÜZLEMİ VAR.
- BASİT BİRİM HÜCRE = (P)
SiO_2 (KUVARS), Bi (BİZMUT) v.s. (Â)</td>
<td>C3h-
D3h-
C6-
C6h-
C6v-
D6-

D6h-</td>
<td>ALTALTA ÜÇGEN PİRAMİT
ALTALTA ÇİFT ÜÇGEN PİRAMİT
ALTIGEN PİRAMİT
ALTALTA ALTIGEN PİRAMİT
ALTALTA ÇİFT ALTIGEN PİRAMİT
KÖŞELERİ KESİK ÇİFT ALTIGEN YAMUK
KÖŞELERİ KESİK ÇİFT ALTIGEN PİRAMİT</td>
<td></td>
</tr>
</table>

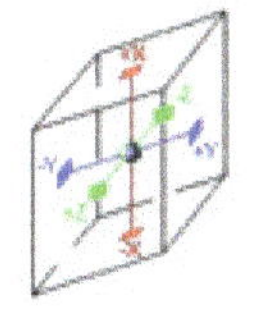

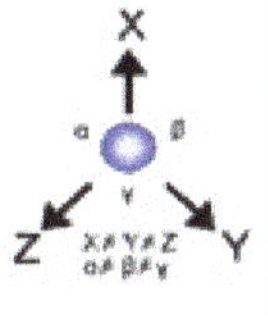

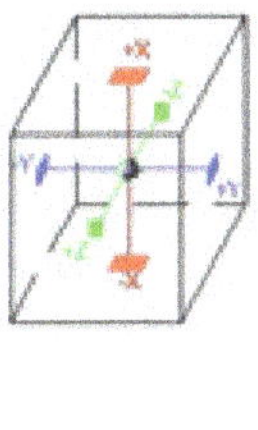

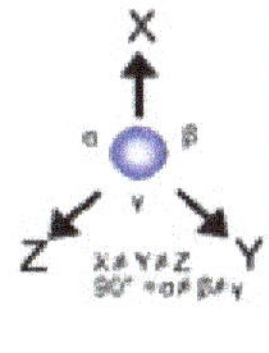

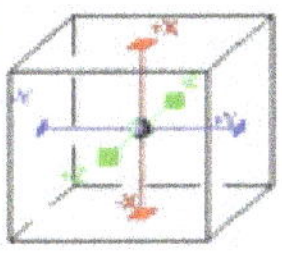

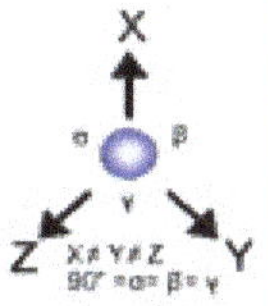

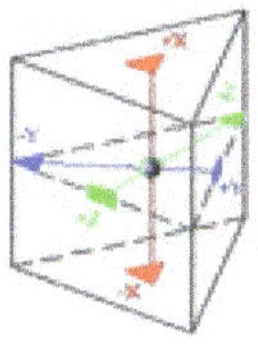

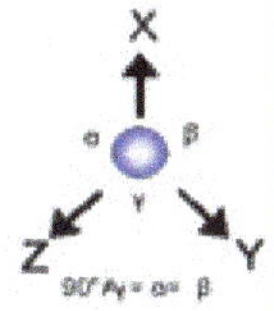

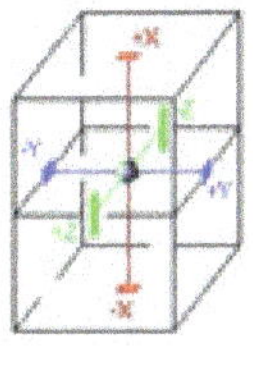

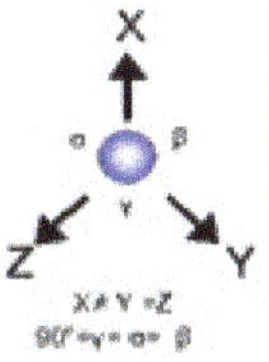

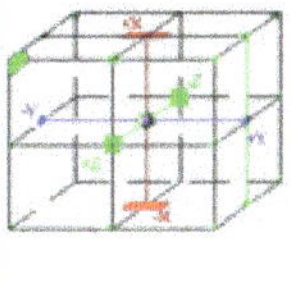

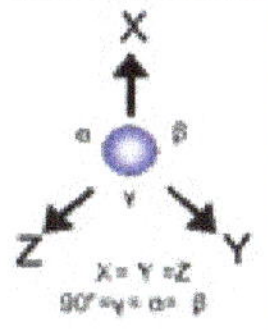

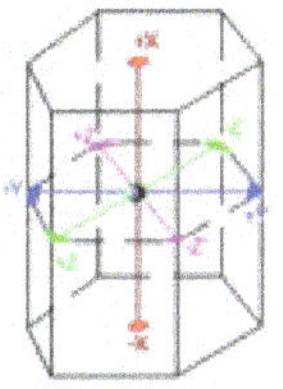

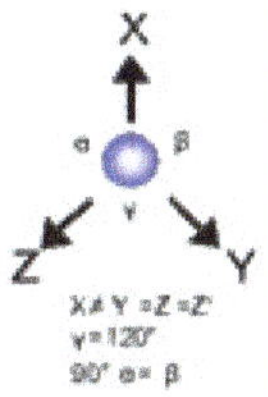

b) 32 NOKTA GRUBU:

Aşağıda verilen **4 simetri elemanına göre** (**makroskopik** simetri elemanları) kristaller 32 nokta grubuna ayrılır. **Kristallerin makroskopik 4 simetri elemanı:**

b1) Simetri Merkezi: yukarıda açıklanmıştı.

b2) Ayna Düzlemi: Yukarıda açıklanmıştı.

b3) 1, 2, 3, 4 veya 6 kat dönme eksenleri: yukarıda belirtildiği gibi.

b4) 1, 2, 3, 4 veya 6 kat İnversiyon **Eksenleri:** Yukarıda belirtildiği gibi. Yukarıda açıklanan elemanların herhangi bir bileşiminde bütün elemanların geçtiği bir nokta vardır ve bu nokta simetri işlemleri yapılırken hep hareketsiz sabit kalır. Bundan dolayı yapılan simetri işlemlerine "**nokta işlemleri**" denir. Makroskopik simetri elemanlarının mümkün olan bileşimlerine "**nokta grupları**" denir.

c) 7 KRİSTAL SİSTEMİ:

Bütün kristaller **230 uzay grubu** ve **32 nokta grubu** hepsi kristalografik simetri eksenlerinin sayısı ve durumuna göre "**7 Kristal Sistemi**" içinde toplanmaktadır. Yukarıda görülen tabloda yukarıdan aşağı 7 kristal sistemi açıklanırken her sistemin karşısında o sisteme dahil olan **32 nokta grubu** kristalleri sıralanmıştır.

32 NOKTA GRUBU KRİSTALLERİN SİMETRİ ELEMANLARI

32 NOKTA GRUBU KRİSTALLERİNİN SİMETRİ ELEMANLARI			
	STEREOGRAFİK	**ULUSLARARASI**	
SİMETRİ MERKEZİ	YOK	$\bar{1}$	✳=X=ÜSTYÜZEY += ⊕ =•=YAN YÜZEY VEYA
AYNA DÜZLEMİ	O	m	HERHANGİ BİR YÜZEY
DÖNME SİMETRİ EKSENLERİ			ALT YÜZEY
1. KAT DÖNME EKSENİ	YOK		MERKEZ
2. KAT DÖNME EKSENİ		1	SİMETRİ DÜZLEMİ
		2	
3. KAT DÖNME EKSENİ		3	
4. KAT DÖNME EKSENİ		4	
6. KAT DÖNME EKSENİ		6	
İNVERSİYON SİMETRİ EKSENLERİ			
1. KAT İNVERSİYON EKSENİ	YOK	$\bar{1}$	3/m= SİMETRİ DÜZLEMİNE DİK 3 DÖNME EKSENİ
2. KAT İNVERSİYON EKSENİ ≡ SİMETRİ MERKEZİ	O	$\bar{2}$ (≡ m)	
3. KAT İNVERSİYON EKSENİ ≡ EKSENE DİK AYNA DÜZLEMİ	▲	$\bar{3}$	
4. KAT İNVERSİYON EKSENİ ≡ 3 DÖNME EKSENİ + SİMETRİ MERKEZİ (İÇİNDE 1 DÖNME EKSENİ)	◨	$\bar{4}$	
6. KAT İNVERSİYON EKSENİ ≡ 3 DÖNME EKSENİ + BU EKSENE DİK 1 DÜZLEM	◑	$\bar{6}$ (≡ 3/m)	

d) KRİSTALLERİN ULUSLARARASI İŞARETLERLE İFADESİ:

(S-41-42) Bu kristaller **yukarda, 32 nokta gurubundaki kristaller tablosunda** her kristale ait karenin, sol alt köşesinde o kristali ifade eden harf ve sayılarla belirtilen "**Schoenflies kodu**" altında uluslararası adı, solda kristalin birim hücresinin üç boyutlu geometrik şekli, sağ yarısındaki daireler üzerinde ise stereografik işaretler aracılığıyla kristallerin 3 boyutlu şeklinin simetri elemanları hakkında bilgiler verilmekte olup, her dairenin altında ise, kristali ifade eden uluslararası işaretler verilmiştir. Bu daireler içinde kristal birim hücresi olan **birim küre** ekvator düzlemini ifade etmekte olup, kürenin altında ve üstündeki birim hücreye ait simetri noktalarının bu düzlemdeki izdüşümleri, daire üzerinde **stereografik işaretler** ile gösterilmiştir.

Kristalografik simetri eksenleri: Kristallerin birim hücreleri içinden geçen sanal doğrulardır. Öyle ki kristal bu eksen etrafında döndürüldüğü zaman kendini tam bir dönüm esnasında iki defa veya daha fazla tekrarlar. Simetri eksenleri **1, 2, 3, 4, 6 dönümlü** olabilir. 1 dönümlü simetri ekseni kristalde hiç simetri olmadığını gösterir. 5 dönümlü veya 6'dan fazla dönümlü simetri ekseni olmaz.

32 Nokta Grubundaki Kristaller tablosundaki daireler üzerinde 32 nokta grubu kristallerinin birim hücrelerinin, üç boyutlu gövde şekillerini ifade etme amacıyla döndürüldüğü zaman, **180°** sonra başlangıç görüntüsünü tekrarlıyorsa, yani ilk durumdaki **düzlem kenar ve açılara** tekabül eden yere, aynı düzlem, kenar ve açılar geliyorsa, bu eksen ikidönümlüdür.

n= dönüm sayısı dersek, **n** dönümlü bir simetri ekseni etrafında, kristal **2/n** kadar döndürüldüğü zaman, ilk görüntüsünü tekrarlar. Örnek olarak 4 dönümlü simetri eksenine sahip bir kristalin herhangi bir elemanı, kristal bu eksen etrafında döndürülünce, her 90° de tekrarlanır.

Simetri düzlemleri "**m**" harfiyle ifade edilir. Simetri eksenine dik olan simetri düzlemi **2/m, 4/m** şeklinde gösterilir. **2/m; Sayfa 41,42,44**'deki tablolarda görülen simetri eksenine dik (90°) olan simetri düzlemini, **4/m** ise; 4 dönümlü simetri eksenine dik, simetri düzlemi olduğunu ifade eder.

Altern simetri ekseni: Bu eksen bir birleşik simetri elemanıdır. Hem **dönme** hem **inversiyon** işlemleri birlikte vardır (dönmeli inversiyon). Bir kristalde **n** dönümlü Altern simetri ekseni varsa, bu kristal kendisini; **2/n** kadar eksen etrafında dönme ve eksen üzerinde bulunan merkeze göre inversiyon işlemlerini tamamlayarak tekrarlar.

Monoklinik, tetragonal, kübik ve **hexagonal sistemler:** Uluslararası işaretlerle ifade edilirken birinci sembol "Esas simetri ekseni"ni gösterir. Örnek olarak **4mm** sembolünde 4 "esas simetri eksenidir."

Ortorombik sistemde: Uluslararası işaretler **X, Y, Z** eksenleri arasındaki simetri elemanlarını verir. Örnek olarak **rombik piramidal** sınıfta "**mm2**" sembolü **Z** ve **Y** eksenlerinden düşey iki simetri düzlemi geçtiğini, **X** ekseninin 2 dönümlü simetri ekseni olduğunu ifade eder. Bu sıralama özellikle 230 uzay grubu kristallerinde önem taşır.

Tetragonal sistemde: İkinci sembol eksenlerden, üçüncü sembol eksenlerin açı ortasından geçen simetri elemanlarıdır. Örnek olarak "**tetragonal skalenoeder**" sınıfında **42m** simetrisi vardır. Burada **2** sayısı **Z** Kristalografik ekseninden geçen 2 dönümlü simetri eksenini, **m** ise eksenlerle 45 derece açı yapan simetri düzlemlerini gösterir.

Kübik sistemde: İkinci sembol 3 dönümlü, üçüncü sembol ise 2 dönümlü simetri elemanını gösterir. İki dönümlü simetri elemanı simetri ekseni veya simetri düzlemi olabilir. Örnek olarak "**hexakistetraeder**" sınıfı **42m** (burada **m** simetri düzlemi) "**pentagonikozitetraeder**" sınıfında **4, 3, 2** (burada iki dönümlü simetri ekseni) örnekleri verilebilir.

Hexagonal sistemde: İkinci sembol eksenlerden geçen, üçüncü sembol ise eksenlerin açı ortalarından geçen simetri elemanlarıdır. **Dihexagonal piramidal** sınıfta

6mm eksenlerden geçen 3 düşey simetri düzlemi ve bunlarla 30 derece açı yapan diğer 3 düşey simetri düzlemi vardır:

4/m= 1 ayna düzlemi ve ona dik 4 kat dönme ekseni.

4/mm= 1 ayna düzlemi ve ona dik 4 kat dönme eksenini içine alan ayna düzlemi.

4/mmm= 1 ayna düzlemi ve ona dik 4 kat dönme eksenini içine alan ayna düzlemi ve bu ayna düzlemine 45° açı yapan üçüncü bir ayna düzlemini ifade eder.

32 NOKTA GURUBUNDAKİ KRİSTALLER TABLOSU:

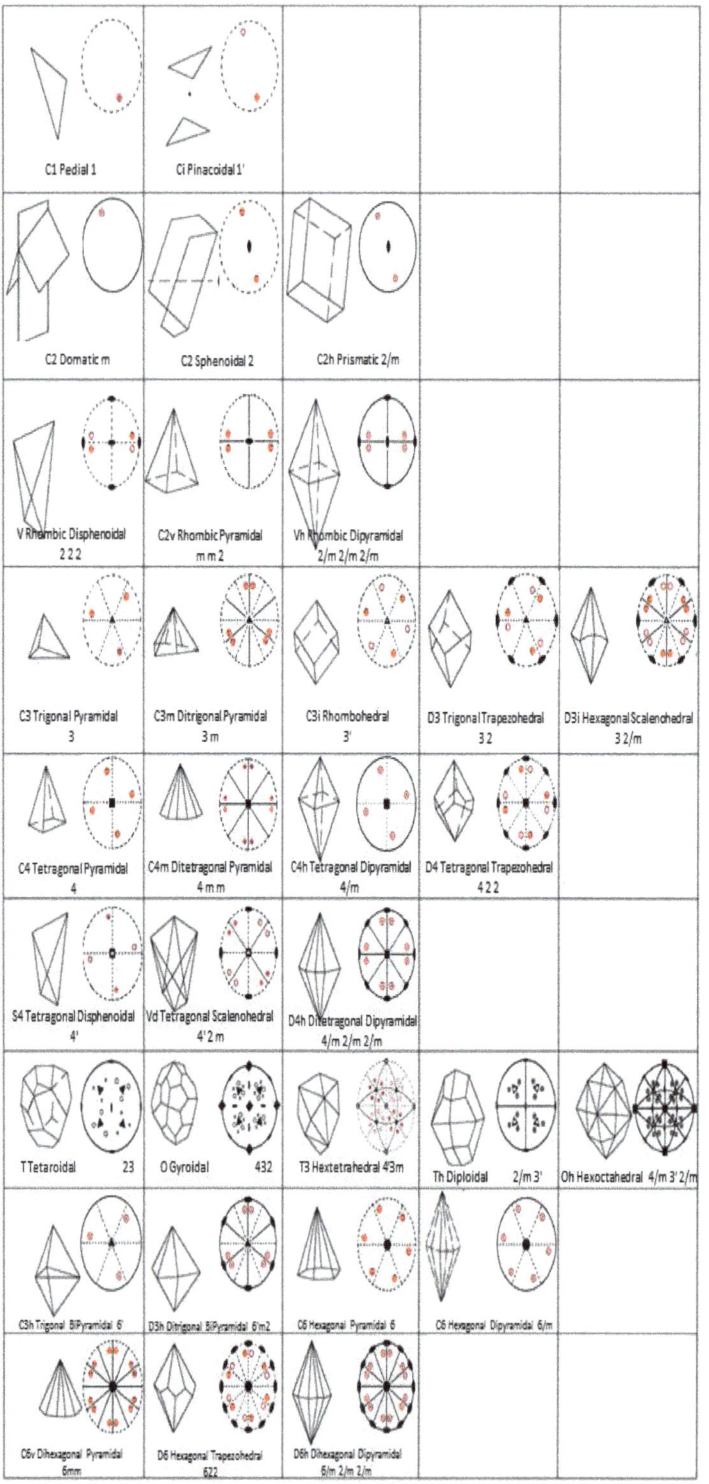

Sınıf Sembolü		Bağımsız C_{ij} and S_{ij} Sayısı
Uluslararası	Schoenflies Kodu	
3	C_3	7
3'	$C_{3i}(S_6)$	7
3 2	D_3	6
3 m	C_{3v}	6
3'm	D_{3d}	6
6	C_6	5
6'	C_{3h}	5
6/m	C_{6h}	5
6 2 2	D_6	5
6/mm	C_{6v}	5
6'm2	D_{3h}	5
6/mmm	D_{6h}	5
2 3	T	3
m 3	T_h	3
432	O	3
4'3m	T_d	3
m 3 m	O_h	3

Sınıf Sembolü		Bağımsız C_{ij} and S_{ij} Sayısı
Uluslararası	Schoenflies Kodu	
3	C_3	7
3'	$C_{3i}(S_6)$	7
3 2	D_3	6
3 m	C_{3v}	6
3'm	D_{3d}	6
6	C_6	5
6'	C_{3h}	5
6/m	C_{6h}	5
6 2 2	D_6	5
6/mm	C_{6v}	5
6'm2	D_{3h}	5
6/mmm	D_{6h}	5
2 3	T	3
m 3	T_h	3
432	O	3
4'3m	T_d	3
m 3 m	O_h	3

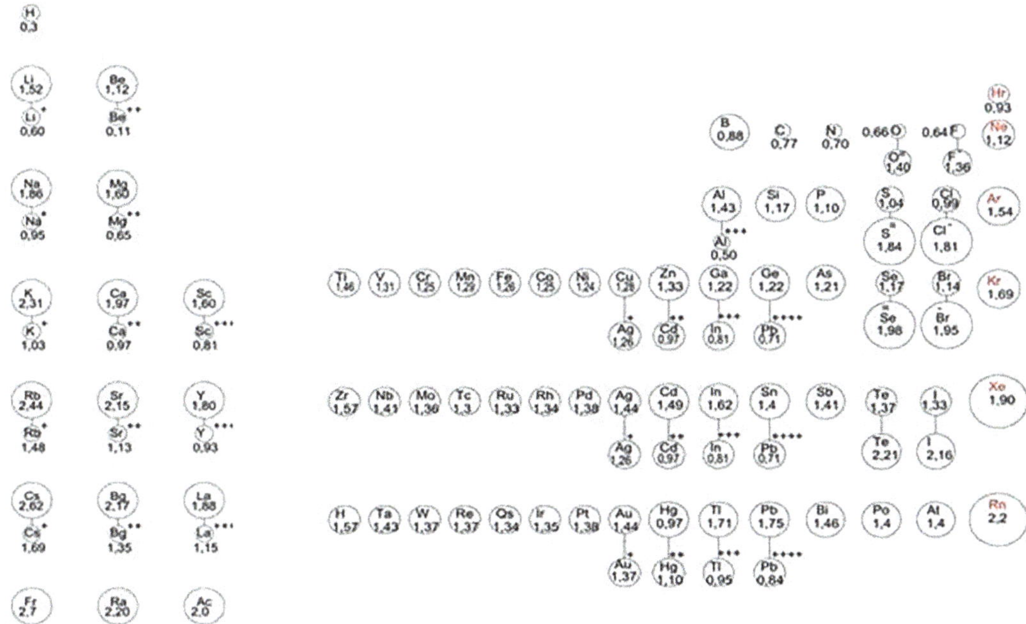

Resim 8: ATOMİK VE İYONİK EKSENLERE GÖRE CAMPBEL PERİYODİK ELEMENT TABLOSU [ATOM EKSENLERİ KOVALENS BAĞ (ELEKTRONLAR ARASINDAKİ BAĞ) MESAFESİNE GÖRE TESPİT EDİLMİŞTİR.]

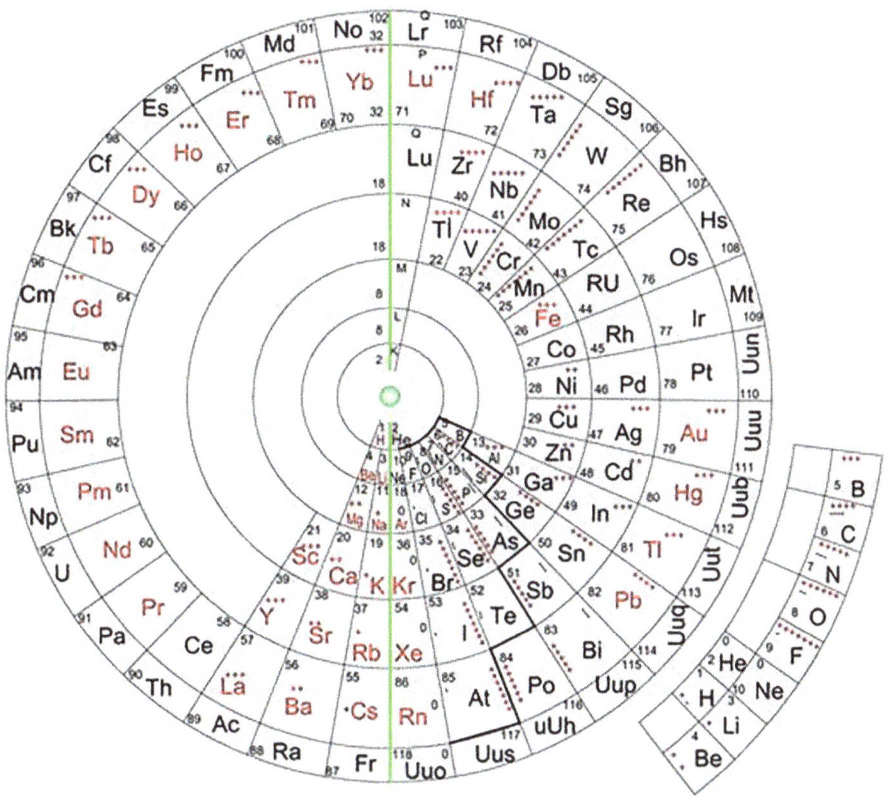

Resim 9: ATOMLARIN YÖRÜNGE YARIÇAPLARI BOHR KANUNUNA GÖRE ORANTILI OLAN, İÇİÇE DAİRELERLE GÖSTERİLMİŞ BİR **"PERİYODİK ELEMENTLER TABLOSU"**

C) CANLILAR:

Cansız veya canlı bir maddenin 1/10 nanometre ölçekte (10^{-7} mm) yapısında; Madde atomlarının ortasındaki çekirdeğin etrafında, **saniyede 50 bin km** hızla dönen **elektronlar** olduğu bilinmektedir. Bu yapı uzayda yıldızların etrafında dönen **gezegenler**e benzemektedir. Dünyanın Güneş etrafında dönme hızı **saniyede 29,76 km**'dir. Yani çok daha yavaştır. **Astral ve atomal ölçekte** var olan, bu birbiri etrafında dönen yapı sonucu bugün **atomlardan, moleküllerden, bileşiklerden** oluşan; **gaz, sıvı ve katı maddeler** bize dünya üzerinde durağan hareketsiz sakin görünmektedir. Aşağıda evrenin Big-Bang ile oluşmaya başlamasından, dünya üzerindeki canlıların ve biz insanların oluşmasına kadar ki gelişmeleri tekrar sıralayalım: (EK-Ie)

13,7 Milyar yıl önce Big-Bang ile evrende ilk madde tanecikleri olarak "**atomaltı tanecikleri**"nden; önce **tekli**, sonra **ikili,** sonra üçlü tanecikler oluştu. Big-Bang'den **300-700 bin yıl sonra** üçlü taneciklerden **1 proton** ve **1 nötron** taneciğinden oluşan **helyum çekirdekleri**, evren yeteri kadar soğuduğu için **elektronlarla** birleşip evrenin ilk atomlarını yani "**hidrojen**" atomlarını oluşturdu. Evren hidrojen gazından oluşan gaz kümesi haline geldi (**Nebula**).

- Big-Bang'den 1 milyar yıl sonra galaksiler,

- Big-Bang'den 2 milyar yıl sonra galaksilerin içinde ağır elementler (atomlar) oluşmaya başladı.

- Big-Bang'den 9,2 milyar yıl sonra Samanyolu galaksimizin içinde **güneş, gezegenler** ve dünya oluştu.

I)   TEK HÜCRELİ CANLILAR

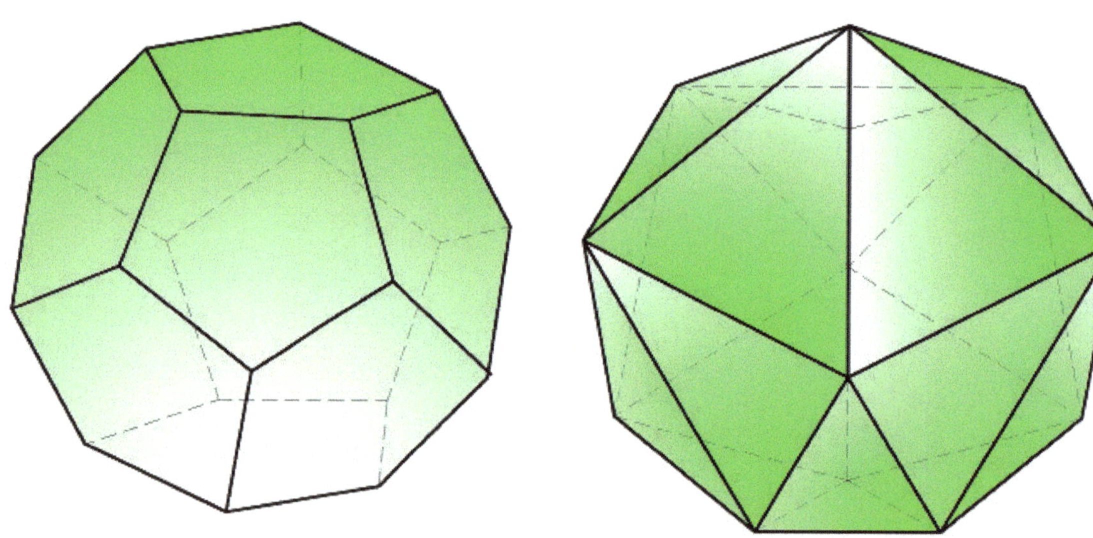

DODEKAHEDRON POLYO VİRÜSÜ   **IKOZAHEDRON POLYO VİRÜSÜ**

Big-Bang'den yaklaşık 12 milyar yıl sonra dünya yeteri kadar soğumuştu ve soğumuş olan kabuk üzerinde (elmanın kabuğu kadar ince, kabuğun altı kızgın lav halinde) Güneydoğu Afrika'da **ilk canlı (tek hücreli yosun)** oluştu. Ancak daha önce canlıların temel bileşikleri olan inorganik bileşikler (**su, mineraller, asit, baz, tuz, karbon**) ve organik bileşikler (**karbonhidratlar, yağlar, proteinler, vitaminler, nükleik asitler**) oluşmuştu. Atomaltı taneciklerinin, sonra atomları oluşturması gibi, önce oluşan bu temel bileşikleri ihtiva eden sular üzerinde, yıldırımların elektrik enerjisinin etkisiyle, **ilk tek hücreli canlılar** oluştu. Bugün laboratuvarlarda bu bileşikleri ihtiva eden su dolu bir cam kaba elektrik verilerek, tek hücreli canlılar elde edilebilmektedir. Hücrenin boyu 10-15 mikrondur. (10^{-3} **mm= 1 mikron~10^{-5-6} m**).

II)   ÇOK HÜCRELİ CANLILAR:

5'Lİ DENİZ YILDIZI

5'Lİ ÇİÇEK YAPISI

Sayfa 18'de "atomaltı taneciklerinden oluşan sanal geometriler" tablosundaki virüsün, kitabın dördüncü bölümünde yer verdiğimiz **"Her şey Kuramı"**ndaki Platonun 5 düzgün yüzlüsünden düzgün 20 yüzlüyle (**ikoza hedron**) aynı yapıda olması ilgi çekicidir (keza yukarıda verilen diğer örnekler). Hücrenin içinde, yukarıda sıralanan anorganik ve organik bileşiklerden oluşan organeller, hücrenin sindirim, solunum, dolaşım, boşaltım ve üreme fonksiyonlarını yerine getirir. Böylece **tek hücreli yosunla başlayan canlı yaşam**, hücre çekirdeğindeki DNA'nın kimyasal ve biyolojik evrimiyle çok hücreli çeşitli bitkiler, hayvanlar, önce denizlerde, **sonra karalarda** oluştu. Nihayet **günümüzden yaklaşık 60-100 bin yıl** önceilk düşünen ve konuşabilen insan tipi olan, mensubu olduğumuz **"homosapiens"** insan yaratıldı.

Bugün 21. asırda, evren ilk defa kendi yarattığı bir canlı olan bizlere sadece içinde yaşadığımız evrenin değil belki daha önceki ve sonraki evrenlerin bilincine varmamızı, bugünkü ölçüde sağlamış olmaktadır. Ancak evrende bu bilince sahip olabilen sade biz mi varız? Bunu henüz bilmiyoruz.

Atomaltı tanecikleri, atomlar, moleküller ve bileşikler için ve **astral tanecikle**r için geçerli olan **"RİTİM"** ve **"MÜZİKALİTE"** canlılar için de geçerlidir. **Biyoritm** (siklus) bir biyolojik olayın başlangıç ve bitimi arasındaki süredir. Canlıların yaşamını bu biyolojik ritimler sağlamaktadır. Gece uyuma, gündüz yaşama, kalp atışları gibi bu **ritimlerin uyum içinde olması** (müzikal ifadesiyle **harmoni) sağlıklı yaşam, uyumsuzluğu ise, hastalık belirtisidir** (kadınların aybaşları, solunum sayısı arasındaki zamana **biyolojik ve fizyolojik saat** adı verilir). Ritimler canlıların DNA'sına yani kalıtımsal nedene de bağlıdır.

Astral alemde güneşin **"solar"**, ayın **"lunar"** ritimleri olduğu gibi, gezegenlerin Güneş etrafındaki devirleri birbirleriyle kavuşum zamanları da **"ritim"** (siklus) oluşturmaktadır.

Son olarak Einstein'ın relativite (görelilik) kuramına uygun olarak farklı canlıların renk konusunda farklı algılamalarını, belirtip canlılar konusunu kapatalım.

At, gökyüzünü mavi değil gri görür, **arılar** UV ışınlarını da gördükleri için bizden farklı bambaşka renkler görürler. **Timsahlar,** köpekler, **tarla fareleri** her şeyi siyah, beyaz görür. Hatta hayvanlar şekilleri de insanlardan farklı algılarmış.

Eskiden insanlara **olumlu öğretileri ve eğitimleri** hep dinler vermeye çalışıyordu. Bugün dinlerin dağınıklığı, çeşitliliği, hatta insanların birbirleriyle, zaman zaman kavga sebebi olması, bilimin toparlanıp, henüz evrenin tamamını açıklayacak hale gelememiş olması; maalesef bazı insanları, dünyayı siyah beyaz görme durumunda bırakmaktadır. Eğer dinler ve bilim insanları tasavvuf anlayışıyla (kesrette vahdet = çoklukta birlik) açıklanabilen bir **"evren bilim"** veya **"kozmoloji"** ortaya koyamazsa, insanların timsahlaşmasına kimse kabahat bulamaz. Timsahlara da kurbanlarına da yazık olur. Bu konuya, kitabın sonunda ki **"Her** şey **Kuramı"**nda devam etmek üzere burada nokta koyalım.

İKİNCİ BÖLÜM "İNSAN"

Mensubu olduğumuz homosapiens, yani ilk düşünen ve konuşan insan tipi günümüzden yaklaşık 50-100 bin yıl önce, son buz devri içinde Orta Asya'da oluştu. Günümüz insanının gözü 390-780.000 Hertz (saniyede titreşim sayısı) arası frekansı olan dalgaları algılayabiliyor. Kulaklarımız ise 20-20.000 Hertz arası frekansı olan sesleri duyabiliyor. Kedilerin kulakları 40.000 Hertz, köpeklerin kulakları 80.000 Hertz frekanstaki sesleri duyabilmektedir. Tat alma duygumuz dilde kimyasal olarak sinirlerle, koku alma, dokunma duygumuz ise yine sinirlerle oluşmaktadır. Sonuç olarak, bütün yeteneklerimiz evrenimizin ve atomlarının 4 temel kuvvetinden elektromanyetik kuvvetin etkisiyle olmaktadır. Esasen genişlemekte olan evrenimizi genişletende bu kuvvettir.

A) İNSANIN TARİHİ EVRİMİ:

50 Milyon yıl önce	Paleozoik (Eski hayvan) devir.
30 Milyon yıl önce	Kahire'de Fayyum Çukurunda insana benzeyen şempanze.
10 Milyon yıl önce	Selanik'te bir insan iskeleti.
8 Milyon yıl önce	Çin'de bir kafatası.
3 Milyon yıl önce	Orta Afrika'da 'Avusturalopitekus' (Beyin hacmi 500 cc).
3 Milyon yıl önce	Güneydoğu Afrika'da bir insan iskeleti 'Lusı'. **I. insan tipi** Ramapitekus. Orta Asya'da bir kafatası "Konsül"
2 Milyon yıl önce	Orta-Gunev Afrika'da "Homohbilis".
1,5 Milyon yıl önce	"Homoerektus" Beyin hacmi 900 cc. **II. insan tipi.**
1 Milyon yıl önce	**En eski buz devri başladı**
930 Bin yıl önce	Anadolu'da Manisa şehri vakınlarmdaki bir mağarada insan izleri.
600 Bin yıl önce	En eski buz devri sona erdi.
600-540 Bin yıl önce	**I. Buz devri.** Nil vadisindeki göl kurudu.
600-150 Bin yıl önce	Avrupa'da 'Heidelberger' insanı.
540-480 Bin yıl önce	Sıcak devir.
500 Bin yıl önce	Jawa Adasında Jawa adamı 'Pitokantropus'
480-430 Bin yıl önce	**II. Buz devri.**
400-240 Bin yıl önce	Sıcak devir.
370-240 Bin yıl önce	II. Ara buz devri
350 Bin yıl önce	Pekin yakmlarında ateş yakmanın öğrenilmesi.
240-180 Bin yıl önce	**III. Buz devri.**
180-120 Bin yıl önce	Sıcak devir
150 Bin yıl önce	Asya, Avrupa ve Afrika'da 'Neaııdertaler' insanı. **III. insan tipi.**
120-12 Bin yıl önce	**IV. Buz devri.**
60- 12 Bin yıl önce	Son ara buz devri.
40 Bin yıl önce	Orta Asya'da, ilk düşünen ve konuşan, yani bugünkü insan tipi "Homosapiens". Son ara buz devrinde Afrika'nın güneyinde bugün hala yaşayan bir kabilenin ataları, Mısır, Arabistan, Hindistan yoluyla Avusturalya ve Orta Asyaya geldiler ve Homosapiens insanını oluşturdular. Bu gerçek, bilimsel olarak DNA testleri ile kanıtlandı.
30 Bin yıl önce	Kuzeyden esen soğuk rüzgar nedeniyle, Avrupa'dan güneye göç.
16 Bin yıl önce	Asya'dan Bering Boğazı yolu ile Kuzey Amerika'ya göç.
15 Bin yıl önce	Asya'dan Akdeniz çevresine göc.
12 Bin yıl önce	Son ara buz devri sona erdi. Kuzey yarmkürede, Himalayalar'a, Avrupa'da Alpler'e, Orta Amerika'ya, Anadolu'ya kadar olan buzlar eridi, Orta Asya'daki büyük göl kurudu. (Nuh'un Gemisi, Tufan olayı sonrası Anadolu'da Urfa şehrine yakın Göbeklitepe yerleşimi ve dünyanın ilk tapınağı)
11 Bin yıl önce	Alpinler Asya'da
9 Bin yıl önce	Alpinler Avnıpa'da, Güneydoğu Anadolu'da Diyarbakır şehrinin Ergani kazasında "ÇayönüTepesı" Köyü. İsrail'de "Jeriko" köyü. Orta Anadolu'da Konya'nın Çumra kazasına yakın "Çatalhöyük" köyü

8 Bin yıl önce	Orta Asya'dan gelen Hint-Avrupalılar, Orta Doğu ve Kuzey Avnıpa'da birikiyorlar. Doğu Anadolu'da Diyarbakır şehrine yakın "Çayönu Tepesi" köyü.
7 Bin yıl önce	Hazar Denizi Doğusunda Aşkabat şehri yakınındaki "**ANAV**" Kurganlarında ve İndüs nehri kıyısında "Mohenjodaro" ve "Harapba" şehirlerinde Sümerlere akraba Dravitler, Asya'da "Minusinsk Kültü», Keza Doğu Anadolu, Mezopotamya ve İran›da, Sümerlere akraba, Subatiler (Hurriler).
İ.Ö. 4500-2000	Ural Altaylı Sümerler ve Elamlar (Gutiler) İran'a geldi
İ.Ö. 4000-2200	Sümerler, Elamlar (Gutiler) Mezopotamya'da yazıyı icat Ettiler
İ.Ö. 4000-3500	Samiler de Arabistan'dan yukarı Mezopotamya'ya geldiler ve Babıl şehrini kurdular.
İ.Ö. 4000-3300	Asya'dan gelen Japonlar japon adalarına yerleştiler
İ.Ö. 4000-2750	Akatlar Ege adalarında
İ.Ö. 4000--1200	Giritliler Giritte
İ.Ö. 4000--525	Mısırlılar Mısır'da
İ.Ö. 4000-3000	Elamlar, Gutiler Iran'da. Etiler, Lelegler, Karlar kuzeyden Anadolu'ya geldi. Pelasklar Avrupa'da ve Anadohı'dalar. Keza Pelasklar, Lelegler, Karlar Yunanistan'dalar. Samiler Arabistan'dan Anadohı'ya geldi. Partlar ve Selefkiler İran'dalar.
İ.Ö. 3000-2000	Subarıler (Hurriler) İran ve Anadolu'dalar.
İ.Ö. 3000-1800	Babilliler Babil'de. Etiler, Lelegler, Karlar Avrupa ve Anadolu'dalar
İ.Ö. 3000-1200	Filistinliler, Aramlar Ön Asya'dalar. İtalikler kuzeyden İtalya'ya geldiler.
" 2800	Sümer kralı "Urgakina" dünyada bilinen ilk kanunları topladı, köleliğe son verdiğini, hürriyeti sağladığını yazdı.
İ.Ö. 2600-640	Elamlar, (Gutiler) Ön Asya'da.
İ.Ö. 2000-612	Babil kralı "Hamurabi" kendi kanunlarını yazdırdı. Sümerlerle, Samiler karıştı, Ön Asya'da Asurlular oluştu. Suriye ve Mezopotamya'ya Anadolu'dan Subarıler (Hurriler) geldi. Yunanistan'a kuzeyden Yunanlılar geldi. Suriye çölünde yaşayan Samilerden olan Aramlar, Babil'i ele geçirip Şam Şehrini başkent yaptılar. Eski adları "Alılamıu" idi. İran'da Persler,
İ.Ö. 2000-VII.y.y	Fenikeliler Ön Asya'da.
İ.Ö. 2000-600	Veda dini Asya'da.
İ.Ö. 2000-Vm.y.y	Anadolu'da Kızılırmak nehri çevresinde Hititler.
İ.Ö. 2000-IV.y.y.	İran'da Persler
İ.Ö. 2000-	Yunanlılar Yunanistan'da.
İ.Ö. 2000-	Hint-Avrupalı Ariler Kuzey Batı Hindistan'da,
İ.Ö. 2000-	Hint-Avrupalı Arilerden Keltler (Galler) Avnıpa'da.
İ.Ö. 2000-	Hint-Avrupalı Ariler, Vedikler Hindistan'da. Horezm (Horzum), Sogd (Masaget) ve Alanlar (Aslar) Hazar-Aral gölleri arasındalar. İndüs vadisine ve Mohenjodaro, Harapba şehirlerine hakim oldular. Sonra Alanlarla Sogdlar diğer Altay yöresi kavimleri olan Moğol Mançu ve Proto Türklerden oluşan Çu-Saka (Skit) Konfederasyonuna katıldılar. Bu Konfederasyon üç gruptu:
İ.Ö. 2000-	1) Fergane-Kaskar Altay yöresi, 2) Aral-Hazar gölleri arası, 3) Bugünkü Güney Rusya yöresi, Bu Konfederasyon İ.Ö. 323'te Büyük İskender›e kadar sürdü.
İ.Ö. 1800-1600	Hiksoslar (Hurri-Sami karışımı) Suriye'den gelip Mısır'ı işgal ettiler.
İ.Ö. 1800-1200	Hititler Anadolu'da. Akalar (Hindo-Germenler) Avrupa'da. Hurrıler (Subariler) Anadolu'dan Kuzey Mezopotamya'ya Gelip Mitanni Devletini kurdular.
İ.Ö. 1700-522	Sogdlar (Sugitler, Masagetler) Asya'da.
İ.Ö. 1680-1160	Kasitler Ön Asya'da.
İ.Ö. 1600-XIII. y.y	İbranler ön Asya'da.
İ.Ö. 1600-1200	Ural Altaylılar Asya'da. Dorlar (Slavlar) Avrupa ve Yunanistan'da.
İ.Ö. 1200-IV.y.y.	İskitler (Sakalar) Ön Asya'da.
İ.Ö. 1200-IV.y.y.	Akdenizden Mısır'a deniz kavimleri geldi
İ.Ö. 1200-VIII.y.y.	Urartular Anadolu'da, Astekler Amerika'da.

İ.Ö. 1000	Orta Avrupa'ya doğudan Germenler geldi.
İ.Ö. 1000-295	Etrüskler (Tuskalar) İtalya ve Ön Asya'dalar.
İ.Ö. 1000-245	Hunlar Asya ve Avrupa'dalar.
İ.Ö. 1000-İ.S. 20	Mayalar Meksika'dalar. Avustralyalılar Avustralya'da. Kızılderili Siyular Amerika'da
İ.Ö. 1000-VI. y.y.	Çinliler Çin›de, Tibetliler Tıbet'te.
İ.Ö. 1059-249	ProtoTürkler Çin'de
İ.Ö. 700	Batı Anadolu'da Lidya Krallığı, Sart şehri başkent, Anadolu'ya Kuzeyden Kimerler, İskitler geldi.
İ.Ö. 676	Frigler (Frig Venüs anlamında) Kuzey Batı Anadolu'dalar.
İ.Ö. 546	Lidyalılar Batı Anadolu'da.
	Kuzey batı Anadolu'ya kuzeyden Frıgler geldı.Yunanistan'a kuzeyden Dorlar (Slavlar) geldi. İtalya'ya kuzeyden İtalikler geldi.
İ.Ö. 546 İ.Ö. 500	İran›dan gelen Pers Kralı Daryüs ilk altın parayı icat eden Lıdya Kralı Krezüs'u yenip, Lidya Krallığını sona erdirdi. Galler (Kelter) Avrupa'dalar
İ.Ö. 476	İtalya'ya kuzeyden Attila ile Hunlar geldi. Roma İmparatorluğu yıkıldı.
İ.Ö. 334 İ.Ö. IV. y.y.-I.S. 106	Anadolu'ya İskender ile Yunanlılar geldi. Nebatiler Kuzeybatı Arabistan'da.
İ.Ö. 200-I.S.600	Kuzeybatı Avrupa'da Vikingler.
İ.Ö. 190	Romalılar Anadou'ya geldi.
I.S. II.-IX. y.y.	Keltler (Galler, Avarlar, Cücenler) Orta Avrupa'da.
I.S. III. - IX y.y.	Hindo Germenlerden Vizigotlar Güney Batı Rusya'da.
I.S. III. - IX y.y.	Hindo Germenlerden Ostrogotlar Güneydoğu Rusya'da
I.S. III. - IX y.y.	Hindo Germenlerden Angıllar, Saksonlar, Franklar Kuzey Fransa'da.
I.S. III. y.y. I.S. 552-659 I.S. VIII. y.y.	Vandallar Macaristan ve İspanya›dalar. Göktürkler Ön Asya'da. Yakut Türkleri Ön Asya'da. Karluklar Orta Asya'dalar.
I.S. -IX. y.y. İ.S. X-VI y.y.	Macarlar Macaristan'da. Oğuz Türkleri Ön Asya ve Anadolu'dalar
I.S. 1071 I.S. 1206-1226 I.S. XIII. y.y. İ.S. 1299-1920	Anadolu'ya Orta asyadan Selçuklular geldi. Moğollar Ön Asya ve Anadolu'dalar. İnkalar Orta Amerika'dalar. Osmanlı İmparatorluğu Anadolu, Macanstan, Arabistan ve Kuzey Afrika'da.
I.S. 1977	Dünyanın nüfusu 4,6 milyar.
I.S. 2020	Dünyanın nüfusu 8 milyar olacak
I.S. 2620	Dünyanın nüfusu metre kareye 12 kişi. (Eğer doğru hesaplandıysa)

İlk düşünen ve konuşabilen insan tipi **"homosapiens"**, yani bugünkü insanlar, Orta Asya'da, Ön Asya'da önce akarsu kenarlarındaki, yamaçlarda bulunan mağaralarda, yonttukları taşlarla, hayvan kemikleri ve boynuzlarından yaptıkları silahlarla, avcılık yaptılar. Yabani bitkilerle yaşamlarını sürdürdüler. Sonraları ok, yay, kılıç, mızrak gibi silahlar geliştirdiler. Mağara çevresinde başlayan tarım faaliyetini, akarsu kenarlarına taşırken, kendi yaptıkları hayvan derisinden çadırlar ve kerpiç evlerde toplu yaşama geçtiler. Bu arada ateş yakmayı, kağnı yapmayı, kara sabanla toprağı sürüp, hububat yetiştirmeyi, hububatları taşlarla öğütüp ekmek yapmayı başardılar. Zengin tabii çevrenin kazandırdığı, barınma ve beslenme imkânları ile insanlar akarsu kenarlarında köyler ve şehirler oluşturup çoğalmaya başladılar.

İ.Ö: ~10 000'de Tufan olayında, Kuzey Yarımküredeki buzlar eriyip, dünya denizleri 80 m. yükselmeden önce,

İ.Ö: 14 binde Asya'dan, Kuzeyden Bering Boğazı yoluyla Kuzey Amerika'ya ve Güneyden, bugünkü Filipin adaları yoluyla da Güney Amerika'ya göçler oldu. Çünkü dünya denizleri 80 m yükselmeden önce, Filipinler bölgesinden kara yoluyla geçmek belki mümkündü. Kuzey Amerika'da Eskimoların ve kızılderililerin Moğol ırkından olmaları bu göçleri kanıtlamaktadır. Keza İspanyollar Orta Amerika'yı zaptettikten sonra, İspanyol rahiplerinin yerli halka, Hıristiyanlığı öğretmek için hazırladıkları lügatlarda, yüzlerce Türkçe kelimenin bulunması, Eski Amerika halklarının da Avrupa gibi Orta Asya'dan kaynaklandığının bir başka örneğidir. National Geographic Dergisinin bir araştırmasına göre; bugünkü insanların, ortak atalarının, Afrika'dan, Orta Asya'ya göç eden, bugün halâ Güney Afrika'da yaşayan bir kabile olduğu DNA testlerine dayanarak ortaya kondu.

İNSANIN TARİHİ EVRİMİNE AİT EK BAZI RESİM VE ÇİZİMLER:

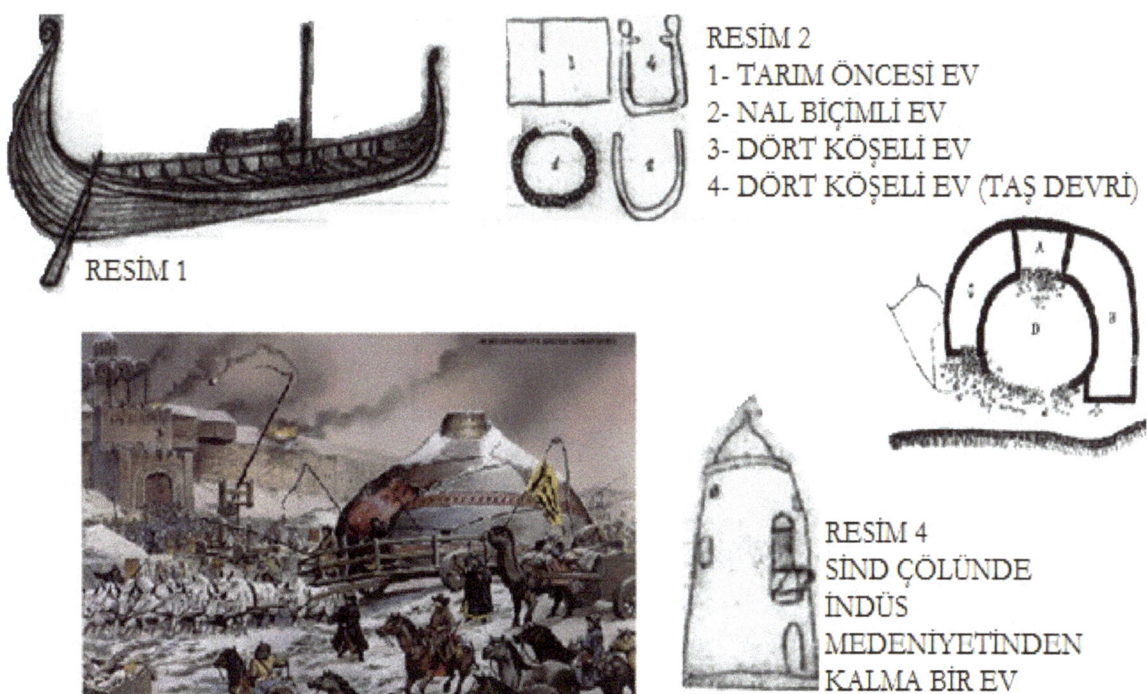

B) İNSANIN DİL EVRİMİ:

Dil, insanların duyduklarını ve düşündüklerini, anlatmak için kullandıkları söz dizgeleri olup, düşüncenin maddesel yapısıdır ve sözcüklerle var olur. Bütün diller insanların bilgilerini saptar, saklar ve yeni kuşaklara ulaştırır. Bu yüzden bir ulusun gelişmesi için, nasıl ortak bir dil gerekiyorsa insanlığın gelişmesi içinde ortak bir dil gerekmektedir. Nasıl **seslerin uyumu harmoniyi, yani müziği oluşturuyorsa,** ortak dil de dünyada insanlar arasında **uyumu, ahengi** temsil edecek bir felsefeyi ve matematiği yaratacak ve böylece **"insanlığın ortak senfonisi"**nin yaşanacağı yeni bir çağ başlatabilecektir. İnsan düşüncesinin seslerle ifadesi dilleri, şekillerle ifadesi ise yazıyı oluşturdu. Matematik de varlıkların **seslerle ifadesi sayıları, şekillerle ifadesinin geometriyi** oluşturması gibi. Böylece insanların öğrendiği bilgilerin önce sözlü olarak, sonra **yazılı** olarak nesilden nesile aktarılması sağlandı. Bugün bilgisayarlar bilginin gelişimi ve ulaşılabilirliğini dünya çapında genişletti, globalleştirdi.

Dünya dilleri kelime yapılarına göre üç guruba ayrılmaktadır:

1-Ayrımlı Diller: Kelimeler **tek heceli** olup, söz içinde değişime uğramaz. Tek heceleri farklı tonlarda ifade ederek, anlam farklılığı kazandırılır. (Çince, Tibetçe, Siyamca)

2-Bitişimli Diller: Değişmeyen kelime köklerine, ekler getirilerek anlam ve ilişki değişikliği yapılır (Türkçe, Moğolca, Japonca, Macarca). Türkçe eşine rastlanmayan derecede düzenli (regular) bir dildir. Türkçenin mantık dokusu öyle sağlamdır ki, insan bu dilin sanki bir grup matematikçi tarafından planlanıp geliştirildiği hissine kapılır. Eğer gerçekten öyleyse bunun kaynağı; İran edebiyatı ve Farsçayı da benzersiz kılan Sogt ve Mu Kıtasının da son imparatorluğu olduğu ifade edilen Uygurların birlikte olduğu medeniyette aranabilir. Bu Sogt ve Uygur medeniyeti Veda'larla Brahman rahiplerine kadar uzanıp

Sanskritçeye kaynak olmuş olabilir. Bugünkü Brahman ve Tibet rahiplerine selam olsun.

3-Bükümlü Diller: Kelimelerin çekim ve üretiminde, ekler getirildiği gibi, kelime kökleri de değişime uğratılır. Farsça'nın kaynağında Sogdların olması gibi; Arapça, Farsça, Almanca bu gelişmişlik düzeyini daha önce Asya'da birlikte oldukları **Sogd ve Uygur medeniyetlerine** borçlu olabilir. Ancak, yukarıdaki tasnifte aynı guruba giren bazı diller, akraba olmayabilmektedir. Bugün konuşulan dillerin hiçbiri, Türkçe dışında bilimsel olarak mükemmel değildir. Bilinen diller arasında Hindistan'da Brahman Rahiplerinin oluşturduğu ve sadece onların kullandığı "**Sanskritçe**" ikinci mükemmel dildir. Ayrıca yirminci yüzyılda bilimsel, pratik bir "**dünya dili**" için çalışmalar yapılmış olup, eski Yugoslavya'da çalışılmış "**Esperanto Dili**" buna örnektir. Yaklaşık üç bin yıl önce Brahman rahiplerinin hazırlayabildiği bir bilimsel dili, bugün insanlığın hâlâ hazırlayamamış olması utanç vericidir. Esperanto dili ilk defa 1887'de Dr. Louis-Lazare Zamenhof tarafından yayınlandı. Decartes, Montesquieu, Leibniz, Voltaire, Condorcet'in de daha önce evrensel dil çalışmaları olmuştu. 1880'de Alman papaz J. Schleyer "Volapük" dilini yayınlamıştı.

Yukarıda insan düşüncesinin şekillerle ifadesinin hem yazıyı hem geometriyi oluşturması temelinde yeni bir bilimsel dünya dili araştırması yapılacaksa bu ayrımlı, bitişimli ve bükümlü dillerde araştırılarak yeni dilin şekilsel, semantik bir temele ve geometriye, belki Arap yazısı olarak bilinen yazıda olduğu gibi, altın oranlara dayanması gerekir denebilir. En azından bugün dünyada en yaygın olarak kullanılan İngilizcenin gramer aykırılıklardan da artikellerden de arındırılıp, Türkçe ve Sanskritçe örneğine göre mükemmelleştirilmesi veya bütün dünya dillerini bütünleştirecek ve herkese kolay gelecek bir dünya dilinin araştırılmasına acilen başlanmalıdır. Çünkü dilbilim aynı zamanda matematik gibi insan bilimleri arasında bir kesişme ve buluşma noktasıdır.

İnsan düşüncelerinin ifadesi, ayrıca üçe ayrılır:

1. **Sözel dil:** Çeşitli diller.
2. **Beden dili:** Davranış özellikleri, tasavvufi ifadesi "hâl".
3. **Müzik dili:** Evrensel ortak dil.

Dünya toplumlarını ancak evrenin ortak senfonisini oluşturan müzikalitesi de olan bir dünya dili barıştırabilir.

C) İNSANIN DİN EVRİMİ:

I) TOPLAYICILIK, AVCILIK VE BÜYÜ:

İ.Ö. 28 000 Meksika'da ve Anadolu'da, Diyarbakır şehrinin kazası Ergani'deki mağaralarda ok, yay, kuş resimleri, avla ilgili büyü faaliyetleri.

İ.Ö. 23 000-20 000 Fransa'da Ariegne'deki, "Tuc. D. Audoubert" mağaralarında 60 cm. uzunluğunda iki yaban öküzü tasviri ve dans etmiş kadın ve erkek ayak izleri.

İ.Ö. 12 000-5 500 Fransa'da La Maidelaine'deki mağaralarda aile hayatı, ok, yay ve kemikten aletler, ana tanrıça, geyik, yaban öküzü, at, mamut resimleri.

II) TARIM, İLK KÖYLER VE ANA TANRIÇA:

İ.Ö. 10 000: Güneydoğu Anadolu'da Urfa şehrine yakın **Göbekli Tepe**'de, Nuh Tufanının insanları, dünyanın **en eski tapınağı.**

İ.Ö. 7000: Orta Anadolu'da, Konya şehrinin, Çumra kazasına yakın, "Çatal Höyük" yerleşiminde, Anadolu'ya adını veren "**Ana Tanrıça**".

İ.Ö. 6000: Güneydoğu Anadolu'da, Diyarbakır şehrinin kazası Ergani'de "Çayönü Tepesi" Köyünde, keza İsrail'de Jerüsalem (**Jerico**) şehrinde, Girit adasında, Avrupa'da, Mısır'da, İran'da, Hindistan'da İndüs vadisindeki "**Mohenjodaro ve Harabba**" şehirlerinde, Orta Asya'da "**ANAV**" kurganlarında, Anadolunun bir çok yerinde, mesela **Truva'**da, İsa'dan önceki yıllara kadar "**Ana Tanrıça**"ya raslanır.

III)   ÇOK TANRILI DİNLER:

İ.Ö. ~ 20 000 ? MU KITASI. (S-206)

İ.Ö. ~ 15 000 ? ATLANTİS KITASI (S-206)

İ.Ö. ~ 10 000-İ.S. 1500 MAYALAR Orta AmerikadaYeşim taşı kutsal.

İ.Ö. ~ 9 500-İ.S. 14-15 y.y. İNKALAR Güney Amerikadalar.

İ.Ö. 6-7 000 ANAV KÜLTÜ orta asyada bugünkü Türkmenistanda (S-174,48-52,73-75). Anav kültürü (OXUS, OK-UZ) Göbeklitepe, İskit ve Uygurlara akraba. ANAV adı gök tanrı AN'dan gelmedir.

İ.Ö. 4 000-3 000 SÜMERLER: Mezopotamya'ya İndüs vadisi yoluyla **ANAV bölgesinden** gelen Sümerlerin **Gılgamış Destanı ve Enuma Eliş** (Gökyüzünde) adlı yaratılış efsanesine göre; önce **Su (Apsu)** vardı. "**Sümer**" kelimesi de "**Su Dağı**" anlamındadır. Gökyüzünü suyun içinde parlayan ışıklar olarak algılıyorlardı. **Su tanrıçası Nunu**'dan, (Nene, bugün hala Türkçede büyük anne anlamında'dır) **Gök Tanrı An** (Ansar) ve **Toprak Tanrıçası Ki** (Kisar, Toprak ana) doğdu ve onların birleşmesinden de **Hava Tanrı Enlil** Meydana geldi. Enlil karanlık göğü aydınlatmak için **Nana**'yı (**Ay Tanrıçası**), Nana da **Güneş Tanrı Utu** ile **Aşk ve Savaş Tanrıçası** İnana'yı yarattı. Nana'nın kocası **Dumu-Zıd erkek verimliliği ve çoban tanrı** idi. Toprak Ana Ki'den, tatlı suların tanrısı **Enki** doğdu. Derinlerde yaşayan **Enki**, Tufan olayında insanları yok olmaktan kurtaran, sanatın vc bilgcliğin tanrısıdır (Samilerde **Ea**, Altaylarda **Talay** (Yayıkhan). Sümerlerin rahip krrallarına da **Ensi** veya **Patesi** denirdi. **Kur** ölüler ülkesidir. **Dilmun** cennet, fırtına ve yağmur tanrısı **Adat**, Gök Tanrı **An**'ın karısı **Antum**, yer altı yargıçlarının zabıt kâtibi **Belit-Şeri** kalabalık Sümer mitoloji ailesinden sadece önemli isimlerdir. Sümer tanrıları, daha sonra özellikle batıya doğru; **Mısır, Anadolu, Yunan, Etrüsk, Roma** dinlerine farklı isimlerle geçtiği gibi, **Avrupa ve Hint-Avrupa** dinleriyle de büyük benzerlikler gösterirler. Örnek olarak; **Gılgamış Destanı**nda tanrılaşan kral olarak **Gılgamış (Bilgameş** bilgili, kutsal, soylu yiğit anlamında), Yunanlılarda **Herakles**, Anadolu'da Tarsus ve İvriz'de **Sandan**, İran'da **Rüstem**, İbranilerde **Samson** Olmuştur.

İ.Ö. 4 000: MISIR'a, Suriye ve Filistin üzerinden Asyalılar geldi. Samilerden önceki halk, Güney Mısır'a **Kemit** (kara toprak) (*kem* farsça kötü anlamında), Kuzey Mısır›a **Dorşit** (kızıl toprak) derdi. Mısır'da ilk yerleşenler **khassep** [kasaba, (kasaba Arapça küçük şehir anlamında)] denen küçük şehir devletleri kurdular. Sonra Yunanlılar bunlara **Nom** adını verdi. Kuzeyde delta bölgesinde **20 şehir** birleşti, şahin şeklindeki **iyi güneş tanrı** yani **Horus** oldu, Güney Nil vadisinde, **23 şehir** birleşti akrep şeklindeki **kötü güneş tanrı** yani **Teb** oldu. Mısır'da da Sümerlerin **su tanrısı Nunu**'dan doğan tanrılar aynen vardır. Bu, Mısır'ın farklı şehirlerinde, önce üçlü tanrılar olarak aşağıdaki gibi gelişti: (TÇ: Tanrıça, TA: Tanrı)

TANRILAR	İLK ÜÇLÜ	KUZEY MISIR'DA		GÜNEY MISIR'DA	
	NİL BOYUNDA	ABİDOS'TA	MEMFİS'TE	AMBOS'TA	TEB'TE
GÖK	TÇ NUT	TA OSIRIS (BABA)	TA PİTAH (BABA)		TA AMON
YER	TA GEB		TÇ SEKEMET (ANNE)		TÇ MUT
GÜNEŞ	TA RA	TA HORUS (OĞUL)	TA TMOTEP (OĞUL)	SET (KÖTÜ)	
AY		TÇ ISIS (ANNE)			HONSU

İ.Ö. 2000 Suriye ve Mezopotamya'da yaşayan samilerden olan **Aramlar**ın (Ermeniler) gök tanrısı **Şimegi**, yer tanrısı **Hepa**, fırtına tanrısı **Teşup**, ay tanrısı **Kuşuh**, dağ tanrıları **Namu** ve **Hazzi** idi.

İ.Ö. 2000-800: HİTİTLER'in çok tanrılı dininde, güneş tanrısı **Utu** (İştanuş, Arinna), yer tanrısı **Hepat** (Kupapa), fırtına tanrısı **Teşup**, deniz tanrısı **Aruna** idi. Hititler başka toplumların tanrılarına da taparlardı.

İ.Ö. 2000-800 VEDİZM: (**Veda**=Kulak yolu ile edinilen bilgi) Kuzeyden gelip Hindistan'ı işgal eden Hint-Avrupalıların dini. Yazının icadından sonra 4 kitapta toplandı:

1. **Rig Veda** (dua bilgisi, rüzgar).
2. **Sama Veda** (dini törenler bilgisi).
3. **Yacur Veda** (büyü bilgisi).
4. **Athervan Veda** (tıp ve büyü bilgisi).

Bu dinin sayısız tanrıları arasında:
a) **İndra** (gece göğü, savaş, fırtına, yıldırım tanrısı).
b) **Mitra** (güneşli gündüz göğü, adalet ve ışık tanrısı).
c) **Varuna** (gündüz göğü, akıl ve evrensel nizam tanrısı).

Bu üçünün de anası tanrıça **Aditi**; bütün evrensel varlıkların ortak özüdür. Ayrıca, Gök Baba "**Diaus Pitar**", Toprak Ana "**La Piritivi Matar**"dir. Güneş tanrı "**Surya**", yasa tanrı "**Vata**" gibi daha sayısız tanrılar vardır. Bu dine göre, tanrıları yaratan insansal eylem, kurban eylemi ve varlığı yaratan eylemdir. Veda Dini, sayısız tanrılarının, yüce bir varlık olan, ana tanrıça **Aditi**'nin çeşitli görünümleri olduğunu kabul eder. Vedaların en eskisi, **Rig Veda**'nın bir dizesinde şöyle denir: "**Bilgeler, yüce varlığı başka başka adlarla anarlar; ona Agni** (ateş, yurt, ocak tanrısı), **Mitra derler, Veda derler.**" Bu dizede görüldüğü gibi, Vedizm bir anlamda tek tanrı anlayışıdır.

İ.Ö. 2 000-1 000 ORPHE DİNİ (Orphik Din): Yunan öncesi Balkanlarda, adını Trakya mitolojisindeki müzikçi ozan **Orphe**'den alan bir din. Orphe müziği ve şiiri ile bütün varlıkları, vahşi hayvanları büyüler, "**lyr**" adı verilen sazı, kâhinliği ve büyüyü onun icat ettiğine inanılır. Bu din önce Trakya'da doğmuş sonra Yunanistan'a ve Roma'ya geçmiştir. Orpeus'a göre; insanda iyilikçi tanrısallık "**Dionysik**" ile kötülükçü "**Titanik**" vardır. İnsan dinsel arınma ile sonsuz bahtlılığa kavuşabilir. Ruh bedenden bedene geçtikçe kötülükten arınır. Öbür dünyada var olmak için bu dünyada çile çekmek ve **Orpheus** gibi yaşamak; et, yumurta gibi şeyleri yememek gerekir. **Orpeus**, insanları hayvanlarla ve tüm doğayla birleştiren bir anlayışa, bir çeşit **panteizme**, kamu tanrıcılığa, daha sonra Yunanlıların **Stoacılığı**na, yeni **Platonculuğu**na, Yahudilerin **Kabala**sına, doğunun **Vahdet-i Vücut** anlayışına, **Hermesciliğe** ve **tek tanrıcılığa ve İslâm tasavvufuna** benzer bir inanca sahipti.

İ.Ö. 1894-1595 BABİL: Bab sümerce kapı, El ise tanrı anlamındadır. İlk kıralı Nemrut'dur. Marduk Semiramis'in babası olmayan oğlu, yer ve göğün efendisi Babil'in baş tanrısıdır ve insanları balçıktan yaratmıştır.

İ.Ö. 1700-1200 ORTA ASYA BAYKAL YÖRESİ: Orta Asya Baykal yöresinde tarım hayvancılık, ileri av teknikleri, toprakla ilgili putlar vardı. Göçebelerle dışa yeşim taşı satılıyordu.

İ.Ö.1700-1586 HİKSOSLAR: Doğu Anadolulu **Hurriler** (**Hurri, Hor** Güneş anlamındadır. Bugün Anadolu'da el ele tutularak daire şeklinde oynanan oyuna hala *horon* denmektedir.) ve Arabistanlı **Samiler**den oluşan kavim. Suriye'den gelip Mısır'ı istila ettiler. Yıldırım, fırtına ve gök tanrıları vardı.

ALTAY PUTLARINDAN

ALTAY ŞAMAN DAVULU

İ.Ö. 1400 ORTA ASYA BAYKAL ÖTÜGEN YÖRESİNDE: Çinlilerin "**Ting Ling**" dedikleri, Türkçe konuşan kavimlerde gök, güneş, ateş, ocakla, ataların ruhları ve tabiat kuvvetleri ile ilgili inançlar vardı.

İ.Ö.1059-249 PROTO-TÜRKLER: Çin'in batısından gelip, kuzeydeki kavimlerle birlikte Kuzey Çin'i ele geçiren Çinlilerin "**Chou**" (Türkçesi; kök, gök) dediği, çoğunluğu prototürk olan kavimlerde evren düzenini *zaman* ve *mekân* içinde bütün olarak tasavvur eden bir din görüşü vardı. Kainatı kubbe şeklinde bir *otağa* veya üzerinde **otağ** (hükümdar çadırı) bulunan iki tekerlekli (tekerleğin biri **ay** diğeri **güneş**) bir arabaya benzettiler. Otağın kubbesinin 28 dilimi; ayın dünyada 28 günde dolanımı sırasında, önünden geçtiği burçları temsil ediyordu. Bunlar da yıl içinde baharda, doğuda görünmeye başladıkları zamana uygun **olarak**, yedişer burçluk dört grup halinde, dört yönün timsali sayılıyordu. Göğün zirvesinde **kutup yıldızı** üzerinde Gök Tanrının sarayı, merkezde olmak üzere, ayrıca dördü dört yönde, dördü ara yönlerde olmak üzere, **tanrıların dokuz sarayı** vardı. Bu dokuzlu bölünme yeryüzündeki kavimlere ve hükümdarlarına aynen teşmil edilip il teşkilatı, biri merkezde, diğerleri sekiz yönde olmak üzere dokuz vilayetten oluşuyordu. Hükümdar, yaz dönümünde (Haziranda) **gök mabuduna** kızıl; kış dönümünde **yer mabuduna** kara renkli genç erkek hayvan kurban ederdi. Ayinde hükümdar yüzünü güneye, beyler ve halk onun karşısında kuzeye döner; hükümdarın sağında küçük zabitler yüzünü batıya, solunda büyük zabitler yüzünü doğuya dönerdi. Ataların ruhlarına ve yersulara dört mevsim başında ve ayrıca güneşe, aya ve dört yöndeki dağ ve ırmaklara ayinler yapılırdı.

İ.Ö. 554-480 BUDİZM: Nepal'de Türk asıllı Goutama (Buda) tarafından kurulan din. (**Buda**: Aydınlanan, uyanmış, Nur'a kavuşan, bilen, kurtaran). Buda'ya göre gençlik, sağlık, hayat geçicidir.

Bir gün incir ağacının (bilgi ağacı) altında dört ana gerçeği tanımıştır:
1) Dünyada tek gerçek ızdıraptır.
2) Acının kaynağı arzu ve dünya nimetleridir.
3) Acıdan kurtulmak ve Nirvana'ya ulaşmak, isteklerden arınmakla mümkündür.
4) Bu arınma için tek yol Dharma, yani ahlâk erdemlerine dayanan yasadır.

Buna göre, kutsal yol 7 dallıdır:
1) Saf inanç.
2) Saf dilek (irade).
3) Saf iş.
4) Saf gayret.
5) Saf bellek.
6) Saf düşünce.

Buda'nın kutsal kitabı Tipi Taka'dır. (üç sepet):
1) Keşişlik kurallarını.
2) Kurtuluş çarelerini.
3) Felsefi ve psikolojik görüşleri içerir.

Buda'ya ait olan metinlere, "**kanon**" denir. (Bugünkü Türkçesi kanun) "Hakikati bilen ve gören mutlu kimsenin yalnızlığı ne hoştur, tuttuğu yoldan ayrılmadan, hiçbir varlığa kötülük etmeyen kimsenin hali ne hoştur. 'Ben'in inatçılığını yenmek, gerçekten mutlulukların en yücesidir. Her iki aşırı uçtan; yani **iğrenç ve boş olan, zevk ve sefa hayatından da kasvetli ve boş olan bir perhiz ve oruç hayatından da sakınmak gerekir. Bilgiye, gönül rahatlığına, mutluluk dolu bir hiçliğe erişmek için, ikisinin ortasından geçen yoldan gitmek gerekir.** Ne madde, ne ruh dünyasında devamlı bir şey yoktur; ancak haller vardır ve bu hallerin şartları kendinden öncekiler tarafından meydana getirilir. Böylece yalan, boş, geçici bir **evren** ve **ben** yaratılır. Bu kendi çevresinde dönen çark ile sembolleştirilmiştir ki, bu, **oluş çarkıdır. Karman,** yani kendi çevresinde dönen bu özel âlemi vücuda getiren kumaştır. **Mandala,** Türkçe ayin yeridir.

Budizmin 5 menfi ahlâk kaidesi:
1) Canlıları öldürmemek.
2) Başkasının malını almamak.
3) Başkasının karısını almamak.

4) Yalan söylememek.

5) Sarhoş edici içki içmemek.

Budizm'in müsbet ahlâkı:

Ferdi ızdırabı tevekkül ile karşılamayı, yaşayanları düşünmeyi, zihnen de olsa onların ızdırap ve sevinçlerine ortak olmayı, iyicil olmayı, (kalbin selâmeti için) merhametli olmayı, hakaretleri bağışlamayı, başkaları için fedakârlık yapmayı emreder. İyicillik, başkasını bağışlama ile sonuçlanır. Hınca hınçla cevap verilirse hıncın sonu ne olacaktır. İnsan başkalarına yalnız varını yoğunu değil; zamanını, canını, benliğini vermelidir. **"Nirvana"** izafi yokluk, yani mutlak bir gerçektir; **altın göklü bir cennettir**. İçinde devasa *lotus çiçekleri* vardır. Orada insan her türlü ızdıraptan sıyrılır; hoş bir müzik kulakları okşar; tatlı bir ışık içinde güzel rakkaseler (apsaralar) dans eder. Mümin buraya **Amida**'nın inayeti ile gelir. Buda kutsal kalıntıları Stupa anıtlarında saklanır. Tibet Budizmine **"Lamaizm"** denir (**Lama** üstün anlamındadır).

İ.Ö. VI. y.y. JEİNİZM: Hindistan'da bu dini kuran **Jina** (muzaffer) bir savaşçı ve prens ailesindendi. Ona göre; yaratan ve yaratılan yoktur. Dünya ebedidir. Hiçbir canlı varlığa kötülük yapmamak, sıkı perhiz yapmak, çıplak gezmek gerekir.

İ.Ö. IV. y.y. MİTRAİZM: Mithra (Sanskritçe **dost**) Hint-İran güneş tanrıçasının elçisidir. Bir kayadan çıkan ışık olarak *Kozmik Boğa*yı kendine rahm edip, sonra kurban etmiştir. Bütün canlı varlıklar bu boğanın karnından olmuştur. Gözlerin bakmaya dayanamıyacağı parlaklıkta bir ateş kılığına bürünüp, karanlıkları yakarak, insanları aydınlığa kavuşturup, göğe çıkmış; güneşle birleşip tanrılaşmıştır. Önce tüm gece olan evren, yarı yarıya aydınlanmıştır, (gündüz/gece). **Mithra** tanrı olarak artık kötülüklerle mücadelede insanlara yardım etmektedir. Ölümden sonraki yargılamadan başarı ile çıkanlar, kurtuluşa, ölümsüzlüğe kavuşur, **Bahtılar Ülkesinde** sonsuz yaşamak üzere göğe yükselirler. Dine girmek isteyenler, *erginleme* töreninden geçer, mutluluğa kavuşurlar. Tapınma, mağaralarda ve yer altında gizli odalarda olur. Kadınlar katılamaz.

Mitraizm'de sınavla birinden diğerine geçilen 7 derece vardır:

1) Karga.

2) Kartal başlı aslan.

3) Asker.

4) Aslan.

5) Pars.

6) Güneşin habercisi.

7) Ulu.

Ayrıca hepsinin başkanına da **ulular ulusu** denir. Yedinci derece töreninde boğa kurban edilir; suyla, balla vaftiz yapılır; kızgın demir ile damgalanır; ekmek ve şarapla tapınma yemeği yenir. Böylece, Mithra'nın göğe çıkmadan önceki, son yemeği anılır. Ayrıca gizli törenler arasında, bugün bilinen maskeler takıp oruç tutulur ve uzun taş sıralarda oturup yemek yenir.

İ.S. VIII. Yüzyıl ŞİNTOİZM: Japonlar yazıyı çok sonra öğrendikleri için, bu çok eski Japon dininin kurallarını ancak **VIII. yüzyılda**, **"Koçiki"** isimli bir kutsal kitapta topladılar. Bu çok tanrılı dinde, "Şinto", **Tanrıların Yolu** anlamındadır. Japonya'da en eski yerli halk, Hokaido adasında **Ainolar**, ayı (Türkçede **ayı** aynı anlamdadır), tilki ve kutsal ruhlara, yani Kami'lere tapıyorlar; **ay, güneş, ateş, fırtına ve yer** tanrıları, İnzanagi "davetkar erkek" tanrı ve İdzami "davetkar dişi" tanrıçaları vardı. Japon mitolojisinde Adem ile Havva gibi, ilk erkek İnzanagi ve ilk kadın İdzami olan yaratılış efsaneside vardır. İmparator Güneş Tanrının oğludur. Şinto dininde bütün ölüler tanrıdır. Onların ruhları bütün doğayı yönetirler. Kendilerine saygı gösterilince iyicil, gösterilmeyince kötücül olurlar. Tanrılar onların çeşitli doğa varlıkları olarak biçimlenmiş belirimleridir. **Amaterasu** güneş tanrısı, **Tsukiyomi** ay tanrısı, **Susanoo** fırtına tanrısı vs. **XVIII. yüzyıldan sonra**, **"Koka Şinto"** (Ulusal Şinto) adıyla siyasal amaçlarlada kullanılmıştır. **"Kamino Miçi"** adıda verilen Şinto dininin Çincede, "iyi ruhlar" anlamındaki "Şen Tao" deyiminden türediği de öne sürülmüştür. (Türkçede de sevinçli, neşeli anlamında Şen kelimesi olması ilginçtir).

İ.Ö. 800-İ.S. I. y.y. BRAHMANLAR: Hindistan'da, daha önceki yıllara ait **Vedalar**'a, yani sözlü bilgilere dayanan bilgilerin, yazının icadından sonra Brahman Rahipleri tarafından, daha çok disiplin altına alınmak için yazılı hale getirilmesi ile kurulan din. **Upanişatlar** (gizli bildiriler) ve **Brahmanalar** (kurban formülleri) adlı yazılı metinlere dayanır. Rahiplerin yani brahmanların üstünlüğünü meşrulaştıran bu din üç esasa dayanır:

1) **BRAHMAN** (makro kozmoz, evrenin temel özü).(Sayfa 201'de Evrenin aklı gibi)

2) **ATMAN** (mikro kozmoz, yani insanın içindeki derin ben).

3) **KARMAN** (daha önceki varlıkların fiilleri, ruh göçü Samsara).

İnsan Atman ve Brahman'ın aynılığına inandığı anda, arzuları sönecek, Brahma'ya yani ölmezliğe kavuşacaktır. Bu kurban yerine bilgi yolu ile erişilen kurtuluştur.

Brahmanların üç tanrısı:

1) **Brahma** (Yaratıcı, tez).

2) **Vişnu** (Koruyucu, antitez).

3) **Şiva** (Yeniden yapmak için yıkıcı, sentez).

Brahman'ın maddesiz ve sorunsuz bir mutlu dünya yaratma isteğine, Şiva karşı çıkar; canlılığın, gelişmenin, çelişme ile gerçekleşeceği fikrini temsil eder; sembolü üçlü gamalı haçtır.

İ.Ö.700-245 HUNLAR: Yani **Tysin**lerin il teşkilatı. Çin kayıtlarına göre küçük ili oluşturan dört aşiretten her biri ancak dört yönden belli birinde yerleşebilirdi. Dört yöndeki kutsal ruhlar "**ongunlar**", merkezin yani ilin kutsal ruhunun "**Ogan**"ın oğulları idi. Doğunun unsuru **ağaç**, güneyin unsuru **ateş**, batının unsuru **demir**, kuzeyin **su** idi. Doğudaki aşiret ilkbaharda **Gök Han**'a koyun, güneydeki aşiret yazın **Kızıl Han**'a kızıl horoz, batıdaki aşiret sonbaharda **Ak Han**'a ak köpek, kuzeydeki aşiret kışın **Kara Han**'a kara domuz kurban ederdi. Sene ortasında da merkezin yani ilin kutsal ruhu **Ogan**'a **sarı öküz (tosun, tysin, tahsin)** kurban edilirdi. Sağdaki aşiret dokuz kat gökteki ilahlara, soldaki aşiret, sekiz kat yer altındaki ilahlara daha yakındı. Önceleri dörtlü tasnif vardı, sonra ortaya merkezin ilavesi ile dört yöndeki topluluklar arasındaki harp kalktı. Sulh (**il**) mefküresine geçildi. Böylece gökte **gök tanrıları** ve cennet, yer altında **yeraltı tanrıları** ve cehennem, yeryüzünde de **yersu ruhları** (dağ, kaya, göl, ırmak, ağaç, orman gibi**), insanlar** ve **yaşam** olmak üzere ayrıca üçlü bir tasnifte vardı. Evlilik aşiret dışında, ilin içinde yani aşiretler arasında olurdu.

İ.Ö. 660 MAZDEKCİLİK: Zerdüşt dini öncesi İran dinidir. **Tanrılar üçlüsü:**

1) 1- **Ahura** (iyi, güzel, büyük, mükemmel, parlak, aydınlık, sevinç, saflık, dünya nizamını planlayan ateşin, doğanın, güneşin tanrısı, bilgelerin mükemmeli: Mevlâ)

2) **Mitra** (güneş tanrısı),

3) **Anahita** (kybele, yer ana tanrıçası, bereket timsali genç kadın tanrıça) idi.

Ayrıca altı ölümsüz güç (Ametas, Spentas, Ulular, Yazatalar):

1) **Behmen** (iyi düşünceler).

2) **Erdibibist** (iyi erdem).

3) **Şehriver** (iyi imparatorluk).

4) **Spedardioh** (iyi bakış).

5) **Hurdat** (iyi sağlık).

6) **Murdad** (iyi ölümsüzlük).

Mazdekçilikte hayvanlar kurban edilir; ölüler gömülür; ateş kutsaldır. **Haoma** adlı bir kutsal sıvı vardır. Devler *kötü iblisler*dir.

İ.Ö. 660 ZERDÜŞT DİNİ: Zerdüşt (Zoroaster) İran'da kendi adı ile anılan dini kurdu. Kitabı **Zend Avesta**'dır (metin yorum). İyiliği tanrı **Ahuramazda** (Hürmüs, Ormus, Ormazd, parlak, ihtişamlı, büyük, güzel, aydınlık, bilge, yaratan, sevinç saçan, gerçeklik, saflık, yaşam, ölmezlik, yukarı âlem), kötülüğü tanrı **Angramainyu** (Ehreman, vuran ruh, karanlık, ölüm, kirlilik, geçici kaybolacak kuvvet, aşağı âlem) temsil eder. Yeryüzü ve insan ruhu bu iki gücün mücadele alanıdır. Her insan; sonucu bütün kâinatta insanlığın zaferi olacak savaşa katılmalıdır. İnsan vücudunu beslemeli, özen göstermeli, geliştirmelidir. Çalışmak ödevdir, gerçek mümin, gayretli köylü, işini bilen hayvan yetiştirici, doğru ve adil ev sahibi veya köy ağasıdır. Asıl ülkü, tanrı çalışmaları, aile birliği ile geçen hayattır. Ateş, ışık tanrısı olan yüce varlığı simgeler. Tapınaklarda hiç söndürülmeyen kutsal ateş yakılır.

İ.Ö. VI. y.y. YOGA: Hindistan'da **Bhagavadgita** (Cennetin Şarkısı) tarafından, aynı adlı iki kitapla kurulan öğreti. Amaç; **"başkaları arasında, sağlık, mutluluk içinde yaşayacak, evrendeki canlı cansız her şeyle ve kendi varlığı ile bütünleşmiş, mükemmel insan" yaratmaktır.** Yaşam bir azaptır, bunun sebebiyse; belki gerçeğin bir kısmını görebilmemizdendir. **"Gerçeği tam olarak anlarsak, acılar ortadan kalkar."** İnsanın ancak kendini tanımak suretiyle eriştiği gerçekler, gizli ve özel bilgilerdir. Benliği tanımanın türlü yollarına, beş duyu ile kafanın işlevinin durdurulmasına (bu durumda mantıkta susar, üstün yol başlar, **Brahma** ile temasa geçilir, **Schamadhi** veya bilimin üstüne çıkma) **Yoga** denir. Yoga **beden** ve **ruh** çilesidir. Asıl benlik kişiliğin ötesinde olan **ruh**tur. İnsan, tanrı özünden gelen, kendi özünü, anlayamadığı sürece, ruh vücut aracılığı ile dünyaya bağlı kalmaktadır. İnsan öldükten sonra, ruh yeni bir vücutta dünyaya döner. Yoganın ana kuralları:

1) Yama: Şiddeti, hırsızlığı, aç gözlülüğü, namussuzluğu, nefse hâkim olmayışı yasaklıyan emirler.

2) Niyama: Saflık, sadelik, yetişme, çalışma, tanrıya bağlanma

3) Samadhi: Elde edildiği zaman, Yama ve Niyama'ya uymak gerekir, çünkü bu **her şeyin tekliğini anlamak, başkalarının iyiliğinin, insanın kendi iyiliği ile aynı olduğunu bilmek demektir.** Yama ve Niyama bunu anlamaya götürür. Ayrıca, **İnana** (bilgi), **Karma** (eylem), **Bahakti** (sevgi), **Bhagavadgita**'nın üç yasasıdır.

Tantrik Yoga: Tek gücün benimsenmesi, fiziksel yollarla elde edilen ruhsal aydınlanmadır. Evren ve tanrıların mikro kozmik evreni olan vücut, mistik bir tecrübe için kullanılır. Bu tecrübede, simgesel sesler, hayaller, ışık, hareketler ve bazen ayinin en büyük noktasında cinsel birleşme olur. Gaye dünyanın ikiliği (erkek ve dişi) aşılıp, tek ve sonsuz gerçeğe erişmektir.

Hatha Yoga: **Ha** (güneş), **Tha** (ay) Vücut yolu ile (duruş şekilleri, soluk alma, düşünce gibi) zihni etkileme ve vücut fonksiyonları üzerinde olağan üstü kontrola sahip olunur.

Kundalini Yoga: Evrensel enerji ile seks gücü bir tutulur ve bu yolla yoga yapılır.

Laya Yoga: Kundalini Yoga ile **Chahra** varsayımını kapsar. Chahralar değişik sayıda yaprakları olan, **lotus çiçekleri**dir. Bu çiçekler; **toprak, su, ateş, hava, eter, bilinçlilik** gibi tanrısal unsurlarla ilgili olup, her birinin simgesel bir sesi vardır. **Bu simgeler, insan vücudunu evrenin mikro örneği** olarak belirtir ve böylece ölümsüzlüğe yol açan **ay, güneş, ateş** birleşmesi sağlanır.

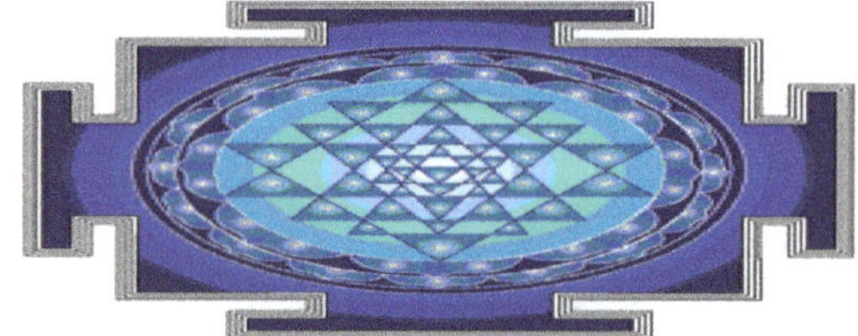

LOTUS YAPRAKLI YANTRA

LOTUS ÇİÇEĞİ

İ.S. II. y.y.'da doğan RAJA YOGA: (Raja: Görkemli kral gibi) Sekiz kollu, devreli yogadır. Bu yoganın yolu sekiz adıma bölünmüştür.

FAKİRİZM: Hindistan'da vücutlarına eziyet ederek yaşamayı benimsemiş kişilere "Fakir", bu öğretiye "Fakirizm" denir. Fakirler genel olarak; sadece fiziksel eziyetlere katlanabilen, yani ateş, çivi, cam gibi kesici delici maddelerin etkisine, açlığa dayanabilen; yani daha *yogi* olması için gerekli evrimi tamamlayamamış kişilerdir. Çünkü bu türlü güçlerin kazanılması, *yogi* olmak için girilen disiplinlerin sadece bir kısmını teşkil eder.

İ.S. I. y.y. -250 HİNDUİZM: Hindistan'da Brahmanizm'in devamıdır.

Yazılı iki destana dayanır:

1- Mahabbârâta (Büyük Brahman savaşı): **İ.Ö.III-II y.y.'da yazıldı.** En **güzel** parçası **Bhagavatgita**'dır (Cennetliğin şarkısı).

2- Ramayana (Tanrı Rama'nın serüveni).

İkisi de **Purana** adı verilen halk efsanelerinden kaynaklanmıştır. **Tanrı Rama**'nın hayatını anlatır. **Tanrı Krişna** eski tanrı Rama'nın yerini alır. Bütün nesnelerin anası, babası, doğuran, muhafaza eden, bütün bilgilerin sonu, temizliği, bütün tanrısal nesneleri içinde toplayandır, **"om"** hecesidir (Brahma alfabesinde **O: üçgen, M: üstü boynuzlu daire), kelâmdır, vedalardır, sestir, efendi ve besleyicidir, konuttur, barınaktır, evdir, her şeydir.** Gerçek **bilge** için **sevinç** ve **acı** birdir. **Tamah, kıskançlık, korku** duymaz, **öfkelenmez,** hayatından memnun yaşar. O dünyadan elini eteğini çekmiştir. Bütün dış nesnelerden sıyrılıp, kendi nefsine hâkim olarak, kendi iç hayatını yaşar. Hiçbir şeye, hiç kimseye bağlı değildir. Her türlü arzudan kurtulmuş olduğundan, mutluluk, mutsuzluk ona etki etmez. Gerçek bilge evrendeki her şeyle ve kendi varlığıyla bütünleşen sağlıklı, mutlu, mükemmel insandır.. Hinduizm'de **selâmet kurbanla, bilgi ile** değil, kurtarıcı **tanrıyı sevmekle** olur. Ruh göçünc inanılır. Kutsal ağaçlar sular vardır. En önemli tanrıları **"Krişna"** (Brahman'ın yerine yaratıcı), **"Şiva"** (tekrar yaratmak için yok edici, başında hilal olan, üç gözlü erkek tanrı senbolü, üç gamalı haçtır), **"Vişnu" (Rama** ve **Krişna**'nın cismine girmiş, dünyayı koruyan **Ateş Tanrısı,** Lotus çiçeği gözlü, sağ elinde İndra'nın alâmeti **çakra,** diğer ellerinde **balyoz** ve **sedef kabuk** tutar), **"İndra"** (gece göğü, hava, fırtına, yağmur tanrısı), **"Ganeş" (fil başlı bilgelik tanrısı).** Hinduizm'in tanrı veya onun kuvvetinin sembolü, **Mandala** ile **Brahma** olup, tanrı ile birliği ifade eden sembol ise yukarıda resmi görülen **yantra**dır. Bu dine aşağı kastlar ve kadınlar da girebilir.

MERKABA YILDIZI: Hinduizme bağlı bir inanç olan Merkaba'nın senbolüdür. Tarihi 13 000 yıl öncesine kadar uzanan **MERKABA** veya **MERHABA** (bugün türkçede selam sözcüğü eski anlamı ruhun ve bedenin nur olsun) **MER** (ışık), **KA** (ruh), **BA** (beden) anlamında. Merkaba yıldızında mikro evren olan insanın beynindeki **AKIL** yani birleştirilmiş **BİLGİ** aşağı doğru piramitle, insanın kalbindeki duygusal **SEVGİ** yukarı doğru piramitle temsil edilir. Burada görülen çift üçgen piramit Big-bang'in sıfır noktasında da ortaya çıkmış olması şaşırtıcı oldu (S-201). Beyindeki **BİLGİ** ve kalbdeki **SEVGİ** birleşince insan bedeni denge, sağlık, mutluluk kazanır ve insan beyninde elektro manyetik dalgalarla, kutsal ışık **MER** oluşur. **MER**'de bedenin çevresinde 16 metreye kadar, yaşam çiçeği Mandala gibi rengârenk bir **AURA** oluşturur. Bitkilerde de oluşan Aura'nın bilgisayarlı fotoğraf makineleri ile fotoğraflarıda çekilebilmektedir. Sonuç, bilgisiz **SEVGİ.** Sevgisiz **BİLGİ** insanı ve toplumu hasta eder. Ancak ikisi birleşirse evrenle bütünleşmiş, dengeli, sağlıklı ve mutlu insan ve toplum oluşabilir. Bugün Müslümanların haç yeri olan **KÂBE** veya **KABA**'nın tarihi, kutsal ziyaret yeri olarak, Adem ve Havva'ya kadar uzanmaktadır. Keza içinde olduğu Mekke şehri kuzey ve güney kutbuna uzaklıklarının birbirine oranı sebebiyle, altın oranlara sahip dünyada tek şehirdir.

İ.S. III. y.y. MANİSEİZM: İran'da Babilonya sınırında doğan **Mani** tarafından kurulan din, Buda, Zerdüşt, İsa ve eski çağ bilgeliğinin buyruklarının, akla uygun yanlarının bir sentezi olan bir evrensel kurtuluş dini. Evrendeki bütün varlıkların yapısı, **iyilik** ile **kötülüğün**

karışımıdır. Evrenin bir parçası olan **insan** da öyledir, **iyilikle** (yani, **ruh, akıl, ışık, bilgi**), **kötülük** (yani, **beden, boş inançlar, bigisizlik**) mücadele halindedir. İnsan bilgisizlikten, doğa yasalarına tutsak olmaktan, bilgisini artırarak kurtulur ve o ölçüde doğaya hâkim olur. **Madde**nin içine hapis olup ızdırap çeken ruhları kurtarmak gerektir. Bütün ruhlar arınıp ışık göğüne çıktıkları zaman, dünyanın sonu gelecektir. Mani, malın, mülkün, kadınların ortaklaşa olmasını salık verir.

    İ.S. V. Yüzyıl MAZDEKCİLİK: İranlı **Mazdek** (Mazdak) kurduğu dinde, iyinin duyarlı ve hür olduğu, kötünün ise kör ve cahil olduğunu ileri sürdü. Bu ilkelerden havanın, suyun, ateşin, paranın, kadınların paylaşılmasını öngörür. İdam edildi ve kurduğu din X. Yüzyılda ortadan kalktı.

    İ.S. VI. Yüzyıl GÖKTÜRKLER: Asya'da Göktürk hakanı kış başlangıcında (8 Kasım) Yer tanrısına yapılan ayinden sonra boy başbuğları ile birlikte, Ötügen dağının batısındaki "Budun inli" mağarasına gider, ataların ruhlarına kurban sunardı. . Göktürk hakanı BİLGE kaan adına taş üzerine Orhun kitabeleri yazıldı. **Bu yazıtlarda "Yukarda Gök, aşağıda yer yaratıldığında ikisi arasında kişioğlu yaratıldı" denilmektedir.**

    IV)   TEK TANRILI DİNLER VE SONRASI:

    İ.Ö. 1370-1352 MISIR GÜNEŞ TANRISI: Mısır Firavunu **Amonhotep**, akşam güneşinin adı olan **Aton'u** tek tanrı olarak kabul etti. Onun adına "güneş yuvarlağının ufku" anlamına gelen **Akhetaton** adında yeni bir şehir kurdu. (Bugünkü Tel-el Amarna) Başkenti, Teb şehrinden bu şehre taşıdı. Teb şehrinin baş tanrısı olan gök tanrı **Amon** ve diğer tanrıların adlarını tapınaklardan sildirdi. "Amon hoşnuttur" anlamına gelen adınıda, "Aton'un ihtişamı" anlamına gelen **Akhenaton** olarak değiştirdi. Ülküsü bütün insanlara seslenecek bir din kurmaktı. Tanrı ile insan arasında rahiplere gerek kalmadı. **Aton, fizik anlamda bir güneş değil, bütün iyiliklerin, sıcaklığın, aydınlığın, canlılığın, sevincin, mutluluğun, özgürlüğün kaynağını, doğayı, bütün varlıkları sevmeyi ve yaşama sevincini temsil ediyordu. Bu güzellikleri dünyaya ışıkları ile saçan oydu. Akhenaton** güneşe yazdığı kasidelerde:

    "Sabahları doğduğun, ışıklarını yerin üzerine saçtığın zaman, karanlığı kovuyorsun, bize ışığını sunuyorsun, insanlar sevinçle uyanıyor, işlerine koyuluyor, ağaçlarla çayırlar yeşeriyor, kuşlar yuvalarından çıkıyor, keçiler zıplaşıyor, yerde ve havadaki uçan kuşlar, yaşamaya başlıyor, gemiler aşağı yukarı gidip geliyor, nehirlerin balıkları bile sana doğru atılıyor, çünkü ışıkların suların derinliklerine kadar sokuluyor. Anasının kucağındaki çocuğu besleyen sensin, yarattığın her çocuğu canlandıran soluğu sen veriyorsun. Küçük kuş yumurtada iken ve kabuğunun içinde haykırırken kendisini yaşatan havayı ona veren sensin ve senin sayende o her yanını saran kabuğu kıracak kuvveti bulabiliyor. Yarattığın nesneler, ne kadarda çeşitli, bütün insanlar, sürüler, yerde yaşayan, gökte uçan her şeyle beraber yeryüzünü de sen yarattın." Akhenaton 29 yaşında öldükten sonra, rahipler bu dini ortadan kaldırdı ve tekrar eski dine dönüldü.

    İ.Ö. XIV. y.y. MUSEVİLİK: Dinler tarihinde tek tanrılı en büyük üç dinin ilkidir. **Üç tek tanrılı dinin peygamberleri de Hz. Nuh peygamberle başlar. Hz. Nuh**'tan sonra (**İ.Ö. 10 000**), **Hz. Salih, Hz. İbrahim İ.Ö.2000**'de Güneydoğu Anadolu'da Urfa şehrinin Kuşa kasabasında doğdu. Babası Hazer adında Sümerli bir mabut heykeltraşı idi. Tek tanrıya inanan Hz. İbrahim Ur şehrindeki ziguratta bulunan bütün tanrı heykellerinin başlarını kırdı. Babil Kralı Nemrut onu Urfa'da yaktıracaktı. Yakılacağı ateşin ortasından su fışkırdı; Nemrut da onu, ailesini ve inananlarını Ur'dan kovdu. Gittikleri Filistin'de yaşayan **Kenaniler** onlara, "nehrin öte yakasının insanları" anlamında "**İbrani**" derlerdi. **Hz. İbrahim**'in kovuluşu, **İbranilerin 1. kovuluşudur.**

    İbrahim'den sonra **İ.Ö. XIII. yüzyılda** İbraniler Mısır'da iken, Firavun **Tutankamon** tarafından **2. defa kovuldular** ve **Hz. Musa** liderliğinde tekrar Filistin'e geldiler. Hz. Musa'ya Sina dağında 10 emir vahyolundu. Bu sefer Filistinli Kenanilerle karıştılar. Musevilerin kutsal kitabı Tevrat'a göre, Musevilik üç temele dayanır:

I)   Beden ve

II)   Ruh ayrı varlıklardır, ahirete inanmak gerekir.

III)   Ahlâk: Tanrı hiçbir şeyden doğmamıştır. Her şeyi bilen, gören, kudretli, ölümsüz, yüce bir varlıktır.

Tevrat'a göre, Ahlâk ilkesi olan 10 emir şöyledir:

1- Yahova'dan başkasına ibadet etmeyin.

2- Put yapmayın, putlara tapmayın.

3- Gereksiz yere tanrının adını anmayın.

4- Cumaertesi günleri çalışmayın.

5- Anaya, babaya saygı gösterin.

6- İnsan öldürmeyin.

7- Zina etmeyin.

8- Hırsızlık yapmayın.

9- Yalancı şahitlik etmeyin.

10- Kimsenin karısına, kölesine, cariyesine, hayvanlarına göz dikmeyin.

Dinsel törenler: Amaç putperestlerden korunmaktı, sonra müzik de katıldı.

Medeni haklar: Babanın çocuklar üzerinde sınırsız hakları vardır. Evlilik ailenin kararı ile olur. Kız için başlık ödenir. Dul kadın kayın biraderi ile evlenir.

İ.Ö. 1000'de denizden gelen Filistinlilerin istilasına uğradılar, fakat küçük bir krallık kurabildiler. **Hz. Musa**'dan sonraki peygamberler; **Hz. Harun, Hz. Yuşa, Hz. İlyas, Hz. Elyesa. Hz. Davut İ.Ö.** 1025'de Filistin'de kurulan küçük devletin ikinci kralı idi. Kudüs şehrini kurdu. Oğlu **Hz. Süleyman (İ.Ö. 974-931)** Kudüs'te Hz. Süleyman tapınağını yaptırdı (Mescid-i Aksa). Hz. Süleyman öldükten sonra, krallık İsrail ve Yahudi Krallığı olarak ikiye ayrıldı.

İ.Ö.721'de Asurlular İsrail Krallığını yıktı; halkı Asur'a sürdü (**3. kovuluş**).

İ.Ö.586'da, Babil Kralı Nabukatnazar Kudüs'ü zaptetti ve halkı Babil'e sürdü (**4. Kovuluş**).

İ.Ö.536'da, Pers Kralı Kurüs Babil'i zaptedince Yahudileri tekrar ülkelerine yolladı.

İ.Ö.339'da Büyük İskender Pers Krallığını yıktıktan sonra Yunanlıların istilasına uğradılar.

İ.Ö.II. Yüzyılda kurulan **Esaniler** mezhebinde, özel mülkiyet kaldırılıp, altın, gümüş kullanmak, ticaret yapmak yasaklandı. Bütün mallar toplumun ortak malı oldu.

İ.S.70'de Roma'ya isyan edince, İmparator Titus, Yahudileri çeşitli yerlere sürdü (**5. Kovuluş**). Sonra bütün dünyaya yayıldılar. İkinci Dünya Harbinde milyonlarca yahudi **fırınlara atıldıktan sonra**

İ.S.1945'de tekrar Filistin'e dönüp İsrail devletini kurdular.

İ.S.V-XV. y.y. KABALACILIK: Ortaçağ boyunca musevilerin yazılıp bitirilen iki kitabına göre ve daha eski bir vahiy olan ve uzun yıllar çömezden çömeze geçen bir tanrı evren öğretisidir.

Kabbalah: Tevratın yorumunun nesilden nesile nakli geleneği anlamındadır.

KİTAPLARI:

I)   **Sefer Yezirah (Yaratanın kitabı).**

II)   **Hazzohar (Işığın kitabı). Tanrı kendini dışlaştırmış ve evrendeki her şey bu** dışlaşmayla olmuştur. Bu dışlaşma Sefirot (daireler) adı verilen 32 Daire aşaması ile gerçekleşmiştir.

1- İçinde her şeyin tohum halinde bulunduğu ilk maddesel halita. 2- Can veren hava. 3- Su. 4- Ateş. 5- Baş yönü. 6- Ayak yönü. 7- Sağ. 8- Sol. 9- Ön. 10- Arka. (Bu kutsal onun ilk dört dairesi, varlığın ögelerini, son altı daireside uzaydaki yerini gösterir.) 11- Öz. 12-Nicelik. 13- Nitelik. 14- Görelik. 15- Etki. 16- Edilgi. 17- Zaman. 18- Uzay. 19- Sahip olma. 20- Karşıtlık. (Bu ikinci kutsal onda, varlığın durumu, alabileceği biçimler gösterilmiştir). 21- Sonsuz. 22- Akıl. 23- Zekâ (Bu kutsal üç, birinci üçlemedir ve zihin âlemini kurar). 24- Bağış. 25- Adalet. 26- Güzellik (Bu kutsal üç ikinci üçlemedir ve ahlâk âlemini kurar). 27- Güç. 28- Yer kaplama. 29- Ölçü (Bu kutsal üç üçüncü üçlemedir ve maddesel âlemi kurar). **30**- Zihin âlemi. **31**- Ahlak âlemi. **32**- Maddesel âlem.

Üç üçlemeden oluşan bu kutsal dokuzlu, son üçleme tanrı krallığını kurar. Bu dairelerden her biri, Tevrat'ın tanrıya verdiği adlardan birini ve sonuncusu **Adonai** adını alır. Hepsi birden **Adam Kadmon,** yani örnek insandır. **İlk on daire,** yaratıcı söz **kelam**dır. **Son gelen 22 daire**, bu yaratıcı sözü meydana getiren **alfabenin (İbrani alfabesi) 22 harf**ini karşılar. Her harf aynı zamanda belli bir sayıdır. **Tanrısal sır, bu harf ve sayılarda gizlenmiştir**, **okumasını bilene açılır**. Kabalcılık **öğretisi**, bir kısmı erkek, bir kısmı dişi olan ve tek bir varlıkta birleşen ruh durumlarını ortaya koyar. Yeryüzünde birbirinden ayrılmış olan bu varlıklar tekrar birleşmek için birbirini ararlar. Bekleme durumunda olan bütün ruhlar yeryüzündeki *haclarını* tamamlayınca Mesih gelecek ve mutluluk çağını açacaktır. **1648**'de İzmir'de Musevi asıllı **Sabetay Sevi** kendini Mesih ilan etti. 18 emri vardı. Müritleri önce Selanik'e sonra İstanbul'a göç ettiler.

İ.Ö. 570-490 TAOİZM: Çinli **Tao-Tsu** (bilge ihtiyar) tarafından kurulan felsefe ve din sistemi. Kitabı, **TAO-TÖ KİNG (TAO:** izlenmesi gereken en doğru yol, usul, gerçek, mevsimler, alemin nizamı, bütün varlıkların içinden çıktığı ebedi öz), (**TÖ:** Te, **erdem, kemal, kudret, Tao'nun insandaki tezahürü**), (**KİNG:** Klasik kitaplara verilen isimdir). **Gerçek** tektir ve bir düzeni ve birlik ilkesi vardır, sır doludur, adlandırılamaz hem aşkın hem içgindir, **Tao'**dur. Fakat bu ad onu tam belirtmez, kavranılmaya çalışılan Tao, Tao'nun kendi değildir, ona verilmek istenen ad, tam onun adı değildir. Bu en yüce gerçektir. Görünürdeki bütün gelişmeler onda erir kaybolur. Dünya var olanla yani **Yang** (erkek), var olmayanın **Yi** (dişi) birleşmesinden meydana gelmiştir. Her şey bağıntılıdır, izafidir. Birliği tekrar bulmak için, okumaktan, müşterek yaşamaktan vaz geçmek, **zekâ** ile değil **sezişle** hareket etmek, dağınılacak yerde toplanmak, sadeleşmek, hiçbir şeye aldırmamak gerekir. Sırf yaşamak için yaşamak gibi. Sade ve neşeli bir **yaşam sanatını, çocuklardan, hayvanlardan, bitkilerden öğrenmek gerektir**. İnsan her şeye gülümseyen, gayesiz gidip gelen bir bebek gibi olmalıdır. Raks ve sarhoşlukla insan vecde erişebilir. Taoizme **göre:**

1) Tutumlu olmak.
2) Basit bir hayat sürmek, alçak gönüllü gösterişsiz olmak (Kendinden iz bırakan hiç kimse, gerçekten büyük değildir).
3) Merhametli olmak, kendine kötülük edenlere bile, iyilik etmek gerekir.

Ayrıca Taoculukta, çeşitli fizyolojik uygulamalarla, sağlığı koruma, ölümü geciktirme metodları vardır. En yüksek erdeme sahip olan bir şey yapmaz, amacı yoktur; alçak erdeme sahip olan bir şey yapar ve bir amacı vardır. En yüksek onur, onursuzluktur. Eren kişi, ince ince yeşim taşı gibi yontulmuş olmak istemez; çakıl taşı gibi, saçılmış olmak ister. Tao biri doğurur; bir ikiyi yaratır; iki üçü oluşturur; üç dünyanın bütün varlıklarını meydana getirir.

MİLAT ve HRİSTİYANLIK: Nasıralı (Filistin) ve Yahudi asıllı **Hz. İsa** peygamberin kurduğu din. Kitabı İncil İ.S. IV. yüzyılda yazılabildi. Sonraları Tevrata **Eski Ahit**, İncil'e de **Yeni Ahit** denildi. Tevrat'ta geleceği müjdelenen **Mesih** (Yunancası **Khristo** kurtarıcı anlamında. Mısırlılar güneşe koruyucu anlamında **Christ"** veya "**Yeşua**" derlerdi. Latincede Hz. İsa'nın adı **Yesus**'un kaynağı da bu kelimedir. Ayrıca Hinduizmdeki karşıt tanrı **Krişna'**dır.) olduğunu ilan eden Hz. İsa Museviliği ıslah etmek istemişti. (Kutsal yasayı yıkmaya geldiğimi sanmayın. Ben yıkmaya değil tamamlamaya geldim, öldürmeyeceksin dendiğini işittiniz, ben bunu kardeşlerinize kızmayacaksınız ile tamamlıyorum. Komşularını sev dendiğini işittiniz, Ben bunu düşmanlarını da sev ile tamamlıyorum. İnsanların suçlarını bağışlarsanız, babanızda sizi bağışlar. Yargılamayın ki, yargılanmayasınız. Hz. İsa'nın Yahudiliğe katkısı yoksullukta eşitlik ve sevgi olarak özetlenebilir. Hz. Meryem'den babasız doğmasını, babasının Tanrı olmasıyla izah ediyordu. Böylece Tanrının oğlu, hem tanrı hem insandı. Çarmıha gerildikten sonra, dostlarına tekrar göründü, ebediyete kadar yardım vaat edip, bütün kavimlerin kendi adına eğitilmesini istedikten sonra, göğe babasının yanına yükseldi. Ortaçağ' daki Üniversiteler bu sayede kuruldu. **"Ben hizmet edilmek için değil, hizmet etmek için geldim"** demişti. Kilise, böylece bir topluluk hizmeti sayıldı. Siyasi iktidar bir adalet işi oldu ve yargıya bağlandı. Devlet tek hukuk kaynağı olmaktan çıktı. **Tabiatın akıl ile kavranabileceği kabul edildi.** İnsan tabiatı düşünce ile kavrar, tabiat insanı kavrayamazdı. **Ahlâk** feragat yolu ile sonsuzluğa erişme sanatı oldu. Tanrının varlığı, **ruh** ile **beden** ayrılığı, **hürriyet** kavramları kabul edildi. **Yürek temizliği**, kendini tanrıya adama, **her türlü ırk düşüncesinden ve imtiyazdan uzak bir dünya anlayışı** benimsendi. Hıristiyanlığın kutsal üçlüsü; teslis **(Baba, Oğul, Kutsal Ruh)**. Hz. İsa kıyamet günü tekrar gelip insanları yargılayacaktır. Hz. İsa'dan sonra havarilerinden Paulus (Musevi asıllı) dini Musevilikten ayırıp, asıl Hıristiyanlığı kurdu. Hz. Musa'nın yasalarını, Hıristiyanlıktan ayırdı **(İ.S: 5,6 yy)**.

İ.S. 571-632 İSLÂMİYET: Mekke'de **Hz. Muhammed** s.a.v. tarafından kurulan din. **İslâm, Arapça SİLM kelimesinden gelir Barış anlamındadır ve islâmda 4 türlü barış vardır.**
   1- Evrenin bütün varlıkları arasında barış.
   2- Dünyada milletler, devletlerarasında barış.
   3- Aile fertleri arasında barış.
   4- İnsanın NEFS'i (ihtiyaçları) ile AKLI arasında barış.
   Bu 4 barışta insanın kalbinde olan GÖNÜL'de toplanır. Böylece astral ve kuantumsal evrenin tamamında gözlemlediğimiz uyum, ahenk, güzellik, denge harmoni, senfoni, melodi insanın gönlündedir çünkü kalb sevgiyi temsil eder ve evrenin tamamını kucaklar. Böylece Sümer, Babil ve Mısır rahiplerinin Rabia'sını, islamın temelinde görüyor olmamız, bizim hem islamı ve tek tanrılı diğer dinleri, hemde Rabia'yı daha iyi anlamamıza yardımcı olacaktır.
   a) İSLÂMIN ŞARTLARI: kutsal kitabı Kur'ana göre, İslâmın şartları (Amentü):
   a1) İNANÇLA İLGİLİ 6 ŞART (Akaid):
      1. Allah'a,
      2. Meleklerine,
      3. Kitaplarına (104 kitap),
      4. Peygamberlere (28 adı bilinen ve diğerleri),
      5. Kıyamet gününe,
      6. Kadere inanmak.
   a2) İBADETLE İLGİLİ 5 ŞART (Ameli şartlar):
      1- Kelime-i şehadet,
      2- Beş vakit namaz,
      3- Ramazan Orucu,
      4- Zekât (zenginlerin senede bir defa malının kırkta birini fakirlere vermesi),
      5- Hac (zenginler için Mekke'yi ziyaret)
   a3) İNSANLAR ARASI İLİŞKİLERİ DÜZENLEYEN ŞARTLAR VE KURALLARIN ÖNEMLİLERİ:
      1- İnsanlar arasında eşitlik,
      2- Irkçılığın reddi,
      3- Tefeciliğin yasaklanması,
      4- Kadın hakkı (erkeklerin kadınlar üzerindeki hakkı kadar, kadınların da erkekler üzerinde hakkı vardır),
      5- Sosyal adalet (zekât ve yardımlaşma),
      6- Devlet şekli cumhuriyet (4 halifeyi de halk seçmişti).

Hz. Muhammed, s.a.v. **"Ben ancak güzel ahlâkı tamamlamak için gönderildim. Birbirlerini sabra, merhamete teşvik edenler sağ taraf ehlidir. Delillerimizi inkâr edenlere gelince, onlar sol taraf ehlidir, onların üzerine alev yağacaktır."** der. Kur'anda yapılması zorunlu olan emirlere **"farz"**, zorunlu olmayanlara **"vacip"**, Hz. Peygamberin yaşamı süresince söylediği, yaptığı veya yapılmasını istemediği şeylere **"sünnet"** denir. Kur-an-ı kerimde onlarca anlamı olan kelimeler olması sebebiyle, her çağda halk yetkin kişilerin yapmış olduğu kur-an tefsirlerine göre kur-an'ı anlamaya çalışmıştır. Hz. Muhammed'in ifade ettiği **"güzel ahlâk"** kavramı **sayfa 185-195'da** daha kapsamlı anlatılmaya çalışılacaktır.

b) İSLAM TASAVVUFU:

b1) İSLAM TASAVVUFUNUN TARİFİ: İslam Dini VII. asırda kurulduktan sonra, bazı müslümanlar yaşamlarında Hz. Muhammed'in hayatını ve ahlâkını **örnek alıp bir düşünce ve yaşam tarzı geliştirdiler. Bunlara önceleri sofi** (Yunanca sophia: bilgi, hikmet; Arapça **sofi**: (yün dokuma ki, o devirde yoksullar gibi, Hz. Muhammed'de kullanırdı) veya **"sofu"** dendi. Daha sonraları, bu akım **tasavvuf** ve **islam felsefesi** olarak gelişti, büyük Mutasavvuflar yetişdi. Tasavvuf, insanın yaratılışına uygun olarak yaşamakla birlikte, **gönlünü dış madde** ve **beden**inden kurtarıp, tanrıya yönelerek, bütün varlıklarla bütünleşme, birliğe yani tanrıya erişme çabasıdır, denebilir. Tasavvuf dilinde bu **"kesrette vahdet"** yani **çoklukta birlik**tir. Bu akım bir **"İslâm gizemciliği"** aklın erişemediği sır) olan **"tasavvuf"** adıyla gelişti. Bu kelime Arapça **"vâkıf"** (vukuf): **Bir şeyden haberi olan, anlayan, bilgi sahibi olan**, anlamında, **"tasavvur"**: **Zihinde şekillendirme** ve **"saffet"**: **Temizlik, dürüstlük, güzel ahlâklı, edepli** anlamındaki kelimelerin toplamıdır. Tasavvufta **"EDEB"** insanı hayvandan ayıran şeydir. Mevlâna'nın ifadesi ile; **"Allah'a inanma nedir?** diye **akıl**dan sordular. Akıl, kalbin kulağına seslenerek, **"İman** (Allah'ın varlığına inanma) **edep**dir" dedi". Tasavvufa göre, **evren** ve **insan**, **Allah'ın güzel isimlerinden** [**Esmâ-ı Hüsnâ: Allah'**ın (c.c.) **99 güzel ismi**] oluşur. Bu isimlerden **"ADL"**: **Adil, dengeli**, geometride **simetri**, cebirde, **denklem**, yönetimde **adalet'**dir. **"MUKADDİR"**: **Nazım, nizam, kader, önceden hesaplanmış**, anlamındadır. **"Allah"** (cc.): Evreni yaratan, yaşatan ve yok edecek olandır. **"NÛR"** (Nur): **Her şeyin tek ışık kaynağıdır. "HABİR"**: Herkesten, her şeyden haberdar olandır. **"KUDDÛS"**: **Kutsal, temiz ve temizleyen** anlamındadır. **Allah'**ın (c.c.), Kur'ân'da 100'den fazla ismi geçer, Hadislere ve bazı Ehl-i Beyt kaynaklarına göre, 1000'e yakın olduğu söylenirse de **"Esmâ-i Hüsnâ"** dendiğinde bilinen 99 isim akla gelir. **insanında** Allah'ın yeryüzündeki vekili olarak, **Hz. Muhammed, Allah'ın isim ve sıfatlarına sahip olması sebebiyle "insan-ı kâmil"** örneğidir. Bir başka ifadeyle; **iyi söz, iyi hareket, iyi ahlâk, iyi bilgi de tam ve kusursuz olandır.**

b2) İSLAM TASAVVUFUNUN GAYESİ: Dünya ve ahiret mutluluğudur. Bu amaçla insanı kötü ahlâktan, çirkin düşünce, söz ve fiillerden uzaklaştırmak, Hz. Muhammed'in sahip olduğu güzel vasıfları kazandırmak, **kâmil** (yetkin, kusursuz) **insan** yetiştirmektir. Böylece ölümsüz mutluluğu, daha yaşarken kazandırmaktır.

Tasavvufa göre Kur'ân'da 4 kapı vardır:

1- ŞERİAT KAPISI: Kanunlar anlamında Kur'ân'ın kendisi.

2- TARİKAT KAPISI: Yönelme anlamında, farklı yollardan Kur'ân'a ve Allah'a yönelmedir. Tarik, Arapçada yol anlamındadır.

3- MARİFET KAPISI: Deneye dayanan ve yaşam sırasında öğrenilen bilgidir. Kur'ân'ın ilk emri 'oku'dur (ikra). Bu yazılmış hazır bir kitabı oku anlamında değildir. Evrende ne varsa, Kur'ân ayeti gibidir; onların bilgisini öğren, bilgi sahibi, yani "arif" ol anlamındadır.

4- HAKİKÂT KAPISI: Yani kesrette (çoklukta) vahdet (birlik) vardır; **Allah'ın birliğinde evren bütündür** ve Allah'ı tanımak, bu **hakikâti** (gerçeği) anlamaktır.

Bu mertebeye yükselen erkekse **"kemâl"**, hanımsa **"kemâle"**dir ve cennetin kapısı **kemâl ve kemâle**lere açıktır. Muhittin Arabi'ye göre (S-86) kâmil insan olmanın bir yolu da **"Ulular evrenini bir bütünlük içinde kavramaktır."** Burada da tekrar Her şey Kuramına gelmiş olduk.

b3) İSLAM TASAVVUFU'NUN TARİHİ: İslam tasavvufunun tarihi 3 dönemdir:

1- Zühd Dönemi: Hz. Muhammed'den sonra 2 asır süren, sadece dinin emir ve yasaklarına uyma dönemi.

2- Tasavvuf Dönemi: Bu ilk iki asırdan sonra, tasavvuf kavramlarının başladığı, 3,5 asır süren dönem.

3- Tarîkat Dönemi (tarik, Arapça yön anlamında): XII. yüzyılda tasavvuf kurumları olan **tarikat**lerin ortaya çıkıp, sosyal yaşamın parçası olduğu dönem. Tasavvuf bir ilim olduğu kadar, bir **hâl** ve **eğitim** işi olduğundan, üçüncü aşamada, çeşitli eğitim kurumları olan **"tarikatler"** (yönlenmeler) oluşmaya başlamıştır. İnsanların manevi (insani), ruhi özellikleri, terbiye, nefis ve tabii güçlerini kontrol altına almak için, **"tekke"** veya**"zaviye"** denilen bir binada, **"şeyh"** denilen manevi bir rehber gözetiminde, ruhi eğitim gören kişilerin uydukları, **ahlâki, sosyal, İslâmi** kurallara yönelmeler anlamında **"tarikat"** denildi.

b4) İSLAM'DA TARİKATLAR:

Aşağıda tarih sırasına göre ortaya çıkmış bazı tarikatlar verilmiştir:

İ.S. IX. y.y. ve sonra BÂTINİLİK (Batın Arapça iç, içrek, göbek, nesil anlamında): İslam dinini akılcı açıdan yorumlayanların yoludur. Onlara göre, Kuran'ın iç anlamlarına erenler için, dış anlamları gereksizdir. Örneğin, namaz kılmanın amacı tanrıya yaklaşmaktır; yaklaşmış olanlar için namaz kılmak gerekmez.

Evrenin yaratılışında 5 temel güce inanırlar:
1-Sabık (her şeyden önce var olan bir çeşit tanrı, ancak yaratıcı değil. Yaratma onun isteği ile değil, onunla başlıyor) **2-Tali** (Sabık'ın ardından gelen **us, akıl**) erkek ilke **3-Cedde (Maddenin biçimlenme yeteneği**, bir çeşit nefes ve dişi ilke) **4- Fethe** (Oluşmanın içinde gerçekleşebileceği uzay, **mekân**) **5- Hayal** (Oluşmanın onunla gerçekleşeceği **zaman**).
Evrende sürüp gitmekte olan bir maddesel oluş vardır. Etkin **erkek ilke** ile, edilgin **dişi ilke**nin karşılıklı tesirleri ile sürüp gitmektedir. Bâtıniler kardeşlik yemeği, cennet ekmeği yiyip, tam bir mal ortaklığı ile yaşıyorlardı. Önce 7 kitapları vardı, sonra 9 oldu. Dünyevi bir tarikat idi. 7 kademenin imamı, bütün batın bilgisine sahip olup, bütün batınların başkanı idi. Evren göklerin, yıldızların dönmesi ile oluşmuştu.

İ.S. 816 BABEKİLİK: Mazdek'in karısı Hürreme tarafından, Rey kasabasında Mazdekçilik devam ettirilmişti. Daha sonra Cavidan ve nihayet Mazdekçilerin başına Babek geçti ve Azerbaycan'da siyasi bir yönetim kurdu. Daha sonra Batıni, Karmati ve **İsmaili** mezhepleri ile birleştiler.

İ.S. 889 KARMATİLİK (Karamita, gizleyen anlamındadır): Hamdan bin Al-Eş tarafından kurulan, Batıni ve Mazdekçi bir İslam mezhebidir. Mal ortaklığı ilkesine dayalı, sosyo-ekonomik ve siyasal bir anlayıştır. Batıda sonradan kurulan, esnaf loncaları ve üniversitelere kaynak olduğu söylenir.

İ.S. IX. y.y. MELÂMİLİK (Melâmetilik, Horasanilik veya Horasan Erenleri de denir): Horasan'da Nişabur kentindeki Türkler tarafından kurulan sünni mezhebi ile Batıniliği birleştiren bir tarikattır. Hiçbir özel bilgi, kıyafet, tören, toplantı yeri kabûl etmezler. Melâmet, Arapça **hor görülme, aşağılanma** anlamındadır. Kur'an'ın V. suresinde *"içinizde dinine uymayanlar çıkarsa, onlara karşı öyle bir kavim getireceğim ki, insanlara karşı alçak gönüllü, kâfirlere karşı yüce olacaktır. benim yolumda savaşacak olan bu kavim, kınayanın kınamasından korkmayacak"* denmektedir. Horasan Türkleri kendilerini bu kavim olarak gördüler. Kişi başkalarının kusurlarını görmemeli, herkesten önce kendini kınamalı ve hor görmelidir. Hiçbir şeyle öğünülmemeli, dindarlık gizli tutulmalı, **insanlara iyilik etmek bile, üstünlük zevki veriyorsa, bu zevk ezilmelidir**. İnsanlara iyilik ve yardım etmelidir, çünkü **tasavvuf iyilikten başka bir şey değildir, fakat başkalarından yardım istememelidir**. Tanrı gereklidir, peygamberlere benzemeye çalışmalıdır. Melâmiler Kur'an'da gizli anlamlar aramaz, açık anlamları daha da açıklamaya çalışırlar. Melâmiliğe girmek isteyen, **mürşid**in (yol gösteren anlamında) önüne oturur, Ne istiyorsun?" sorusuna, "Hak'ı istiyorum" der. Mürşit de ona, "Hak'ı isteyen Hak'tan başka her şeyi gönlünden çıkarır, sen de öyle yap" der. Bundan sonra, gönlü her şeyden arındırmaya çalışılır. Her şeyin tanrıdan geldiğini ve kendisinin, diğer bütün varlıklar gibi, o bütün varlığın parçası olduğunu düşünerek, *melâmet neşesi* ile yaşar.

    İ.S. IX. y.y. FÜTÜVVET: Fütüvva Arapça **yiğit, cömert, iyi huylu delikanlı** anlamında: Melâmilerin esnafı örgütlemesinden doğan, dinsel nitelikli esnaf örgütüdür. Şeyhlerine "**ahi**" denir. Her meslek gurubunun ayrı bir piri vardır. Terzilerin **Hz. İdris**, çulhacıların **Hz. Şit** Peygamber, pamukçuların **Ammar**. Aralarından kötülük eden olursa, dükkânını kapatır, pabucunu dükkânın damına atarak cezalandırırlardı.

Tasavvufta Fütüvvet: Halkı dünya ve ahirette nefsine yeğ görmekti veya fütüvvet erbabı **düşmanı olmayan kişidir. Dostlarının ayıplarını örten, düşmanlarının düşmanlığından korunabilen** kişidir. **İslamiyetten** önce böyle kişilere "**Feta**" deniyordu; ancak teşkilatlanmamışlardı, kişisel erdemlere önem verirlerdi ve askeri nitelikte idiler. Adları Horasan'da, Türkistan'da; **alperenler, cavlaklar**, İran'da; **civanmertler, rindler,** Araplarda; **şatırlar, fütüvvetçiler** idi.

    İ.S. 908-932 İSMAİLİLİK (Fatımilik): Hz. Âlinin torunlarından Cafer-üs Sadık'ın, beş oğlundan İsmail'i imam tanıyanların mezhebi. Abdullah bin Meymun tarafından kuruldu. Kuzey Afrika'da Fatımi devletini kurdular. **İsmaililerde** 7 sayısı kutsaldır. Haftanın günleri, gökler büyük yıldızlar ve peygamberler 7 tanedir (Adem, Nuh, İbrahim, Musa, İsa, Muhammet, İsmail, Cafer), keza 7 tane de imam tanıdılar.

    İ.S. 1166 KADİRİYE: Hazar Denizi'nin güneybatısında **Abdülkadir Geylani** tarafından kurulan bir İslam tarikatidir. Geylani, 25 yıl inziva ve perhiz hayatından sonra, sünni tasavvuf geleneğinin devamı olan tarikatini kurdu.

    İ.S. 1166 YESEVİYYE: Türkistan'da **Ahmet Yesevi** tarafında kurulmuştur. (Yesi: Türkistan). Hanefi mezhebine mensuptu. Müritlerinde, **zekâ**, şeyhinin hizmetinde **çeviklik, doğru sözlü, ketum olma** şartları arardı.

    İ.S. 1183 RIFÂİYE: Arabistan'da Şafii mezhebine mensup olan **Ahmet Rifai** tarafından kurulan İslam tarikatidir. Ahlâkı temizleme ve güzelleştirme amaçlı 40 gün süren iki tür **halvet (çile) vardır. Birinde, tenha yerde oruç tutulur. Diğer müritler içinde, abdestli olma, eşiyle yatmama, hayvan eti yememe, susma ile yapılan bir halvet türü daha vardır.**

Rıfailer siyah sarık sararlar, seccade üstünde otururlar, ayinlerde *def* ve *bendir* çalarlar. Keza vücutlarına şiş batırır, ateşe girer ve cam çiğnerlerdi.

    İ.S. 1196 ŞAZİLİYE: Tunus'ta **Ebu'l–Hasen Şazili** tarafından kurulan İslam tarikatidir. Mensupları temiz giyinir, dünya nimetlerinden istifadeden geri kalmazlar.

    İ.S. 1234 SÜHREVERDİYYE: Bağdat'ta Ebû Hafs Ömer **Şühreverdi** tarafından kurulan islâm tarikatıdır.

    İ.S. 1236 ÇİŞTİYYE: Buhara Semerkant yöresinde **Müinüddin Hasan Çişti** tarafından kurulan İslâm tarikatidir. Özel mülkiyete, maddi şeylere önem vermezler. Deniz gibi cömertlik, güneş gibi tatlılık, toprak gibi alçak gönüllülük gerektiğine inanırlar. Hindistan ve Pakistan'da yayıldı.

    İ.S. XIII. y.y. AHİLİK (Ahi, Arapça **kardeşim, Türkçe eli açık, cömert** anlamındadır): Anadolu'da Kırşehirde **Nâsıruddîn Mahmût (Ahi Evran)** tarafından, Türk sanatkârlarının ahlaki bir sanat kurumu halinde örgütlenmesi ile ortaya çıktı; Fütüvvetçiliğin devamıdır.

Sanatkârlara işyerlerinde **yamak, çırak, kalfa, usta** hiyerarşisi ile mesleğin incelikleri öğretilir. Akşamları da zaviyelerde ahlâk eğitimi yapılır, konuklar ağırlanır, onlara **sema ayini** yapılırdı, Fütüvvet şalvarı giyerler, yabancıları korur, ihtiyaçlarını giderir, kötü ve halka zulmedenleri ortadan kaldırırlardı. Tarikata girene **yiğit**, tarikatin yolunda yürüyene **ahi,** menzile varana **şeyh,** şeyhlerin en büyüğüne **Ahi Baba** denirdi. Nâsıruddîn Ahi Evran deri işçilerinin ve ahiliğin piridir. Teşkilata bir sanatı olmayan alınmazdı. **XVIII. yüzyıla doğru ahilik dinsel değil, tamamen ekonomik kurumlar oldu ve loncalara dönüştü.**

    İ.S. XIII y.y. BEKTAŞİLİK: Türk mutasavvufu **Hacı Bektaşi Veli** tarafından kurulan tarikat. Melâmilik, Yesevilik, Babailik, Şia-ı **İsna** ve Aşariya'dan kaynaklanır. **İslamiyeti** eski Türk dini ile özdeşleştirmek gayesini güder. **Eşitlik, kardeşlik, mallarda ortaklaşacılık güden toplumcu, yani batını karakterini, ayrıca ahiliğinde izlerini taşıyan gizli ve kapalı bir tarikattır. Her insan gereken bilgiye erişmiş değildir; gereken bilgi ve olgunluğa erişen kutup** adını alır. Değirmen taşı nasıl ortadaki demirin etrafında dönerse, evrende kutupların çevresinde döner. Sayısı pek çok olan bu kutupların içinde en yetkilisi **kutupların kutbu**'dur. Sağ yanında **"sağ imam"**, sol yanında **"sol imam"** oturur. Bunlardan sonra evrenin dört yanını yöneten **dört direk** gelir. Daha sonra yediler ve **üçyüzler** gelir. Evren bu organlarla yönetilir. Bektaşilik yediyüz **yıl, bütünlüğünü korudu, hiçbir kola ayrılmadı ve zamanla** Kalenderilik, Hayderilik, Abdallık ve Hurufilik gibi, çeşitli Türk tarikatlarını içinde eritti.

    İ.S. 1207-1273 MEVLEVİLİK: Konya'da **Mevlânâ Celaleddin** öldükten sonra, oğlu **Sultan Veled'**in kurduğu tarikat. Mevlânâ Horasan'ın Belh şehrinde doğmuştu. Babası çağının en büyük bilginlerinden **Bahaeddin Veled** idi. Çocukluğundan itibaren, yüksek bilim ve kültür çevresinde yetişen Mevlânâ, çağının büyük bilginlerinden ders aldı, onlarla sohbet etti. Halep ve Şam'da tahsil gördü zamanının bütün bilgi ve kültürüne sahipti. Mevlana 50 yaşlarında iken, Şems-i Tebriz-i'nin Konya'ya gelmesinden sonra, Mevlevi tarikatına esas olan dünya görüşü ve yaşam tarzını geliştirdiler. Mevlevi Tarikati **zikir, halvet (çile) ve esma**yı (Allah'ın 99 ismini anarak zikir) esas kabul etmez. **Cezbe**yi (tanrıya duyulan aşk ile kendinden geçme, tanrının cezbesine girme) esas alır. **1001 gün çile** (halvet) dolduran derviş, **dede** olmaya hak kazanır. İnsandaki kudret Allah'ındır. Hareketi yaratan odur. **Maddi işlerde olduğu kadar, manevi işlerde de yücelmeye çalışmak** şarttır. Bu mücadelede *ihtiyara* (**kaza ve kadere inanmak**) bağlanmak, **edepli olmak, suçu kendine verip, hayrı Allah'tan bilmek** lazımdır. **Kendini düzeltmekten aciz kimse, başkalarının ayıpları ile meşgul olma arzusu duyar. Şeyhinin yanında çok konuşan mürid, namazda abdesti bozulan kimse gibidir.** Mevlânâ tasavvufu en erişilmez mertebesine çıkardı denebilir. Onu anlamak için, Horasanlı olduğunu ve Horasan erenlerini düşünmek yararlı olur. **Onu asıl anlatabilecek olan ise kendi sözleridir:**

        Mevlânanın 7 ögütü:

        1) Başkalarının kusurunu örtmede gece gibi ol.

        2) Tevazu ve alçak gönüllülükte toprak gibi ol.

        3) Hoşgörülükte deniz gibi ol.

        4) Cömertlik ve yardım etmede akarsu gibi ol.

        5) şevkat ve merhamette güneş gibi ol.

        6) Hiddet ve asabiyette ölü gibi ol.

        7) Ya göründüğün gibi ol, ya olduğun gibi görün.

    Mevlâna'ya **"edeb** nedir?" diye sormuşlar. Cevabı: **"Akıl, kalbin kulağına eğilmiş, edep, imandır demiş."** Tasavvufta kalp sevgiyi temsil eder, tasavvufta adı **gönül**dür. Mevlâna Tanrı tanımayanların kalbini kırmak istemediği için "edepsizlik etmeyin" demiyor. Bu kitapta da evrenimizin astral ve atomal ölçekteki sonsuz ihtişamını anlatmaya kelime bulamazken, evrenimizin sahibini tanımamak edepsizlik değil de nedir? Biz Mevlâna'ya devam edelim: "Dinler birdir, ayrılık, gidiş yollarındadır, hatta din yani inanç ve hareket vasıtadır. Gerçeğe ulaşan ne dinle kayıtlıdır, ne inançla ve de ibadetler artık bu çeşit adama bağdır. Akıl tanrı gölgesidir, tanrı ise güneş. Hiç gölge güneşe dayanabilir mi? Asıl divane olan, akıllı olduğunu söyleyen adamdır. **Akıl** nedir? Hakir âlemin kandili. Hiçbir şey mutlak olarak hayır olmadığı gibi, mutlak olarak şer de değildir. Her birinin yerinde faydası vardır, yerinde zararı ve **bilgi** bu bakımdan gereklidir. Bilgi, gaye değil, vasıta olmalıdır. Bilginin iki kanadı vardır, şüphenin bir, zan ise noksandır, uçmaz. **Yüz kitap olsa, hepsi bir bölümden ibaret; yüz tarafta da tek bir mihraba döndüler. Bu yolların hepsi tek bir eve çıkar. Bu binlerce başak tek bir tohumdan meydana gelmiştir.** İstek yolunda yetişkin olmalı. Bu âlemden elini eteğini çekmiş olmalı, kendi gözünü tedavi etmelidir, yoksa âlem ondan ibarettir, fakat onu görecek göz olmalıdır. Ruhların alçalması bedenin yüzündendir; bedenlerin yükselmesi ruhlardandır. Biz iş ve söz doktorlarıyız. Size ululuk nurunun ışığı ilham vermektedir. Bizce riyazet (perhiz, nefsin isteklerini kırma) yoktur. Yolunuz baştanbaşa yaşayış yoludur, huzurdur, barıştır. **Adalet her şeyi lâyık olduğu yere koymak; zulüm ise layık olmadığı yere koymaktır".** Mevlânâ'ya göre aşk; **yaratıcının vasıflarındandır. Mevlâna gayri tabii sevginin şiddetle aleyhindedir.** Ona göre gerçek aşk, olgun insana karşı duyulan bağlılık, yahut kendi olgunluğunu onda görüştür ki, cezbe hali geçince bu sevgi bütün insanlara ve dünyaya yayılır. **Hayrı, güzeli, iyiyi, doğruluğu ve birliği** hedef tutar. **Mevlânâ hayatının her safhasında bu yüksek ve âlemşümul neşeye sahip olmuştur. Mevlânâ'ya göre her şey sevgiliden ibarettir. Aşka düşmeyen kişi, kanatsız bir kuşa benzer ve bu sevgi, insanı insan eden, hırstan, kibirden, varlıktan ve benlikten kurtaracak tek ilaçtır. Mevlânâ'nın şiir ve bilgelikle dolu, ruh yüceliği, bütün insanları hak ve gerçek yolunda eşit kabul eder.** Konya'daki türbesinin kapısında; **"Gel, gel nerede olursan ol, yine gel! Kâfirsen de, rind isen de puta tapansan da gel! Bizim dergâhımız, ümitsizlik dergâhı değildir. Yüz defa tövbeni bozmuş olsan da yine gel"** sözleri yazılıdır.

 İ.S. 1276 BEDEVİYYE: Fas'ta **Ahmed Bedevi** tarafından kurulan İslam tarikatidir. Aleviliğe benzer. Hırkaları, sancakları, alemleri kırmızıdır.

 İ.S. 1277 DESUKİYYE: Güney Mısır'da, **Burhaneddin İbrahim B. Ebi'l-Mecd Desuki** tarafından kurulan İslam tarikatıdır. Şeriata bağlılık, zikir ve perhiz, Allah dostlarının güzel ahlâkını benimseme bu tarikatta önemlidir. Yeşil elbise giyerler.

 İ.S. 1389 NAKŞİBENDİLİK: Buhara yakınlarında **Muhammed Bahauddin Nakşibend Buhari** tarafından kurulan İslâm tarikatıdır. Bu tarikatta, zaman manevi yolda alınan mesafenin kilometre taşları gibidir. Yaşanan her anın muhasebesini yapmak, alınan verilen nefese dikkat etmek, şükretmek gerekir. Nakşibendilerin bakışları, günaha girmemek için ayak uclarındadır. Nakşibendiler Hanefi mezhebinde idiler tarikat ayinlerinde, gizliliğe önem verilir, tarikatten olmayanlar içeri alınmazdı.

 İ.S. 1429 BAYRAMİYYE: Ankara'da **Hacı Bayram-ı Veli** tarafından kurulan İslam tarikatıdır. Müritlerini kendi gibi el emeği ile geçinmeye, bir meslek sahibi olmaya yönlendirdi. Sonraları **Ak Şemseddin ve Aziz Mahmut Hüdayi** gibi şöhretli mutasavvuflarda bu tarikatin şeyhleri oldular. Ancak Aziz Mahmud Hüdayi, 1628'de **Celvetiyye** adı ile ayrı bir tarikat kurmuştur.

 İ.S. XV. Yüzyıl BEDREDDİNİLİK: Anadolu'da Simavna'lı **Şeyh Bedreddin Mahmut** tarafından kurulan tarikattır. **Dinsel, siyasal ve batıni bir anlayış ile her türlü din ve mezhep ayrılığını ortadan kaldıran, insanları eşit ve malca ortak kılan, bir devlet düzeni kurmak istediler.** Şeyh Bedreddin Varidat adlı kitabında "Tanrı dünyayı yarattı ve insanlara verdi. Demek ki, dünyanın toprağı ve bu toprağın bütün ürünleri, insanların ortak malıdır. Birinin mal toplayıp ötekinin aç kalması Tanrılık ereğe aykırıdır. Ben senin evinde, kendi evim gibi oturabilmeliyim, sen benim eşyamı kendi eşyan gibi kullanabilmelisin, çünkü bütün bunlar hepimiz içindir ve hepimizindir". Şeyh Bedreddin kadınlardaki ortaklık fikrine şiddetle karşı çıkmış, **aile kurumunu savunmuştur.** Her güzel şey cennet, her kötü şey cehennemdir. Tapınma, namazlar niyazlar, ahlâkın düzeltilmesi, iç yüzün arınması içindir. Gerçek tapınmanın hiçbir koşulu, sınırı, biçimi yoktur.

İ.S. XVI. Yüzyıl HURUFİLİK: İranlı **Fazlullah** tarafından kurulan İslam tarikatı. Pitagorasçılığa, Kabalcılığa ve Bâtıniliğe dayanır. **"Yaratıcı olan harfdir"** denir ve harflerden anlam çıkarılmaya çalışılır. İnsan konuşan tanrıdır. Harflerin birbirleri ile sayısız birleşme olanakları vardır. **La İlahe illallah** (Allah'tan başka tapılacak yoktur) sözü üç arap harfi ile yazılır, **lam, elif, he**, bunlar sıra ile **akıl, nefis** ve **felek** karşılığıdır. Dört kelime oluşu, insanın dört tabiatı bulunduğunu, 7 heceden oluşu, insan başının, iki gözü, iki kulağı, iki burun deliği bir ağzı olduğunu, 12 harf ile yazılışı da insanın 12 organını gösterir. **Demek ki bu söz insanı dile getirir** ve tanrının insanda belirdiğini kanıtlar. Hurufilere göre, varlık harflerle açıklanır. **Amaç insandır. İnsanın açıklanması tanrıyı da açıklar.**

İ.S. XIX. Yüzyıl BABİLİK (Bahailik): İranlı **Seyyit Muhammed Bap** tarafından kurulan İslami mezheptir. Tanrı birdir. Muhammed Bap tanrının aynasıdır. Ona bakan herkes tanrıyı onda görebilir. 19 sayısı kutsaldır. Özel takvimlerinde yıl 19 ay ve aylar 19'ar gündür. Dindaşları 19 kişilik bir kurul yönetir. Her yıl 19 gün yani bir ay oruç tutulmalıdır. 19 Sayısı tanrıyı dile getiren **vahid** ve **vücud** sözcüklerinin ebced hesabıyla bulunan sayısıdır. Her gün Muhammed Bap'ın kitabı Beyan'dan 19 yaprak okumak şarttır. Ebced hesabı: Arap alfabesinin eski sırasını gösteren 8 kelimelik dizi, her harfin sayısal karşılığı vardır.

c) BAŞKA DİNLERDE TASAVVUF: İ.Ö. ~1000-2000 Arası Mısır›da firavunlar devrinin sonunda rahipler tek tanrıya inanıyordu. Mısır tapınaklarında rahiplerden bilgilerini öğrenen ilk Yunanlı olan **Hermestot'a göre düşüncelerimizden hiçbiri Allah›ı tasvir edemez, şekilsiz olan bir varlık duyularımızla algılanamaz. Zamandan uzak olan zamanla ölçülemez. Buna rağmen** Allahu teâlâ bazı seçkin kullarına, kendi yüksek kemâlinden, bazı görünümlere lâyık olma yeteneği verir. Buna lâyık olanlar, gördüklerini hissettiklerini halka anlatacak kelime bulamazlar. İnsanlar bu mertebeye uzun ve yorucu bir çile devresinden sonra ulaşırlar.

c1) İ.Ö. 600'de BUDİZM'e göre; bütün kötülüklerin, belâların, üzüntülerin kaynağı *ihtiras* ve **şehveti** yaşamın amacı ve ruhu nefsin esiri olmaktan kurtarmak için, dünyaya ait hazlardan uzaklaşıp, perhiz ve düşünmeyle vakit geçirmek gerekiyordu.

c2) İ.Ö. VI. asırda Yunanistan›da mistik hareketin kurucusu **Pisagor**, sonra **Sokrat** ve **Eflatun**'dur. Pisagor'a göre, **insan vücudu ve ruhubu âlemin küçük bir örneğidir. Bu alemde hakim olan fitne ve fesattır, toplumda huzur ve refah temin edildiği zaman, Allah Taalâ insanların vicdanına iner.**

c3) HRİSTİYANLIKTA: Piskopos Denys L'arepagite, **"İlâhi İsimler"** adlı kitabında, ruhun maddi âlemden kurtulması için, kişinin **masivayı** (Tanrıdan başka her şey) terk ederek, kendisini yok farzetmesi gerektiğini, Allah'a ulaşmanın bu sayede gerçekleşeceğini söyler. Ona göre mistik inanç **akıl** ile değil **aşk** ile elde edilir. **Müşahede**nin (**Allah'ın kalpte olması**) gerçekleşmesi, **zühdî hayat**la (Allah'tan başka her şeyi, gönülden çıkarma) mümkündür. Hristiyan mistiklerinden **Saint Victor'a** göre; **okuma, tanrıya yakarış** ve **nefis muhasebesi** mistik faaliyetin üç derecesidir. Bizans'ta XII. asırda **Hesukhia** isimli bir Hristiyan tarikatinde **zikir** ve **vecd** (kendinden geçme) gibi yöntemlerle, tanrıya yaklaşmaya çalışıldı. Özellikle Aynaroz keşişleri, sessiz durup **murakabe** (içe kapanık düşünme) yoluyla, tanrı ile birleştiklerine inanırlardı.

c4) İ.S. I- VIII y.y. arası BRAHMANLAR (Rahipler); Hindistan'da Aryalar toprağa bağlı yerleşik yaşama başladığında **Brahma** adını verdikleri tanrıyı düşünmek ve ona ulaşmak için, her türlü istek ve arzuları terk edip, toplumdan uzak, münzevi bir hayat yaşarlardı.

c5) İ.S. V. ve XV. asırlar arasında Musevilerin kabalacı mistik düşünceleri **ilm-i ledün** (tanrıya ait bilgiler), **tecelli** (görünme), **çile, halvet** (tenhada yalnız kalma) olarak özetlenir. Allah'ın Sina Dağında **Hz. Musa**'ya ateş şeklinde görünmesi ve Hz. Musa'nın **Hızır** ile arkadaşlığı, tanrıya ait bilgilerin benimsenmesine sebep olmuştur. Yahudi mistiklerine göre, bir şeyin görünmesi için, **sure**te (maddeye) ihtiyaç vardır. Âlemin suretinin en güzeli **ateş**tir. Allah'ın celâl (büyüklük) sıfatına en yakışan odur. Çile, halvet'de Hz. Musa'dan intikal etmiş ve Yahudi mistikleri tarafından benimsenmiştir.

d) TASAVVUF BENZERİ DİĞER KURUMLAR:

İ.S. <1723 MASONLUK: Mason birçok batı dilinde **duvarcı** anlamındadır. **Hermescilik, Pisagorculuk, Kabalcılık, ahilik ve loncalar**dan kaynaklanır. İlk mason derneği, 1723'de İngiltere'de kuruldu. Aynı yıl Almanya'da, 1725'de Fransa'da, 1760'da Amerika'da mason dernekleri kuruldu. Bugün bütün dünyada mason dernekleri yayılmıştır. Masonluk **İ.Ö. 973-923** arasında yaşayan İsrail kralı ve peygamberi **Süleyman** devrinde, Süleyman tapınağını yapan **mimar Hiram**'ın, işçileri **çırak, kalfa, usta** olarak üçe ayırması olayına bağlanır. Masonlarda da çırak, kalfa, usta rütbeleri vardır. Teşkilatları en az 7 kişiden oluşan **loca**lardan oluşur. Loca başkanının rütbesi **üstattır. 2 sürveyanı, 1 sözcüsü, 1 kâtibi vardır. Ayrıca muhasip,** teşrifatçı ve uzman bulunur. Localar birleşerek **kol** oluşturur. Bugünkü yüksek dereceler sistemi İngiltere'de Royal Arch (Sembolleri Hristiyan inaçlarından alınmıştır) ve Ancient Accepted Scottish Rite'nin 33 derecesi vardır. 33 derece dört guruba ayrılır. 31-33 Dereceler en üst idari derecelerdir. Başkanları **amir büyük hakimler**dir. Türkiye'deki derecelerde bu rite **göredir. Masonluğun çalışma prensipleri hürriyet, eşitlik, kardeşliktir.** Temel kuralları, **karşılıklı hoşgörü, kendine ve başkalarına saygı,** salt vicdan özgürlüğüdür. İnanç konusunu üyelerinin kişisel takdirlerine bırakırlar. **İnsanlığın, maddi, manevi durumunun düzelmesine, fikri ve sosyal bakımdan, olgunlaşmasına** çalışırlar. **Mason, gerçeği, adaleti her şeyden üstün tutan, nefsini batıl fikirler, halkın inandığı hurafelerden arındırmış ve faziletli olmak şartı ile zengini, yoksulu seven, iyi ahlak sahibi, özgür kişidir.** İnsanlığın üç düşmanı vardır: **cehalet, taassup ve hırs.** 7 rakamı kutsaldır. Masonluğa girme törenlerindeki tuz, kükürt gibi unsurlar Hermesciliği, deri önlük takılması ahiliği ve loncalarda peştamal kuşanmayı hatırlatır.

V) BUGÜN DÜNYA'DA YAŞAYAN DİNLER:

Hinduizm, Budizm, Şamanizm, Taoizm, Konfüçyanizm, Şintoizm, Musevilik, Hıristiyanlık, Müslümanlık dışındaki dinler, bugün ya hiç kalmamış veya önemsiz ölçüde kalmıştır. Bazı örnekler:

1) AVUSTURALYA YERLİLERİNİN DİNİ: Kabileler çember şeklinde konaklar. Çember kabiledeki klanlar kadar parçalara bölünür. Sağ el kutsal nesnelere, sol el, kutsal olmayan nesnelere yakındır. Dini resimlerin ve heykellerin (mamut, ren geyiği, yaban öküzü, at, v.s.) bulunduğu kayalıklar, mağaralar, kutsal yerlerde bulunur ve **İntişuyuma** ayininde, klanın üyeleri topluca, atalarının taş ve kayalarda sembolleri olan mağaraya gider, etrafa bolluk ve bereket için, tozlar serperler. (Doğu Anadolu'da Urfa'ya yakın Göbeklitepe'deki taşlar üzerindeki hayvan kabartmaları olan dünyanın en eski tapınağı ile ilgisi araştırılmaya değer.)

2) AMERİKA YERLİLERİNİN DİNİ: Arkona'nın kuzey doğusundaki yaylalarda yaşayan, Hopi **Kızılderililerinde, kabileler dört yönde yerleşir, her yönün bir rengi olup, kabileler arasında kız alıp verme ayrı yöndeki kabileler arasında olmaktadır.**

3) ŞAMANİZM: Daha doğru ifadeyle Toyonizm, bugün dünyada bu adla tanımlanan din inancına, Asya'da Tunguzlarda, Moğollar'da, Mançular'da, Laponlar'da, Eskimolarda, Vogul, Ostiyak ve Samoyetler'de, Kafkas yöresinde, Hindistan'da, Çin'de, Endenozya'da, Grönland'da, Malenezya'da, Polinezya'da, Avusturalya'da, Büyük Okyanus adalarında, Alaska'da, İzlanda'da, Kuzey Amerika'da, Guyana'da, Amazon Bölgesinde, Afrikanın birçok yerlerinde ufak tefek değişikliklerle hâlâ yaşanır.

VI) DİNLER KONUSUNDA SONUÇ:

1) DİN TARİFLERİ:

DİN: Metafizik düşünce sistemine bağlı, birçok batılı düşünürler, din inancının, tarihi başlangıcını farklı ifade ederler; **E. B. Tylor'a göre,** Canlandırmacılık (Animizm), **P.W.Schmidt'e göre, yaratıcı tek tanrı inancı (Ur-Monoteizm), R. R. Maret'e göre, kişilik dışı yaygın güç tasarımı (Dinamizm), Spencer'e göre, ölülere ve atalara tapma** (Manizm), **Auguste Comte'a göre,** Fetişçilik (Fetişizm), **R. Smith'e** göre, doğasal nesnelerle soydaşlık inancı (Totemizm), **R. Thurnwald'a göre, hayvanlara tapma** (Terionizm), **N. Söderblom'a göre, gizli ve esrarlı bir güç inancı** (manâ), **J. G. Frazer** ve daha birçoklarına göre, **büyücülük** din inancının ilk biçimi oldu. Bu konuda metafizik yapılı düşünürlerin en çok sözü edilenlerinden biri olan **E. Durkheim'a göre din, inançlarla törenler** olmak üzere iki temel kategoriden oluşur. Din, ayrılmış ve yasak edilmiş kutsal şeylerle ilgili inanç ve eylemlerin, dayanışmalı bir sistemidir. Bu inanç ve törenlerin tümü bir din meydana getirir. Din, toplumu kendinin bilincine ulaştıran simgeler sistemidir.

2) EVRENSEL DİN:

Bütün inançları birleştirecek olan yeni bir inanç tasarımı, insanları birbirinden ayırmış ve kimi yerde, birbirine düşman etmiş, bölgesel inançların ve çeşitli dinlerin üstünde, tümünü birleştirecek yeni bir din tasarımı çeşitli düşünürlerce, zaman zaman önerilmiştir. Fransız **J. J. Rousseau'nun, Auguste Comte'nin, Felicien Challaye'nin** önerileri en ünlülerindendir. **Challaye,** "Dinler Tarihi" adlı yapıtını bitirirken şöyle der: "Özel dinlerin tarihsel incelenişi bizi evrensel dine götürmektedir. Bu din kendisini gönülden gönüle daha rahat ulaştıracak olan, dile getirilişini günün birinde bulacaktır. Sonuç olarak "**Bütün dinler kesin sınırlarla birbirinden ayrılamaz**". Misal olarak insanlığın ilk devirlerine kadar uzandığını iddia edebileceğimiz, "**ilkbahar şenlikleri**", Müslümanlarda "**Hıdırellez**" (Hıdır İlyas), Hıristiyanlarda **Paskalya**, (Romalılarda **Mitra** veya **Satürnalia** adı ile yapılırken, Hıristiyanlar yılbaşı öncesine aldı), eski Samilerde ve Musevilerde "**Peşah**", Hindistan'da, Güneydoğu Anadolu'da Mitannilerde, Hurrilerde "**Mitra**" (Güneş), Moğollarda "**Saçu**", Yakutlarda "**Saçılga**" veya "**Islah**", İran'da Parsilerde ve Zerdüşlerde "**Mihrimah**" veya "**Nevruz**" adıyla, keza Çin'de ve Japonya'da yapılmış ve halâ yapılmaktadır. En eski dinlerden, en gelişmişlerine kadar ortak noktalar için, daha çok örnekler verilebilir.

Mevlânâ'nın ifadesi ile: "**Dinler birdir, ayrılık gidiş yollarındadır. Yüz kitap olsa, hepsi bir bölümden ibaret, yüz taraftada tekbir mihraba döndüler. Bu yolların hepsi tek bir eve çıkar. Bu binlerce başak, tek bir tohumdan meydana gelmiştir. Konya'da türbesinin kapısında;** "*Gel, gel! Nerede olursan ol yine gel! Kâfir (Tanrıya inanmayan) isen de rind ise de, puta tapansan da gel! Bizim dergâhımız, ümitsizlik dergâhı değildir, yüz defa tövbeni bozmuş olsan da yine gel!*" **sözleri yazılıdır. Bütün dinlerin, mezheplerin ve** tarikatlerin ortaya çıktıkları tarihte ve yöredeki insanların bilgi düzeyi ve yaşam şartları ile ilgisi yadsınamaz. Son din olan İslamiyet'ten sonra ortaya çıkan 400 civarında tarikat; daha önceki dinlerin ve bilgilerin çeşitli islam **düşünürleri tarafından İslam diniyle bütünleştirilmeye çalışmalarıyla ortaya çıkmıştı.**

Mevlevi tarikatına ve diğer İslam tarikatlarına göre, **hiçbir dinin mensubu diğer dinlerin mensuplarını düşman göremez.**

Bu kitabın dördüncü bölümünün sonunda bu konunun 21. asrın bilgi düzeyine göre sentezi yapılmaya çalışılmıştır. Hz. Mevlânanın; "**Bu binlerce başak tek bir tohumdan meydana gelmiştir**" sözündeki **tek tohum**un, **Big-Bang** ve içindeki "**Bose- Einstein Kuantum Yoğunlaşması**" olabileceği sonucuna varılmıştır. Daha ötesini henüz bilmiyoruz. Böylece naçizane; **Mevlevi dervişlerinin Allah'a mistik yolla yaklaşma amacına, bilim yolu ile ulaşmaya çalışılmış oldu.** Bir anlamda dinlerde, bilimde, Hz. Mevlâna'nın "**Bu**

yolların hepsi bir eve çıkar" dediği gibi ve tasavvufun **"Nur-u Kadim"** (hiç yok olmayan nur) olarak tanımladığı ve Kur'an'da da bahis konusu edilen, Allah'ın yaratmadan önce her şeyi yazdığı **nur**a ulaştığımızı sanıyorum. Sürç-i lisan ettiysek affola!

Ancak yukarıda belirtilen, **Challaye**'nin yeni bir **"evrensel din"** özlemi yanlıştır. Dünya yeteri kadar din kavgası gördü. Çözümü, 700 yıldan beri, herkezi çağıran ve Anadolu'da ve dünyada kabul gören, Hz. Mevlana'ya ve tasavvufa bırakmak yeter. Aksi halde eğer dinleri birleştirelim derken dinleri materyalistleştirir veya materyalist amaçlara hizmet eder hale getirirsek bu, insanlığa en büyük kötülük olur. İnsanlık, sonu felaket olan ve geri dönüşü olmayan umutsuz bir yola girebilir.

İNSANIN DİN EVRİMİNE EK RESİM ÇİZİMLER:

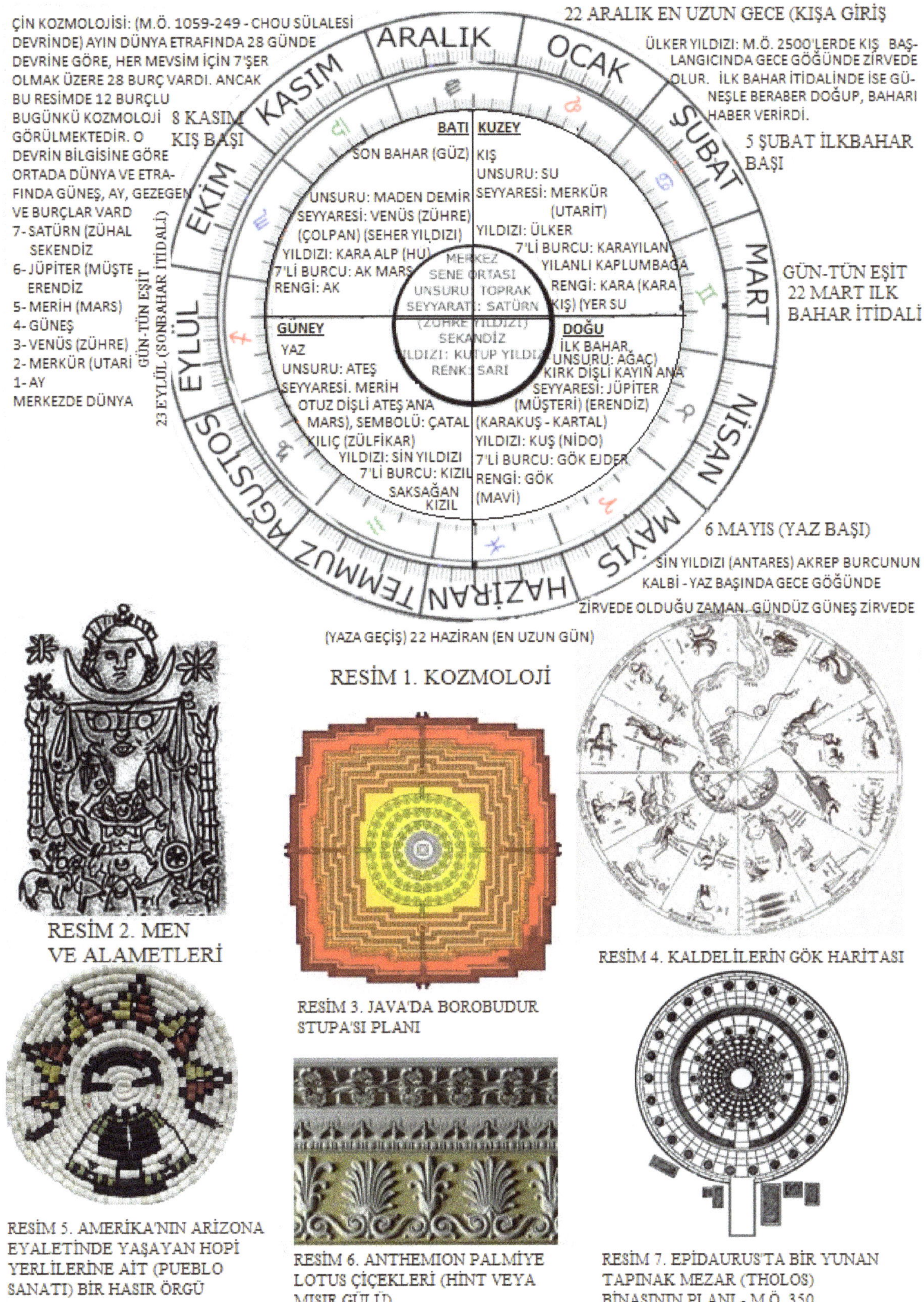

RESİM 1. KOZMOLOJİ

RESİM 2. MEN VE ALAMETLERİ

RESİM 3. JAVA'DA BOROBUDUR STUPA'SI PLANI

RESİM 4. KALDELİLERİN GÖK HARİTASI

RESİM 5. AMERİKA'NIN ARİZONA EYALETİNDE YAŞAYAN HOPİ YERLİLERİNE AİT (PUEBLO SANATI) BİR HASIR ÖRGÜ

RESİM 6. ANTHEMION PALMİYE LOTUS ÇİÇEKLERİ (HİNT VEYA MISIR GÜLÜ)

RESİM 7. EPİDAURUS'TA BİR YUNAN TAPINAK MEZAR (THOLOS) BİNASININ PLANI - M.Ö. 350

RESİM 1. ALTAY TÜRKLERİNDE

RESİM 2. YAKUTLARDA (M.S. BIII.Y.Y.)

RESİM 3. HUNLARDA TYSİNLERDE

RESİM 4. TİBET'TE

RESİM 5. OĞUZLARDA

RESİM 6. ÇİN'DE "YİN-YANG" (M.Ö. 5-3.Y.Y.) EVRENİN DOĞUŞU, TIP VE KİMYA İLE DE İLGİLİ

RESİM 7. G. KORE BAYRAĞI

RESİM 8. YANTRA (M.S. 1. Y.Y. HİNDUİZMDE TANRI VEYA ONUN KUVVETİ (MANDALA) BRAHMA İLE BİRLİK (MANDALA) AYIN YERİ ÜÇ AYAKLI AİLE OCAĞININ ÜZERİNDEKİ KAZAN

RESİM 9. İSVEÇ'TE ESKİ VİKİNG LİMAN ŞEHRİ TRELLEBORG

RESİM 10. ROMA'DA DOMITILLA KATAKOMBUNUN TAVANI

RESİM 12. ORTA ASYA'DA NASTURİ HRİSTİYAN İSTAVROZLARI

MANDALA

GÜNEŞ ÇARKI

RESİM 13. HİNT VE DOĞU SANATINDA İKİ SÜREKLİ VAROLUŞ SİMGESİ.

RESİM 15. SUSA'DA ÇIKARILAN ELAM KÜLTÜRÜNE AİT SERAMİK

RESİM 16. HİTİT GÜNEŞİ

RESİM 16. HİNDİSTAN'DA; 1-ÇAKRA GÖK, HAVA, YILDIRIM, SAVAŞ VE YER TANRISI "İNDAP" SEMBOLÜ; 2- VACRA: INDRA'NIN YILDIRIMI

RESİM 17. ÇOK ESKİ YAYGIN BİR DİĞER GÜL MOTİFİ

YUNAN HAÇI

LATİN HAÇI

ST. ANDREAS HAÇI

TAU HAÇI

ÇAPA HAÇ

ÇİFT HAÇ

ÇATAL HAÇ

KULPLU HAÇ

MALTA HAÇI

YAPRAKLI HAÇ

YONCA YAP. H.

ÇİFT HAÇ

PAPALIK HAÇI

KARDİNAL HAÇI

ORTODOKS H.

RESİM 19. ÇEŞİTLİ HAÇLAR

RESİM 18. ÇİN-PEKİN'DEKİ LAMA TAPINAĞINDA "YİN-YANG

RESİM 20. SOLDA ADALET ASASI, YEDİ ADALETİ TEMSİL EDEN ASAYI HÜKÜMDARLAR ELİNDE TUTARDI

RESİM 21. ROMA'DA LUCINE KRİPTİ'NIN TAVANI

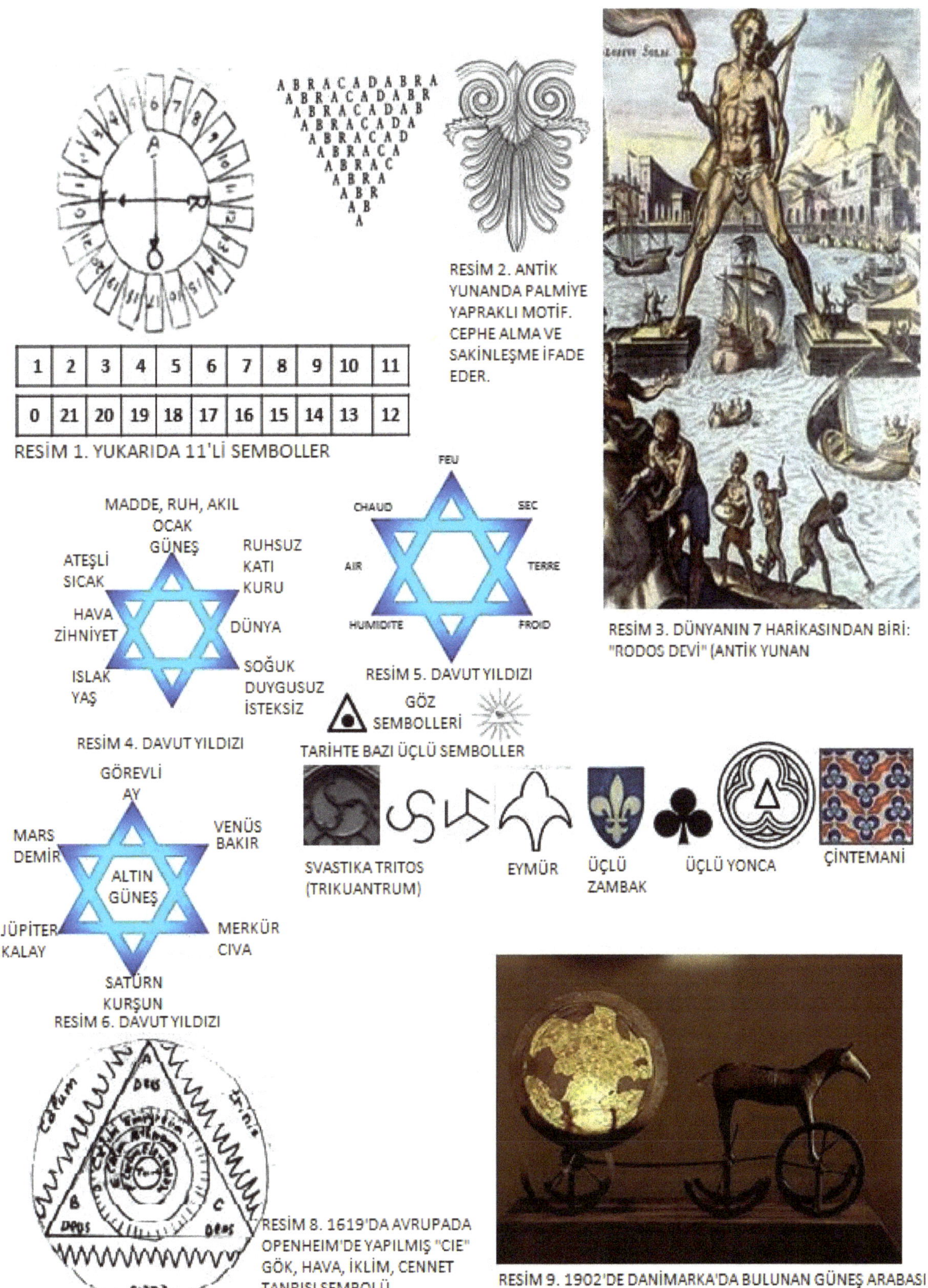

1	2	3	4	5	6	7	8	9	10	11
0	21	20	19	18	17	16	15	14	13	12

RESİM 1. YUKARIDA 11'Lİ SEMBOLLER

RESİM 2. ANTİK YUNANDA PALMİYE YAPRAKLI MOTİF. CEPHE ALMA VE SAKİNLEŞME İFADE EDER.

RESİM 3. DÜNYANIN 7 HARİKASINDAN BİRİ: "RODOS DEVİ" (ANTİK YUNAN

RESİM 4. DAVUT YILDIZI

RESİM 5. DAVUT YILDIZI

RESİM 6. DAVUT YILDIZI

GÖZ SEMBOLLERİ

TARİHTE BAZI ÜÇLÜ SEMBOLLER

RESİM 8. 1619'DA AVRUPADA OPENHEIM'DE YAPILMIŞ "CIE" GÖK, HAVA, İKLİM, CENNET TANRISI SEMBOLÜ

RESİM 9. 1902'DE DANİMARKA'DA BULUNAN GÜNEŞ ARABASI

D) İNSANIN BİLGİ EVRİMİ

I) TOPLAYICILIK AVCILIK DÖNEMİNDE BİLGİ:

2.200.000 yıl önce Habeşistan'da ilk **taş balta.**

400.000 yıl önce Çin'de ocak hiç söndürülmeden ateşten yararlanılıyor.

30.000 yıl önce Avrupa'dan güneye göç edenler, **derileri dikip örtünmeyi, sapanla taş atmayı** biliyorlar.

II) TARIM VE HAYVANCILIK DÖNEMİNDE BİLGİ:

İ.Ö. 15000 Orta Asya'da karasaban biliniyor. **Un ve ekmek** yapmayı bilen insanlar **toplu halde yaşıyorlar.** Bu tarihte Asya'dan Akdeniz çevresine göç edenler, un, ekmek ve karasabanı Avrupa'ya getirdiler.

İ.Ö. 15-10000 Orta Asya Altay Dağları yöresinde, **madenleri kayalara oyulmuş fırınlarda eritip kalıplara dökmeyi, tekerleği, arabayı ve attan yararlanmayı, ateş yakmayı biliyorlardı.**

III) İLK KÖYLER VE SONRASINDA BİLGİ:

İ.Ö. 9500 Güneydoğu Anadolu'da Urfa şehrine yakın dünyada bilinen en eski yerleşim yeri ve tapınağının bulunduğu; keza dünyada ilk tarım yapılan yer olan Göbeklitepe'de dikili taşlar üzerinde hayvan kabartmaları bulunmaktadır.

İ.Ö. 8000 Orta Anadolu'da Burdur yakınında **pişmiş toprak ve taş heykelcikler, tek renkli çanak çömlek, kolyeler, damga ve mühürler.**

İ.Ö. 7500-5000 Orta Anadolu'da Karaman civarında "**Canhasan**", Çorum'un güneyinde "**Aliler**" ve "**Alacahöyük**", Doğu Anadolu'da Van'da "**Tilkitepe**" yerleşimleri.

İ.Ö. 7000 Orta Anadolu'da, Konya'nın Çumra kazasında "**Çatalhöyük**" köyünde **evlere bacadan giriliyor.** İsrail'de bugünkü Jerusalem **şehrinde** "**Jeriko**" köyü.

İ.Ö. 6000 Doğu Anadolu'da Diyarbakır şehrine yakın "**Çayönü Tepesi**" köyünde, **ızgara plâna göreyapılan evlerde havalandırma tertibatı ve depolar** var. **Elle un öğütme taşları kullanıyorlar.**

İ.Ö. 5000 Hazar Denizi›nin doğusunda Anav Kurganları; Aşkabat şehri yakınındaki iki kurganda **hayvancılık, ziraat, un ve ekmek yapımı** biliniyor. **Kerpiç duvarlı evler, üzerleri boyalı kil çömlekler** yapılıyor. **Ata binmeyi, kağnıyı ve maden işlemeyi** biliyorlar. Keza Asya'da "**Minusinsk kültü**".

IV) İLK KENTLER VE SONRASINDAN GÜNÜMÜZE BİLGİ EVRİMİ:

İ.Ö. 5-4000 İndüs Vadisinde, "Mohenjo Daro" ve "Harapba" şehirlerinde, tuğladan iki katlı Zigurattipi evler, birbirini kesen sokak ve caddeler, atık su ve içme suyu kanalları, kuyular, hamamlar, buğday depoları, değirmenler, çok katlı tapınak ve saraylar, pamuk ve dokumacılık, tuğlalar üzerine resim yazı, Ana Tanrıça ve sakallı tanrı heykelleri, üç başlı (daha sonra **Şiva'ya dönüşecek olan**) **bir tanrı ve Sümerler gibi su kültüne sahipler.**

İ.Ö. 4000 Mısır'a Suriye ve Filistin üzerinden gelen Asyalılar, ileri bir uygarlık getirip, **site şehir devletleri** kurdular. Bu tarihten itibaren Mısır'da **resim yazısı** biliniyor. Etrafı surla çevrili şehirlerin ortasında tapınak ve hükümdar sarayı bulunuyordu.

İ.Ö.4000-3000 Mezopotamya'da Sümerler. (Sumeru: Budist kozmolojisinde, **Altın Dağ'ın adı) binlerce simgeye varan, resim yazısı** ve ileri bir kültürle geldiler. **Sinear** denilen yerde 11 site şehir devleti kurdular (**İ.Ö.3000'de** bu şehir devletleri birleşti). Su kanalları yaptılar. **Kerpiç tuğla ve yapılarda ilkkubbe ve kemeri uyguladılar. Heykeller ve kabartma eserler yaptılar. Karasabanı, tekerleği, arabayı, dokuma tezgâhını, madeni aletler yapmasını biliyorlardı. Astronomik bilgileri vardı. Yıldızları, burçları, bir ayı 30 güne, yılı 360 güne, 12 aya ve 13 aya ayırdılar. Ayları haftalara, haftaları**

günlere bölüp isimlendirdiler., Güneş saatini, ay ve güneş tutulmasının devirli olduğunu buldular. Matematikle uğraştılar. Çarpma, bölme cetvelleri yaptılar. Yüzey ve hacim ölçebiliyorlardı. Daireyi 360 dereceye böldüler. Uzunluk, ağırlık ölçüleri ve tıbbi bilgileri vardı. İlaç imâl ediyorlardı. 7 Katlı kuleleri (Ziguratlar) tapınakları ve çevresinde tahıl ambarları, depoları, alışveriş yerleri, okulları, iş atelyeleri vardı. Uzak ülkelerle ticaret yapıyorlardı.

İ.Ö. 2980 Mısır'da Menfis şehrinin başkent olması. **Bugüne kalabilen; felsefe, astronomi, tıp, matematikle ilgili en eski yazılı eserler. Onar onar ve yüzer yüzer sayma sistemi buldular.**

İ.Ö. 2800-2050 Mısır'da Sümerlerin Ziguratlarında olduğu gibi, **piramitlerin çevresindeki okullarda, çeşitli bilgiler ve resim yazı öğretilmeye başladı.**

İ.Ö. 2200 Babil şehir devleti kuruldu. **En büyük tanrı diğer bütün tanrıları içinde ihtiva eden bilgi ve aynı zamanda güneş tanrısı "Mardok" idi.** Şehrin surlarla çevrili sekiz kapısının her birine bir tanrı adı verilmişti. ("**Sin**" ay tanrısı, "**Enlil**" toprak tanrısı, "**Samaş**" güneş ve adalet tanrısı, "**İştar**" Venüs, aşk ve üreme tanrısı, "**Adat**" fırtına ve kasırga tanrısı, keza "**Uraş**" ve "**Zabaka**" isimli tanrılara ait kapılar). **İştar** kapısından girince, iki tarafı aslan heykelleri ile kaplı, 30 metre yolun sonunda sağda, 20 metre yüksekliğinde "**Mardok Tapınağı**", sol tarafta ise, 90 metre yüksekliğinde, 7 katlı "**Babil Kulesi**" vardı. Kulenin her katı bir gezegeni temsil ederdi ve başka renkte idi. Yedinci kat mavi çinilerle kaplı idi. Altkatlarda rahip sarayları, ambarlar, misafir odaları vardı.

İ.Ö. 2000 Mısır'da tanrılar ailesine, sanat ve zanaatleri öğreten, ölçüler ve akıl tanrısı "Oziris"katıldı. Menfis şehrinin, sanatkârların ve madencilerin tanrısı ise "Ptah" idi.

İ.Ö. 2000 Hindistan'da Veda (sözlü bilgiler anlamında) dininin esaslarını teşkil eden bilgiler yazılı hale getirildi. Bu dinde **Varuna gündüz göğü, akıl, evren ve ahlâk tanrısı** idi.

İ.Ö. 2000 Yunanlılar'da **akıl ve zekâ** tanrısı **Athena** ve baş tanrı **Zeus'** un dokuz kızı "**Musalar**" **sanat ve bilim tanrıçaları** "**Kleo**" tarih, "**Euterpe**" müzik, "**Theleia**" komedi, "**Melpomene**" trajedi, "**Terpsikhore**" dans, "**Erato**" ağıt, "**Polyinnia**" lirik şiir, "**Urania**" astronomi, "**Kalliope**" belagat perisi idiler. Musalara Yunanlılardan önce raslanır.

İ.Ö. 2000 Avrupa'da Keltlerin **zenaat ve teknik tanrısı "Merkür" ve zanaat öğreten tanrısı "Minerva"** idi.

İ.Ö. 1300-800 HERMESTOT: "Hermes Trismejist" (üç defa büyük Hermes) veya "**Merkür Trismejist**" (üç defa büyük Merkür). Hermestot hakkında **İ.S. 150-216 yıllarında yaşayan İskenderiyeli Clement**'in yazdığı "**Stromate**" adlı kitapta bilgi verilir. Bu kitaba göre **Hermestot'un 42 kitabı vardır:**

10 kitabı dini konular,

10 kitabı din törenleri,

2 kitabı tanrılar için ilâhiler ve kralların uyması gereken kurallar,

4 kitabı astronomi ve astroloji ile ilgili,

10 kitabı kozmoğrafya, coğrafya ve törenleri,

6 kitabı hekimlik, insan bedeninin organları ve hastalıkları, tıbbi aletler, ilaçlar, göz hekimliği ve kadın adetlerini kapsar.

Clement'in yazdığı kitabın aslı, bugün Atina müzesinde olup, İstanbul'daki kopyası Topkapı sarayındadır. Hermes, Yunan tanrılarının en genci, en zekisi ve kurnazı ve hırsızların ustasıydı. **Hermes** keza gizli gerçekleri elinde tutan bir zümrenin de adı olduğu gibi; aynı zamanda tanrı olarak bilinen **Merkür** gezegeninin de adı idi. **Tot** ise Mısır'ın doğum ve ölümleri, düşünceleri yöneten **ay tanrısı** idi. Hermestot Tevrat'a göre, altıncı kuşaktan peygamber olup, **Hanok**'dur. Kur'ana **göre** Adem ve oğlu **Şit'den** sonra, ikinci oğlu **İdris** olarak üçüncü peygamberdir. **Kalemle yazı yazan, dikiş diken ilk insandır. İslâm'da göklerin esrarını bilen olarak ifade edilir. Hermes'e göre ışık, ruhtur,**

karanlık ise madde. Ruhlar gökten yeryüzüne iner, madde ile birleşirler. Bu onlar için sınavdır, başarırlarsa tekrar büyük ışığa doğru yükselirler. İnsan ruhu tanrının çocuğudur. İnsan maddeye boyun eğerse, ruhundaki **tanrısal nur** geldiği yere döner. Ruhu karanlıkta kalır, eriyip tükenir. Yükselen ruh aydınlık bilincine dayanarak, tüm güzellik, tüm güç, tüm akıl olur, buysa ölümsüzlüktür. Hekimlikte, doğada her şeyin **tuz, kükürt ve cıva**dan meydana geldiği ve hastalıkların bunlar arasındaki dengenin bozulmasından ortaya çıktığı ileri sürülür. İlaç bu dengeyi tekrar sağlayacak olandır. Hermestot halka hitabında: **"Bir tek yüce ışık, nur vardır ki, her yerde gizlidir. Nur insana her şeyden daha yakındır. İnsanın ruh ve vicdanında, kalbinde gizlidir.** Herkes onu arayıp kendinde keşfedebilir. **Kalpteki nur, gökteki nuru tanırsa, insan tek tanrısal güç olan nurla bütünleşir ve ölümsüzleşir." Hermestot firavuna hitaben kitabında; "Nuru ara, çünkü bir hükümdar ancak ulusunun kalbindeki nuru görürse onu iyi yönetebilir".** Sonra halka hitabende; "Nur sizsiniz, bu nur daima parlasın" der. Nur, yüce ışık, Mısır tanrısı **Oziris**'tir. Bu daha önce, güneş ve gök tanrının birlikte oluşturduğu tek tanrı **"Amon Ra"** idi.

Gezegenlerin ve güneşin dünyanın etrafında döndüğünü zannettikleri için; insan ruhunun *bilgi* **sayesinde yükseleceği mertebeler, Hermestot'a göre; dünyaya inen ve dünyadan** *nura* **yükselen ruhların yolu, Nur-u Kelâmın 7 ışını:**

7. Gezegen Satürn (Zuhal): Elinde evrensel bilgeliğin altından yuvarlağını tutar, büyük aydınlık, ölümsüzlük, aklın bütün sırlarını saklar.

6. Gezegen Jupiter (Müşteri Yıldızı): Elinde en yüce gücün tanrılık asasını tutar, bilimin dehasıdır.

5. Gezegen Mars (Merih): (Aton, Atun, Ra): Elinde adaletin kamçısını veya kılıcını tutar.

4. Güneş: Ebedi güzelliğin zafer meşalesini yükseltir, başarı ışıkları saçar.

3. Gezegen Venüs (Zühre): Elinde aşkın aynasını tutar.

2. Gezegen Merkür (Utarit): (Hermes, Anubis): Elinde bilimi kapsayan yılanlı değnek ile dünyaya inen ve yukarı yükselen ruhlara yol gösterir.

1 Ay (Tot): Elinde gümüş bir orak tutar; düşünceleri, doğum ve ölümleri yöneten hekim Tanrı.

Dünya (Ateş): Karanlık madde alemi. İşiten, gören, hareket eden kutsal ateş, yaratıcı cevher olan, tanrısal kelâm.

HERMESCİLİK: Firavunlar devrinin sonunda, Mısır tapınaklarındaki rahiplerin, daha önceki 3-4.000 yıllık çalışmaları sonucu eriştikleri tek tanrı inancına dayalı bir gizli tarikattır. Rahipler halkın, eski çok tanrılı dine ibadetini yönetirken, kendileri artık tek tanrıya inanıyordu.

İ.Ö.31'de Romalıların Mısır'ı fethinde, tapınaklarda rahiplerin, rulo halinde papiruslara yazılı, 600.000 kitabı vardı. Bu son devrede, **Stromates'e göre 36.525 kitap; Selöklus ve Julius Firmikus'a göre 20.000 kitap, Jamblik'e göre de** Hermestot'un yalnız Tanrılardan söz eden 1.200 kitabı olduğu ifade edilir. Bunlar büyük ihtimalle tapınaklardaki rahiplere ait kitaplardır. Hermestot'un ise, İskenderiyeli Clement'in yazdığı gibi 42 kitabı olması muhtemeldir. Ancak önemli olan, rahiplerin bu 3-4.000 yıllık bilgi birikiminin, tek tanrılı dinlere, nihayet Yunan ve İslâm âlimleri aracılığı ile günümüz bilim dünyasına kaynak olduğudur. **Hermestot, Pisagor'dan** önce rahip olarak, bir Mısır tapınağına girmeyi başarıp, tapınaktaki bilgileri öğrenebilen ilk Yunanlıdır. Firavunlar devrinin sonunda, bugün Hermescilik dediğimiz öğreti, Mısır'ın **Teb** ve **Menfis Tapınaklarında** rahiplerin büyük kutsal sırları idi ve bu yüzden rahipler tarafından, papiruslara yazılmamıştı. Sonradan Hermestot tarafından açıklanan sırlar, Menfis tapınağının içindeki bir koridorda, 11 sağda, 11 solda olmak üzere, 22 resim üzerinde sadece rahip adaylarına sözlü anlatılıyordu.

Rahip adayı önce **İsis** (Osiris'in karısı) tapınağına götürülür, burada bir süre hizmetkârlık yapar, sonra Menfis tapınağında ancak sürünerek geçebileceği bir delikten tapınağa girmeye bırakılır, dizleri, dirsekleri üzerinde, sürüne sürüne, yılanlar akrepler arasında ilerlerken, arasıra ulaştığı küçük odalarda, rasladığı bir rahip tarafından, geri dönmek isteyip istemediği sorulur; daha sonra sürünmeye devam ederken, geri dönmesini telkin eden sesler, çığlıklar duyar; açlık, susuzluk, paralanmış dizler, dirsekler ile dik bir meyilden aşağı doğru inerken, bir uçurumla karşılaşır; düşmekten kurtulursa, sol tarafında küçük bir kapı görür, kapıdan sonra uzun bir merdiveni tırmanıp, bir koridora varır. Burası **Tanrı Osiris'in ışıklı tapınağıdır.** Bir rahip tarafından koridordaki **22 harf ve sayı** resminin gizli anlamları ona anlatılır. Her resmin **tanrısal, akılsal** ve **maddesel âlemde** olmak üzere üç anlamı vardır. **A harfi, 1** sayısına tekabül eder, **göksel alemde** her şeyin kaynağı olan **tanrıya akılsal âlemde birliğe, maddesel ve doğal âlemde** duyulara ve **insana** tekabül ederdi. **A** simgesi elinde değnek tutan beyaz elbiseli, başında altın taç olan kâhindi. **Beyaz giysi ruh ve zihin temizliğinin; değnek, iktidar ve egemenliğin; altın taç ise ışığın simgesi** idi. 22 harfin ve sayının gizli anlamları anlatıldıktan sonra, rahip adayı kızgın bir fırının içinden geçip **ateş sınavını** ve sonra **su sınavını** kazanıp, cesaret ve iradesinin kırılmadığı görülünce, içinde genç, güzel ve yarı çıplak bir kadının kendisine içki ve yiyecekler sunduğu, kırmızı ışıklarla aydınlanan, renkli döşenmiş ve şehvet müziği duyulan, bir yatak odasında **şehvet sınavından** geçer. Eğer açlığına, susuzluğuna rağmen, yemez, içmez, kadınla da birlikte olmazsa sınavı başarır. Aksi halde tapınakta ömür boyu esir ve hizmetçi olacak, kaçmaya kalkarsa öldürülecektir. Rahip adayı her sınavdan sonra taş bir odada, aylarca, kendi kendine düşünmeye bırakılır. Son sınav **mezar sınavıdır;** törenle diri diri mezara gömülür. Mezarda gizemli bir müziğin sesleri arasında, beş köşeli parlak bir yıldız görür; yıldız sonra bir çiçeğe dönüşür. Mezar sınavından sonra mürit artık kendinden önce aynı sınavlardan daha önce geçip, aynı mertebeye erişmiş müritlerle ziyafete katılır. Böylece birinci dereceyi aşmış olan rahibe, 7 kutsal bilgi olan **gramer, mantık, belagat, hendese, matematik, müzik ve astronomi** dersleri verilir. İkinci dereceye tapınağın adına uyarak "**Serapis**", üçüncü dereceye "**Osiris**" derecesi denir. Ulaşılan bu dereceler en yüksek olgunluk **kemâl** dereceleri değildir. **Gizli ışığı bulmak,** onunla baş başa kalabilmek için**,** ölünceye kadar, eğitime ve öğretime devam edilirdi. Bu sınavlar, yukarıda tek yaratıcı ruhtan kopan sayısız ruhların yeryüzünde geçirdikleri sınavlara örnek olarak yapılıyordu.

İ.Ö. XIII-III. asırda İtalya'da Etrüskler'in zanaat öğreten tanrısı "**Menerva**".

İ.Ö. XII-VII. asırda Kuzeybatı Anadolu'da Frigler'de toprak ve bereket tanrısı "**Sebasion**" keza zanaat öğreten bir tanrı idi.

İ.Ö. 625-545'de THALES: Giritli Yunan şair, matematikçi, politikacı, doğa bilimci, müzikçi, astronom, tüccar ve filozoftu. Ataları daha önce Fenike'den Girit'e gitmiş bir ailedendi. Mısır'ı ziyaret etti. **İ.Ö.585'de güneş tutulmasını önceden haber verdi. Yılı 365 güne ayırdı. Doğanın kaynağının su** olduğunu, yeryüzünün suyun üzerinde bir tahta parçası gibi olduğunu kabul etti. Her şeyi sudan yaratılmış bir zihnin varlığına inanıyordu. Bazı şiir ölçülerini, geometride Thales Teoremini buldu. Ayrıca bir büyüteci icat ettiği söylenir.

İ.Ö. 615-545 ANAKSİMANDROS: Miletoslu, Thales'in **öğrencisi, fakat ayrı görüşte ve maddeci idi. Mezopotamya'dan astronomi, matematik ve coğrafya bilgilerini öğrendi ve Yunanlılara öğretti. Evrenin sistemli bir tasarımını kurmaya çalıştı. İlk nedenin, dünyayı dört yanından kuşatan belirsiz bir töz (cevher) olduğunu savundu.**

İ.Ö. 600-300 Hindistan'da Brahmanlar yazdıkları Upanişadlar'da **selâmete artık kurban yolu ile değil, bilgi yolu ile erişilebileceğini; her kötülüğün bilgisizlikten ileri geldiğini ilân ettiler.**

İ.Ö. 585-525 ANAKSİMENES: Miletoslu filozof Anaksimandros'un **örgencisi.** Bugüne kalmış eseri yoktur. Ona göre her şeyin esası havadır. Dünyada dört yönden kuşatan **kozmos** ilk nedendir; bütün varlıkların anası ve en büyük tanrıdır. Havanın yoğunlaşması ile **ateş, su, toprak** olur. Her şey havadan gelir havaya gider.

İ.Ö.570 - 490 PİSAGOR (PYTHAGORAS): Sisam adasında doğdu, yazılı eseri yoktur. **İ.Ö. III. asırda, Öklit** onun hakkında topladığı bilgileri yazdı. Pisagor 20 sene Mısır'da Menfis tapınağında kaldı. Mısır'dan ayrıldıktan sonra, Kroton'da (Güney İtalya'da) **Delf Tapınağını** ve kendi adıyla anılan bir tarikat kurdu. Tarikata girmek isteyenlerin geçmek zorunda olduğu, çeşitli imtihanlar ve çileler vardı. Ona göre **bütün madde ve madde dışı varlıklar sayı ile ifade edilen birer şekildir. Sayı** evrende en hakim olan şeydir. **Evrende en güzel olan şeyse varlıklar arasında mevcut olan ahenk**tir. Hareket eden her cisim, yıldızlarda dahil, ses çıkarır. **Alemde çeşitli seslerin, ahenkli birleşmesinden oluşan, ilâhi bir müzik mevcuttur. Bilimin amacı her varlığın karşılığı olan sayıyı bulmaktır.** Pisagor üçgeninde, noktalarla ifade edilen, birden ona kadar sayılar bazı terimlerle de ifade edilir ve kutsaldır. **Çift sayılar karışıklık ve çokluk ilkesi olan sonsuz, tek sayılar ahenk ve ölçü verme ilkesi olan sonlu bir ögeyi kaplar. Alemde her şey yeryüzünün altında, merkezsel ateş ve etrafında, doğudan batıya doğru dönen; ay, güneş, gezegenler, sabit yıldızlar gibi 10 cisimdir.** Bunlar tapınakta etrafında 9 Musa (Müz) heykeli ve ortada bir eli ile göğü gösteren, diğer eli ocağı koruyan Tanrıça **"Hestia"** (veya Vesta) heykeli ile temsil edilir. Sayılar sıra ile:

1. Monat'tır; yeryüzü altında merkezsel ateştir, mutlak birliktir, her şeyin kaynağı tanrıdır, **noktadır.**

2. Diyat'tır; doğanın kaynağıdır, genel enerjidir, dişiliktir, tanrının maddede yani, zaman ve uzaydaki tecellisini, yaratıcısını gösterir, yeryüzüdür, **çizgidir.**

3. Triyat'tır; alemdeki üçlüklerin simgesidir (tanrısal alem, insel alem, doğal alem) (ateş, toprak, su, havadır). Doğada mutlak ve zorunlu olan, tanrısal birliği, bütünlüğü, ahengi, ayrıca bütün varlığı, yaratıcı düşünceyi, yıldızsal akımı temsil eder, başlangıcı, ortası ve sonu olan tek sayıdır. İlk yetkindir (mükemmel), yüzeydir, **üçgendir.**

4. Tanrısal Güç'ü temsil eder, karedir, adalettir, dört yüzlü bir cisimdir (varlıktır).

5. Evlenmenin simgesidir (2+1+2), birin iki tarafından eşitliği ayrıca eşyada çeşitliliği anlatır, **duyumdur** (algı, idrak).

6. Organik ve hayatsal varlıkların türlü şekilleridir (2+1+3), dişilik ilkesi 2 ve erkeklik ilkesi 3, mutlak 1 ile birleştiği için, nesillerin devamlılığını gösterir, ayrıca **anlaktır** (zekâ).

7. Minerva'dır; Güneştir, hem tehlikeli zamanlardır, hem **akıl, ışık** ve **kuvvetin simgesidir.** Doğanın ebedi değişikliğini ve her şeyin bir birliğe döneceğini gösterir, onluk içindeki sayıların hiçbiri tarafından doğurulmamış, kendisi de hiçbirini meydana getirmemiş olan sayıdır.

8. Akıl, ahlâk, erdemdir, çünkü **küpü oluşturan iki çiftlikten oluşur.**

9. Adaleti, yüce yetkinliği temsil eden, ilk tekin karesi olduğu için, her şeyin bir evrim olduğunu gösterir.

10. Tetraklisedir (**kutsal dörtlük**) kutsal kareye eşdeğerdir. İlk yetkin olan tek ve çiftlerin toplamıdır (1+2+3+4=10). sayıların en yetkinidir. **Erdemi en iyi belirtir. Her şeyi gerçekleştirir. Hayatın ilke ve rehberidir;** insel olmaktan çok **gökseldir; onsuz her şey belirsiz ve karanlıktır.**

Ayrıca **Y** (epsilon) harfi, **bir insanın önünde açılan iki yola benzer:** "kötülük ve **erdem** yollarına". **Birlik ilkesi akıl**dır. Buna tutkular ve yetkin bir anarşi faktörü olan karanlık güçler karşı gelir.

Pisagor'un 10 ahlâki emri:

1- Tanrılara saygı, onların iradesine teslim olmak.

2- Hayatta tanrıların verdiği işlere metanetle katlanmak.

3- Fitnecilere karşı kanunun sarsılmaz elini uzatmak.

4- Dostlarına sadık olmak, onlarla her şeyin paylaşılmasına razı olmak.

5- Ana-babaya saygı ve sevgi, yurdu koruyacak kadar sevmek, kanunlarına körü körüne itaat etmek.

6- Devletin mutlak gücünü tanımak.

7- Verilen sözde durmak, organik zevkleri itidal ile (dengeli) tatmak.

8- Cemaatin sırrını açığa vurmamak.

9- Servetin kullanılmasında pasif, akla uygun ve mutedil davranmak.

10- Bir kötülük yapıldığı zaman kendi nefsinden utanmak ve boş yere yemin etmemek.

Kanaat, vefa ve hoşgörü de bu ahlâkın gereğidir. Tapınakta **önce ana- babaya sevgi öğretilir. Baba** tanrıyı, **Ana** doğayı temsil eder. Pisagor'un matematik, fizik, astronomi, felsefe alanındaki öğretileri kendinden sonraki filozof ve bilginlere araştırma konusu oldu. Pisagor, müzik notaları arasında, sayı orantısını tespit etti.

İ.Ö. 551-479 KONFÜÇYÜS (K'UNG-TZÜ) (**Saygı değer hoca** anlamında): Çin düşünürü, politikacısı. Eski çağın kurumlarını iletmek istediğini beyan eder. **Çin›in bilge hükümdarlar tarafından yönetilen bir devre yaşadığını**; bu çağı tekrar yaşamak için bireyin incelenmesine ve ahlâki bakımdan mükemmelleştirilmesine çalışır; akla hitap eder. **"İnsan bildiği şeyi bildiğini, bilmediği şeyi bilmediğini bilmelidir; gerçek bilgi budur.** Sen zaten hayat hakkında bir şey bilmiyorsun, ölüm hakkında ne bilebilirsin ki?" der. Hümanist ve pozitivisttir. Her türlü metafiziğin dışında olarak, insanı **iyi düşünme**ye, meramını **iyi ifade**ye sevk eden bir **mantık, iyi yaşama**ya sevk eden bir **ahlâk** kurma amacını gütmüştür. **İyi bir nizam, düzgün konuşma tarzına bağlıdır. Bunun için tarifleri doğru düzgün hale sokmak gerekir. Nankör evlat, gerçek evlat değildir. Sadakatsiz eş, gerçek eş değildir;** onlar tarifler üzerinde aldanmışlardır. **Baba isen baba ol, evlat isen evlat ol, prens isen, prens ol. Yaşamak için para kazanmak gerekir, para kazanmak için yaşamamak gerekir.** İnsanlar arasında farklar, bunların tabii bünye ve mizaçlarından çok, edindikleri kültürlerden ileri gelir. **Ahlâkın birinci kuralı atalara saygıdır. Ana-baba ataların temsilcisidir; çocukları ve torunlarından tam bir itaat ve sevgi görmelidir. Küçüğün büyüğe, karının kocasına, uyruğun hükümdarına saygısı, sevgisi, ana-babasına saygısı, sevgisi gibidir. Uyruk evlat gibi, hükümdar baba gibi davranmalı; ulusuna huzur, rahatlık ve bilgi sağlamalıdır. Bütün insanların birbirleri ile iyi geçinmeleri adaletle sağlanır. İyiliğe iyilikle, adaletsizliğe adaletle karşılık vermek gerekir. Kendinizden yüksek olanlarda hoş görmediğiniz şeyi kendinizden aşağı olanlara yapmayınız. Kendinizden aşağı olanlarda hoş görmediğiniz şeyi de kendinizden yüksek olanlara yapmayınız.**

İ.Ö. ? -490 EMPEDOKLES: Agrigentumlu (Sicilya'da) Yunan filozofu, siyasetci, şair, hekim, müneccim, kanun yapıcı. Ona göre var olan her şeyi yaratan dört unsur, **su, hava, ateş, toprak**tır. Bu unsurlara iki ilke hakimdir; onları **birleştiren sevgi** ve **ayıran nefret**. Dünya tektir; onu ne bir insan, ne bir tanrı yaratmıştır.

İ.Ö. 540-480 HERAKLİTOS: Efesli yunan filozofu. Ona göre evrenin ana maddesi kendi yasasına göre tutuşan, kendi yasasına göre sönen bir **ateş**tir ve hep öyle kalacaktır. İlk unsur olan ateşten, **su, toprak** her şey oluşur ve her şey tekrar ateşe döner. Varlık önemli olmayıp, oluş önemlidir. Evren sonsuza dek sürecek olan, **yaratma ve yok olmanın; evrensel uyum (harmoni), ahenk ve birliği içinde birbirini kovalamasıdır.** Her şey kendi karşıtına dönen devamlı bir oluş içindedir. İyilik olmadan kötülük, kötülük olmadan iyilik olmayacağına göre, iyilik biraz kötülük, kötülük biraz iyiliktir. Böylece Heraklitos diyalektik metodun kurucusu sayılır.

M.Ö. 540-440 KSENOFANES (Xenophanes): İyonya'da doğdu. Tanrının birliğine, dünyanın, yanılsama dünyası olduğuna inanır. Felsefesi idealist panteizm'dir. Bütün mahlukatta tanrının bir zerresi vardır.

M.Ö. 540-480 PARMENİDES: İyonya'dan Atina'ya gitti. Ksenofanes ve Anaksimenes'in talebesi; genç Sokrates'le tanıştı. Deney değil düşünce ile var olanın kavranacağına inanır. Evren bir takım ışınlı daireler sistemidir. En üstte **"Olimp"** vardır, serttir, ortada yine katı bir daire ve merkezsel ateşle yeryüzü vardır. Parmenides varlığın mutlak birliğini kabul eder ve dünya küre şeklindedir der.

İ.Ö. 497-406 SOFOKLES (SOPHOCLES): Atinalı trajedi yazarı, fizikçi, politikacı. Tiyatro tekniğini geliştirdi; üçüncü oyuncuyu ilk o getirdi.

İ.Ö. 490-? ZENON (XENON): Elea'lı yunan filozofuna göre zamanın ve mekânın sonsuza kadar bölünebilirliği, hareketi imkânsız kılar, en küçük bir hareket bir sonsuzluğu tüketir, bu yüzden hareket kavramı bir çelişme taşır ve gerçek değildir. Mekân yoktur, çünkü mekânın var olması için, başka bir mekânın varlığı gerekir.

İ.Ö. 485-411 PROTAGORAS: Trakyalı Yunan filozofuna göre iyiyi kötüden ayıramayız, çünkü her ikisinin de ölçüsü kendine göredir; genel bir töre, ahlâk yoktur.

İ.Ö. 468-399 SOKRAT (SOCRATES): Attikeli filozof. Önce fizik ve tabiat bilgisi, daha sonra **tümevarım metodu** ve sadece insanlarda **ahlâk ve erdem** meseleleri ile uğraştı, manevi bilimlere değer verdi. Ona göre "manevi dünya" düşüncelerin, "maddi dünya" güneşin etrafında toplanır. **Her kötülük bilgisizlikten ileri gelir. Herkesi ön yargılara göre değil, kendi düşüncesi ile elde ettiği bilgiye inanmaya yöneltti.** Atinalılar onu gelenekleri yıkmaya çalıştığı için ölüme mahkûm etti. Sokrat bilginin her usta bulunduğunu, diyalog yöntemi ile bireysel usları doğru düşünmeye yönelterek meydana çıkarabileceğini ileri sürdü (rasyonalizm). **Mutluluğu da bilgi verecektir** (Evdemonizm). **Doğru bilgi doğru eylemi gerçekleştirir; erdemsizlik, bilgisizlikten doğar.** Bilgili insan erdemli olmak zorundadır (Determinizm). **Devlet toplumsal düzen için gereklidir, töresellik (ahlâklılık) toplum düzeninin temelidir. İnsanlar arasında başkalıklar görünüştedir; iyilik eğilimi hepsinde aynıdır. Kişilerin içinde uyuyan bu ortak eğilim ancak bilgi ile meydana çıkarılabilir.**

İ.Ö. 460-350 DEMOKRİTOS (DEMOCRITUS): Trakyalıdır. Ona göre, bütün cisimler bağdaşıktır (mütecanis). Birleşerek ya da ayrılarak, eşyanın meydana gelmesini ya da yok olmasını sağlarlar. Sonsuz sayıda maddeler bölünmez niteliktedir (**atoma**). Devim kendiliğinden vardır; cisimlerin **özündedir;** bir gaye için değil, cisimlerin zorunluluğudur. Madde başlangıçsız ve sonsuzdur. Hiçbir şey yoktan var olmaz. Mısır'da geometri bilginleri ile beş yıl kaldı. Mekanist, atomcu ve maddecidir.

İ.Ö. 460-377 HİPOKRAT (HIPPOCRATES): İstanköylü, eski çağın en büyük hekimi. Sonra Sakız Adasından Teselya'ya geçti, orda öldü. Halâ doktorlar onun yeminini tekrarlayıp doktor oluyor. Hastalıkları vücutdaki **sıvıların bozukluğuna bağlar.**

İ.Ö. 430-360 ARHİTAS (ARCHYTAS): Tarantolu. Ona göre; bütün bilimler hakkında geniş bilgisi olan general, devlet adamı, bilgin. Pisagorcu idi. Rasyonel bir hesap sistemi ile toplumda insanlar arasındaki ilişkileri dengeledi. **Belli bir şahsın veya bir sosyal sınıfın diktatörlüğünü, kanunlar, seçim ve kur'a ile önleyip, birliği adalet yolu ile kurmaya çalıştı.**

İ.Ö. 430-347 EFLATUN (PLATON): Atinalı. Sokrat'ın talebesi idi. Mısır'ı, Girne'yi (Kyrenia), Güney İtalya'yı gezdi. Devletin "**adalet**" ideasını, "**yönetim**", "**savunma**" ve "**iktisat**" olarak sınıfladı. **Devlet bireyin işlevlerinin büyütülmüş bir simgesidir. Devletin her konusunda "adalet" ideası zorunludur. Aksi halde, devlet yozlaşır.** Gerçekliğe Eflatun **idea** der. **Eflatun'un siyasi reformu bölümleri ve sınıfları arasındaki oran, idealar arasındaki değişmez ve ebedi oranlara, mümkün olduğunca yaklaşan bir site kurmaktı. (İdea: düşünce) Özel mülkiyete karşıdır. Üst sınıflar için bir nevi, komünist sistem önerir, bu halka hizmet etmeleri için şarttır.** "Cumhuriyet" adlı eserinde halkı **yönetmek için geometri bilmenin şart olduğunu ileri sürdü.**

İ.Ö. 413-327 DİYOJEN (DIOGENES): Sinoplu (veya Kinik'li). Ona göre **en üstün iyi erdem**dir, faziletdir. Bilim, şan, şöhret, servet, hor görülmesi gereken, uydurma iyilerdir. **Felsefenin özü, her yerde özentiyi kötülemek ve onun karşısına, tabiatı koymaktır.** Bilge kendisini, istek ve duygularından uzak tutmalı, ihtiyaçlarını en aza indirmelidir.

İ.Ö. IV. asır MOZİ (MO-TSEU veya MO-TZU): Çin filozofu. Toplumu bilginlerin yönetmesini ister.

İ.Ö. 384-322 ARİSTO (ARISTOTELES): Atinalı filozof, Matematikçi ve biyolog. Siyasette nazariyeci değil, gözlemci idi. **Metafizikten** (varlık biliminden), **fiziğe** (hareket bilimine) geçer. Öğretilen ya da edinilen tüm bilgiler daha önce var olan bilgilere dayanır; gözlemlerimiz bunun başta matematik olmak üzere, tüm bilimlerde böyle olduğunu göstermektedir. **Bilimlerin hızla ilerlediği çağda, edinilmiş bilgilerin sentezinin yapılmasını, filozofun çözmesi gereken bir problem olarak görür.** Ona göre **zaman hareketin sayısıdır**, hareket tabiatın temel zorunluluğudur, **madde güç halindeki varlıktır**. Bir varlığın bozulması başka bir varlığın üremesidir. Geniş bir ansiklopedik eserle, tümdengelim metoduyla, amaca ulaşmaya çalıştı. Ona göre iki türlü ekonomik faaliyet vardır: **aile ekonomisi ve mübadele ekonomisi.** Mübadele ekonomisini, kazanç amacı olduğu için ahlâka aykırı görür. Her nesnenin bir *maddesi*, birde *biçimi* vardır. Madde güç halindeki varlıktır. Bu varlık biçimlendikten sonra, yani tahta sandık olduktan, tunç heykel olduktan sonra, eylem halinde bir varlık şekline girer. Tamamlanmamış olana göre, tamamlanmış ne ise, **güc**e göre de **eylem** odur. Demek ki oluş, bir biçim ile, bu biçime girmeye elverişli bir maddenin birleşmesinden oluşur. **Her nesne cinsi, bir aşağı basamaktakinin formu, bir yukarı basamaktakinin maddesidir.** (Toprak-Tuğla-Bina gibi) Ona göre **felsefe; ilkeler ve ilk nedenler bilimidir.** Aristo mantığın kurucusudur.

Aristo "Ruh üç tabakadır." der:

1- Bitkilerde: Özümleme üreme.

2- Hayvanlarda: Kendiliğinden hareket haz ve acı duygusuna dayanan tasavvurların kaynağı duyumdur.

3- İnsanlarda: Akıl ile istek tasavvur ve irade bilgi şeklini alır.

İ.Ö. 341-270 EPİKÜR (EPIKUROS): Sisamlı (veya Atinalı). Felsefesi Demokritos'a dayanır. Tabiatın maddeden yapıldığına, atomların birleşmesi ile oluştuğuna, ancak bu oluşmada raslantıyı da kabul eder. Tanrıların aracılığını gerektirmeyen, ebedi madde fikrine dayanan bir maddecidir. Mutluluğa zevkleri, akıllıca kullanmakla varılabilir. Aranan mutluluk, huzurla tabiata uymakla, ön yargılardan kurtulmakla elde edilir. Haz duymak ahlâkın özüdür, ancak zevkler, hesabi bir bilgeliğe uygun ağır başlı bir sadelik gösterir. **İnsanlığa gerekli tek bilim, mutlu yaşama bilimi olmalıdır.** Acıdan kurtulmanın yolu ihtirasları önlemektir. **Felsefe yaşam bilimidir.** Mutlu bir yaşam sağlamak için, tasarlanmış eylemsel bir sistemdir. **Doğal ihtiyaçlar karşılanmalı diğerleri önlenmelidir.**

İ.Ö. 336-264 KIBRISLI ZENON (ZENO OF CITIUM): Kıbrıslı Yunan filozofu. Stoacıdır. Stoacılığın ilkesi, **doğaya uygun davranmaktır** (panteizm, vahdet-i vücut), **doğaya uygunluk, (*us*a) uygunluktur.** Zenon'un **dört ana erdemi; "doğru seçme"** (phronesis), **"sabırla katlanma"** (andreia), **"ölçülü olma"** (sophrosyne), **"adaletle paylaştırma"** (dikaiosyne). **Mutluluk bilgelikte, bilgelik doğaya uygun davranmaktadır.** Doğa maddedir; asıl gerçek, cisimsel olan, maddesel olandır. Çünkü ancak maddesel olan etkin ve edilgin olabilir. **İlk nedenin de etkin ve edilgin olması gerektiğine göre,** maddesel olması lâzımdır. **Bilgeliğe, teorik ve pratik erdemi elde ederek varılır. Teorik erdem;** nesnelerin kendiliği üstünde doğru bilgi edinmektir. **Pratik erdem:** Usa uygun davranmaktır. Bu iki erdem birbirine sıkıca bağlıdır. Tasarlamalardan ve sanılardan kurtulmuş bir akıl doğa bilgisini edinebilir. Stoacılık aristokratlar arasında dinsel kurumlaşma da oluşturdu, ancak halka inmedi. Dine bağlı olanlar uzun sakal bırakır, uzun manto giyerlerdi. **Her türlü acılar, hastalıklar ve ölüm doğaldır. Bunlara sabırla katlanmak, kayıtsız kalmak gerekir. Oysa insansal yanılmalar, kötülükler, iğrenilmesi savaşılması gereken şeylerdir. Doğal ölçü insanı bağımsızlığa eşitliğe götürür, insanlar arasındaki ayrılıklar doğaya aykırı ve sunî ayrılıklardır**, doğanın çocukları olan insanlar kardeştirler. **Aynı doğaya bağlı olmak,**

kişiyi insanlığa (hümanizme) ve evren yurttaşlığına (kozmopolitizm) götürür. Zenon'un öğretisi şu Sokrates ilkesine dayanır; **iyi davranmak, doğru düşünmekle mümkündür ve felsefe doğru düşünmeyi öğreten bir yaşama bilimidir, amaç iyi yaşamaktır, bigiler iyi yaşamak için gereklidir.**

İ.Ö. IV-III. asır MİLETLİ ANAKSİMENES (ANAXIMENES OF MILETUS): Lâmpsakozlu filozof, İskender'in hocası.

İ.Ö. III. asır ÖKLİD (EUKLEIDES): İskenderiye'de çağının en ünlü okulunu kuran matematikçi. "Elemanlar" adlı eserinde önce tanımları, genel kavramları, sonra bu tanımların mantıki bir düzen içinde evrimlerini anlatır. Esasen mısır tapınak rahiplerine ait **altın oranlar**a ait ilk matamatik bilgisini "Stoikheia" (ögeler) isimli eserde "Aşıt ve ortalama oran" adıyla ortaya koydu. **(S-162-163)**

İ.Ö. 106-43 M.T. ÇİÇERON (CICERO): Romalı hatip, belagat, siyaset, ahlâk, felsefe ve tanrıların niteliği konuları ile uğraştı.

İ.Ö. 23-İ.S. 79 C.S. PLİNUS (GAIUS PLINIUS SECUNDUS MAIOR): Comolu Latin tabiat bilgini ve yazarı. **İnsan hayvanlardan farklı olarak hayatını güven altına almak için öğrenmek zorundadır.**

İ.Ö. 4–İ.S.65 L.A. SENECA (LUCIUS ANNAEUS SENECA): Cordoba'lı Latin filozofu, özellikle ahlâkla ilgilendi.

İ.S. 55-120 P.C. TACİTUS (GAIUS CORNELIUS TACITUS): Roma tarihçisi ve hatibi, eski çağı en iyi tasvir eden yazardır.

İ.S. 203-270 PLOTİNUS: Mısır'da doğdu, Roma'da Eflatun'un hayal ettiği siteyi kurmak istedi. Astronomi, astroloji, matematik, mekanik, dil, ruh ve ahlâk konuları ile uğraştı. **Eflatun gibi üçüzleme yapar; çokluğun bilgisini genelleştirip birliğe yükseltmeye uğraştı.** Tanrının **ruh, zekâ ve birlik** olmak üzere üç oluş halinde kendini gösterdiğini, **bilginin derece derece ilerleyerek birliğe ulaştığını kabul eder.** Vecd haliyle aklın ötesine erişebileceğine inanır (mistik). **Ahlâk anlayışı ruhun tek olana yükselmesinin şartıdır. Birliğin altında ikilik, yani aklın kavrayabildiği son kavram vardır. Ruhun duyduğu özlem bütün varlıklarla birleşme isteğidir; ayıran, uzaklaştıran, dağıtan her şey kötüdür.** Her şeyin kaynaştığı bir veya iyi denilen yüce ilke ve ruhun bilinç ötesinde mistik bir yol kabul eder.

İ.S. 354-430 AUGUSTİNUS: Tageste'li Latin kilise babalarının en tanınmışı. **Onun düşüncesinde evrensel bir yön vardır.** Belagat hocalığı yaptı, evinde kardeşçe yaşanılan bir topluluk kurdu. İki ana düşüncesi vardır: Günahın mahvettiği tanrı inayetinin kurtardığı insanın kaderi ve tanrı. Yazılarında felsefe, din ilkeleri, ahlâk konularını ele alır.

İ.S. 780-850 HAREZMİ (Harzemli Muhammet veya Horzumlu Mehmet) Hazar Denizinin doğusunda Horzum'da (Harzem) doğdu. Bağdat Halifesi Memun'nun himayesinde 825 yılında Hindistan'a gitti. 830 yılında Hindistan'dan döndükten sonra yazdığı **"Kitab-ul Cebir ve el Mukabala"** adlı eserinde sonradan Hint-Arap rakamları olarak bilinecek olan 9 sayının yani 10'lu sayı sisteminin ve **sıfır**'ın, aritmetik işlemlerde bugünkü manada nasıl kullanıldığını ilk defa açıkladı. Bu eserin Endülüs yoluyla Avrupa'ya gelmesiyle ancak XII. yüzyılda Avrupalılar romen rakamlarını bırakıp sıfırlı sayıları kullanmaya başladı. Horzumlu **cebir** ve **algoritma**'nın kurucusudur. Ona göre evren simetri esasına göre kurulmuştur ve simetriyi sayılarla eşitlik (denklem=denklik=denge) olarak ifade etmiştir. Eserinde bütün cebir çözümleri tamamen geometrik düşüncelerle temellendirilmiş sistematik bir şekle ulaştırılmıştır. Böylece cebir birbirine eşit iki sayı gurubundaki bilinenlerden bilinmeyenleri bulma imkânı kazandırmış oldu. El-Cebir batıda **algebra**'ya, **algoritma**'ya dönüştürüldü. Horzumlunun Sanskrit dilinden Arapçaya çevirdiği "El Sindhind" adlı yapıtında açıları sinus gibi trigonometrik fonksiyonlarla ifade eden tablolar vardı. Horzumlu aynı zamanda astronom ve coğrafyacıydı..

Harezmi'ye insan nedir diye sormuşlar. Demişki;

İnsan güzel ahlâlı ise "1" eder.

yakışıklı ise buna 0 ekleyin "10" eder.

varlıklı ise bir 0 daha ekleyin"100" eder.

Soylu ve nesep sahibi ise bir 0 daha ekleyin "1000" eder.

Fakat "ahlâk" olan 1 giderse, geriye değeri olmayan sıfırlar kalır.

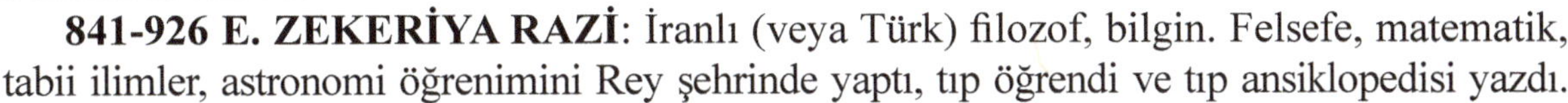

İ.S. ? -872 EL KİNDİ: Basralı ilk Arap filozofu. "**Matematik bilimlerin temelidir**" der.

841-926 E. ZEKERİYA RAZİ: İranlı (veya Türk) filozof, bilgin. Felsefe, matematik, tabii ilimler, astronomi öğrenimini Rey şehrinde yaptı, tıp öğrendi ve tıp ansiklopedisi yazdı.

870-950 FARABİ: Türkistanlı Türk kadı ve filozof, hekim ve müzikçi, matematikçi. Ona göre kişiyi erdemli kılan tanrıdır. **Erdem yardımlaşmadır. En yüksek iyilik, en büyük kentte yaşamakla elde edilir.** Gerçek mutluluğa ulaştıracak şeylerde yardımlaşan kent **erdemli kent**tir; yardımlaşan toplum **erdemli toplum**dur; **bütün kasaba ve kentleri mutluluğa erdirmek için yardımlaşan toplum ulus**tur. Bütün uluslar birbirine yardım ederlerse, **erdemli yeryüzü** olur. **Erdemli kent, bütün organları tam olan bir bedene benzer. Farabi bilimleri de sınıfladı. En mükemmel devlet, bütün insanlığı kaplayan dünya devletidir.**

934-1020 FİRDEVSİ: İranlı şair, "**Şehname**" adlı insanlık tarihini yazdı.

980-1037 İBNİ SİNA: Buharalı Türk-İslâm filozofu ve hekimi. **Bilimleri de sınıfladı.** Tabiat bilimleri, geometri, mantık, sarf (gramer), nahiv (sözdizimi), fıkıh, edebiyatla uğraştı. "Tıp kanunu" adlı bir kitap yazdı. Farabi'nin **akılcılığı** ile Ebubekir Razi'nin **deneyciliği**ni birleştirir. **Bilginin gelişmesinde akıl, deney ve gözlemin ayrılmaz bir bütün olduğuna inanır.** Ayrıca tasavvuf, metafizik, akıl, psikoloji, mantık, bilgi ve müzikle ilgili de geniş fikirleri vardır. 17 yaşındayken Buhara prensini tehlikeli bir hastalıktan kurtardı, saray kütüphanesi ona açıldı.

Bilimleri sınıflandırdı:

i. **Tabiat bilimleri veya aşağı bilimler:** bunlar maddesinden ayrılmamış olan biçimlerin bilimleridir.

ii. **Maddesinden ayrılmış formların bilimleri:** metafizik, mantık veya yüksek bilimlerdir.

iii. **Maddesinden ancak insan düşüncesinde ayrılan,** bazen maddesi ile birlikte, bazen ondan ayrı olan biçimlerin bilimidir. Matematik veya orta ilimler. Bu üçüncü bilim, yüksek ve aşağı bilimler/arasında bir geçit bir köprü görevi görür; belli bir konuda ikisini birbirine bağlar. Özellikle matematik ve mantıkla metafizik arasında bağlantı kurar.

~1019-1077 YUSUF HAS HACİP: Orta Asyalı Uygur bilgini "**Kutadgu Bilig**" (Hem Dünya'da hem Ahret'te kutsal mutluluk bilgisi) adlı kitabında, **mutluluğu ancak iyilik ve ahlâkın sağlayacağını** anlatır. **İyilik; bilgi, barış ve doğruluktur. Kötülük unsurları; bilgisizlik, hastalık, yanlış yola sapmaktır. Bilgisizlik öğretimle, hastalık tedaviyle, kötülük eğitimle doğru yola yöneltilir.**

Kitabı dört fasıldır:

I- Gündoğdu, hakan, adalet, hayatın başlangıcı.

II- Aydoğdu, vezir, **Dünyada ve ah**rette mutluluk veren iyilik Kut, ahlâklı yaşam..

III- **Öğdülmüş**, vezirin oğlu, aklı sayesinde bilgilenmiş, islamda Arif karşılığı.

IV- Odgurmuş, uyanmış dengeli olma gereğini anlamış. **İslâmda Kâmil karşılığı,** vezirin kardeşi, bugünkü Anadolu Türkçesiyle durmuş oturmuş, olgunlaşmış.

Kitap, bu dört kişi arasındaki ilk **mesnevi** yani kafiyeli ikişer mısralı şiir tarzında konuşmadır ve henüz Müslüman olmuş uygurların islâm anlayışını anlatır.

? - 1077 KAŞGARLI MAHMUT: Türk dil bilgini "**Dîvânü Lugati't-Türk**" adlı kitabı yazdı.

1044-1136 ÖMER HAYYAM: İranlı şair, bilgin, mantık felsefe, matematik, astronomi ile uğraştı. Fizik, metafizik, astronomi ve şiir dallarında kitaplar yazdı, **"Rubaiyat"**, **"Akıl Bahçesi"** v.s.

1058-1111 GAZÂLİ: Tuslu (Afganistan'da) İslâm âlimi. **Bilimleri tasnif etti.** "Mantık bilmeyenin bilimine güvenilemez" der. Gazâli bedenden ayrı bir ruh varlığını kabul eder, zira beden ölüde de vardır. **İnsan ruhu tanrı ruhunun okyanustaki dalgalarından başka bir şey değildir.**

1093-1166 AHMET YESEVİ: Türk-İslâm Mutasavvuffudur. Türkistanda Sayram kasabasında doğdu. Hacı Bektaş-ı veliye ve Mevlânaya kaynak oldu. Hikmet'i yani Hakikat'i Eserleri Fakrname ve Divan-ı Hikmet'dir. Yesevi tarikatinin kurucusudur ancak İlimde İrfanda Kemâl mertebesinde olan insanların hal ve sözleri olarak tanımlar. Şiirlerini hece vezniyle Türkçe 4'lükler olarak yazdı.

1126-1198 İBN-İ RÜŞD: Endülüslü Arap filozofu. Felsefeyi akıl ilkesi ile açıklamaya çalışır. Felsefenin temel konusu, genel bir bütünlük içinde var olanı, insana verileni incelemek, açıklamaya çalışmaktır. Bütün varlık türlerinin doruğunda bulunan yüce varlık olan tanrıya, yalnız var olandan, beş duyu ile algılanarak, akıl ilkelerine göre açıklanandan, yorumlanandan gidilebilir, **Felsefe tümeller (külliler) üzerine kurulmalıdır.** Âlem özünü maddede bulan varlık türlerinin bütünüdür. **Devleti yaşlılar, bilge kişiler, filozoflar yönetmelidir.** Bilgiyi sağlayan temel ilke akıldır. Halkı eğitmek, yetiştirmek, okutmak gereklidir. Kadın ve erkek arasında beden yapısı dışında bir fark yoktur. **Toplum, bütün insanlardan kurulu bir bütündür. İnsanlar ayrı ayrı değil, bir toplum içinde birlikte yan yana yaşamak gereğindedir.** Karşılıklı yardımlaşma, barış içinde bulunma, birlikte iş görme, belli alanlarda iş bölümü yapma, kaçınılmaz bir zorunluluktur. Bunlar genel ve vazgeçilmez kurallardır. Leipnitz ve Decartes'in ondan yararlandığı söylenir.

1135-1204 İBN-İ MEYMUN: Endülüslü, Yahudi asıllı Arap filozofu. Ona göre **alem bir bütündür,** tanrı bütün olarak bilinemez. Tıp, astronomi, felsefe ile uğraştı, akılcı bir filozoftur.

1149-1209 FAHREDDİN ER-RÂZÎ: Reyli arap kelâm bilgini.

1155-1191 ŞAHABEDDİN SÜHREVERDÎ: İranlı filozof. İslâm felsefesinde *"İşrakiye"* (aydınlatma) Çığırının kurucusu. Fıkıh ve tasavvufla uğraştı. **Ona göre bilgi ve hakikat bir nur, ışık olarak insan gönlüne doğar** (keşf). Yeni Eflatuncular gibi, tanrıyı ışık (**nur**) sayar ve maddi varlıkları, bu ışığın alçalması dünyaya yayılması, yoğunlaşması ile açıklar.

1162-1240 MUHYİDDİN İBNÜ'L-ARABÎ: Endülüslü İslâm mutasavvufu. Ona göre **gizli evren ile görünür evren arasında bağ görevini yapan varlık insandır (kâmil insan).** Evren (tabiat) tanrının aynı değildir.

Kâmil insana ulaşmanın yolları:

1- Akla dayanan akıldan gelen kesinlik.

2- Tanrısal coşkunluk.

3- Derin sevinç yani tasavvufun önem verdiği sevinç.

4- Sezgi.

5- Ulular evrenini bir bütünlük içinde kavramaktır.

1201-1274 NASİRÜDDİN TÜSİ: İranlı filozof, astronom, kelâm, matematik ve hadisle uğraştı. Ona göre bütün ahlâk ve eğitim kuralları akla dayanmalıdır, ahlâkın temeli iyiye (hayr) dayanır, **Çocuğun meslek seçiminde eğilimleri ve yetenekleri doğrultusunda çalışması sağlanmalıdır.** Utanma çocukta yeteneklerinin iyiye mi, kötüye mi daha fazla eğilim göstereceğini ortaya koyan ilk belirtidir. Ayrıca **gösterişe süse, dünya malına, yalancılığa, oburluğa, başkalarına kötülük etmeye, yol açacak davranışlardan ve kötü kimselerden uzak tutulmalıdır. Meslek seçiminde, hangi konulara eğilim gösteriyor, yetenekli olduğu anlaşılıyorsa o alanda çalışması sağlanmalıdır. İnsan düşünen bir**

canlı olarak **"ahlâk varlığı", bir ahlâk taşıyıcısıdır.** Moğol hükümdarı Hulagü'nün saray nazırı iken İslâm dünyasının en büyük bilim merkezlerinden biri olan **Meraga Rasathanesini** kurdu. Akıl ilkesi ile Şii inançlarını bağdaştırmaya çalıştı. Ona göre bütün ahlâk ve eğitim kuralları akla dayanmalıdır.

1206-1326 ŞEYH EDEBALİ: Osmanlı devletini kuran Osman gazi'nin kayın pederi olan mutasavvıf, ahi şeyhi. Osmanlı devletinin fikir babası.

1207-1273 MEVLÂNA CELALEDDİN RUMİ: Belh'li (Horasan) büyük Türk mutasavvufu. Anadolu Selçuklu Hükümdarı Alâaddin Keykubat'ın Mevlâna'nın babası Sultan-**ül** Ulema (Alimler'in Sultanı) **Bahaeddin Veled'i** daveti üzerine, Konya'ya yerleştiler. Mevlevi Tarikatinin kurucusu, astronomi, matematik, tıp, simya bilimlerine vakıf; Kur'an, hadis, fıkıh, kelâm konularında çağının uzmanıydı. **Tam bir varlık birlikçisi idi.** Çocukları, kadınları, suçluları, hastaları ayırt etmeden herkese sevgi ile muamele eder, vefa gösterir, saygı duyardı. **Haya, edep, terbiye, vefa, sabır, müsamaha, anlayış, af** gibi kavramlara önem verdi. Ancak **asıl meselenin insan olduğu, dinlerin, felsefenin, ahlâk sistemlerinin, insanı daha mutlu, daha değerli yapma, yolunda birer vasıta olduğunu gördüğü için, bu vasıtaların birinde durmak takılmak istemedi. Ona göre yaratılmış olan yaratanın bir sureti tecellisi idi. Böyle olunca, suçlu, suçsuz, güzel çirkin, iyi, fena kalmıyordu, yolların en mükemmeli tanrı aşkı idi.** Evrene yayılmış sonsuz bir sevgi, bu sevgiyi besleyen hoşgörü, karıncadan Süleyman'a yaygın bir vefa idi. **Mevlâna çağının en güzel şiirini musiki ile bağdaştırmıştı. Ona göre insanların ruh birliğinin esası müziktir; dinler birdir; ayrılık gidiş yollarındadır.** Onun ifadesi ile **"Yüz kitap olsa, hepsi bir bölümden ibaret, yüz tarafta da tek bir mihraba döndüler, bu yolların hepsi tek bir eve çıkar. Bu binlerce başak tek bir tohumdan meydana gelmiştir".** Konya'da türbesinin kapısında **"Gel! Gel! Nerede olursan ol gene gel! Fakirsen de rind isen de puta tapsan da gel! Bizim dergâhımız ümitsizlik dergâhı değildir. Yüz defa tövbeni bozmuş olsan da gene gel!"** sözleri yazılıdır. **Sema**yı (Mevlevi ayini) din törenlerine getirmekle, İslâm'da büyük değişiklik hamlesi yapmıştır. Eserlerini Farsça yazdı, ancak az sayıda Türkçe, Arapça ve Rumca beyitlerine de rastlanır.

1209-1271 HACI BEKTAŞ-I VELİ: Horasan'ın Nişabur kentinde doğdu. Bektaşi tarikatinin kurucusudur. **İslâmiyeti** eski Türk dini ile özleştirme amacı güden Tasavvuf hareketi Ahmet Yesevi'den sonra Anadoluda Hacı Bektaş-ı Veli Yunus Emre ve Mevlâna ile devam etti.

1210-1274 SADREDDİN KONEVİ: Malatyalı Türk mutasavvıfı. Ona göre, **yaratan (halik) ile, yaratılan (mahluk) evren birbirinden ayrı değildir. Çokluk (kesret) görünüştedir. Gerçekte birlik (vahdet) vardır.** Bütün evrenin yaratıcısı tanrı, insan için bilinmezdir. **İnsan tanrıya ancak düşünce yolu ile varır.** Ölüm bir yok oluş değil, geldiği kaynağa **"ölümsüz öze"** dönüştür. **Nur, bütün evreni kuşatan sonsuz ve sınırsız bir görünüştür.** İnsan onun sadece görünüş alanına çıkan yanını görür. Hakikat bu görünüşte değil, onun arkasında saklı olan özdedir. Bu öze akıl yolu ile varılmadığı gibi basamak basamak bilgi yolu ile yükselerek de varılmaz.

1235-1316 RAIMUNDUS LULUS (RAMON LLULL): Fransız (Katalon) mistik ansiklopedici, şair, misyoner, sonradan müslüman oldu. **"Ars Magna" adlı eserinde, üçgenler, daireler ve ifadelerle v.s. bütün hakikatleri ifade etmek istedi. Simya işaretleri, orta çağın simya bilgisini aksettiren kaynaktır.**

1238-1310 YUNUS EMRE: Sivrihisarlı (Anadolu'da). Türk İslâm mutasavvıfı. **Şiirlerinde tanrı ve insan sevgisi esastır.** İnsanı; geçmişi, geleceği, yaşadığı süre içindeki durumu ile tam bir bütünlük içinde şiirinde ifade eder. Ayrıca **insan ile tanrı, insan ile insanlar ve insanın kendi kendisi ile ilişkilerini** tasavvuf ve İslâm felsefesine göre ve hümanist açıdan işler. Bir şiirinde **"Gönül Çalab'ın tahtı, Çalab gönüle baktı / İki cihan bedbahtı, kim gönül yıkar ise"** der. **Çalab** tarihte en eski Tanrı anlamına gelen Orta Asya kaynaklı bir kelimedir. Tasavvufta kalp (gönül) ise bedenin merkezidir. Akıl, yani baş değil, çünkü kalp sevgiyi temsil eder. Şiirin anlamı: **Gönül (kalb) yaratanın tahtı, yaratan tahtına**

baktı, kim birinin kalbini kırarsa, darıltırsa, hem bu dünyada, hem öbür dünyada bedbaht kişidir, yani kendine yazık etmiş olur demektedir. Onun diğer birkaç ifadesi **"Söz halik avazından gelir, kitaptan, kişiden gelmez"** yani söz yaratıcıdan, Allah'tan gelir, kitaptan veya kişiden değil anlamındadır. Ayrıca **"Ölürse ten ölür, canlar ölesi değil"** der. Yani ölürse insanın bedeni ölür, sevgiyi temsil eden canlar ölmez anlamındadır.

Yunus Emre tasavvuf felsefesinin öğretisini, halk dili, halk duyusu inceliği, içtenliği ile ulusal öğelerle karıştırarak, çağının çok ötesinde bir hümanizma anlayışının öncüsü oldu.

1340-1384 G.G. MAGNUS: Felemenkli mistik. "Yaşayan Kardeşler Tarikatı"nı kurdu.

1359-1420 ŞEYH BEDREDDİN: Simavnalı (Edirne'de). Türk mutasavvufu, mantık, felsefe, ilâhiyatla uğraştı, din farkını ortadan kaldırmak için, isyan çıkardı, idam edildi. Ona göre bütün dünya malları, insanların ortaklaşa yararlanması içindir, ahiret yoktur. Maddecidir.

1469-1527 N. MACHIAVELLI: İtalyan politikacı, düşünür, tarihçi. Ona göre, iyilikten çok kötülük, şiddet, zulüm yapmalıdır. İnsanı amacına ulaştıran her şey, ister iyi ister **kötü olsun iyidir. Din ne kadar saçma inançlardan oluşursa oluşsun, politika ve devlet amaçlarına hizmet ettiği sürece korunması gerekir. Ahlâk konusunda insan genel olarak kötüdür. İyi olmak isteyen insan ezilmeye mahkûmdur. Kötülük birden şiddetle, iyilik azar azar ve yavaş yapılmalıdır ki lezzeti tadılabilsin.**

1472-1543 KOPERNİK (N. COPERNICUS): Polonyalı astronom, gezegenlerin, dünyanın etrafında değil, dünya ile beraber, hem kendi etraflarında hem güneşin etrafında döndüğünü ispat etti.

1478-1535 THOMAS MOORE: İngiliz iktisatçı, hukukçu. **özel mülkiyete karşıdır.** **"Ütopia"** adlı eserinde, **Ütopia** adasında herkes ziraatle ve başka bir meslekle uğraşır, herkes ürettiğini şehirdeki mağazalara verir, ihtiyaç duyduğu her şeyi de mağazalardan alır, adada fakir yoktur herkes müreffehtir.

1483-? MARTIN LUTHER: Almanya'da Saksonya eyaletinde doğdu, hukuk, edebiyat, müzik, felsefe tahsil etti, ruhban sınıfına girdi, felsefe profesörü oldu. Papa tarafından aforoz edilince, İncil'i Almancaya tercüme etti, birçok şehir ona katılınca Protestanlık mezhebi doğdu. Avrupa'da ilk defa kilisenin mutlak hakimiyeti kırılmaya başladı, reform hareketi başladı.

1509-1564 CALVIN: Fransa'da Picardie eyaletinde doğdu. Üniversiteyi bitirdikten sonra Luther'i okudu, sonra İsviçre'ye gidip Kalvinizmi tesis etti. Luther'den daha fazla dini islahatçı idi.

1561-1626 F. BACON: İngiliz filozof, politikacı. "İngiliz Pozitivizmi"ni yarattı. Ona göre gerçek bilginin amacı düşünce değil, insana daha iyi hayat şartlarını sağlayabilmek için doğanın fethedilmesi, değişikliğe uğratılmasıdır. Her nevi buluş, her sonuç, yeni bir sonuca varılmasında araçtır. Fizikte başarı;

    a) **Gözlem.**

    b) **Deney.**

    c) **Tüme varım,** ile sağlanır.

"Atlantis" adlı kitabında bir "Erdem Adası" önerir.

1546-1642 GALİLEO GALILEI: İtalyan astronom, fizikçi, matematikçi, müzikçi. Dürbünü, trigonometriyi, hava terazisini buldu. Deneyci metodun ve dinamiğin kurucusu sayılır. Sarkacın zaman ölçüsü olabileceğini, cisimlerin düşme kanunlarını, müzik aralıklarının frekanslarına orantılı olduğunu buldu. Mikroskobu da bulduğu sanılır. Daha çok çeşitli buluşları da vardır. **"Doğanın büyük kitabı, onun yazıldığı dili bilenler tarafından okunabilir, bu dil matematiktir."** demiştir. Kopernik'in nazariyesine taraftar olduğu için papa tarafından engizisyon mahkemesinde ölüme mahkûm edildi. Fakat çok yaşlı olduğu için idam edilmedi. Evinde nezaret altında kaldı, hayatının sonuna doğru kör oldu.

1568-1639 TOMMASO CANPENELLA: İtalyan düşünür ve yazar. Bütün insanların tek düşüncede ve eşit olarak yaşayabilecekleri bir güneş ülke (civitas solis) **özleminini** duydu. Onun güneş beldesini 4 kişilik bir heyet idare eder.

1571-1630 KEPLER: Alman matematikçi, astronom. Gezegenlerin güneş etrafında bir düzlem üzerinde döndüğünü ortaya koydu. Üç hareket kanununu buldu. **"Tüm yaratılan alem, düşünceler ve ruhlar düzeni içinde tüm maddesel varlıklarda olduğu gibi, hayret verici bir senfoniden ibarettir. Her şey karşılıklı ve çözülmez bir ilişkiyle birbirine bağlıdır ve her şey ahenkli bir bütün teşkil eder. Her şey canlıdır. Gezegenlerin hareketi, müziğin uyum yasalarına göredir."** der. Gezegenlerin hareketinde bir dönüş zamanının, ¼'ü elipsin büyük yan ekseninin küpüyle orantılıdır. Gök cisimlerinin hızları çekim merkezine yaklaştıkça artar. Bu her gök cisminin çekim merkezine olan uzaklığının karekökü ile ters orantılıdır. Güneşin merkeziyle gezegenin merkezini birleştiren vektör yarıçapın çizdiği alan, bu alanın çizilmesi için geçen zamanla orantılıdır. Gezegenlerin kavuşum dolanımı için geçen zamanın karesinin, yörüngelerinin büyük ekseninin küpüyle doğru orantılı olduğunu ortaya koydu.

1588-1674 T. HOBBES: İngiliz filozofu. Tabiatın, matematik'sel ve mekanik izahını yapan mekanist (maddeci) felsefeyi kurdu. "Bildiğimiz bir makinaya nasıl yön verebilirsek, evrene de yön verebiliriz. Matematik ve mekanik ilkeleri evreni tanımaya yeter." der.

1596-1650 DEKART (R. DESCARTES): Fransız filozofu. Varlığın **madde** ve **ruh**tan oluştuğunu kabul eder. Ona göre **bilimin modeli matematiktir.** Ateşin, suyun, havanın, yıldızların, göklerin ve bütün diğer cisimlerin gücünü ve etkilerini öğrenip, bunların elverişli olduğu bütün kullanılışlardan yararlanabilir. Böylece tabiatın, adeta sahipleri, efendileri olabiliriz. **Bir düşünceyi doğuran başka bir düşüncedir. Sırayı doğru kovalamak suretiyle bulunmayacak bilgi yoktur. Bütün bilimleri kaplayan genel bir bilim ve işaret dili** ortaya attı, **(Scientia Generalis)**.

1600-1654 ANDREA VALANTIN: Ütopyacı.

1611-1677 HARRINGTON: Ütopyacı.

1613-1680 F. LA ROCHEFOUCAULT: Ona göre hiçbir şey üzerinde tam bir bilgi edinilemez, çünkü her şeyi bilmek için ayrıntılarını bilmek gerekir. Ayrıntılar sonsuz olduğuna göre, bilgilerimiz eksik kalmak zorundadır.

1632-1704 J. LOCKE: İngiliz idealist düşünür. **Bilimleri semiyotik olarak tasnif etti.** Ona göre bütün düşünceler deneyden doğar. Deney, dış deney ve iç deney olarak ikiye ayrılır. **Semiyotik terimini, işaretler bilimini, semboller nazariyesini** ortaya attı.

1632-1716 RICHARD CUMBERLAND: Ona göre **insan, toplum, devlet ve evren en iyiye varma amacına doğru yürümektedir, hepsi bir bütündür.**

1632-1677 A. SPINOZA: İspanyol yahudisi. Fizikçi idealist. Her meseleye bütünsellik veya hakikat açısından bakar. Ona göre tüm varlıkların kökü tanrıdadır. Mekân olmayınca geometrik şekillerin değeri olmaması gibi, tanrı olmayınca nesneler birer hiçtir. **Maddesel** ve **ruhsal** cevherin ayrılığı sorununu; **varlıkların tanrı özünden, matematiksel bir zorunlulukla oluştuğu anlayışına dayanarak çözmüştür. Madde ve ruhu tanrısal cevherde birleştirir ve birbirine etkisini saptar**, Felsefe genelleştirilmiş matematiktir. İnsanlar bilmediklerinin tutsağıdır, bilgiye erişince özgürleşirler. **İyi zekâyı geliştiren şey kötü zekâyı bulandıran şeydir. Erdem insanın kendi varlığını koruma gücü ve çabasıyla ölçülür. Yan yana gelen İnsanların gücü artar. O halde, insana insandan daha yararlı bir şey yoktur. Bu yüzden İnsanlar birleşmek ister.** Dekart'ın **analitik geometri yöntemini uygulayıp** "Ethica" (Nazari Ahlâk) adlı eserini yazdı. **Ethica**'nın karşıtı "Morale Sosyal Tore" **(tatbiki ahlâk'tır)**.

1638-1715 N. MALEBRANCHE: Fransız filozofu. Ona göre; **"insan aklı" sonsuz aklın (tanrı kelâmı) bir parçasıdır. Ahlâk, düzen düşüncesine, yani tanrıdaki şekli ile basitten yetkine (insandan tanrıya) doğru varlıklar aşamasına dayanır.**

1642-1727 ISAAC NEWTON: İngiliz filozof, matematikçi, astronom. **Sonsuz küçükler hesabını, beyaz ışığın yapısı, evrensel çekim teorisini buldu, aynalı teleskobu yaptı. Modern bilimin temellerini attığı, metotlarını çizdiği söylenebilir. Daha başka buluşları da vardır.**

1646-1716 G.W. LEIBNIZ: Alman filozof. **Matematiği felsefeye uygulayıp, üniversal bir bilim dili işaretler lisanı "Characteristica Universalis"i kurmaya, ayrıca linguistikte lisan sistemlerini de matematiksel olarak izah etmeye çalıştı. Ona göre kötülükler eşyanın ayrıntılarındadır. Oysa bütün en yüksek derecede mükemmeldir. Erdem tanrı sevgisidir. Mutluluk bu sevgidedir. Evrensel Matematik (Mathesis Universalis), cebirsel linguistik, istatistiksel linguistik ve linguistik bilgisayar çalışması yaptı.**

1694-1878 F.M. VOLTAIRE: Fransız düşünür, "**dünya aklın egemenliğine girmelidir**" der

1701-1780 ERZURUMLU İBRAHİM HAKKI: Son İslâm mutasavvuflarından. Kuzey doğu Anadoluda Erzurumda doğdu. Ünlü ansiklopedik eseri Marifetname'de çağının Jeoloji, Astronomi, Fizyoloji ve psikoloji alanındaki bilgilerini biraraya getirdi. Bu eserde insanlara önce çevrelerindeki eşyayı sonra kendilerini sonunda da Allah'ı bildirmeyi amaçladı. Ona göre evrende semada görülen varlıklarda küre şeklindedir Yetmişten fazla eser yazdı.

1712-1778 J. J. ROUSSEAU: İsviçreli yazar, düşünür. Ona göre insan iyiydi, onu kötü eden uygarlıktır. Bizans'ın çökmesi ile Yunan sanatı kalıntıları İtalya'ya geçti, Avrupalıların mutsuz bilgiçlikleri, erdemsiz uygarlıkları da böylece başlamış oldu. Bilim ve sanat yükseldikçe erdem silinir. **Sulhun (barışın) derinliğinde** bir "**adalet**" (tüze) ve bir "**ahlâk**" (töre) ilkesi vardır.

1714-1762 A.G. BAUMGARTEN: Alman filozof, Leibniz ve Wolf felsefe okulundan, **güzellik bilimini "estetik" adı altında felsefenin öteki dallarından ayırdı. Estetiği "Duyulardan gelen bilginin bilimi veya aşağı gnoseoloji" olarak tanımlar.**

İki yetkinlik (mükemmeliyet) vardır:

d) Ahlâkın konusu olan "**iyiliği**" meydana getiren "**akli yetkinlik**".

e) Estetiğin konusu olan "**güzelliği**" meydana getiren ve "**duyumlarla ilgili yetkinlik**".

Üçlü bir bağdaşma ise:

1- Düşüncelerle nesne arasında.

2- Düşüncelerle düşünceler arasında.

3- Düşüncelerle dış işaretler arasındaki bağdaşmadır.

Bu üç bağdaşmada duyulardan gelen bilginin yetkinliğini, yani "**güzelliği**" meydana getirir.

1723-1790 ADAM SMITH: İngiliz filozof, ekonomist, liberalist. "**Milletlerin Serveti**" adlı eseri ekonomi doktrinlerinde bir tarih kabul edilir. Milletlerin zenginliği, yaşam için lüzumlu ve zaruri olan malların miktarına tabidir. **Serveti** yaratan, **emek**tir. Milletlerin servetleri arasındaki fark, emek farkından ileri gelir. **Emeğin verimi iş bölümü ile artar. Pazar fiyatı arz** ve **talebe** bağlıdır. Ekonomik gelişmenin şartı, **sermaye birikimi**dir. Sermaye **tasarruf**la oluşur. **Şahsi menfaat bütün ekonomik faaliyetleri yaratır. Rekabet** gereklidir. Üç türlü gelir vardır; "**ücret**", "**rant**" ve "**kâr**". **Faiz** de sermayenin geliridir. Rant ise arazi sahiplerine araziyi kullananların ödediği bedeldir.

1724-1804 EMANUEL KANT: Alman filozofu. Ona göre **bilgi,** insan aklının önceden şekillenmiş faaliyetlerinden doğar. **Ahlâk** kanunu bize duyusal biçimi içinde **saygı** olarak görünür ama saygı bizi, aşk veya istek gibi nesneye yönelten bir eğilim değildir. Saygı isteğimizi durduran, eleştirici bir duygudur; eğilimlerimizi sınırlandırır ve nesneye uzaktan bakmamızı sağlar. Saygı eğilimlerin olumsuzlaşması ve duyusal olmayan dünyadan gelen bir davranışa hazırlıktır. Bir sanat eseri bir organizma niteliği taşıması bakımından, **tabiat**

ile hürlüğün (**ruh**) birleşimini yapar. Erdem bir içgüdü işi değil bir akıl işidir. Erdemsizlikten gocunmamalıdır, çünkü insanı büyük erek olan erdeme götürecek bu erdemsizliklerdir.

1743-1704 A. LAVOISIER: Fransız kimyacı. **Olmak** yerine birleşmek; **ölmek** yerine ayrılmak denmelidir. Her değişmede, birleşmede, dış görünüşlerin değişmesinden başka değişme yoktur, öz değişmez. **"Tabiatta ne bir şey kayıp olur, ne de yeniden var olur."** **der.** Evrendeki element mevcudu gibi konularla ilgilendi.

1747-1826 J. E. BODE: Alman astronom. 1766'da **J. TITIUS'**un yaptığı gözleme dayanarak; güneş**in gezegen yörüngelerinin yarıçaplarındaki matematik şifreyi açıkladı.**

XVIII. yüzyıl MORELLY: Komunist, ütopyacı. eseri "La Basiliade".

1762-1814 J.G. FICHTE: Alman filozofu, idealist. Ona göre insanın temel var oluş duygusu "ahlâk" amacının yani "mutlak özgürlüğün bilincidir". Bu bilinç, ahlâk yasalarına uygun iradede gerçekleşir. Felsefe yapmak varlığın hiçbir şey olmadığını, görevin her şey olduğunu bilmektir. Bu bakımdan da 'ben'in bilgisidir. **Felsefe** "bilim öğretisidir". Bütün yazılarında temel fikir 'ben'in kendini yaratmasıdır. **Tanrıyı, ahlâkı bir dünya düzeniyle bir tutar**; devlet ise yapma bir kurumdur, bir gün eriyip yok olacaktır.

1770-1831 G. W. F. HEGEL: Alman filozof, idealist, ütopyacı. Ona göre mutlak kavranması imkânsız olan bir cevher veya başka bir dünya veya tanrı değildir; bilginin konusudur. Bu anlamda tanrıdan değil mutlak bilgiden söz edilir. İnsanların yeni şartlar içinde kendi felsefesini çeşitli şekillerde yorumlama hakkı olduğunu kabul eder. **Salt;** (mutlak) **doğa** ve **ruh** ikilisinin üstünde değil, içindedir. **Varlık karşıtları uzlaştırarak gelişir.** **"Erdem"**, **iyilik ile kötülük arasında bir uzlaşmadır.** Ona görc **kültür** doğanın yarattıklarına karşılık, insanoğlunun yaptığı her şeydir.

1771-1858 ROBERT OWEN: İngiliz sosyalist. Ona göre; madem ki insanların farklılığı muhitin ve tesadüflerin neticesidir, o halde **insanlar arasında fark gözetmek doğru değildir.** İnsanların gelirleri farklı olamamalıdır. İnsanlar eşit şartlar altında ihtiyaçlarını temin edebilmelidirler. Diğer bir ifadeyle herkese ihtiyacına göre pay verilmelidir. Owen Meksika'da "New Harmony" adlı bir koloni kurdu. Koloniye 2500 Avrupalı geldi, fakat çoğu tembel olduğu için iki sene sonra dağıldılar. Owen **kâr**a ve **para**ya karşıdır. Malların değeri **emek**le ölçülebileceği için, **para yerine emekle ifade edilen iş bonolarının ikamesini tavsiye eder.** Bu fikrini de pratik olarak uyguladı, başaramadı. Fakat kârı ortadan kaldırma fikri daha sonra tüketim kooperatiflerinin gelişmesini sağladı.

1772-1837 CHARLES FOURIER: Fransız sosyalist, ütopyacı. **Rekabet**i kabul eder, **kâr**a karşıdır. "Falanster" adı ile 810 kadın, 810 erkekten oluşan birlikler kurulmasını önerir. Falanster'de birlikte ikamet edilir, yemek yenir, çalışılır. Kendi ihtiyaçlarını kendileri elde ederler. Herkes istediği işi yapar. Hasılanın 5/12'si **emeğe,** 4/12'si **sermayeye,** 3/12'si de **ehliyet ve kabiliyete göre taksim edilmelidir.** Fourier **mülkiyeti ve sermayeyi kabul eder, ancak ücretli çalışmaya karşıdır. İşçi teşebbüsün ortağı olmalıdır; idareye iştirak ve temettüden hisse almalıdır.** Onun amacı, üretici ile tüketici, işçi ile işveren arasındaki zıddiyeti ortadan kaldırmaktı. Fourier de Falanster sistemini uygulamak istediyse de başaramadı, ancak fikirleri kooperatifçiliğin gelişmesine faydalı oldu.

1772-1823 DAVID RICARDO: Musevi asıllı İngiliz iktisatçı, liberalist **düşünür. Ona göre; paranın değerini miktarı tayin eder**, verimli toprak sahiplerinin az masrafla ürün elde ettiği için diger toprak sahiplerinden daha fazla elde ettiği **kâr**a "rant" denir. **Malların değeri üretim masraflarına ve miktarına tabidir. Üretim masrafı sermaye olduğuna ve sermaye de daha önceki emekle oluştuğuna göre, malların değeri üretimi için harcanan emekle oluşmaktadır.**

Üç türlü gelir vardır:

1- Arazi sahibinin geliri **"rant"**.

2- İşçinin geliri **"ücret"**,

3- Sermayenin geliri **"kâr"**

1773-1831 J. W. GOETHE: Alman şairi. Ona göre; hayat kendiliğinden ne iyi ne kötüdür neyse odur. İnsan ona katlanmalı, evet demelidir. Büyük gerçeğe varabilmek için, kötülüğü yardıma çağırma gücünü gösterebilen insan, iyilik düşmanı değil, iyilik aracısıdır. Çünkü insanın öz kaynağı erdemdir. Şeytan (Mefisto) ne yaparsa yapsın, insanı bu öz kaynağından ayıramayacaktır. insan sonunda aydınlığa çıkacak, insan kalmasını bilecektir, Goethe 58 yıllık hayatında **insanın iyilik** ve **kötülüğün çarpışma alanı olduğu ikili gerçeğini bire indirgemeye uğraştı. Bulduğu gerçek "insan evet demelidir", kişinin mutluluğu toplumun mutluluğuna bağlıdır. Yaşamak, insanlık toplumunun ortak gücüne katılmakla güzeldir. Dehanın ödevi bu gücü en yararlı amaca yöneltmektir. İnsana sevinç duyuran, yeryüzü cennetinin kapılarını açan bu amacı vicdanında duymasıdır. İnsan Mefistoya rağmen eriştiği bilinçle bunu anlar ve hayata "Geçme! Dur, o kadar güzelsin ki!" diyebilir.** Goethe'nin yazdığı eserdeki, Dr. Faust **yıllarca dünya mutluluklarına sırt çevirip tozlu kitaplarını okuyarak vakit geçirmiş; yanıldığını anlamıştır. Kendini sadece hayata vermek için çok yaşlıdır; isteksiz olmak için de çok gençtir. Artık bilgi ile düşünceden tiksinmektedir. Zekâ denilen şey ona göre ahmaklıktan başka bir şey değildir. Neden masumluk kendi kutsal değerini bilmez. Yapılacak tek şey mutluluğu** (aşk, tanrı, kalp adı önemli değil) **duymaktır. Ad** göklerin parlaklığını sislendiren bir sestir, ama **duygu** her şeydir. Dr. Faust **yüz yaşındadır** ömrünü boşuna geçirdiği kanısıyla, kendini öldüreceği sırada karşısına Mefisto **çıkar. Ona hayatın güzel olduğunu, "O kadar güzelsin ki geçme dur" diyebileceği anlar olabileceği söyler, bahse girerler. Dr.** Faust **böyle derse, öbür dünyada ruhunu şeytana vermeye razı olur, ancak tam öleceği anda "Geçme dur" der. Fakat bahsi kaybetmiş** olmıyacaktır, çünkü aydınlığa kavuşmuş evet demesini öğrenmiştir. Ancak Mefisto'nun önüne serdiği mutlulukla değil, kendi öz varlığı ile. Bu aydınlık gerçek şudur; **hayat o kimsenindir ki, her gün onu yeniden kendinin eder**, özgür bir toprakta, özgür bir **halk arasında bulunmak istiyorum**, o zaman geçen ana "Dur! O kadar güzelsin ki!" diyebilirim. Goethe'ye göre bir şiir anlaşılması ne kadar güç olursa, o kadar iyidir, Faust da henüz açıklanmamış zamanla ilgili simgeler vardır. Gelecek kuşaklar bu simgeleri birer birer çözecek, kendi büyüklüklerine inanacak, kendi büyüklükleri içinde Goethe'nin büyüklüğünü gerekli sayacaklardır. İlericiler de gericiler de Goethe'den hoşnut olmalıdırlar, çünkü her biri Faust'u kendi amaçlarına uygun yorumlayabilirler.

1777-1855 C. F. GAUSS: Alman matematikçi, astronom ve fizikçi. 16 yaşındayken Uranüs gezegeninin yörünge elemanlarını hesaplayarak yerin bir noktasından yapılan ölçülerle bir gezegenin yörünge elemanlarını bulmaya yarayan bir metot ortaya koydu. Elektrikle özellikle manyetizma ile ilgilendi. Manyetometreyi icat etti. Manyetizmanın matematik teorisini formülleştirdi.

1788-1860 A. SCHOPENHAUER: Alman düşünür. Evren olma isteğinden doğmuştur. Evren sonsuz birbirini yiyenlerin yeridir. Şu halde asıl olan erdem değil erdemsizliktir. Parçalanan hayvanların acısı ile parçalayan hayvanların sevincini karşılaştırın. Varlığın temelinin irade olduğu, deneye dayanarak anlaşılır.

1794- ? WILLIAM BILLINGS: Amerika'da "The Continental Harmony" (kıta harmonisi) adı ile yanda görüldüğü gibi, her biri **beş çizgili, iç içe dört daire şeklinde yörünge üzerine dünya** harmonisini besteledi. "Heil sacred Music heil" (selam kutsal müzik selam).

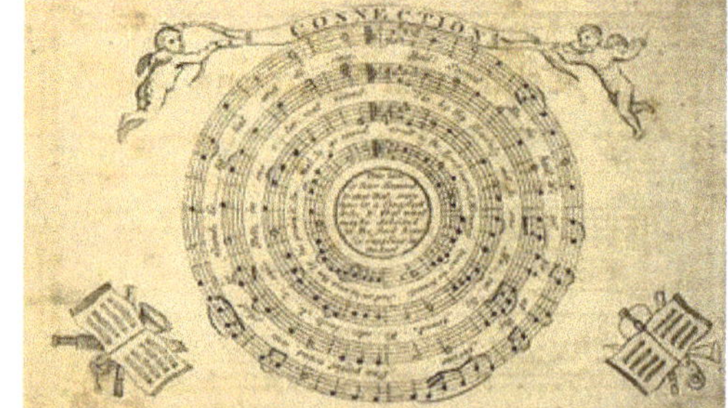

1798-1857 AUGUSTE COMTE: Fransız filozof. Ona göre, pozitivist batılı toplumlar; 1-Teolojik. 2-Metafizik. 3-Pozitivist safhalardan geçmiştir. Pozitif durum *sebep* kavramı yerine *kanun* kavramını koydu. Bilimleri **matematik, astronomi, fizik, kimya, biyoloji, sosyoloji, ahlâk** olarak tasnif etti. Toplum ona göre ideal bir varlık değil, gerçekliktir. Sosyal olgular sadece Batı Avrupalı toplumlarda oluşmuştur. Bütün bilimler statik ve dinamik olarak iki bölümdür. **Sosyal birliğin ilk hazırlığı ailede olur.** İnsan başkaları için yaşamalıdır. Hristiyanlık ahlâki benzerlerinizi kendiniz gibi seviniz emrini verir. Bu ise kendi kurtuluşunuz için birbirinizi seviniz demektir. Sosyal değildir, ahlâka aykırıdır. Ahlâkın ereği insanlığı hayvanlığa üstün tutmaktan, kendimiz için değil, başkaları için yaşamaktan ibarettir. Nasıl maddesel bilimlerin bir fiziği varsa, sosyal hayatında kendine özgü bir fiziği vardır ki, insanlığın esasını teşkil eder. **Fert insanlık organizmasının bir parçasıdır. Toplumda ödev fikri hak fikrinden üstündür.** Kurduğu dinde tapınılacak en yüce varlık olarak "**insanlık**", sonra "**dünya**", sonra "**uzay**" gelir. İnsanlığı sağ elinde "ilke için aşk", başının üzerinde "temel olarak düzen", alnında "amaç olarak ilerleme" levhaları olan, 30 yaşında bir kadın olarak tasvir eder. Hükümet bilime dayanan papalıktır. **Toplumun bilimle teşkilatlanması gerektiğini ileri sürdü. Bilimi ayrıca çeşitli üçlemeler üzerine kurmaya çalıştı.** İnsan ömrünü 7 çağa ayırdı. Her çağ için, o çağa özgü bir eğitim düşündü. Başkaları için yaşamak, başkalarını sevmeyi gerektirir. "**Erdem sevgidir; insanlığı, bir insanı sevdiğiniz gibi seviniz." der.** Bir tek mutlak ilke vardır, her şey bağıntılıdır. **Felsefe** bütün bilimleri birleştiren bir "**bilimler bilimidir**".

    1804-1872 L. FEUERBACH: Alman düşünür, materyalist filozof. Ona göre din insanın kendine yabancılaşmasıdır, bilinçsizliktir. Eğitim yolu ile yeni bilinçli bir din önerir. Dinin gerçeği aşktır. **İnsanlık düzenini kuracak olan, insanın başka insanlara karşı duyacağı bağlılıktır, aşktır. Din insanın kendi kendisine gösterdiği saygıdır.**

    1806-1673J. STUART MILL: İngiliz düşünür. "Mutluluk faydadır" felsefesinin doğuşundan beri düşünürler **en üst iyi**nin (**Summum Bonum**) ne olduğunu aramışlardır. İşte biz de Bentham'la beraber bu sorunun karşılığını veriyoruz. **En üstün iyi faydadır.** İyiyi kötüden ayıranın ne olduğunu ne akılcılar ne ruhçular verememişlerdir. İyiyi kötüden ayıran ölçü, **fayda** ölçüsüdür. Hekimlik sanatı iyidir, çünkü **sağlık faydası** taşır, Müzik iyidir, **zevk faydasını** insanların mutluluğunu, tiksinmeye karşılık olarak, hoşlanma duygusu (Hedonizm-Hazcılık) doğurur. **Hoşlanma duygusu** faydalılığın sonucudur. İnsan faydalıdan hoşlanır, faydasızdan hoşlanmaz, faydalı olan hoşlanılandır.

    1809-1882 C. DARWIN: İngiliz biyolog. Ortaya koyduğu evrim teorisine göre:

    1- Aynı kökten gelen canlı türleri çeşitli tesirlere (çevre, beslenme, sair değişiklikler) bağlanabilecek değişmeler gösterir. Beden ve üreme hücrelerini değişikliğe uğratır.

    2- İktisatcı Malthus'un "Nüfusun geometrik, beslenme imkânlarının ise aritmetik yani daha az arttığı" görüşünden; yaşamak için mücadele prensibine ulaştı. Üstün olanlar **tabii ayıklanma** sonucu yaşama ve kendini üretme şansına sahip olur.

    3- Erkekler dişileri elde etmek için mücadele eder, güçlü olanlar kazanır. Dişiler de erkeklerin yakışıklı ve en güçlü olanlarını seçer, böylece cinsel ayıklanma olur.

    4- "**Erdem**" çevreye ve koşullara uyma zorunluluğundan doğan bir evrim ürünüdür. Korunma içgüdüsünden doğar. İnsanın varlığını sürdürebilmesi için zorunludur.

    1813-1883 R. WAGNER: Alman müzikçi. Bestelerini aşkla, kurtuluş ve feragat, beşeri **hürriyet meselesi, halk erdemlerinin yüceltilmesi fikirleri üzerine kurdu. Konularını Alman mitolojisinden aldı. Orkestrası çok çalgılı (164 çalgı) idi ve eserlerini kendisi için inşa ettirdiği, akustiği yüksek konser salonunda icra etti. Bazı eserleri "Tanrıların çöküşü", "Sanat ve İhtilâl", "Geleceğin Sanat Eseri".** Rockel, Bakunin ve Nietzsche'in dostu idi. Bestelerinde aynı temanın değişik bölümlerini çeşitli çalgılara aktardı.

1814-1876 M.A. BAKUNIN: Rus ütopyacı ve anarşisti. Tanrı tanımazlık, sosyal sınıfların kaldırılması, kadın erkek eşitliği, bütün üretim mallarının ortak olması, devletlerin ve her türlü otoritenin kaldırılmasına inandı. Karl Marx'ın devletçiliğine karşı idi.

1817-1894 WILHELM ROSHER: Alman iktisatçı. Tabii iktisat kanunlarını inkâr ederek iktisada tarihi metodu uyguladı. Göçmenlerin kabul edildikleri ülkeye, kendi vatanlarından aldıkları sermayeden daha fazla bir sermaye getirdiklerini ileri sürdü.

1818-1883 KARL MARX: Yahudi asıllı Alman filozof. Ona göre toplumun temeli "alt yapısı" üretim biçimidir; "üst yapısı" ise, dini, ahlâki, siyasi, hukuki müesseselerdir. Alt yapı, üst yapıya hâkimdir.

İnsanlık tarihi, temel belirleyici olan, üretim biçimi açısından bakılınca şöyle sıralanır:

1- **İlkel** toplum (üretim biçimi kolektif ve özel mülkiyet yok).

2- **Köleci** toplum (üretim köleler üzerindeki özel mülkiyete bağlı).

3- **Feodal** toplum (üretim toprak üstündeki özel mülkiyete bağlı).

4- **Anamalcı (kapital)** toplum (üretim, üretim araçları üzerindeki özel mülkiyete bağlı).

5- **Toplumcu** toplum (üretim, üretim araçlarının kolektifleşmesi ile biçimlenmiştir).

Marxist bilim; doğasal, bilinçsel ve toplumsal tüm bilimleri, birbirleri ile bağımlı olarak kapsayan ve bütünleyen bir bilimler bilimidir.

1820-1895 F. ENGELS: Alman düşünür Marx ile aynı görüşler doğrultusunda çalıştılar. Her ikisi de **eytişimsel ve tarihsel maddecilikle** her türlü gelişmenin temel yasalarını saptarlar. (**Eytişim veya diyalektik:** kavramları karşıtları ile düşünüp gerçeğe varma). Felsefenin temel sorunu (**materyalizm** ve **idealizm** sorunu) üzerinde çağlar boyu bir taraf tutma süregelmiştir. Hegel **düşüncecilik** yani **idealizm**den yanadır, "Ekonomik altyapı" etkendir, ama "ideolojik üst yapı"da etkendir. Bütün etkenler karşılıklı etki halindedir "Gençlerin ekonomik açıya gereğinden fazla önem vermelerinin sorumluluğu Marx ve bana aittir. Düşmanlarımızın yadsımaya çalıştıkları başlıca ilkede direnmek zorundaydık. Bu yüzden karşılıklı etkiye katılan bütün etkenlere lâyık oldukları yeri vermeye fırsat bulamadık." der.

1820-1903 HERBERT SPENCER: İngiliz filozof. Eserleri "Kafa, Ahlâk ve Bedenin Eğitimi. "Bilimlerin Sınıflandırılması" Bilim, ancak bir kısmı tekleştirilmiş bilgidir. **"Psikolojik olgular, biyolojik olgulardan; biyolojik olgular, fiziksel ve kozmik fenomenlerden doğar." der, evrimcidir.**

1821-1881 F.M. DOSTOYEVSKY: Rus yazar, müzikçi, astronom. Avrupa medeniyetine hayrandır. Ancak **batının manevi bir gerileme içinde olduğunu ve hiçbir zaman Rusya'yı anlayamayacağına inanır. Ona göre; Rusya, batı ve doğu kültürlerini birleştirme görevi ile yükümlüdür. İnsanlık hürriyet içinde uzlaşma yoluna girecektir.**

1844-1900 F. NIETZSCHE: Alman filozofu. Önce bilgiyi yüceltti ve bilgi üzerine kurulu bir sosyal ahlâk tasarladı, sonra bilgiyi tenkit etti ve bilginin hiçbir hayat kuralı sağlayamayacağını, o halde yapılacak şeyin, hayatı sevinçle kabul etmek olduğu sonucuna vardı. Nietzsche hiçbir zaman düşüncelerini mantıki bir şekilde bağdaştırmaya çalışmamıştır. "Ben kelimelerle değil şimşeklerle yazıyorum" diyordu. Mantığa dayanmayan, şiddete dayalı ideolojileri, faşizmi, nasyonel sosyalizmi ve anarşizmi etkiledi. Delirdikten sonra 11 yıl yaşadı.

1847-1922 GEORGES SOREL: Fransız yazar, mühendis. Karl Marx, Proudhon, Bergson, W. James ve Nietzsche'yi okudu. Şiddet taraftarı düşüncelerini, "Şiddet Üzerine Düşünceler" adlı eserinde yayınladı. İşçi sınıfının iktidara geçmesi için gerekli şartları belirtti. Ona göre "Bu **sınıf parlamenterlerle aydınlarla uzlaşmaksızın, kendi**

medeniyetini kurma yolunda mücadeleye girişmelidir. İşçi sınıfı kendi kavgasını kesintisiz ve dolaysız bir eylemle sürdürerek, şiddete başvuracaktır. Yığınları peşinde sürükleyecek **mitler** (kollektif bilinçdışının görüntü şeklinde ifadesi) yoksa, insan durmadan devrimden söz edebilir, ama hiçbir zaman bir devrim hareketi yaratamaz. Bahis konusu mitlere has özellikleri inceleyerek **genel bir işaretler biliminin gelişmesine katkıda bulunmaya çalışır. (Eseri: Semiyolojinin Unsurları)**. Lenin, Mussolini ve Hitler'in yetişmesinde rol oynadı.

1856-1939 DR. S. FREUD: Yahudi asıllı Avusturyalı ve **psikanalizin kurucusu**. Ona göre, bedenimizi hasta eden ruhumuzun baskılarıdır. Erdemlerimiz bilincimizin kapısını tutarak (bilinç: şuur) açığa vurulmak gerçekleştirilmek istenen, birçok doğal (tabii) isteklerimizi geriye bilinç altına itip bizleri hasta ediyordu. **Şuhalde** hekimlik açısından **erdem** bir çeşit mikroptu. Daha önce **Leibniz** insanda **bilinç**ten başka birde **bilinçaltı** olduğunu (bilinç dışı) Freud'dan 200 yıl önce kanıtlamıştı.

Freud'a göre insanı üç içgüdü yönetmektedir:

1- Korunma içgüdüsü.

2- Cinsellik (cinsiyet) içgüdüsü.

3- Toplumculuk içgüdüsü.

İnsanın eriştiği uygarlık içinde, korunma ve toplumculuk içgüdüsü önemini oldukça yitirmiş ve bugün için önemli tek içgüdü cinsellik içgüdüsü kalmıştır. Bu yeni doğmuş çocukta bile vardır. Bunun töresel ahlâki baskılar altına alınması, birçok hastalıkların nedenidir (önce isterikler, nevrozlar sonra kalp, mide karaciğer, bağırsak hastalıkları gibi). Psikanaliz metodu ile geriye itilmiş, baskıya alınmış, hapsedilmiş heyecanları birer birer bulup çıkarır ve eğitir (terbiye eder), düzene koyar, yapımızdaki hayvanlığı küçümsememeliyiz. Sağlığımız için itilmiş eğilimlerimizden kimini gerçekleştirmemiz gerekir. Günümüz uygarlığı birçok kişileri gereksiz baskı altında tutmaktadır.

Yüksek amaçlara yönelmeler her zaman yetmez. Bir makineye verilen ısının tümü nasıl güce çevrilemezse, eğilimlerimizin tümü de yüksek amaçlara çevrilemezler. Araştırmasının sonuçları:

1- Bilinç dışı süreçlerin, bilinç ve davranışlar üzerinde dinamik etkileri vardır.

2- Zihinsel karşıtlıklar yalnız hastalık sırasında değil, normal gelişmede de önemli rol oynar. [içgüdüsel eğilimlerin bilincin veya davranışların dışında bırakıldığı, yahut değiştirildiği (yüceltmelerde olduğu gibi), çeşitli korunma mekanizmalarına dönük bir içe bakışta bunun bir parçasıdır.]

3- Kişilik yapıları.

4- İçgüdüsel dürtülerin (cinsiyet ve saldırganlık) motivasyon (Hareket ettirici sebep) alanındaki gücü.

5- Çocuklukta cinsiyetin var olduğu ve bunun önemi.

1858-1947 MAX PLANCK: Alman fizikçi. Siyah cismin ışıması üzerine araştırmalar yaptıktan sonra, 1900 yılında **enerjinin sürekliliği** ile ilgili varsayımını ortaya attı ve **Kuanta Teorisi'**ni tanımladı. Bu teori bütün modern fiziğin temelidir. "**Planck Sabiti**" Kuanta Teorisinin evrensel sabitidir. ($h=6.625.10^{-27}$ Erg/Saniye) **n** frekanslı bir ışık taneciği veya kuantumunun enerjisi **E=hxn**'dir.

1867-1934 MARİE CURİE (Madam Curie): Polonya asıllı kimyager ve fizikçi. Toryum'un radyoaktif özelliğğni buldu. 1903'de Nobel fizik ödülü, 1911'de Nobel kimya ödülü aldı. Toryum'dan aldığı radyoaktivite sebebiyle kanserden öldü Toryumun ilk şehidi oldu. Türkiyede ikinci Toryum şehidimiz 2007'de uçak kazsında kaybettiğimiz hanım Prof. Dr. Engin Arık oldu, mekânları cennet olsun.

Madam Curie'nin bazı sözleri:

Eğer Endülüste yakılan milyonlarca el yazması kitabın yarısı kalsaydı, çoktan galaksiler arasında geziyor olacaktık.

İnsanları olgun ve Ahlâklı bir hale getirmeden daha iyi bir Dünya bekleyemeyiz.
1869-1962 Dr. SUPHİ ZÜHTÜ EZGİ: Türk Müzik sistemine son şeklini verenlerden.
1871-1935 RAUF YEKTA: Müzikolog, besteci, müzik yazarı, neyzen, hattat. Türk müziğine son şeklini verenlerden.

1871-1959 R. CARNAP: Viyana gurubunun başı (Alman yeni pozitivistleri) sayıldı. **Dil**in değeri ve fonksiyonları üzerinde çalıştı. **Semantikle** meşgul oldu. (**Semantik:** Toplumsal gerçekleri, sözcüklerin tam anlatamadığı, bazen yanlış anlattığı için, anlaşmazlık çıktığını, bu sözcükler kullanılmazsa sorun çıkmayacağına inanan düşünce akımı.)

1873-1938 MUHAMMED İKBAL: Pakistanlı Müslüman şair, felsefeci, edebiyatçı, Goethe, Nietzsch, Dante, Schopenhauer gibi batılı düşünürleri okuyup, Doğu-Batı sentezine ulaştı. Urduca ve Farsça eserler yazdı. Mevlâna'nın, J.M.E. Mc. Tangart'ın, Nietsche ve Bergson'un etkisinde kaldı.

1878-1960 SAİD'İ NURSİ: Son İslâm mutasavvuflarından, doğu Anadoluda bitlis'in Nurs **köyünde doğdu. Daha talebeliğinde temel İslâmi** ilimlerlerle ilğili 90 kitabı ezberledi. 15 yaşındayken hocası ona "Bediüzzaman" (Zamanın eşsizi) adını verdi. Risale-i Nur, kur'an tefsir külliyesini yazdı. Nur cemaatinin kurucusu. Hayatı boyunca doğu Anadoluda hem Din hem Fen bilimlerinin birlikte okutulacağı, etnik dillerin serbest olacağı bir üniversite kurulması için uğraştı.

1879-1955 ALBERT EINSTEIN: Yahudi asıllı Alman fizikçi. **Eytişimsel maddecilik** felsefesini doğrulayan, **özel bağıntılılık, genel bağıntılılık ve birleştirilmiş alan kuramları, madde, zaman, uzay, devinim, ışık, yerçekimi, töz v.b.** alanlarda ileri sürdüğü, çeşitli kuramlarla tarihsel ve eytişimsel maddeci felsefenin, doğanın diyalektik işleyişinden çıkardığı temel mantıksal varsayımları, fizik alanında, matematik bir kesinlikle doğrulamıştır. **Hareket durumları ne olursa olsun, doğa yasaları aynıdır. uzay, zaman, hareket fiziğin öteki yasalarından bağımsız değildir. Cisimlerin hal ve durumu çekim alanına bağlıdır, çekim alanı ise madde ile hâsıl olmaktadır. Demek ki uzay, zaman, devim, maddeve bunlara ait doğasal olayların hepsi aynı şeydir. Atomun yapısı** ve Planck'ın **kuanta teorisi** üzerine çalıştı. **Brown hareketine, ihtimaller hesabını uygulayarak, teorisini kurdu. Avagadro sayısının değerini hesapladı, Kuanta teorisini, ışıma enerjisine uyguladı. Bu da onun ışık tanecikleri ve fotonlar hipotezini kurmasını sağladı. Bu yolla foto/elektrik olayını açıkladı ve kanunlarını buldu. Sonra zaman ve uzay için düzenlediği bağıllık teorisinin temelini attı.** 1921 Nobel fizik ödülünü aldı. 1940'ta Amerikan vatandaşı oldu.

Bağıllılık Teorisi (İzafiyet Teorisi) üç bölüme ayrılır:

1- Newton mekaniğinin kanunlarını değiştiren ve kütleyle enerjinin eşdeğer olduğunu öne süren **sınırlı bağıllılık (1905).**

2- Eğrisel ve sonlu olarak düşünülen 4 boyutlu bir evrene ait çekim teorisini veren **genel bağıllılık (1916).**

3- Elektro/manyetizma ve yerçekimini, aynı alanda birleştiren bir teori denemesi. A priori olarak hazırlanan bu teorilerin gerçekliği, özellikle büyük kütleler ve hızlar söz konusu olduğu zaman, atom fiziği ve astronomi alanında yapılan parlak deneylerle ispatlandı.

1879- J. CLERK MAXWELL: İskoçyalı fizikçi Gaus'un **Hatalar Kanunu**'na uygun şekilde molekül hızlarının dağılımını inceleyerek **Gazların Kinetik Teorisi**ni kurmaya çalıştı. Aynı sıcaklıkta moleküllerin ortalama kinetik enerjilerinin yapılarına bağlı olmadığını gösterdi. İç sürtünme konusunda yaptığı ölçmelerle, ortalama serbest yolun değerini buldu. 1862'de değişken bir elektrik alanının etkisindeki Di-Elektrik (Piezo/Elektrik) Cisimlerde görülen"**yer değiştirme (deplasman) akımı**" kavramını ortaya attı. Bir devrenin bir manyetik alan içinde yer değiştirmesi ile meydana gelen, **elektro/manyetik ışın genel formülü**nü kurdu. Işığın ilk elektromanyetik sarsıntının yayılımıyla, ışık arasında bir hız özdeşliğinin gösterilmesinden türeyen **elektro/manyetik teorisi**ni ortaya koydu (**1865**). Deneyler yardımıyla, mutlak iki sistemdeki, elektrik birimleri arasındaki oranın, ışığın hızına eşit olduğunu denetledi. **1873'te elektro/manyetik alanın genel denklemlerini ortaya koydu. Manyetik daralmayı keşfetti.** Ayrıca Crookes radyometresindeki dönme olayını açıkladı.

1880-1955 H. SADETTIN AREL: Müzikolog, besteci, hukukcu. Türk müziğinin 24 eşit olmayan aralıklı sistemini saptayarak bugün kullanılan Arel-Ezgi-**Özdilen** sistemini belirledi. Türk müziğini bilimsel ölçülerde açıklayan Rauf Yekta ve Dr. Suphi Ezgi'yle beraber hazırlayan üç müzikçiden biridir.

1883-1945 B. MUSSOLINI: İtalyan faşist lider

1885-1962 NIELS BOHR: Danimarkalı fizikçi. Atomların, elektronlarının altda **görülen yörünge yarıçaplarının hesabını formüle etti. Ayrıca hidrojen tayfı ve periyodik element tablosu üzerindeki bilgileri geliştirdi. Elektron yörüngelerinin** kuanta şartlarına göre belirtilmesinin sebebini açıkladı.

1. YÖRÜNGE YARIÇAPI	0.5×10^{-8} cm (0.5 ANGSTROM)
2. YÖRÜNGE YARIÇAPI	$2 \times 2 \times 10^{-8}$ cm (4 ANGSTROM)
3. YÖRÜNGE YARIÇAPI	$3 \times 3 \times 10^{-8}$ cm (9 ANGSTROM)
4. YÖRÜNGE YARIÇAPI	$4 \times 4 \times 10^{-8}$ cm (16 ANGSTROM)

1885-1954 EDUARD KALUZA: Alman matematikçi ve fizikçi. Oskar Klein ile birlikte Kaluza- Klein teorisi olarak bilinen 5 boyutlu uzayda alan denklemlerini geliştirdi. Bu çalışma sayesinde daha sonra "**String (Sicim) Teorisi**" geliştirildi.

1887-1961 ERWIN SCHRÖDINGER: Avusturyalı fizikçi. Renklerin fizyolojik incelemesi ve Kuanta Teorisi üzerinde çalıştı. Asıl çalışma alanı "**Dalga Mekaniği**" ve onun atoma uygulaması ile ilgili olarak, fiziksel olayların "**dalga**" yapısı ile "**cisimcik**" yapısı arasındaki paralelliği derinleştirdi. Louis de Broglie'nin Dalga Mekaniğiyle Heisenberg'in Matris Mekaniği'nin birbirinden farklı olmadığını gösterdi. Belli bir alan içinde yer değiştiren bir cisimciğin, dalga fonksiyonunu hesaplamaya yarayan ve kendi adını taşıyan **yayılma denklemini** kurarak, **Kuanta Mekaniğinin bugünkü metotlarını** hazırladı. P. A. M. Dirac ile 1933 Nobel ödülünü aldı.

1889- M. HEIDEGGER: Alman gizemci düşünür. Gizli mistik düşünceye dayanan var oluşculuk (**ekzistansiyalizm) düşüncesini ortaya attı. Ona göre evrende kendi varlığını kendisi yaratan tek varlık insandır. Var** oluşcular nesnel varlığı, insansal varlığa, onu da kişisel varlığa, kişisel düşünceye indirger ve Fichte'nin ki gibi öznel bir idealizme varırlar. İnsan kendi kendisini yarattığı için özgür ve sorumlu olmak zorundadır. Var oluşcuların sorumluluk duygusu aslında ölüm korkusunun sonucu olup, bu korku ise insanı kişisel çıkarlarının ve yaşamının eylemine itebilir. Var oluşculara **göre dünya her insanın düşüncesi ile vardır. Evren insana karşıdır, anlaşılmazdır ve ölüm gibi fizik ötesi anlaşılmazlıkla son bulur.**

1889-1970 A. O. SALAZAR: İspanyol faşist lider.

1889-1945 ADOLF HITLER: Alman Faşist lider. Milliyetçi (nasyonal) sosyalizmin kurucu lideri. Sorel ve Nietzche'yi okudu, Irkçı düşünceyle İkinci Dünya Harbinde, 7 milyon Yahudiyi **fırınlara attırdı. 5** milyon Almanın, 25 milyon Rusun, Asyalının ve diğer milletlerden milyonlarca insanın ölümüne sebep oldu.

1889-1951 L. WITTGENSTEIN: Avusturyalı filozof. Viyana akımını etkiledi.

1891-1953 H. REICHENBACH: Alman filozofu, yeni pozitivist Viyana akımı kurucularından "**Semboller Mantığının Unsurları**" hakkında kitap yazdı.

1891-1967 Prof.Dr. SALİH MURAT ÖZDİLEK: Müzikolog, Fizikçi, Matematikci, bilim tarihçisi. Türk müziğinde bugün kullanılan Arel-Ezgi-Özdilek sistemini kuranlardan.

1892- LOUISE DE BROGLIE: Fransız fizikçi. "**Kuanta kuramı hakkında araştırmalar**" adlı bir tez yazdı. **İki ışık kuramını** (Yayın ve Dalga Kuramları) uzlaştırmaya çalıştı. Ayrıca **Dalgalar Mekaniği**nin temelini attı. Hareket halindeki elektron ve parçacıkların dalga taneciklerine sahip olduğunu açıklayan bu kuram sonra Davisson ve Germer tarafından deneyle doğrulandı. Bu buluş **elektronik analiz ve optik** gibi faydalı sonuçlar elde edilmesini sağladı. Daha sonra manyetik elektron kuramıyla spinli parçacıklar kuramı'nı inceledi.

1894-1977 OSKAR KLEIN: İsviçreli teorik fizikçi. "**String Teorisi**" (**İplikçikler** Teorisi) ve "**M kuramı**" üzerinde çalıştı. Theodor F. E. Kaluza ile beraber Nobel ödülü aldı.

1901-1954 E. FERMI: İtalyan fizikçi, **X Işınlarının kırılması ile ilgili çalıştı**. Dirac ile birlikte, Pauli İlkesine dayanan ve **elektrik taneciklerin**e uygulanan bir istatistik ortaya koydu. Atom çekirdeğinin kararlılığını sağlayan yeni bir alan tanımladı ve bununla ilgili olarak, Pauli ile aynı zamanda **nötrino hipotezini** yayınladı. **Bir nötronun enerji vererek, bir proton ve bir elektrona ayrılabileceğini gösterdi.** 1938 Nobel fizik ödülünü aldı. İkinci Dünya Savaşı sırasında, atom enerjisinin elde edilmesi çalışmalarına katıldı. 1942'de uranyum ve grafitli ilk pili Chicago"da yaptı. Ona göre **her kuanton, ya bozon veya fermiyondur.**

1900-1958 W. PAULI: Avusturya asıllı, İsviçreli fizikçi. Kendi adıyla anılan ilkeye göre "**bir atomda hiçbir zaman dört kuanta sayısı aynı olan iki elektron bulunmaz**".

1901-1976 WERNER HEISENBERG: Alman fizikçi. İkinci Dünya Savaşında Berlin'de atom enerjisi üstüne araştırmalar yaptı. Ferro Magnetizma Teorisi'ni inceledi. Hidrojen'in alotropik şekillerini buldu. Atom **çekirdeğinin yalnız nötron ve protonlardan meydana geldiğini gösteren teoriyi kurdu.**1926'da helyum atomu üzerinde yaptığı çalışmalarda **değiştirme kuvvetleri**ni buldu ve bu atomun kararlılığını açıkladı. Kuanta mekaniğini atoma uygulamakla, atomu maddeden soyutlanmış fakat matris hesaplarına uyan sayılar tablosu halinde tasarladı (1925). Gözlemlenemeyen olayları reddetme ilkesini ve mikro mekaniğin bütün kuramlarını değiştiren "**belirsizlik ilkesi**"ni **açıkladı.**

1902-1986 G. SIMPSON: Amerikalı biyolog. Paleantoloji fosilleri araştırdı. Hayvan **cinslerini bir daire tablosu ile sınıfladı.**

1902-1987 PAUL DIRAC: İngiliz fizikçi bağıntılılık kuramını, dalga mekaniğine bağlamayı başardı ve Pauli'nin ihraç prensibine uygun olarak kurucularından biri olduğu **kuanta mekaniğinin istatistik bir açıklamasını yaptı** (Fermi-Dirac İstatistiği). 1930'da **pozitif elektronların varlığını bu elektronların bulunmasından önce ortaya koydu.** Schrödinger ile beraber 1933 Nobel Fizik Ödülü aldı.

1903-1957 JOHN VON NEUMANN: Macar asıllı Amerikalı matematikçi ve **bilgisayar bilimci.** "Kuantum Mekaniğinin Matematik Temelleri" isimli bir kitap yazdı. Oyunlar Teorisi'ni geliştirdi. **En ileri bilgisayarların yapımında öncü oldu.**

1915- R. BARTHES: Fransız yazar. "**Çağdaş sanayi toplumunun mitosları, (semboller) kolektif bilinç dışının görüntü şeklinde ifadesi olup, bireysel bilinçdışından önce gelir ve ona derin coşturucu sembollerini kabul ettirir**" der ve **sanayi toplumunun mitoslarının özelliklerini inceleyerek, genel birişaretler bilimi geliştirmeye çalışır.**

1915- A. SOMMERFELD: Alman fizikçi. Bohr ve Pauli'nin çalışmalarını ilerletti, **atomlar için elips yörünge kavramını ortaya attı, dalga uzunluğu ile tayf çizgilerinin sıklığı arasındaki bağıntı sayılarının kanununu buldu.**

1926-1996 ABDUS SALAM: Pakistanlı fizikçi, matematikçi, kuramsal fizik profesörü. **Elektro/manyetik etkileşimle elementer parçacıkların zayıf etkileşimini kapsayan bir kuram geliştirdi.** 1979'da Steven Weinberg ve Sheldon lee Glashow ile birlikte Nobel ödülü aldı.

1929- MURRAY GELL-MANN: Amerikalı fizikçi. Mendelyev'in kimyasal elementler cetveline benzer biçimde, **bütün nükleer taneciklerin bir sınıflamasını yapmaya girişti.** Yakın zamanda bulunmuş yeni tanecikleri, tasnife dâhil etmek istedi.

Bunların bazılarının bakışımlı olduğunu ve bu nedenle birlikte ele alınabileceğini gösterdi. **Öyleki** bu taneciklerden ikisi veya üçü, birçok değişik durumda bulunabilen tek bir nesne gibi düşünülebilirdi. Bu üstün tanecik'in, **"izotopsal spin"** denen belirgin bir büyüklüğü vardır, ama bazı tepkimelerde tanecikler bu özgüllüklerini kaybeder. Gell-Mann bu çeşitleri **"acayip"** olarak niteledi ve onlar için yeni bir sayısal özellik öne sürdü: **"Acayiplik"** İsrailli fizikçi **Ne'eman ile birlikte "SU-6" (Altılı düzende birimsel bakışım) denilen bir kuram ortaya koyarak, bilinmeyen taneciklerin varlığını önceden tahmin etti.** Bunlardan **"Büyük Omega Eksi"** denilen tanecik, 1964'de Broohaven'deki "karanlık oda" sayesinde bulundu. **Gell-Mann bu sonuçlara dayanarak, bütün taneciklerin oluşturucu öğesinin kuark olduğu varsayımını ileri sürdü.**

1933- STEVEN WEINBERG: Amerikalı fizikçi. **kuantum alan teorisi, simetri kırılması, pion saçılması, kızıl ötesi foton ve kuantum yerçekimi, Higgs bozonu, Z bozonu, zayıf ve elektromanyetik kuvvetlerin birleştirilmesi alanında çalıştı, parçacık fiziği ve Kuantumlu alan teorisi, yer çekimi, süper simetri, süper sicimler (String Teorisi),** Abdus Salam ve Sheldon Glashow ile de çalıştı. Süper iletken ve süper çarpıştırıcı ile de ilgili makaleler yazdı.

1942- MARTIN REES: İngiliz kozmolog, astro fizikçi, matematikçi. **Karadelikler, kuasarlar, kozmik mikro dalga arka plan radyasyonu, kararlı durum teorisi geliştirdi, gama ışını patlamaları üzerinde çalıştı.**

1946- GERARD'T HOOFT: Hollandalı teorik fizikçi. Tez danışmanı Martinus J. G. Veltman ile birlikte **"Kuantum yapısının ortaya çıkması için elektro zayıf etkileşimleri"** adlı çalışmayla 1999'da Nobel Ödülü aldı. Ayrıca **ayar teorisi, karadelikler, kuantum yerçekimi ve kuantum mekaniğinin temel yönleri, kütlesiz Yang-Mills Alanları üzerine teoriler geliştirdi. Çalışmaları üç ana konudadır:1- Kuantum mekaniğinin, temel parçacık fiziğinde ayar teorileri. 2-Kuantum yerçekimi. 3-Karadelikler ve temel yönleri.**

ÜÇÜNCÜ BÖLÜM
EVREN VE İNSANIN SENTEZİ

A) ÇAĞDAŞ BİLGİLERE GÖRE EVRENSEL SENTEZE ÖN HAZIRLIK

I) EVRENLE İLGİLİ DÜŞÜNÜRLER:

1) SEMİYOTİKLE İLGİLİ DÜŞÜNÜRLER

1632-1704 J. LOCKE: İngiliz idealist. **Bilimleri semiyotik olarak tasnif etti.** **Semiyotik terimini**, işaretler bilimini, semboller nazariyesini ortaya attı.

1235-1316 RAIMUNDUS LULUS: Bütün hakikatleri; üçgenler, daireler, sözler v.s ile ifade etti.

1891-1953 H. REICHENBACH: "Semboller mantığının unsurları" adlı kitap yazdı.

1891-1959 R. CARNAP: Semantikle meşgul oldu.

1915- R. BARTES: Genel bir işaretler bilimi geliştirmeye çalıştı.

2) MATEMATİKLE İLGİLİ DÜŞÜNÜRLER:

M.Ö 485-411 PİSAGOR: Bütün madde ve madde dışı varlıklar sayı ile ifade edilen bir şekildir. Evrende en hâkim olan şey sayılar en güzel olan şey ise varlıklar arasında mevcut olan ahenktir. Âlemde çeşitli seslerin ahenkli birleşmesinden oluşan ilahi bir müzik vardır. γ (epsilon) harfi bir insanın önüne açılan iki yola benzer, kötülük ve erdem yollarına. Birlik ilkesi akıldır.

M.S. -872 EL KİNDİ:" Matematik bilimlerin temelidir" der.

M.S. 1596-1650 DEKART: Varlığın madde ve ruhtan oluştuğunu kabul eder. Bilimin modeli matematiktir. Bir düşünceyi doğuran başka bir düşüncedir. Sırayı doğru kovalamak suretiyle bulunmayacak bilgi yoktur. Bütün bilimleri kapsayacak bir bilim ve işaret dili ortaya attı.

1632-1677 SPINOZA: Felsefe, genelleştirilmiş matematiktir. İnsanlar bilmediklerinin tutsağıdır. Bilgiye erişince özgürleşirler. İyi zekâyı geliştiren şey, kötü zekayı bulandıran şeydir. Erdem, insanın kendi varlığını koruma gücü ve çabası ile ölçülür. Yan yana gelen insanların gücü artar. O halde insana, insandan daha yararlı bir şey yoktur. Bu yüzden insanlar birleşmek ister.

1646-1716 LEIBNIZ: Matematiği felsefeye uygulayıp üniversal bilim dili "işaretler lisanı" kurmaya çalıştı. Linguistikte, lisan sistemlerini de matematiksel izah etmeye çalıştı. kötülükler eşyanın ayrıntılarındadır, oysa bütün, en yüksek derecede mükemmeldir. Erdem ve mutluluk tanrı sevgisindedir.

II) İNSANLA İLGİLİ DÜŞÜNÜRLER:

1) İNSANLA İLGİLİ YANLIŞ DÜŞÜNENLER VE SENTEZİ:

1469-1527 N. MACHIAVELLI: İtalyan politikacı. İyilikten çok, kötülük, şiddet, zulüm yapmalıdır. İnsanı amacına ulaştıran herşey ister iyi ister kötü olsun iyidir.

1724-1804 EMANUEL KANT: Alman filozof. Ahlâk kanunu bize duygusal biçimde **"saygı"** olarak görünür. Ama saygı bizi aşk veya istek gibi bir nesneye yönelten bir eğilim değildir. İsteğimizi durduran, eleştirici bir duygudur. Eğilimlerimizi sınırlandırır. Nesneye uzaktan bakmamızı sağlar. Erdem bir içgüdü değil bir akıl işidir. Erdemsizlikten gocunmamalı, çünkü insanı büyük erek olan erdeme götürecek bu erdemsizliklerdir. Kant hakka inanmaz. "Hakyok kuvvet vardır" der.

1789-1860 A. SCHOPENHAUER: Alman düşünür. Evren, 'olma isteği'nden doğmuştur. Evren sonsuz birbirlerini yiyenlerin yeridir. Şuhalde asıl olan erdem değil erdemsizliktir.

Parçalanan hayvanların acısı ile parçalayan hayvanların sevincini karşılaştırın. Varlığın temelinin irade olduğu deneye dayanılarak anlaşılır.

1809-1882 C. DARWIN: İngiliz biyolog. Dünyada bugüne kadar yaşamış bütün hayvanları, fosillerini inceleyerek tespit etti. Zayıf yapılı hayvanların neslinin tükendiğini, güçlülerin ise neslini devam ettirebildiği sonucuna vardı. Ortaya koyduğu Evrim Teorisi'ne göre:

1- Aynı kökten gelen canlı türleri, çeşitli tesirlere (çevre, beslenme, v.s.) bağlanabilecek değişmeler gösterir. Beden ve üreme hücrelerini değişikliğe uğratır.

2- İktisatçı Malthus'un, nüfusun geometrik, beslenme imkânlarının ise, aritmetik, yani daha az arttığı görüşünden, yaşamak için mücadele prensibine ulaştı. Üstün olanlar "Tabii ayıklanma" sonucu yaşama ve kendini üretme şansına sahip olur.

3- Erkekler dişileri elde etmek için mücadele eder. Güçlü olanlar kazanır. Dişiler, erkeklerin en yakışıklı en güçlü olanlarını seçer. Böylece cinsel ayıklanma olur.

Erdem çevreye ve koşullara uyma zorunluluğundan doğan bir evrim ürünüdür. Korunma içgüdüsünden doğar, insanın varlığını sürdürebilmesi için zorunludur.

1844-1900 F. NITZSCHE: Alman düşünür. Darwin'in evrim teorisi sonucunda "bir insanüstü" düşündü. "Yeryüzüne bağlı kalın, size öte dünya ümitlerinden söz edenlere kanmayın. Tanrı ölmüştür. En büyük kötülük, en büyük iyilik için gereklidir. En büyük iyilik yaratıcılıktır. İyilik ve kötülükte yaratıcı olmak isteyen, önce yıkıcı olmak, değerleri yıkmak zorundadır. Yaratma iyiliği için yıkma kötülüğü gereklidir. Sonra o yaratma iyiliği de yeni bir yaratma iyiliği için, yıkma kötülüğüne varacaktır". Yeryüzünün efendisi olacak yeni bir ırk gerektiğini söyler. İyi bir aileden doğmadıkça hiçbir ayrıcalık mümkün değildir. Bütün bir ulusun yoksulluğu, bir insanüstünün acı çekmesinden daha az önemlidir. **Erdem** insanın "İnsanüstüne" varabilmek için gösterdiği çabadır. Nerede bir ölüm varsa, orada bir doğum için kendini feda etme vardır. Her ilerleyiş aristokratik bir toplumdan gelir. Milyonlarca salağı ortadan kaldıracak, geleceğin insanını kalıba dökmek, insanüstü ereğidir, gayesidir." Nitzsche, kelimelerle değil şimşeklerle yazdığını, kendi düşüncesinin ateşinde yandığını söylerdi. Hayatı boyunca hastalıktan kurtulmadı. Son delilik krizi ile hastalandıktan sonra 11 yıl yaşadı.

1889-1945 ADOLF HITLER: Sorel ve Nitzsche'yi okudu. Düşünürlerin, üstün ırk teorilerini dünyaya uygulamak istedi. Yedi milyon Yahudiyi fırına attı. 5 milyon Almanın, 25 milyon Rusun, Asyalının ve diğer ülkelerden milyonlarca insanın ölümüne sebep oldu.

1899- M. HEIDDEGER: Alman düşünür. Varoluşçuluk "eksistansiyalizm" öğretisini ortaya attı. "Evrende kendi varlığını kendisi yaratan tek varlık insandır. İnsan kendi kendini yarattığı için, özgür ve sorumlu olmak zorundadır". Varoluşçuların sorumluluk duygusu ise, "ölüm korkusunun" sonucu olup, bu korkuda insanı kişisel çıkarlarının ve yaşamının eylemine itebilir. Varoluşçulara göre dünya her insanın düşüncesiyle vardır. Evren insana karşıdır, anlaşılmazdır ve ölüm gibi fizik ötesi anlaşılmazlıkla son bulur.

İNSANLA İLGİLİ YANLIŞ DÜŞÜNENLERİN SENTEZİ: Yukarıda sıralanan düşünce akımlarını M.Ö. 2000 yıllarında Hindistan'ı istila eden Hint-Avrupalıların dini kaynakları **Vedalar**a kadar götürmek doğru olur. Veda dininde "Tanrıları yaratan kurban eylemidir. Varlığı yaratan eylemdir". **M.Ö. 800'** den sonra Brahman dinini 3 Tanrısı **Brahma** "yaratıcı", **Vişnu** "koruyucu" ve üçüncü Şiva "yeniden yaratmak için yıkıcı" tanrılardı. Bu üç tanrının sembolü **Trimurti** (üçlü gamalı haç)

Son yüzyılların yukarıda sıralanan düşünce akımlarında Veda ve Brahman dinlerinin etkisi olmuştur. Rönesans sonrasında, Ortaçağın kilise baskısından kurtulan Avrupa halkları bir taraftan sanayi devrimi ile zenginleşirken, hürriyet fikirleriyle de demokratikleşmeye başladı. Bu arada Ortaçağda kralları aforoz eden, bilim adamlarını yargılayan kiliseye tepki olarak bir taraftan tanrı tanımazlığa yönelinirken, **Darwin** sonrasında, mademki kuvvetli hayvanlar neslini devam ettirebiliyor; demek ki kuvvetli bir insan ırkı gelip, diğerlerini yok edecek düşüncesi, mantığı ve keza **Karl-Marx ve Engel** ile **diyalektik materyalizm, komünizm, materyalizm** gibi hep kavgaya çatışmaya adeta bilimsel destek veren gelişmeler, dünyaya iki dünya savaşı yaşattı.

Bu bilim adamlarının her iddiası yanlıştı denemez ancak, evrende her şey varlığını *dengeye* **borçludur ve bu denge** *düzeni* **yaratmaktadır.** Denge; Da Vinci'nin **XIII. asırda** Endülüs'ten öğrendiği **ruh ve madde**den sonra ihmal ettiği üçüncü olmazsa olmaz, evreni ayakta tutan unsurdur. İslam tasavvufunda mevlevi dervişi ile temsil edilen ruh ile madde arasındaki **denge**yi sağlayacak olan **arif ve kâmil** insandır. Yukarıda yanlış düşünenler olarak tanımlanan düşünürlerin hepsinin de idealist oldukları ve mükemmel insan özlemiyle çalıştıkları yatsınamaz. Özgür, sorumlu mükemmel insanlardan oluşan bir dünya idealine ulaşma amaçlarına kim hayır diyebilir? Ancak bunu üstün ırklar yapar, o üstün ırk da biziz. Hadi bizden olmayanları parçalayalım düşüncesi yanlıştı. Çünkü bütün bireyleri mükemmel olan bir ırk nerde var. Başkalarına **sevgi, saygı**, özveri ve **hoşgörüyle** davranan, nezaket kurallarıyla yaşayan, ister zenci, ister Avrupalı, Çinli, Hintli kim olursa olsun üstün insandır, Kafatasına bakılmaz. İslam **tasavvufunda en üstün insan, hem bilgili (arif) hem bilgisine uygun yaşayan, kusursuz insan, yani kâmil insan olarak tanımlanır ve alçak gönüllü olmak onun temel vasıflarından biridir.** Çünkü hiçbir insan dünyada kalıcı değildir. Ortadoğu'da bu "**dünya** Süleyman'a da kalmadı" halk deyişi ile ifade edilir. Kâmil insanın bir alt kademesi **arif insan**dır. Doğru bilgilere sahip bilgili insan anlamındadır. Daha iyi ise DNA araştırmalarına bırakılabilir. Bütün insanlar için aklın yolu birdir. Öldürerek, zorlanarak çözümler insan doğasına aykırıdır, insanlıktan uzaklaşılır. **Doğrular eğitimle**, öğretimle **insanlara verilirse** sorunlar temelde **ortadan kalkar.** Sorunları ırk üstünlüğüne bağlamak, sorunların, kavganın sonsuza kadar devamına davetiye çıkarmak olur ve hepimizi çok trajik bir sona götürebilir. Batılıların **Packt Ottomana** dediği barışı 600 yıl Osmanlının sürdürmesinin sırrı bu İslam tasavvufuydu.

2) İNSANLA İLGİLİ DOĞRU DÜŞÜNÜRLER:

M.Ö. 468-399 SOKRAT: Doğru bilgi doğru eylemi gerçekleştirir.

M.Ö. 384-322 ARİSTO: Bilimlerin hızla ilerlediği çağda edinilmiş bilgilerin sentezini, filozofların yapması gerekir. Hareket tabiatın temel zorunluluğudur. Zaman hareketin sayısıdır.

M.Ö. 23-M.S. 79 C. S. PLINUS: İnsan, hayvanlardan farklı olarak hayatını güven altına almak için öğrenmek zorundadır.

1162-1240 MUHİTTİN ARÂBİ: Gizli evren ile görünen evren arasında bağ görevini yapan varlık insandır (**kâmil insan**). **ulular evrenini bir bütünlük içinde kavramak** "**kâmil insan**"a ulaşmanın yollarından biridir. Kâmil **insan**a giden bütün yollar **tanrıya** ulaşır. (**21. asırda evreni bütün olarak kavramayı** artık "Her şey Kuramı" olarak **tanıml**ıyabiliriz)

1638-1715 MALEBRANCHE: İnsan aklı sonsuz aklın (**tanrı kelâmı**) bir parçasıdır. "**Ahlak**" **düzen** düşüncesine, yani tanrıdaki şekli ile basitten yetkine, insandan tanrıya doğru varlıklar aşamasına dayanır.

1509-1564 BACON: Her buluş, her sonuç yeni bir sonuca varılmasında araçtır. Fizikte başarı, gözlem, deney, tümevarımla sağlanır.

M.Ö. 551-479 KONFÜÇYUS: İnsan bildiği şeyi bildiğini, bilmediği şeyi bilmediğini bilmelidir. Gerçek bilgi budur. İnsanı iyi düşünmeye, meramını iyi ifade etmeye sevk eden bir "**mantık**", insanı iyi yaşamaya sevk eden "**ahlâk**" kurmak ister. İyi bir nizam, düzgün **konuşma tarzına bağlıdır.** Bunun için tarifleri doğru düzgün hale getirmek gerekir. Nankör evlat, gerçek evlat değildir. Sadakatsiz eş, gerçek eş değildir. Baba isen baba ol, evlat isen evlat ol, prens isen prens ol. Yaşamak için para gerekir; para kazanmak için yaşamamak gerekir. **Ahlâk'**ın birinci kuralı atalara **saygı**dır. Ana baba, ataların temsilcisidir. Küçüğün büyüye, karının kocasına, uyruğun hükümdarına saygısı sevgisi, ana babasına saygısı ve sevgisi gibidir. Uyruk evlat gibi, hükümdar baba gibi davranmalı, ulusuna huzur rahatlık bilgi sağlamalıdır. Bütün insanların birbirleri ile iyi geçinmeleri "**adalet**" ile sağlanır. İyiliğe iyilikle, adaletsizliğe adaletle karşılık vermek gerekir. **Kendinizden yüksek olanlarda, hoş görmediğimiz şeyi, kendinizden aşağı olanlara yapmayınız. Kendinizden aşağı olanlarda hoş görmediğiniz şeyi, kendinizden yüksek olanlara yapmayınız.**

M.Ö. 430-347 EFLATUN (PLATON*): Devletin askeri idari ve iktisadi konularında "ADALET" ideası zorunludur (idea=gerçeklik). Aksi halde devlet yozlaşır. Devlet bireyin büyütülmüş simgesidir.**

M.Ö. 330-264 ZENON: Stoacıdır (**Stoa**=Doğaya uygun davranan). **Doğaya uygunluk, akla uygunluktur. Yani insanın kendi kendine uygunluğudur.**

Dört ana erdem vardır:

1- Doğru seçme.

2- Sabırla katlanma.

3- Ölçülü olma.

4 Adaletle paylaşma.

Mutluluk bilgelikte; bilgelik, doğaya uygun davranmaktadır. Bilgeliğe, **teorik ve pratik erdem**i elde ederek varılır. **Teorik erdem:** Nesnelerin kendiliği üstünde doğru bilgi edinmektir. **Pratik erdem:** Akla uygun davranmaktır. Acılar hastalıklar, ölüm doğaldır. Bunlara katlanmak, kayıtsız kalmak gerekir. Oysa **insansal yanılmalar, kötülükler, öldürmeler, iğrenilmesi savaşılması gereken şeylerdir. Doğal ölçü, insanı bağımsızlığa, eşitliğe götürür. İnsanlar arasında ayrılıklar doğaya aykırıdır.** Doğanın çocukları olan insanlar kardeştirler. Aynı doğaya bağlı olmak, kişiyi hümanizme (insanlığa) ve evren yurttaşlığına götürür. Zenon da Sokrat gibi "iyi davranmak doğru düşünmekle mümkündür ve felsefe doğru düşünmeyi öğreten bir yaşama bilimidir. **Amaç iyi yaşamaktır. Bilgiler iyi yaşamak için gereklidir**" düşüncesini savunur.

870-950 FARABİ: Erdem yardımlaşmadır. Gerçek mutluluğa ulaştıracak şeylerde yardımlaşan kent, **erdemli kent**tir. Yardımlaşan toplum **erdemli toplum**dur. Bütün kasaba ve kentleri yardımlaşan ulus, **erdemli ulus**tur. Bütün uluslar birbirine yardım ederse **erdemli yeryüzü** olur. Erdemli kent bütün organları tam olan bir bedene benzer. **en** mükemmel devlet bütün insanlığı kaplayan bir dünya devletidir.

XI. Yüzyıl YUSUF HAS HACİP: "Kutadgu Bilig" (Mutluluk bilgisi) adlı eserinde, mutluluğu ancak **iyilik** ve **ahlâkın** sağlayacağı anlatılır. "İyilik" bilgi, barış, doğruluktur. "**Kötülük**" bilgisizlik, hastalık, yanlış yola sapmaktır. **Bilgisizlik, öğretimle**, hastalık tedaviyle, **kötülük eğitim ile** doğru yola yöneltilir.

Kitap dört fasıldır:

1- Adalet

2- Kudret

3- Akıl

4- İtidal

1238-1310 YUNUS EMRE: "Gönül Çalabın tahtı, Çalab gönüle baktı / İki cihan bedbahtı, kim gönül yıkar ise" der. **Çalab** tarihte tanrı anlamına gelen, Orta Asya kaynaklı en eski kelimedir. Aynı zamanda Mayaların en büyük sayısı olan 160,000'dir. Yunus'un bir başka dizesi "Ten ölür, canlar ölesi değildir." Can kelimesiyle, tasavvufta bütün insani değerlerin toplandığı **kalp**, yani **gönül** ifade edilmektedir.

1694-1778 VOLTER: Dünya **aklın egemenliğine girmelidir.**

1712-1778 J. J. ROUSSEAU: İnsan iyi idi, onu kötü eden uygarlıktır. Bizans'ın çökmesi ile Yunan sanatı kalıntıları İtalya'ya geçti. Avrupalıların mutsuz bilgiçlikleri, erdemsiz uygarlıkları da böyle başlamış oldu. **Sulh**un derinliğinde bir **"adalet"** (tüze) ve bir **"ahlâk"** (töre) ilkesi vardır.

1743-1704 LA'VOISIER: "Olmak"yerine birleşmek, "ölmek" yerine ayrılmak denmelidir. Her değişmekte ve birleşmekte dış görünüşlerin değişmesi vardır *"Öz değişmez"*.

1771-1858 ROBERT OWEN: Mademki insanların farklılığı, muhitin ve tesadüflerin sonucudur, o halde insanlar arasında fark gözetmek doğru değildir. İnsanların gelirleri farklı olmamalıdır. İnsanlar eşit şartlar altında ihtiyaçlarını tatmin edebilmelidirler.

1772-1837 CHARLES FOURIER: İşçi teşebbüsün ortağı olmalıdır. İdareye iştirak etmeli ve temettüden hisse almalıdır.

1773-1831 GOETHE: İnsanın öz kaynağı **"erdem"**dir. Şeytan ne yaparsa yapsın insanı bu öz kaynağından ayıramayacaktır. İnsan sonunda aydınlığa çıkacak, insan kalmasını bilecektir. İnsanın mutluluğu, toplumun mutluluğuna bağlıdır. Yaşamak insanlık toplumunun ortak gücüne katılmakla güzeldir. **Dehanın ödevi bu gücü en yararlı amaca yöneltmektir, İnsana sevinç duyuran yeryüzü cennetinin kapılarını açan, bu amacı vicdanında duymasıdır. İnsan şeytana (Mefisto) rağmen eriştiği bilinçle bunu anlar ve hayata "Geçme, dur! O kadar güzelsin ki!" diyebilir.**

1798-1857 AUGUSTE COMTE: Sosyal birliğin ilk hazırlığı ailede olur. Ahlâkın ereği, insanlığı hayvanlığa üstün tutmaktır. Fert insanlık organizmasının bir parçasıdır. Toplumda "ödev" fikri, "hak" fikrinden üstündür. Hükümet, bilime dayalı papalık olmalıdır. **Toplum bilimle teşkilatlanmalıdır. Erdem sevgidir. İnsanlığı bir insanı sevdiğiniz gibi seviniz. Felsefe, bütün bilimleri birleştiren bilimdir. Bir tek mutlak ilke vardır; her şey birbiri ile bağlantılıdır.**

1821-1881 DOSTOYEVSKY: Avrupa medeniyetine hayrandır ancak, **batının manevi bir gerileme içinde olduğunu ve hiçbir zaman Rusya'yı anlamayacağına inanır. "Rusya, batı ve doğu kültürlerini birleştirme görevi ile yükümlüdür. İnsanlık hürriyet içinde uzlaşma yoluna gidecektir." Der.**

III) EVRENSEL SENTEZE ÇOK YAKLAŞANLAR:

M.Ö. 570-490 TAO-TSU: Tao **bir**i doğurur; bir **iki**yi yaratır; iki, üçü oluşturur; üç dünyanın bütün varlıklarını meydana getirir.

M.Ö. 554-480 BUDA: Mutluluk ne sadece **madde** hayatında ne de sadece **ruh** hayatındadır, orta yoldadır.

M.Ö. 485-411 PİSAGOR: γ (İpsilon) harfi bir insanın önünde açılan iki yola benzer. **Kötülük** ve **erdem** yolları, birlik ilkesi **akıldır.**

1207-1273 MEVLÂNA CELALETTİN RUMİ: "Yüz kitap olsa hepsi bir bölümden ibaret, yüz tarafta da tek bir mihraba döndüler. Bu yolların hepsi, tek bir eve çıkar. Bu binlerce başak tek bir tohumdan meydana gelmiştir. Yaratılmış olan yaratanın bir sureti tecellisidir. İnsanların ruh birliğinin esası müziktir. Sema (raks) evrensel cezbenin tezahürüdür. **Dinler birdir ayrılık gidiş yollarındadır.** Sema ayininde dönen dervişin sol avucu aşağı doğru dünya nimetlerine **madde**ye dönük, sağ avucu da yukarı doğru **Allah'a** (manâya) dönüktür. Dönen derviş ise **arif** (bilgili) ve **kâmil** (bilgisini yaşayan kusursuz insan) insanı temsil eder.

1210-1274 SADRETTİN KONEVİ: yaratan (halik) ile yaratılan (mahlûk) evren birbirinden ayrı değildir. Çokluk (kesret) görünüştedir. Gerçekte birlik (vahdet) vardır.

1571-1630 KEPLER: yaratılan âlem, düşünceler ve ruhlar düzeni içinde, maddesel varlıklar içinde hayret verici bir senfoniden ibarettir. Her şey karşılıklı ve çözülmez bir ilişkiyle birbirine bağlı, ahenkli bir bütün teşkil eder. Gezegenlerin hareketini müziğin uyum yasalarına göre açıkladı.

1770-1831 F. HEGEL: Erdem, iyilik ile kötülük arasında bir uzlaşmadır.

IV) EVRENSEL SENTEZİ HAZIRLAYICI SEMBOLLER:

Dinsel açıdan da olsa ilk çağlardan beri, bugünkü bilgilerimiz ile evrensel bütünlüğü ifade ettiğini, bir ölçüde kabul edebileceğimiz semboller:

M.Ö. 4000-3000 Sümerler ve Kaldeliler'de **güneş tanrısı sembolleri.**

M.Ö. 4000-3000 Mısır'da **güneş tanrısı sembolleri**

M.Ö. 3500 Japonlarda **güneş tanrısı sembolleri**

M.Ö. 2000 Hititlerde **güneş tanrısı sembolleri**

M.Ö. 2000 Hindistan'da mandala (**evren sembolü**)

M.Ö. X y.y. Avrupa'da, Keltlerde Menhirler (**dikili taşlar**)

M.Ö. VI y.y. Asya'da Budistlerde Kala Çarka (**evren sembolü**)

M.Ö. V-III y.y. Çin'de Yin-Yang (**evren sembolü**)

M.Ö. V-III y.y. Çin'de Pi denilen (**evren sembolü**)

M.S. I yy Hindistan'da Hinduizm Yantra'sı (**sayfa 74,resim 8**) (**evren sembolü**).

Yantra, Sanskritçe "alet" anlamında dini amaçla çizilen geometrik diyagram. Sayısal işaretler aracılığıyla tanrının aracısız yansıması olan Yantra, sihirli bir araçtır. Budizmde "Mahayana", Hinduizm de düşüncenin yoğunlaşmasını belirtir. Keltlerin güneşe tapmak için yaptığı "**Arthur'un Halkaları**", "**Roland Diski**", "**Druide Taşları**" ve "**Kromlek**" adı verilen, Malta adasında, Kuzey Afrika'da, Filistin'de, Kafkaslarda ve Hindistan'da bulunan daire şeklinde sıralanmış dikili taşlar "**Menhirler**" bu sembollere dâhil edilebilir. Şehir mimarisinde İsveç'teki eski liman şehri "**Trelleborg**" bina mimarisinde, İ.Ö. V. binin sonundan kalma, Kuzey Mezopotamya'daki "Arpaçay Tepe"deki daire planlı "**Tholos**" tipi binalar. Roma'daki "**Vesta**" Ateş Tapınağı (İ.Ö. X. y.y.) Roma yakınındaki Çerveteri'deki "**Etrüsk Kral Mezarları**" keza gene İtalya'da Delphi'deki, **Güneş Tanrısı Apollon** için yapılan binalar (Helenlerde "**Helios**" zaten güneş anlamındaydı) İ.Ö. VIII. y.y.'da bina olarak Hindistan ve Birmanya'daki **Stupa**lar. Asya, Afrika Avusturya'da ortasında ocak olan **daire planlı kabile çadırları** bu sembollere örnek gösterilebilir.

V) EVRENSEL SENTEZİ HAZIRLAYICI, EVRENLE İLGİLİ TANIMLAR:

KOZMOLOJİ: Fiziksel dünya'nın ayrı ayrı bilimlerle tanımlanan çeşitli görünüşlerini birleştiren felsefe dalı. Kozmoloji sözü ilk defa C. WOLFF ve E. KANT tarafından kullanıldı. Kant'a göre evren bilim **çok eski dönemlerde "teogoni" denen tanrılar arası ilişkiler bilgisi ile karıştırıldığı gibi bugün de "kozmagoni" denen, evrenin ve gök cisimlerinin oluşumu bilimi ile karıştığı görülür. "evren bilim" ile "din" arasındaki bu ilişkilerin, en eski uygarlıklarda bile bulunduğu, eski sanat eserlerinden anlaşılıyor. Resimde, mimarlıkta ve şehircilikte, bunun çok örnekleri vardır. İran, Hindistan, Çin ve Kamboçya'da bulunan, kral şehirleri harabeleri, eski sur ve kaleler hep** evren bilim **ile** din **arasındaki ilişkinin tema olarak ele alınıp işlendiğini göstermektedir. Bütün bu sanat eserlerinde gök küreden esinlenen figürler bol bol kullanılmıştır. En yaygın olanı** yer ile gök **arasında bağlantıyı gösteren** piramit ve kule **gök kubbeyi, talihi ve yeniden doğuşu gösteren,** yassı çember biçimi süs, **hem tanrıların hem kralların** evrensel güc'**ünü gösteren** yumurta ve altıntop'**tur. Mimarlıkta bir binanın dört köşesinin dünyanın dört yönünü, sütunların evrenin eksenini, Kubbenin gök kubbeyi v.b. göstermesi kozmolojik unsurlardır. Bazı Çin tapınaklarında yapının çember biçimi ya da dört köşe planı ile** gök ya da yer küre **canlandırılmak istenir. Kutsal kitapta** Süleyman **tapınağı ile ilgili bölümde aynı evrensel bağıntı vardır. Eski Mısır'da Heliopolis teolojik görüşü üç tanrıya dayanır. "Nut"** (Gök tanrı), **"Geb"** (Yer tanrı), **"Su"** (Hava tanrısı). **Babil kulesi (Zigurat) yerle göğü birleştiren bir tapınaktı, daha eski çağlarda dağlar aynı işlevi görüyordu. Kutsal kitaplara göre, İran'da** Ekbatan kenti, **yedi kat göğü belirten, birbiri içine yapılmış**

ve kenardan merkeze gittikçe boyları yükselen çember biçiminde 7 surdan meydana gelip, merkezde tanrısal gücü olan kralın oturduğu varsayılmıştır. Paris devlet kitaplığında ki bazı belgelerde Sasaniler devrinden kalma kadehler üzerinde, kralın gök küresinin merkezinde bulunan tahtında oturuşunu gösteren resimler vardır. Gök kürenin merkezi ise kutup yıldızıydı. Çin ve Hint tapınaklarında, evreni temsil eden resimlerden başka, geleneksel Çin evinde de daima "Cennet bahçesi" denen ayrı bir avlu bulunduğu, bunun yer ile gök arasındaki ilişkiyi gösterdiği bilinmektedir. Cava'daki "Borobodur" adlı Budist tapınağında çok büyük bir halka vardır ve evreni temsil eder. Benzer örneklere Afrika'da Okyanusya'da Amerika'da da rastlanır. Eski Meksika'da büyük piramit biçimi tapınaklar, köylerin planları, totemleri gösteren sütunlar, el yazmalarındaki resimler ve çeşitli el sanatlarında evrenin kutsal ifade edilişi görülür. İlk çağda Pisagor, Eflatun, Aristo ve Stoik okul filozofları ile orta çağda Saint Thomas D'aquin ve Dante tarafından da bu konu işlenip hümanizmaya, Rönesans düşüncesine ve günümüz bilim dünyasına aktarıldı. Anadolu' da Urfa'daki Ayasofya Kilisesi 7 kat göğün sembolü olan kubbesi ve parlak gök cisimlerinin sembolü olan altın kakmalar ile ortaçağ evren bilimine örnek sayılacak pek çok kiliseden biridir. Benzeri örnekler Rönesans sanatında da görülür. XVII. y.y. da Modern Doğa Bilimi'nin ortaya çıkması ile bu eski semboller bırakılmaya başlandı. Ancak yeni uzay anlayışı, barok stilinde eserler yarattı. Çağımızda figüratif sanatlarda en yeni resim ve heykellerde evren simgelerine rastlanmaktadır.

EVREN BİLİM: Evreni yöneten genel yasaları araştıran bilim. Klasik felsefe evren bilimi metafiziğin bir bölümü sayar. İnsan bilgisini Bilginler, zaman içinde birbirini aşarak ve içererek genişletmektedir. Evren biliminin amacı, **Einstein'a göre: "En küçük sayıdaki varsayım ve belitlerden (açık gerçekler), mantıksal tümdengelim ile en büyük sayıda deneysel gerçekleri kapsamaktadır.** Sayısız sanılan elementler yüz küsura, onlar da temel birkaç parçacığa indirgendi". **Uzay, zaman, yerçekimi, enerji, madde** olarak beş niteliğe indirilen evrensel kavramları, Einstein "**Bağlantılılık kuramı**" ile **madde** ve **enerji** temeline topladı, "**Birleştirilmiş Alan**" kuramı ile de sonsuz büyüklerle, sonsuz küçüklerin aynı yasada birleştirilmesine çalıştı.

EVRENSEL BİRLİK: Maddenin devim ile değişmelerinden meydana gelmiş olan tüm olay ve olguların maddesel bütünlüğü, evrendeki tüm olay ve olgular, maddenin zaman ve uzay içindeki devim ve değişmelerinin ve gelişmesinin ürünüdür. Bu olay ve olguların en yüksek ölçüde organlaşmış biçimi insandır. Evrendeki her şey maddesel birlik ve bütünlük içindedir, bu yüzden de birbiri ile bağıntılıdır.

EVRENSELCİLİK (üniversalizm): Evrenselliğe ya da tümellemeye eğilimli öğretilerin genel adı.

FELSEFE (Yunanca: Philo (**sevgi**) Sophia (**Bilgelik**)): **Metafiziğe ve antropolojiye göre varlığı bütünüyle açıklamak isteyen bilgidir. Bilim öğretisine göre: Bilimlerin kavram prensip ve metotları üzerinde çalışan bir öğretidir. Madde ve yaşamı ve bunlara "acun" (evren, kozmoz) toplum, ruh gibi, türlü belirtilerini neden ilke ve erek bakımından inceleyen zihin çalışması ve bu çalışmanın verimi.**

DİYALEKTİK MATERYALİZM (eytişimsel özdekçilik): Her türlü gelişmenin temel yasalarını saptayan bilim. Alman düşünürü K. Marx ve F. Engel tarafından ortaya atıldı.

İki öğretiden oluşur:
1- Tarihsel özdekçilik.
2- Eytişimsel özdekçilik.
Her ikisi de eytişimsel bir bağımlılık içinde birbirini bütünler (**eytişim: kavramları, karşıtları ile birlikte** düşünerek gerçeğe varma yolu). **Eytişimsel özdekçilik: Doğa, Toplum ve Bilinç olgularını evrensel bir varlık anlayışı içinde bütünler ve bu bütünlüğün**

aynı çelişme yasasıyla geliştiğini ortaya koyar. Marx'ın Eytişimsel Özdekçiliği ortaya atmasıyla **idealizm**'de **materyalizm**'de aşılmış, keza **metafizik** ve **eytişim**'de aşılmış oldu. **Eytişimsel** özdekçilik hem **bilme**, hem de **yapma**'nın öğretisi olmakla, kuramla kılgının (teori ile pratiğin) bağımlılığını da ortaya koymuştur. Kuramsız kılgı, kılgısız kuram olmaz. [**Not**: Burada **Marx** ve **Engel**'in "**eytişimsel özdekçilik**" tanımı temelde özdekçi yani materyalist olmuştur. Einstein'ın **E=MC²** formülüne göre; evrenin tamamı için iki karşıt kavram **madde** ve **enerji** (veya **ruh**) karşıtlığı, yani **eytişim**'iyle gerçeğe varılabilir. **Yani ruh ile maddeyi birlikte düşünerek gerçeği bulmaya çalışalım ama sonuçta maddeci yani** özdekçi **olalım olmaz** "eytişimsel gerçekcilik" deselerdi daha doğru olurdu, evreni ayakta tutan **denge** yok sayılmazdı. Gerçek, her ikisinin birlikte, evrensel uyumundadır. **Bu da bu kitabın ön kapağında mikro evreni, yani insanı temsil eden mevlevi dervişiyle ifade edilmiştir.** Her bilim gerçeğin farklı alanlarındaki gelişmesini ancak o alanlarda geçerli özel yasalara bağlar. Bu yasalar, karşıtların birliği ve savaşı, nicelikten, niteliğe ve nitelikten niceliğe geçiş yasası, olumsuzlanmanın olumsuzlanması yasası adlarını alır. Bu konularda diyalektik olumlu ve gereklidir, ancak materyalizm asla.] ön kapağında

TARİHSEL MATERYALİZM: (tarihsel özdekçilik) Toplumsal gelişmenin özdeksel temele dayandığını kanıtlayan Marx'ın öğretisi. K. Marx, tarihi diyalektik yöntemle inceleyerek, toplumsal gelişmenin özdeksel temele dayandığını meydana çıkarmıştır. Marx'dan önce **ruh**a dayandırılıyordu. Tarihi insanlar (toplum) yapar. İnsanların düşüncelerinin (fikir) altında, sınıflar ve sınıf çatışmaları yatmaktadır. Doğasal ve toplumsal bütün fenomenler hem etkilenir hem etkiler. Bilinçli insanda, toplumsal ve doğasal bir fenomen olduğuna göre, bu diyalektiğe katılıp artık tarihi kendisi yapmaya başlamıştır. Kendisini değiştiren ve oluşturan koşulları, karşı etkisiyle değiştirmekte ve oluşturmaktadır.

İnsanların tarihi:
1- İlkel toplum (üretim biçimi kolektiftir ve özel mülkiyet yoktur)
2- Köleci toplum (üretimi, köleler üzerindeki özel mülkiyet biçimler)
3- Feodal toplum (üretim toprak üzerindeki özel mülkiyetle biçimlenir)
4- Anamalcı (Kapital) toplum (Üretim, üretim araçları üzerindedir. Özel mülkiyetle biçimlenir).
5- Toplumcu toplum (üretim, üretim araçlarının kolektifleştirilmesi ile biçimlenir). Tarihsel özdekçilik ve ondan doğan eytişimsel özdekçiliğin başlıca niteliği **doğa** ve **toplum** bütünlüğüdür. Toplumda doğa gibi kendine özgü nesnel yasalarla geliştiği, bu yasalarında doğa yasaları gibi zorunlu bulunduğunu tarihsel özdekçilik ortaya koymuştur.

HARMONİ: Yunanca, bir **akort** yani "**ses düzeni**" meydana getiren birkaç sesin, aynı zamanda çalınması ile ortaya çıkan beste. (**Akort**: Fransızca, harmoni meydana getirmek üzere kullanılan ses gruplarından her biri).

BİLİM FELSEFESİ VE YÖNTEMİ: Hem genel olarak yöntem hem de her bilim disiplini için olan tikel disiplinlere özgü yöntemler, deneye açıklama olarak düşünülebilir.
Bu yola girmek için dört ilke kabul edilir:
1- Tekniklik ilkesi (deney için teknik araçların geliştirilmesi zorunlu)
2- Yeniden gözden geçirme ilkesi.
3- İkilik ilkesi (duality) (Sürekli birbirleri ile eylem ve tepkime halinde kalması gereken bir kuram, bir de deney düzeyinin varlığı üzerinde durur).
4- İç bağlılık ilkesi: Sınırlı bir bilginin dakikliği yönünde her ilerlemenin gittikçe genişleyen bilgilerin uygulaması ile karşılanması gerekir.
Bu ilkelerde 4 aşama uygulanır:
1- Bir bilgi içinde bir soru, sorun veya aykırı bir deyimle karşılaşma.
2- Çözüm yolunda bir varsayım belirmesi.

3- Bütün işlemler başlangıç noktasına geri döndürülmek suretiyle varsayım doğrulanmazsa, denemeye tabi tutulması.

4- Varsayım doğrulanmışsa bu aşamaya ulaşılır.

Bilimler felsefesi, böylece bütün disiplinler arası bir düşünüş olarak ortaya çıkmaktadır. Bu düşünüş tarzı, disiplinlerin tümünü, deney alanı olarak almak, kendiside yeni denemelere yatkın olmak, ilkesini benimsemek suretiyle, tutarlı bir disiplin kurmaya çalışmaktadır.

MODEL: Hipotezlerden (varsayım) hareketle tutarlı bir altyapı oluşturmaya "**Model geliştirme**" denir. Modelin verdiği sonuçlar, gözlem sonuçları ile uygunluk halinde iseler başarılıdır.

KURAM: Modelin bu özelliklerini göstermesi gerektiği gibi, doğayı da yansıtması gerekir (kuram bir yapıttır ve bütün sanat ve teknik yapıtlar gibi bir bütünlük içinde olması gerekir). Keza bütün yapıtlar gibi bir kere oluştuktan sonra, varlığını bağımsız şekilde sürdürür.

GEOMETRİCİLİK: Var olan her şeyi geometrinin biçimlerine ve metoduna indirgeyen sistem.

KÖKTENCİLİK: Bazı İngiliz filozoflarının özgürcülük, bireycilik, akla inanma, törel yararlılık gibi temel değerlere dayanan, tutum ve siyaset çığırı. Bilim, din ve siyasette kökten değişiklik yapma eğilimi.

ÖZDEK (MADDE): Uzayda yer dolduran varlık. Bilinçten bağımsız olarak var olan her şey. Hint-Avrupa dillerinde "**ana**" anlamına gelen"**matr**" kökünden gelmiştir. (Material-Materia-Materie v.s.) Osmanlı felsefesinde "**cevher**" (töz) karşılığıdır. Yunan felsefesinde "insan emeğinin yöneldiği nesne" anlamında "**hyle**" denir. Bu Latince'ye "**gereç**" anlamında "**materies**" şeklinde geçmiştir. İlk çağda Hint, Çin ve Asya'da, evrenin bir ana gereçten yapıldığı kabul edilir. En eski Çin düşüncesinde duyumların özdekten yansıdığı (tatlı, acı, tuzlu, ekşi gibi) evrende olumlu (**pozitif**) ve olumsuz (**negatif**) ilkel parçacıkların var olduğu biliniyordu. Keza Asya'da evrenin **ateş, hava, su, toprak** gibi ana özdeklerden geldiğine inanılırdı. **Decartes** yeniçağda özdeği **uzamlı** (kapladığı yerin ölçülebilmesi) bir **töz** (değişen evrenin değişmeyen özü) olarak tarif eder ve özdekle **ruh**u ayırır. Ernst Mach'a göre; "Duyumları meydana getiren cisimler değil, cisimleri meydana getiren duyumlardır". Eytişimsel özdekçiliğe göre "Özdek bilinçten bağımsız olarak var olan ve duyumlarla algılanarak, bilinçte yansıyan, tüm nesnel gerçekliği dile getiren felsefesel bir kavramdır". Daha sonraları, özdeğin sadece cisimleri meydana getiren elementler veya küçük parçacıklar değil, bütün kozmik evren, nebülözler, gezegenler, radyasyonlar, elektromanyetik ve nükleer alanlar olduğu, sonsuz sayıda ve birbirine dönüşebilen yapıda sürekli değişim gösterdiği (pozitron ve elektron gibi zerrelerin yok olarak ışık kuantumlarına dönüşmesi ve bunların tekrar pozitron ve elektron olması gibi). Bu sürekli sonsuz değişim süreci içinde evren, evrenin içinde de canlıların evrimi sonucu, en mükemmel canlı "**insan**" meydana gelmiştir. **İnsan, bilince sahip bir özdektir.** Nihayet **bilinç** de kuram halinde "**özdeksel gücü**", o da "özdeksel **nesneleri**" oluşturur. Bu insan ürünleri "özdekler" birbirlerini etkileyip, yeni kuramlar ve yeni güçler, yeni özdeksel ürünler doğurmakta olup sonsuz süreç içinde, insan ürünü özdekler sayı nicelik, nitelik olarak artarak gelişmektedir. **Böylece insan bilinci, nesnel dünyayı sadece yansıtmakla kalmayıp, yaratmaya başlamıştır.** Ancak özdeğin kendisi gibi, devimi de sonsuzdur ve tümü birbirine bağımlıdır. Nihayet Einstein **E=MC²** (enerji=kütle x ışık hızının karesi) formülüyle, bu bağımlılığı ortaya koydu. (özdek kütlesini atar ve ışık hızında yol alırsa buna "**radyasyon**" veya "**enerji**" diyoruz.). Aksine enerji donarsa ayrı bir biçim alırsa ona "**özdek**" diyoruz. Haziran 1945'de Meksika'da bu pratik olarak kanıtlandı (atom bombası). **Ancak yine de özdek Einstein'a göre rölatif idi, bize göreydi, duyu organlarımıza göreydi.** Feuerbach "Benim duyumum özneldir, ama onun temeli ya da nedeni nesneldir" der. Bu nesnel özdektir. Lenin için özdek "Bilinçten bağımsız olarak var olan ve bilinçte yansıyan nesnel gerçekliği belirten felsefesel ulamdır". Çağdaş fiziğe göre özdeğin 7 temel durumu: **Katı, sıvı, gaz, plazma, elektromanyetik alan, gravitasyonel alan, nükleer alandır** (Doğanın 7 temel öğesi, gözlenebilir evrenin sonsuz çeşitliliği, bu 7 temel öğenin, karşılıklı düzlenim ve etkileşimlerine bağlıdır. Bu 7 temel durum veya öğe; insan duyumlarına göredir ve bugünkü bilgilerimize ve imkânlarımıza göredir. Özdek bize duyumlarımız ile iletilen ve sonsuz, bitimsiz, gerçek olarak tarif edildiğine göre, sonsuz ve bitimsiz yenilenmeye açıktır.

SEMANTİK (İ.S. 1883): Semboller kategoriler sistemi, birbirine zıt kelimelerinden oluşur. **Fransız Mitchel Braez 50 çift sıfat ile "semantik farklılaşma cetveli" hazırladı.** Her karşıt anlamlı sıfata, dildeki başlıca şiddet zarfları ve her çifte de bir olumsuzluk eşlik eder. **Böylece 7 mümkün hâl ortaya çıkar:**

Aşırı güçlü **+3**, çok güçlü **+2**, oldukça güçlü **+1**, ne güçlü ne güçsüz **0**, oldukça zayıf **-1**, çok zayıf **-2**, aşırı zayıf**-3.**

Ayrıca semiyotik işaretler bilimi, semboller nazariyesinde işaretler üçe ayrılır:

1- Denetatumlar (Belirlenen nesne ile varoluşsal bir ilişkiye sahip olan belirtiler) (Dumanın ateşle görülmesi gibi)

2- Demotatumlar (Denetatumla benzerlik ilişkisine sahip olan resimler) (Mesela imajlar)

3- İlişkinin tamamen ortaklaşmaya dayandığı semboller (milli bayrak gibi). Dilde sembol tiplerinden biridir.

Dar anlamda Semiyotik; Mevcut işaret sistemlerinin dökümünü yapmayı, bunlarla ilgili genel bir teoriye varmayı amaç edinir.

Geniş anlamda Semiyotik; İnsana has her faaliyetin anlam belirttiği ilkesinden hareket edilir (insan sembol kullanan hayvandır). **Semiyotiğin alanı, bütün insan bilimlerinin alanıdır.** Ancak bugün işaretlere yönelen tek bir semiyotik biliminden çok, insan bilimlerini birbiri ardına işleyen, bir semiyotikten bahis edilebilir.

SEMBOLİZM (1885): (Latin kökenli kelime) **Bir şeyi kendisinden başka bir şey ile belirtme.** Mantıkta, sanatta, matematikte, askerlikte ilahiri uygulanır.

MATEMATİK: (Yunanca) Aritmetik, cebir, geometri gibi sayı temeline dayanarak, niceliklerin özelliklerini inceleyen bilimlerin ortak adı.

ARİTMATİK: (Yunanca) Matematiğin sayılardan ve sayıların özelliklerinden ve işlemlerinden bahseden kolu, sayı bilimi.

CEBİR: (Arapça) **Nicelikle ilgili sorunları çözmek için denklemlere** çevirerek, basitleştirip genelleştiren matematik kolu. Bilinen en eski cebir kitabı Harzem (Horzum) Türklerinden Musa oğlu Mehmet'in (Harezmi) **(S-84) M.S. 830'da yazdığı kitaptır.**

GEOMETRİ: [(Yunanca) **Geo:** yer, **Metro:** Ölçü] Çizgi, yüzey ve hacim olarak uzayı ele alıp şekillerin özelliklerini inceleyen ve ölçümlerini gösteren matematik kolu.

ALGORİTMA: İlk algoritma El Harezmi'nin Hisab el cebir ve el mukabala adlı kitabında ortaya kondu. (S-84) Bugün genelde **matamatikte, bilgisayar bilimlerinde, programlama dillerinin temelinde algoritma vardır. Bir sorunu çözmek veya belirlenmiş bir amaca ulaşmak için tasarlanan yola veya işlem kademelerine algoritma denir.**

BİLİM: Belli bir konuyu belli bir amaca ulaştırmak için, belli bir yöntemle verilen uğraştır. Yani olayların yasalarını bulma amacını güden araştırmaları dile getirir. Teknik, tatbikat ve düşünce ürünü bilgilerin muayyen bir sistem (Teoriler, sentezler) içinde birbirine bağlanması düzenlenmesidir. Bilim yöntemle elde edilen, pratikle doğrulanan bilgidir. Düşünsel **teori**'nin **eylemsel pratik**'le karşılıklı ve sürekli etkileşimi bilimsel gelişmenin baş koşuludur. Bilim evreni, gerçeklikleri insan eylemleri ile doğrulanmış kavramlar, gruplar, yasalarla yansıtır. Bilim insanlara nesnel yasaların bilgisini verir ki, insanlar pratik eylemlerini gerçekleştirebilmek için bu bilgiye muhtaçtırlar. Bilimleri **"insan bilimleri"**

(felsefe, tarih, ekonomi, politika v.s.) ve **"doğa bilimleri"** (fizik, kimya v.s.) olmak üzere iki bölüme ayırmak gelenekleşmiştir. Bilimin itici gücü, toplumun üretim gereksinimleridir. **K. Marx ve Engel**'e göre; Bir gün **insan bilimi** ile **doğa bilimi** birleşecek ve tek bir bilim var olacaktır. (Bence bu ancak Her şey kuramıyla olabilir)

KOZMOGONİ: Fiziksel dünyanın, ayrı ayrı bilimlerle tanımlanan çeşitli görüşlerini birleştiren felsefe dalı. Evrenin yaradılışını inceleyen bilim dalı. Sümerlere göre evren, biri dişi, biri erkek olan tatlı ve tuzlu sulardan doğmuştu.

DETERMİNİZM: Bilinenleri kullanarak, bilinmeyenlere ulaşmak. (Belli nedenler belli koşullar altında, belli sonuçlara ulaşılır.) Dederminizm olmadan bilim olmaz. Her olayın, başka bir olayın gerekli ve kaçınılmaz bir sonucu olduğunu ileri süren öğretidir.

SİSTEM: Bilimsel bir bütün veya öğreti meydana getirecek biçimde, birbirine bağlı ilkeler topluluğu (Astronomi sistemi, felsefe sistemi gibi). Kötüleyici anlamda: Olayları yargılamak ve sınıflandırmak için başvurulan ön yargılar bütünü (sistemler zaman, zaman bilimin ilerlemesini engellemiştir). Belli bir sonuca ulaşmak veya bütünü oluşturmak için bir araya gelmiş parçalar (sinir sistemi, güneş sistemi gibi). Bir sonuç elde etmeye yarayan usuller düzeni (eğitim sistemi). Bir işte başarı elde etmek için, başvurulan yol (İnsanı servete kavuşturabilecek bir sistem). Teçhizat, tertibat (aydınlatma sistemi, fren sistemi gibi). **Bilgi işlem sistemi:** Birlikte kullanılan malzeme ve işlem metotlarının, belirli bir tipini meydana getiren ünitelerin tümü. Anatomi ve fizyolojide belirli bir doku başta olmak üzere çeşitli dokulardan oluşan ve vücudun hemen her tarafında yaygın bulunan organlar topluluğu (kas, sinir sistemi v.s.)

MONOGRAFİ: Bütün bilimleri temsil eden yazı. (RABİA'nın geometrisi temelinde sülüs yazı örneği gibi altın oranlara da uyan bir yazı hatta Sanskritçe **Türkçe** örneği gibi bir Bilimsel **dünya Dili araştırması yapılabilir)**

MANTIK: Düşüncenin, düşünce ile doğrulanması bilimi. Aristo doğru düşünmenin kurallarına "alet" anlamında "**organon**" der ve mantık kuralları ile eş tutar.

Aristo'nun biçimsel mantığı bugüne kadar değişmeyen 3 ilke üzerinde kurulmuştur:
1- Özdeşlik ilkesi: Bir şey kendisinin aynıdır.
2- Çelişmezlik ilkesi: Bir şey hem doğru hem de yanlış olamaz.
3- Üçüncü durumun olanaksızlığı ilkesi: Bir şey ya doğru ya da yanlıştır, üçüncü bir olanak yoktur.
Aristo'nun "Biçimsel Mantığı", düşünceyi düşünce ile doğrulasa da yinede dış dünyadaki gerçeklik ile bağıntılıdır. "İmsel mantık" ise, dış dünyadaki gerçeklikten ayrı olup, hatta düşünsel bağlantılardan çok, mantık formüllerini meydana getiren işaretler arasındaki bağlantılar esas alınır. Bütün mantık akımları biçimsel olarak dilcidirler, Felsefenin dilin gerek "sentaks" (söz dizimi) ve gerek "semantik" açısından mantıksal çözüme indirgenebileceğini savunurlar.

SİKLUS: Bir biyolojik olayın, başlangıç ve bitimi arasındaki süre. Canlı yaratıkları biyolojik ritimler yaşatmaktadır. "Gece-gündüz" gece uyuma gündüz yaşama. Bu ritimlerin uyum içinde olması sağlık, uyumsuzluk içinde olması hastalık belirtisidir. Kadınların aybaşları, kalp çarpması, solunum sayısı, böcek öldürücü ilaçların yılın ve günün belli zamanlarında daha öldürücü olması gibi, ritimler arası zamana "biyolojik ve fizyolojik saat" adı verilir. Ayrıca bunlar kalıtsal nedenlere de dayanır. (kronobiyoloji) (biyoritm).

VI) EVRENSEL SENTEZİ HAZIRLAYICI İNSANLA İLGİLİ TANIMLAR:

DEVLET: Bir hükümet yönetiminde örgenleşmiş siyasal toplum. Sokrat Töre bilimi'ni güçlü bir devleti gerçekleştirecek iyi vatandaşlar için kurmuştu. Platon "Devlet" adlı eserinde toplumun idea'sı devlettir. Machiavelli devleti güçlendirmek için başvurulacak her aracı olumlu sayar. Rouseau eski Yunan demokrasisini diriltti. Hegel'e göre devlet ussallıktır. Evrensel düşüncenin, insanda ve toplumda gerçekleşen en yetkin oluşumudur. Buna karşı Fichte, devletin insan gelişimini engellemesi nedeni ile bir gün ortadan silineceğini ileri sürdü. **Marx ve Engel**, insanın "özü gereği" siyasal değil sosyal bir varlık olduğunu, **devletin egemen sınıfın, sömürü için gerçekleştirdiği** örgenlik **olduğunu öne sürerler. İnsanlara buyuran bir devletin yerini, doğaya ve üretim sürecine buyuran bir yönetim alacaktır. Devlet kapitalist olsun, sosyalist olsun daima belli bir sınıfın diktatörlüğüdür.** Tarihsel süreçte insanlar sınıflara bölününceye ve köleci toplum ortaya çıkana kadar devlet yoktu. İnsan toplulukları komünal idi. Sınıflı toplumda devlet yapma olarak egemen sınıfın varlığını koruyup sürdürebilmesi için oluşturuldu. **Devlet fertlerini yücelttiği ölçüde yücelir.**

DEVLET FELSEFESİ: Felsefenin devlet kurumunu inceleyen bölümü. En iyi yönetim biçimine dair kayıtlar, Heredot'un tarihinde vardır. Daha sonra Platon, Aristo, Romalı Çiçero, Seneka, orta çağda Augustinus ve Aquino'lu Thomas: Tanrılık devlet niteliğinde bir kutsal Roma imparatorluğu kurma amacındadırlar. Salibury'li John, Padua'lı Marsiglio, Machiavelli, Calvin, Brütüs, Bodin, Hobbes, Locke, Spinoza, Sieyes, Robespierre, Burke v.s. Devletin yapma bir kurum olduğunu bir gün eriyip gideceğini ve yok olacağını ilk ileri sürense Fichte'dir. Hegel ise Platon gibi, devleti ülküleştirdi. **XIX-XX yy**'da Bentham, Johnstuart Mill, metafizik yapılı, Kropotrin, Bakunin, Prodhon başsız, Bernstein, Kautsky oportunist (Hale göre davranan) yapılı, Mussolini, Hitler, Salazar faşist yapılı devleti savundular.

FAŞİZM (1922-1943): İtalya'da kurulan meslekleri temsil eden tek yetkili devlet yönetimi. Görünüşte lonca sistemine dayanır. Özgürlük yoktur. Her şey devlet içindir. İlkeleri inanmak, itaat etmek ve savaşmaktır.

ALMAN İDEALİZMİ (XVIII-XIX yy.): Çıkış noktası olarak Kant'ı alan Alman düşünceciliği. Fichte, Schelling, Hegel, Schleımacher ve bir ölçüde Schopenhauer, bu adla anılır. Hepsi materyalisttir. Kant'ı eleştirmezler. Hepsi sistem düşünürleridir. Yani felsefeleri ile evrensel bir sistem kurmak geriye söylenecek hiçbir söz bırakmamak amacını güttüler.

SENKRETİZM: Türlü, hatta birbiri ile uyuşmaz birtakım mezhepleri veya düşünceleri toplayıp karıştıran öğreti veya hâl (hümanizm).

ERDEM: Kişisel bir çabayı, **bencillik** direncine karşı, bencilliğin gelişmiş biçimi olan özgecilik (bencilliğin tersi) ileri süren düşüncededir ve kendini aşabilmek için kendini yenme gücüdür. [1- **Erdem bir bilgi işidir (kişinin yaşadığı çağın bilgisi) 2-Erdem bir özgürlük işidir. Ahlâkın övdüğü iyilikçilik, alçak gönüllülük, yiğitlik, doğruluk, vicdanlılık, fazilet, nezaket gibi vasıfların genel adıdır.]**

ÖZGECİLİK (1830): Başkalarının iyiliği için kendinden fedakârlık etmek (diğergâm, altruizm, özveri sahibi) **Auguste Comte tarafından ortaya atılmış**. Çıkar gözetmeden başkalarının iyiliği için gayret etme. **Japonların toplum anlayışı.** İnsanın ailesinin, toplumunun ve insanlığın sağlığı, iyiliği, mutluluğu için çalışmayı dini bir görev olarak yapmak hatta bunlar için canını, malını hürriyetini, ailesini fedaya hazır olma zorunluluğu da özgecilikle aynı yöndedir. **İ.Ö. VII y.y.**'da Konfiçyus'un prensiplerinden biri de "başkalarını düşünmedir."

CEMİYETPERESTLİK: Toplum vicdanını ferdi vicdanın üstünde tutan topluluklar.

MEDENİYET (UYGARLIK): Cemiyetler arasındaki müşterek müesseselerin bütünüdür. Bir ulusun bir araya gelip, bir töreye uyarak yaşamasıdır. **Uygarlık** veya **kültür,** doğanın yarattığına karşın, insanların **yarattığı her şeydir.** İnsanların toplu olarak daha iyi yaşamaları için gösterdikleri gayretlerden çıkan sonuçların tamamı ki, *bilim* ve *k*ültür halinde belirir.

KÜLTÜR: Bir topluluğun madde ve tinsel (madde dışı, manevi, ruhani) özelliğini duyuş-düşünüş birliğini meydana getiren gelenek halindeki her türlü yaşayış, düşünce ve sanat varlıklarının tümü (maddi, manevi varlıklarının tümü).

EVRENDAŞLIK (Kozmopolitanizm): ulus olarak **İnsanlığı ve vatan** olarak **evreni** tanıyan öğretilerin genel adı. **Sokrates**'e nerenin halkındansın, denilince **"dünya halkındanım"** dermiş. Hristiyanlık ve Müslümanlık gibi dinler de evrendaşçı sayılır. **Dante** Rönesans insanı için "Onun vatanı dünyadır" der. **Bertrand Russel** "dünya vatandaşlığının bilgisine erişseydik, kendimizi böylesine yıpratacak yerde insanlığı uygarlığa götürenlerin ordusunun bir eri olmayı yeğlerdik" der. **Tevfik Fikret "Toprak vatanım, nev-i beşer milletim, ancak insan olur insan, buna iz'anla inandım"** der.

LONCACI DEVLET (DEVLET KORPORATİZMİ): Anamalcılarla (üretim araçlarının sahipleri) **emekçiler**i birer lonca halinde örgütleyerek, loncaların loncası sayılan devletin, bunların arasındaki uyuşmazlıkları kamu yararı içinde çözümleyeceğini varsayan Faşist burjuva diktatörlüğü (kooperatif devlet) İtalya'da ve Portekiz'de gelişti. Ancak bir de **"toplumcu loncacılık"** vardır. Devlet toplumun bütün sınıflarını temsil ederek, karşıt çıkarlar arasında hakem rolü oynamaktadır. Mussolini "Faşist devlet kendi eli ile kurduğu kooperatif, eğitsel, toplumsal kurumlarla ekonomi alanında da kendini ispat etmiştir. Devlet kavramı böylelikle en uzak dallara ulaşmakta ve devletin içinde kendi örgütlerinde, düzenli bir halde bulunan ulusun tüm siyasal, ekonomik ve manevi güçleri işlemektedir. Faşist devlet boş ve zararlı özgürlükleri sınırlamış, esas olanları muhafaza etmiştir. Bu konuda karar verme durumunda birey değil, yalnız devlet olabilir" der. "Faşistler" özgür seçimlere yer vermez. **"Toplumcu loncalar"** ise, sendikaları ortaçağ loncalarına dönüştürme yoluyla gerçekleşebileceği var sayılan toplumculuk anlayışı (korporasyon sosyalizmi) İngiliz **Penty,** ayrıca **S. G. Hobson, A. R. Orage, G. H. Cole** tarafından da geliştirildi. **Etrüskler** devrinde Roma'da bakırcı, ayakkabıcı, marangoz, dülger, sıvacı, badanacı, dokumacı, işçi dernekleri vardı. Fiyat kontrolü de yapıyorlardı. (İ.Ö. X-III **y.y.**)

IRK: 1684'de İlk defa Fransız **Barnier** tarafından, daha sonra da **XVIII y.y.** sınıflamacıları, natüralistleri tarafından bu terim kullanıldı. Ancak çağdaş anlamını **Kant** verdi: "Irk zoolojik sınıflamanın bölümlerinden biri olan biyolojik bir kavramdır. Türün içinde geniş bir gruplamadır. Aynı atadan gelen ve topluca yeter ölçüde belirleyici, biyolojik karakterde bireylerin toplamıdır. Genetik, anatomi, fizyoloji ve patoloji ile ilgili ölçülere dayanır. Bugünkü insan türü "homosapiens" kara, sarı, beyaz derili ve ilkel olarak 4 ırk grubuna ve çeşitli ırklara, her ırk da kendi içinde parçalara ayrılır.

Ancak kesin sınırlama güçlükleri:

1- Kriterleri seçimi zordur.

2- Birbirine karışmışlık yüzünden, bugün çok az sayıda saf ırk gösterilebilir.

3- Belli bir ırkı tanımlayan karakterler geçicidir. **Irklar da insan gibi sürekli bir evrim ve değişme göstermektedir.** İnsan cinsi, tür, ırk ve alt ırk, çeşit ve tip olarak sınıflanırken merkezden uzaklaştıkça karmaşıklaşır. Çoğunlukla uluslar çeşitli ırklardan oluşursa da aynı ırktan oluşan uluslar olduğu gibi, aynı ırktan olup başka dil konuşan ve başka ırktan olup aynı dili konuşanlar da vardır.

IRKÇILIK: Bir ırkın diğer ırklara üstünlüğünü ileri süren görüş. Bu düşüncenin temelleri **Nietzche, Marx, Weber, Werner Sombart** gibi Alman düşünürler tarafından atıldı. Nietzsche'ye göre güçsüz insanlar üstün insanların zaferi için yok olmalıdır. Weber'e göre ulusları us (akıl) ve bilim değil, duygular yönetir. Sombart'a göre insanı üstün eden, ırksal yaşam ve bilimsel üstünlüğüdür. Keza **Darvin** dünyada gelmiş geçmiş bütün hayvan cinslerinin fosillerini inceledikten sonra, güçlü hayvanların neslini idame ettirebildiğini, güçsüzlerin neslinin tükendiği sonucuna vardı. Darvin, **"Erdem** çevreye ve koşullara uyma zorunluluğundan doğan bir evrim ürünüdür. Korunma içgüdüsünden doğar. İnsanın varlığını sürdürebilmesi için zorunludur" der. **Adolf Hitler** "Üstün ırkın dışındaki ırklar; Bu dünyayı yöneten büyük iradenin, dileğine uygun olarak en iyi ve en güçlünün zaferine yardım etmek ve onun işini kolaylaştırmakla yükümlüdürler. Üstün ırk aşağıların ve güçsüzlerin kendisine boyun eğmelerini istemek hakkına sahiptir. Doğanın aristokratik ilkesine saygı göstermek gerekir" der. **Böylece bugüne kadar ırkçılık toplumsal eşitsizliği, sömürgeciliği ve emperyalist istekleri gizlemek için kullanılmıştır. (Not: Derebeyler'in, kralların, kilisenin sömürüsünden kurtulan Avrupa halkları, önce birbirlerini, sonra diğer dünya halklarını sömürmeye çalıştılar. Kabahatleri yok gördüklerini yaptılar).**

ANTROPOLOJİ (İNSAN BİLİMİ): Yunanca Antropos (**insan**), logos (**bilim**). Antropolojinin konusu toplumlar ve kültürlerdir.

Araştırdığı konular:

1- İnsanlar ve toplumlar neden birbirlerine benzemiyor?

2- İnsanlar ve toplumlar neden birbirlerine benziyor?

3- İnsanlar ve toplumlar neden ve nasıl değişiyor?

Antropolojinin temel bilimleri, **biyoloji, sosyoloji, tarihtir**. Sosyal ve kültürel antropolojinin konusu olan "**kültür**" ün 164 tarifi vardır. Cultura (Latince=ekin). Fransız Voltair, insan zekâsının oluşumu, gelişimi anlamında kullandı. Almanca'ya geçti, **uygarlık** anlamında kullanıldı. Sonra İspanyolca, İngilizce ve Slav dillerine geçti. Sonra **Civilization** (uygarlık) sözcüğü kültüre tercih edildi. Fransızlar ve Almanlar Kültür'ü tercih etti. Alman Hegel'e göre: **Kültür doğanın yarattıklarına karşın, insanoğlunun yarattığı her şeydir.** Bilimsel yazılarda kültür uygarlık karşılığı kullanılır (**Uygar** kelimesi Türkçe uyumlu insan anlamındadır ve Uygurlardan kaynaklanır).

SANAT: Güzellik karşısında duyulan heyecan ve hayranlığı, uyandırmak için insanın kullandığı yaratıcılık, iyiyi güzeli arama.

TEKNİK: Bilimin kuramsal yoldan elde ettiği bulguların, güncel yaşama uygulanış biçimi. (Bilim, pratik gereksinimleri karşılamaya yönelince teknoloji oluşur) "**teknik**" nesnel, "**bilim**" ussaldır. "**bilim**" gerçeği (doğruyu) "**teknik**" yararlıyı (kullanışlıyı), "**sanat**" güzeli, iyiyi arar.

EVRİM: Öz yapının değişen çevreye (çevredeki yapılara) uyma süreci. Canlılarda tek hücreliden insana sürekli olgunlaşan gelişme (Tek, tek gelişen öz yapıların oluşturduğu yeni çevrede, yeniden gelişen öz yapılar süreci).

SOSYALİZM (TOPLUMCULUK): İnsanın en yetkin gelişmesini ve böylece mutluluğunu sağlamak düşüncesi insanın bir toprak parçasına bağlanması ile başlamaktadır. Göçebe toplumlar bilgi ve insansal gücü en uygun doğrultuda, doğadan korunma ve doğayı Yenme yolunda kullanıyorlardı. Sonra **toprak** ve üretim araçlarına sahip olan kişi ve zümreler oluşmaya başlayınca, eşitlik ve özgürlük bozuldu. Düzeltmek için önceleri ütopik toplum düzenleri ileri sürüldü. **Platon, Thomas More, Francis Bacon, Thomas Canpanella, Valentin Andrea, Barclay, Heywood, Winstanley, Harington, Gabriel Foigny, Morelly, Gabriel Mably, Etienne Cabet, mal ortaklığı, insan eşitliğine** dayanan hayali örgütler ortaya attılar. Ayrıca **J. Jacques Rousseau, Gracihus Babeuf, Charles Fourier, Saint Simon De Sismondi, Pierre Leraux, Robert Owen, Louis Blanc, Rodbertus, Mikhail Bakunin, Blanqui, Ferdinad Lasalle, Joseph Proudhon'da, aynı yolda eserler verdi.** Nihayet bunların en tutarlısı olduğu ileri sürülen **Karl Marx ve Engel'in** komünist önerisi sayılabilir.

SİBERNETİK: Canlı ve cansız varlıklar çevreleri ile durmaksızın bilgi alışverişinde bulunur ve bu alışveriş sonucunda denge kurarak kendilerini yönetirler. Bu sistem örnek alınarak tıpkı, bir canlı varlık gibi, karşılıklı bilgi alışverişiyle kendi kendine karar veren makineler yapıldı. **Prof. Dr. Norbert Wiener** Sibernetiği "**Canlı varlıklarda ve makinelerde karşılıklı bilgi alışverişi kontrol ve yönetim bilimi**" olarak tanımladı. Sibernetik sayesinde "**elektronik beyin**" adını verdiğimiz **Computerler** üretildi.

Haberleşme, kontrol ve denge kurma bilimi olarak sibernetik 3 işlemi kapsar:

1- Bilgi alış/verişi.

2- Kontrol.

3- Denge kurma.

Yunan filozofu **Platon "Kübernetes yalnız ruhları değil, bedenleri ve malları da büyük tehlikelerden kurtarır"** demişti. **Yunanca'da "Kübernetes" dümenci anlamındadır**. Böylece Platon, b**ilgi alışverişi, kontrol ve dengeyi "yönetim bilimi"** olarak ortaya koymuştu.

B) MEVLEVİ DERVİŞİ VE ONUN GEOMETRİSİ ÜÇGEN PİRAMİDİN İNSAN İÇİN YORUMLARI:

İnsan evreni yaratan yüce gücün, en mükemmel eseridir. Yüce yaratan insana, kendi mükemmelliğini ve evrenin mükemmelliğini idrak etme yeteneği verdiğine göre, er geç insanlar, dünya üzerinde, kendi mükemmelliklerine ve evrenin mükemmelliğine yaraşan, **maddi manevi düzeni** kurmayı başaracaktır. Yüce yaratıcı evreni matematikle yaratmıştır. Evren **"madde"** ve **"enerji"** den meydana gelmiştir. Her ikisinde de birbirine bağımlı yüksek bir matematik vardır. ($E=MxC^2$) Tarih boyunca ve günümüzde insanlara büyük acılar, ızdıraplar veren yanlışların sebebi; evrenin yeterince bilinip, **evrensel doğruların** insanlara, iyi anlatılmamış olmasıdır.

Günümüzdeki kargaşayı ortadan kaldıracak "Kime göre doğru? Neye göre doğru?" sorusunun cevabını bulmak için içinde yaşadığımız evrenin ve bütün bilimlerin alfabesi olan Matematiği tarif edelim: Matematik doğada rastlanan problemleri "Sayılar" ve "Şekiller"le ifade ederek çözmeye çalışan bilim dalıdır. Doğrular matematiğe göre, elbette matematiğin, herkesin anlayacağı görsel şekli olan geometriye yani evrenin kapsamlı geometrisine göre, anlatıldığında, bize her konuda yol gösterecek, belki "sihirli asa" misali, insanoğlunun, yeryüzünde çektiği bütün ıstırapları, kötülükleri sona erdiren bir "altın çağ" başlatabilecektir.

Bu geometrinin "üçgen piramit" (Pisagor'a göre **1,2,3,4** yani **RABİA**) olduğunu önceki bölümlerde anlatmıştık. İnsan önce düşünüyor, sonra inandığı doğrultuda söz veya fiil olarak tavır koyuyor. İnsanlara doğrular anlatılmazsa, yanlış yapana kabahat bulunamaz.

Bu kitabın başından, sonundaki her şey kuramının ve atom altı fiziğinin kuantumlarına kadar verilen bilgilerin tek amacı; insanlara bu bilgilerden, ne mesaj çıkacak onu araştırmaktı. Bu amaçla, fizikçilerin, en derin çağdaş sorunlarına kadar nüfus etmeye cüret ettim. **Amaç evrenin ve İnsanın doğrularını bulmaktı ve dolayısıyla, buraya kadar toplanan bütün bilgilerden, ortaya çıkan evrensel mesaj, bana göre, mevlevi dervişi ve onun geometrisi olan** üçgen piramit **yani RABİA oldu.**

I)   MEVLEVİ DERVİŞİNİN VE GEOMETRİSİNİN YORUMUNU HAZIR-LAYAN TARİHSEL GELİŞİM:

Zamanın sayısı tarihtir, Birinci bölümde **evrensel sentezi ararken, evren tarihi'nden** başladığımız gibi, bu sentezin insan için yorumunu, başka ifadeyle, **insan için evrensel doğruları ararken de insanlık tarihi'nden** başlayalım:

Dünya üzerinde ilk insan tiplerinin, daha çok maymuna benzediği iddia ediliyor. Mensubu olduğumuz dördüncü insan tipi **"Homosapiens"** (düşünen insan) **insanları,** yaklaşık 50-100 bin yıl önce, son buz devri içinde, ortaya çıktı. Önce akarsu kenarlarındaki, dağ yamaçlarında mağaralarda, **avcılıkla** yaşamını sürdüren atalarımız, daha sonra yaklaşık 20 bin yıl önce, **hayvancılık** ve **ziraat** sayesinde Orta Asya'da çoğaldılar. İlk toplu yaşam deneyimleri çadırlarda başlamış olabilir. Hâlâ kuzey Sibirya'da yaşayan insanlar ren geyiği postları ile kaplı, böyle çadırlarda yaşamaktadır. **Medeniyet**i eğer **"Kendi yaptığı evlerde toplu yaşam"** olarak kabul edersek, medeniyeti Güneydoğu Anadolu'da, Urfa yakınlarında yeni bulunan dünyanın en eski yerleşim yeri **Göbeklitepe**'den başlatabiliriz. Göbeklitepe **İ.Ö.10 000'e** tarihlenmektedir. Nuh Tufanı da yaklaşık **İ.Ö.10 000,** yani son Buz Devrinin sona ermesi, kuzey yarımküredeki buzların erimesi ve dünya denizlerinin 80 metre yükseldiği tarihtir. Daha önce kuzey yarımküre; Anadolu'ya, Alplere, Himalayalara, Orta Amerika'ya kadar buzlarla kaplıydı. Yani o devirde Anadolu iklimi daha soğuk olduğu için **İ.Ö. 6-7000** yıllarına tarihlenen ve orta Anadolu'da Konya yakınında bulunan **"Çatalhöyük"** köyünde evlere bacadan girildiği anlaşılmaktadır. Kapı pencere yoktu. Evlerin içinde zeminden biraz daha yüksek, yatmak ve oturmak amacıyla kullanılan setler vardır. Bugünkü Anadolu'da köy evlerinde "Sedir" adı verilen oturma ve yatma amaçlı, yerden yüksekçe tahta kerevetler vardır.

Bugün İndus vadisinde harabeleri bulunan ve üst katmanları en az **İ.Ö. 4-5000'**lere yani Nuh tufanından yaklaşık 5000 yıl sonraya tarihlenen, alt katmanları nehrin altında kaldığı için tarihlenemeyen **Mohenjodaro ve Harabba** şehirlerinde, bugünkü modern şehirlerde olduğu gibi iki üç katlı evlerin arasında, birbirini kesen yollar temiz su ve atık su kanalları ve hububat değirmenleri vardı. **Sümerlerin İ.Ö. 4-5 000'lerde,** Hazar Denizi doğusundaki Seyhun, Ceyhun nehirleri arasından, Mezopotamya'daki Fırat, Dicle nehirleri arasına geldikleri, hazır ve ileri bir kültür getirdiklerini düşünülürse daha sonra, bu bölgede yapılacak araştırmaların insanlık tarihine ışık tutacağı söylenebilir. **İnsanlık tarihinin yaklaşık 20 000 yıllık toplu yaşam deneyimi yani medeniyet,** Orta Asya'dan, Ön Asya köylerine, Sümerlere, Mısır'a, kuzeyden belki Avrupa'ya, **İ.Ö.~ 800'**den itibaren, Akdeniz sahillerindeki Yunan ticaret kolonilerine ve Roma'ya, **İ.S.~700'**den itibaren İslâm'a geçtikten sonra, Bağdat ve Endülüs odaklı **İslâm tasavvufunu** oluşturdu.

Leonardo Da Vinci'nin Endülüs'ten öğrendiği, kare ve daire içindeki insan figürü ile yorumlayıp, günümüze aktardığı, insan için evrensel sentez; karenin **"madde"** yi, dairenin **"ruh"** u temsil etmesi ve insanın **ruh** ve **madde**den oluşmasıydı. Ancak Da Vinci'nin sembolünde ortadaki insan, tasavvufun anlatmak istediği ruh ve madde arasındaki **denge**yi sağlaması gereken bir insan maalesef olmadı, aksine maddeci bir çağrışım yaptı. Tasavvuffun **edep** kavramına uymadı) **(sayfa 185-194).** Keza dünya insanları sadece erkeklerden oluşmuyor. Dolayısıyla üçüncü unsur **denge**yi sağlaması gereken insan unutuldu. Bugün sonuç olarak batıda **materyalizm,** doğuda **ruhculuk** hakim oldu ve üçüncü unsur olan **denge** yani **arif** ve **kâmil** insan olmayınca birle iki arasında ya sen ya ben kavgasını yaşıyoruz.

Da Vinci'nin "ruh" olarak ifade ettiği, bugün batının kabaca enerji olarak tanımladığı, İslam **tasavvufunun insana ait manevi, insani ve ahlâki değerleri olan; saygı, sevgi, özveri, hoşgörü, ahlak, edep, erdem, vicdan, tevazu, yardım severlik, güvenilirlik, cömertlik, merhamet ilh. gibi arif ve kâmil insan olmanın şartları olan sosyal vasıflar, Endülüs'ten bugüne batıya da bir ölçüde doğuya da tam aktarılamamıştır. Öte yandan Endülüs'ten Avrupa'ya aktarılan maddeyle ilgili bilgiler önce Rönesans'ı sonra, günümüz bilgi çağını yaratmıştır. Bunu takdir etmemek Avrupa için vefasızlık olur, ancak ruh sadece kiliseye kaldı. Oysa Da Vinci'nin Endülüs'ten öğrendiği ruh ve madde, sadece İslâmi yani dini bir bir bilgi değil, İslâm diniyle, o çağın bilimlerinin sentezini yapmaya çalışan İslâm Tasavvufunun senteziydi. Bu ikili sentezi (dualite) tamamlayan ve ruhla maddeyi dengelemek zorunda olan, bir üçüncü unsur, yani arif (bilgili), kâmil (bilgisini yaşayan, kusursuz) insan vardı ve bunu Da Vinci yanlış ve eksik aktardı.**

II)   MEVLEVİ DERVİŞİNİN FERT İÇİN YORUMU:

Bugün **Aristo'**nun **"hazlar ve mutluluklar hiyerarşisi"**nin mevlevi dervişine göre en doğru yorumunda, dervişin sol avucu altında **"bedensel mutluluk"**, başı üzerinde **"bilgiyle mutluluk"**, (Kitabın ön kapağının üstünde derviş'in başı üzerinde "En yüce Rabia" olarak verildi). Sağ avucu üzerinde **"ahlâkla (edeble) mutluluk"** olduğu söylenebilir. **İnsanlığın bekasının algoritması da olan RABİA** sentezi ise; **"Mutlu insan"** sağ avucu üzerinde

"ahlâk (edep)", sol avucu altında **"madde (beden)** olan Mevlevi dervişiyle ifade edilebilir. **Her ikiside olmazsa olmazdır.** 21. Asrın bilgi sentezini tasavvuf ve mevlevi dervişiyle bir bütün olarak böyle doğru yorumlayıp dünyaya anlatamazsak, dünyada ne hata biter ne ders. Artık yapılan bu yorumlar, vakti gelen bir fikir olarak bütün ordulardan güçlü olabilir.

Bilim deneye dayanır, bilim adamı lâboratuvara girer; sonuçta "Bu madde ile şu maddeyi karıştırırsanız şu olur" der. Bugüne kadar katrilyonlarca insanı toplayıp, şu kadar bin yıl lâboratuvarda deneyemeyiz. Mensubu olduğumuz insan tipinin son yaklaşık 20 bin yıllık toplu yaşam deneyiminde insanlar, yanlış yapa yapa, yanlışların yarattığı sorunları göre göre, doğruları anlamışlar, örf, adet, gelenek olarak nesilden nesile aktarabilmişler. Çünkü bir Anadolu deyişiyle **"Söz büyüğün, sus küçüğündür"**. Güneydoğu Anadolu'da **"Göbeklitepe"** İ.Ö: ~9 600'e tarihlendiğine göre, bu bölge insanı yaklaşık 12 bin yıllık bir toplu yaşam deneyimine (medeniyete) sahiptir. Yaşadığımız bilgi çağında batı toplumları; Uzaya gidebilir, makine, bilgisayar yapabilir, birbirlerini hatta dünyayı yok edecek bombaları, biyolojik silahları yapabilirler. Ancak insan söz konusuysa, kişi ve toplum olarak İnsanın doğruları aranıyorsa, onu orta Asya'dan, Avrupa'ya, Amerika'ya yayılan insanların, yaşadıkları bölgelerin örf, adet, gelenek ve değer yargılarında aramak gerekir. Yaşadığımız çağda öğrendiğimiz bilgiler, o kadar çoğaldı ki, bir karmaşa çağı yaşıyoruz. Biri bir doğruya inanıyor, diğeri bir başka doğruya, çatışma başlıyor. Bütün çağdaş bilgiler, matematik ve bilimsel esaslara uygun evrensel bütünlük içinde, önem sırasına göre, düzene sokulmadan evrensel doğrular, anlatılmadan dünyada karmaşa önlenemez.

XIII. asırda Anadolu'da İslam tasavvufunun, Mevlâna ve Mevlevi dervişi ile ortaya koyduğu; İnsan için evrensel sentezin, çağdaş bilgilere ve yeni her şey kuramına göre fert için yorumu: mevlevi dervişinin altına yazılacak **E=MC²** formülüdür (**EK-If**). Kitabın dördüncü bölümündeki Yeni her şey kuramında üçgen **piramit**in neden evrenin yaratılış şifresi olan, **temel geometri** olduğunun sebepleri verildi. En sevindirici olan, bu geometrinin, XIII. asrın en büyük mutasavvufu, Mevlâna'nın Sema (göksel duyum) ayininin seremonisinde, sağdan sola doğru dönen ve **mikro evren**i temsil eden **mevlevi dervişi** ile örtüşmesidir. Dervişin elleri ile başı arasında oluşan üçgen'in tekrarıyla, daire dâhil, bütün iki boyutlu geometrik şekiller yapılabilir. Bu üçgenin dervişin ayaklarının ortası ile birleştiğinde oluşan üçgen **piramit**'in tekrarı ile de küre dâhil, üç boyutlu bütün geometrik şekiller yapılabilir. Dervişin aşağı doğru olan, sol avucunun altında **dünya nimetleri**, yani bedeni, gücü, kuvveti, parası, malı, mülkü yani "**madde varlıkları**" hattâ mevkii, yukarı doğru olan sağ avucunun üstünde "**manevi değerleri**" yani insanı insan yapan hayvanlardan ayıran temel değerler vardır.

Mesaj: Eğer **arif** (bilgili) insansan, **kâmil** (Olgun, bildiklerini yaşayan, kusursuz) insansan, Akl-ı selim sahibi (tam akıllı) isen, sağduyu sahibiysen; (Sağduyunun anlamını, birçok kültürde tarife gerek kalmaz) Sağ tarafında sahip olduğun **insanî değerler**, sol tarafında sahip olduğun **maddî değerler**'den yukarı olmalıdır.

Maalesef bu mesajın tam tersi hâkim olan bir dünyada yaşıyoruz. Oysa **Einstein**'ın **E=MC²** formülüyle; evrenin **enerji** ve **madde**den meydana geldiği ve enerjinin (**E**) maddenin kütlesinden (**M**) ışık hızının karesi **C= (300 milyon m/sn)²** kadar fazla olduğunu formüle etmişti. İnsanda evrenin bir parçası olarak madde ve enerjiden **ibarettir**. Burada **enerji** ile manevi (**insani**) değerlerin ikisinin de tarifi aynıdır. Her ikisi de elle tutulup gözle görülmeyen **soyut** varlıklardır. Yüzde yüz aynı denemese de çok faydasız bir benzetme olmayacaktır. İnsanın bu manevi varlığını, insan olmasının onuruna, nezaketine uygun düşünceleri söz ve davranışları olarak tarif edersek (ki tasavvufta buna "**hâl**" denir), bu özelliğin insanın sahip olduğu bütün maddi varlığından 300 milyonun karesi kadar fazla olduğu sonucu çıkar. Sonunda insan öldüğünde, maddi varlığı dünyada kalır. Enerji ise geldiği yere yani evrenin enerjisine geri döner yani ölümsüzdür. Bunu Türkçede "**baki**

kalan hoş seda" olarak ifade ediyoruz. İnsanlara ne getirir ne götürürü; **bilimsel, dinsel, evrensel** olarak anlatılır ve bir genel kabul sağlanırsa kimse kimseye ters bile bakamaz.

İslam tasavvufunda **"kesrette vahdet"** yani "çoklukta **birlik"** vardır. Dervişin sağındaki insani değerler kalpte toplanır. Dervişler **"sema"** ayininde sağdan sola dönerek, birliğe yani Mevlâ'ya (Allah'a) yaklaşırken, mevlevi şeyhi, sağ eli kalbi üzerinde, sol eli çapraz bağlı omzunda, bir koyun postu üzerinde ayakta durur. Ayin bittiğinde semazenler (dervişler) sırayla sağ elleri kalplerinin üstünde, sol elleri sağ omuzlarında, şeyhin sağ elini öperek saygı ile önünden geçerler. Kalpte toplanan manevi güç, enerjiye eşdeğer olunca; **gönlü (kalbi) manevi değerlerle dolu bir insanın, kalbinde; gönülleri fetheden, etkisi olumlu manâda, atom bombası ve hidrojen bombası az gelir, Big-Bang var demektir.** Çünkü atom bombasındaki uranyum atomları, yani madde parçalanıp, yok olunca, içindeki enerji bir şehri dümdüz etmektedir. Ancak kalpteki bomba öyle yakan yıkan değil, bütün güzellikleri ile evreni yaratan Big-Bang'in enerjisidir. Dünyada insanların kalplerindeki bu enerji birleştiğinde hem dünyada hem ahrette cenneti kazanabiliriz.

Evrende canlı cansız her şey varlığını "enerji" ile "madde" arasındaki denge sayesinde sürdürebiliyor, insanda "maddi" ve "manevi" değerleri arasında dengeyi sağladığı ölçüde varlığını sürdürebilir, mutlu olabilir. Sadece **manâ**yı tercih ederse, yaratanın, onun için uygun gördüğü yaşamı reddetme durumuna düşer, zaten yaşayamaz. İnsani, yani manevi değerler olmadan, sadece maddi değerlerle, daha azgın birine rastlayana kadar yaşarsa da hayvandan farkı kalmaz. Dervişin sol avucunun altında **madde** torbası, sağ avucunun altında **manâ** torbası vardır. İnsan her iki torbayı da birinden diğerine taviz vermeden ne kadar doldurursa, o kadar yükselir. Evrenin mikro ve makro yapılarının hepsi mevlevi dervişi gibi dönmektedir. Hareketsiz bir kayanın moleküllerindeki atomların, birbirleri etrafında, dönmekte olduklarını biliyoruz. Bu da aralarındaki muhteşem **enerji ve madde dengeleri sayesindedir.** Ayı yarım metre dünyaya yaklaştırın, denizler kabarır **denge** bozulur. Yarım metre uzaklaştırın, dünya iklimi yaşanmaz hale gelir. Ay olması gereken yerdedir. Sesler arasında **uyum,** yani **harmoni** varsa **müzik** olur, kulağa hoş gelir, uyumsuz sesler ise gürültüdür, rahatsız eder. İnsanların toplum içindeki uyumu, toplumların birbirleri ile uyumu da bundan farklı değildir. Ancak **insanların, toplumların birbirleri ile uyumuyla, uygar bir dünya toplumu** yaratılabilir. Sade evrenimiz değil **EK-Ia**'da **Evrenlerin Kuantumları Tablosu**nda ki, bütün evrenler, sonsuz zaman ve mekân sınırları içinde sonsuz sayıda enstürümandan oluşan bir orkestra gibi, adeta yüce yaratıcıya ait bir senfoniyi icra etmektedir. Belki bir gün, bilim ve bestekârlar bu senfonideki **altın oranları** keşfedip, notaların frekansları arasındaki oranların matematiğine uygun ilahi besteler yapabilecektir. **Her şeyin varlığını sürdürme şartı olan "denge"ye Eflatun "altın nokta" adını vermişti. Bu sürekli değişim halindeki değerlere göre bir altın noktaydı.**

Dünya üzerinde var olduğumuz günden beri öğreniyoruz. **Bilgilerimiz taş baltadan günümüzde, uzaya gidecek kadar çoğaldı. Ancak bilgiler yani doğrular arasında bir bütünlük sağlanamadığından, bugün bir karmaşa çağı yaşıyoruz.** Biri bir doğruya, diğeri başka bir doğruya inanıyor, savunuyor. Doğrular önem sırasına göre belirlenmediği için, çatışma başlıyor. Nuh tufanından bu yana, 12 bin yıllık, en eski toplu yaşam, yani Uygarlık deneyimine sahip Ön Asya insanları olarak öğrendiğimiz, **sayfa 190'da** görülen birinci **Rabia** "Dünyada insanlar için bazı temel rabialardan sonra **beşinci Rabia ahlâk'lı insan yani hanım veya adam olmanın Rabia'sı:**

1- **Büyüğe saygı,**
2- **Küçüğe sevgi,**
3- **Özveri,**
4- **Hoş görü**dür.

Bana göre dervişin sağ avucu üzerinde olan ve insanı önce insan yapan, bu dört kuralı sırayla inceleyelim:

1-BÜYÜĞE SAYGI: Bu her şeyden önce gelir, çünkü en büyük yüce yaratıcıdır ve insan onun en mükemmel eseridir. İnsanların ona taş devrinden beri verdiği isimler önemli değildir. **Allah cc, Calab, Tanrı, Yahova, madde ötesi** veya **enerji,** kim ne derse desin zaten tam tarifini bugün bile idrak edemediğimiz yüce gücü, buraya kadar anlatmaya çalıştığımız, çağdaş bilgilerin ışığında kimse inkâr edemez. Mevlana'nın dediği gibi **"Dinler birdir, ayrılık gidiş yollarındadır, yüz kitap olsa, hepsi bir bölümden ibaret, yüz tarafta da tek bir mihraba döndüler. Bu yolların hepsi tek bir eve çıkar. Bu binlerce başak tek bir tohumdan meydana gelmiştir."** EK-Ia'daki "evrenlerin kuantumları" tablosunda; **Bu tohum:** Bizim evrenle, önceki evren arasındaki **"sırf enerji hali veya NUR-U KADÎM"** veya en azından **"Big-Bang"** olduğu, bugün 21. asırda bilimin erişebildiği bir gerçektir.

Yaratana saygı toplumda, **büyüğe saygıyı** da beraberinde getirir; İnsanlık tarihindeki büyükler, günümüzde yaşayan bilim adamları, devlet büyükleri, nihayet yaşlı insanlar, büyük baba, büyük anne, baba, anne, ağabey, abla olarak bir hiyerarşi içinde yukarıya doğru **"saygı",** aşağıya doğru **"sevgi"** insan olmanın birinci gereğidir. Gençlerin büyüklere saygısı bir anlamda kendilerine saygısıdır. Çünkü, 30-40 yıl sonra da onlar büyük olacaktır. Bugün Amerikalı genç, ayakkabılarını babasının burnuna doğru, masanın üzerine koyup, kollarını kavuşturup, babasının söylediklerini aklı yatarsa kabul etmektedir. Keza ona özenen Avrupalı ve dünya gençleri, benzer davranışları, **hak hukuk, hürriyet, özgürlük, akıl yaşta değil baştadır,** gibi gerekçeler ile gösterebilmektedir. Bu davranışlar babanın rızası ile oluyorsa bir ölçüde hoş karşılanabilir. Bir Anadolu atasözü **"Söz büyüğün, sus küçüğün"** der. Söyleneni **yapma anlamında, söz dinlemede küçük, elbette belli bir terbiye ve nezaket dâhilinde, aklı yatarsa yapacaktır. Sözü dinleme anlamında** ise, küçüğün itiraz hakkı olmamalıdır. Çünkü insan beyni tıbben ortalama 22 yaşına kadar, bazı kişilerde ise daha ileri yaşlarda veya daha erken yaşlarda gelişimini tamamlayabilmektedir. Genç bir insanın beyni **ham meyve** gibidir **büyüğün söylediğini, büyüğün anlatmak istediği derinlikte, kapsamda anlamaya yeterli olmayabilir. Gerçeği tül perde arkasından görme durumundadır. Belki söyleneni gerektiği ölçüde, on-**onbeş sene sonra anlayacaktır. Büyüğün kendine söylediklerinde, insanlık tarihinden, yaşadığı çevreden, toplumdan, kendi büyükleri tarafından ona aktarılanlarla birlikte, bir de yaşadığı süre içinde edindiği görgü bilgi vardır. Yaşamın sonuna daha çok yaklaşmaktadır. Kendi karşılaştığı zorluklarla, kendinden sonrakiler karşılaşmasın diye, bildiklerini aktarma çabasındadır. Beyni, sinirleri, bedeni gençliğindeki kadar sağlam değildir. İstediklerini gereği gibi anlatabilmesi için rahat olması gerekir. Bu nesilden nesile **sürdürülmesi gereken bayrak yarışıdır. Çok yanlış bir ihtiyarın, çok yanlış şeyler anlatmaya çalıştığını ve karşısındaki gencinde, ihtiyarın anlattığı konuda,** dünyada en bilgili insanlardan genç bir profesör olduğunu kabul edelim. Eğer genç, ihtiyara saygıda kusur etmeden, yakasını kurtarabildiyse, ayağına kadar gelen imtihanı kazanmış, kendini bir o kadar daha yüceltmiş olur. Bu, doğru bir ihtiyarın söylediği, doğru bilgilerden kazanacağından çok daha büyük kazançtır. Eğitimi başarmıştır. İnsanlar her öğrendiğini uygulayamaz, insanlar hayat boyu, bunu başardıkça, deneye deneye eğitimle mertebeleri aşarlar.

2- KÜÇÜĞE SEVGİ: Küçüğe sevgide büyüğün, en büyüğe yaratana karşı sorumluluğudur. Çünkü sevgi güneş gibidir, ısıtır, aydınlatır, hayat verir. Burada çok ince bir noktayı ifade etmekte, zorunluluk vardır. Herkes büyük veya küçük birbirine emanettir. Ancak insan kendi kendine de Allah'ın bir emanetidir. Başkalarına zarar vermemek kadar kendine zarar verdirmemekte, muhatap büyükte olsa, küçükte olsa insanın öncelikli görevi ve sorumluluğudur. Sonuçta çözümün; Yine Eflatun'un **"altın nokta"** sında, yani **"denge"** nin nezaketinde olduğu anlaşılmaktadır. Kendinden genç birinden kötü davranış gören büyük, eğer gence ayni şekilde kötü davranırsa büyüklüğü kalmaz. Gence eğer dinliyorsa sevgi ve anlayışla doğru bildiğini anlatması gerekir.

3- ÖZVERİ: İnsan olmanın ikinci temel şartıdır. Anadolu geleneklerinde "önce **sen**" vardır. Herkes "**ben**" derse, yaşam kemik kavgasına döner. Yemek yerken önce misafire ikram etmek, konuşurken daha çok dinlemek, yolda giderken başkalarına yol vermek, buyur etmek. Bunlar önemsiz gibi görünen, insanlara yaraşan, yücelten davranışlardır. Gerçek yüceliş böyle, önemsiz gibi görünen detaylarda gizlidir.

Günümüzde çeşitli milletlere, etnik gruplara mensup dil ve dinleri farklı insanlar, işçiler, işverenler hatta aynı etnik guruba, aynı aileye mensup fertler arasında "Önce ben" hâkim görülmektedir. Motorlu araç trafiği en çarpıcı örnektir. Direksiyona geçenin ayağı yerden kesiliyor, adeta film çeviriyor. Adeta harbe gidiyor. Herkes birbirini geçmeye, adeta birbirini ezmeye, cezalandırmaya çalışıyor. Oysa arabaların bu görüntüsü, hayvan sürülerine has bir görüntüdür. Sürücülerin kendilerini böyle bir görüntü vermekten kurtarmaları gerekir. İnsanlar arasında önce başkalarına yol veren kişi saygınlık kazanır. Asıl öğrenilecek, her fırsatta uygulanacak davranış bu olması gerekir. Ancak, acil işi olana da yol vermek, gine nezaket gereğidir.

Keza sporda başarı tezahürlerinde, müzikte şiddet tezahürlerinde, elbette hoş görülmesi gereken, zararsız eğlence tarzları olarak düşünülebilir. İnsanlar; bir ölçüde kayıt, şart olmadan eğlenmek, çağın değimiyle dağıtmaya da hürriyetin tadını çıkarmaya da ihtiyaç duyabilir. Bu ihtiyaçların başkalarına zarar vermeden yapılması gerekir. **Ahlâk**ın felsefi tarifi "**Kurallara uyma sorumluluğu taşımaktır**". İnsanlara, **Kral mı? Kural mı?** sorusunun cevabı anlatılmıyor. Ancak orman sakinleri, birbirlerine karşı kral olmaya çalışır ve kabahatleri de yoktur. İnsanı en yücelten şey nezakettir, yani kurallara uymaktır. Bu bölümde yani **evrenin ve insanın sentezi** bölümünde **İnsanla ilgili yanlış düşünenler** olarak, tanımlanan bilim adamlarının, son birkaç yüzyılda, insani konularda yaptığı gafların, günümüzün şiddet heveslisi dünya anlayışında maalesef rolü olmuştur. İngiliz doğa bilimci **Darwin; (1809-1882)** Eski çağlardan kalma hayvan fosillerini inceledikten sonra "İnsanı da içine alan, canlı doğa evrimle oluşmuştur. Evrimin itici gücü yaşam kavgası bunun sonucu da doğal ayıklanmadır. Yani güçlü hayvanlar nesillerini sürdürüyor, zayıf olanlar kuvvetliler tarafından yok ediliyor, nesilleri tükeniyor" demişti. Nihayet **Nietzsche** (1844-1890) "Güçsüz insanlar, üstün insanların zaferi için yok olmalıdırlar" der. Bu fikirler eski çağlardan beri beklenen kurtarıcı Mesih inancı ile de birleştirildi. "İnsanlar arasındaki mücadelenin bir doğa kanunu olduğu, bir üstün ırkın diğer insanları yok edip, dünyayı kurtaracağı sonucuna" varıldı. Ve dünya bir **Hitler** trajedisi yaşadı. Oysa oda bilim adamlarına inanıp dünyada bir şeyleri düzeltmek için belki yola çıkmıştı. Bilim gerçek evrensel doğruları ortaya koymadıkça, artık dünya çapında harpleri hem güçlü hem zayıf toplumlar yaşıyor ve milyonlarca insan kaybediyoruz.

Esasen kötü yok, yanlış kötüyü doğuruyor. Kötülüğü ortadan kaldırmak için evvela *"Doğruların herkesin anlayacağı şekilde",* itiraz edilemeyecek kadar açık, net, bilimsel, evrensel olarak ortaya konması gerekir. Darwin kuramı hayvanlar için doğru olabilir, hâtta bugün mensubu olduğumuz "**homosapiens**" (*düşünen insan*) tipi insandan, daha önceki "**Neandertaler**" ve daha öncekiler içinde doğru olabilir. Nihayet mensubu olduğumuz insan tipinin tarih boyunca, hatta günümüzde sürdürdüğü harpler, mücadeleler inkâr edilemez, ancak insanlar arasında mücadelenin, doğa kanunu ve kaçınılmaz, olduğunu kabul etmek ayrı şeydir. Bu peşinen hayvanlığı, daha hafifi ilkelliği kabul etmek olur ki insanlara yakışmaz.

Günümüzde dünyayı birkaç yüz defa yok etmeye yetecek, nükleer silahların mevcudiyeti, dünyayı yaşanmaz hale getirebilecek biyolojik kitle imha silahları, artık dünyada insanların akıl yoluyla bilim yoluyla toparlanması zamanının geldiği uyarılarıdır.

Bilinen evrende insandan daha mükemmel bir varlık yoktur. Dünya ise yüzyılımızda, uzun insanlık tarihi boyunca görmediği kadar, gelişmiş ülkelerde en azından orta gelir gurubu insanlar için, maddi açıdan, yaşam konforu açısından cennete dönmüştür. Son batıdaki ekonomik krize rağmen de bu hâlâ bir ölçüde sürmektedir. Bilgi çağına girdik her şey artık çok hızlı değişiyor. Aynı hızla alel acele kazanılan değerlerin, bilime dayanmayan veya yanlış bilgilere dayanan politikalarla, yok olma yoluna sokulması çok yazık olur.

Mücadele, rekabet, sporda, üretimde, ticarette, demokraside, sanatta, müzikte v.s. elbette olmalıdır. İnsanlara düşen, mücadele şartlarına kurallarına ve sürecine, insan olmanın nezaketine yaraşan görüntüyü kazandırmaktır. Bu da maddi ve manevi değerler arasında, birinden diğerine taviz vermeden bir "**denge**" kurabilmekle, bir anlamda "**nezaket**"le olur.

Irk üstünlüğü konusunda kendini üstün gören bir toplumun, kendini üstün gören bir kişiden farkı yoktur. Gerçekten üstün olan insana bu konuda söz düşmez, üstünlüğüne başka insanlar ancak karar verebilir. Dünyanın sevgiyi saygıyı hak eden kişilere, toplumlara ihtiyacı vardır. Onlardan Allah da kul da razı olacaktır. Üstünlüğün silahla, güçle para ile gizli veya açık maddi güçle, zora dayalı olması, artık modası geçmesi gerekir. Aksi bir durumun orman sakinlerinin birbirine üstünlüğünden farkı kalmaz. Unutmamak gerekir ki artık kılıç kalkan devri geçti, kaldıki o devirlerde bir mertlik kavramı vardı, Artık nükleer silahlar var. Avustralya'da yirminci asırda, o güne kadar medeni dünyadan hiç haberi olmamış bir köy buluyorlar. Bu köyden birine soruyorlar; "Ormanda gidiyorsun, karşıdan sana doğru başka bir insan geldiğini gördün ne yaparsın?" köylü, "Önce sorarım, benim akrabammı, eğer değilse o beni öldürmeden önce, ben onu öldürürüm" diyor. Bu 21. asrın aklıselim sahibi uygar insanları için ibret verici bir örnektir.

İnsan bin defa, önce "**ben**" diyebilir, her defasında da ezip, çalıp, gasp edip kazanabilir. Ancak herkesin önce "**sen**" dediği bir dünyada, bir an gelir, her fert milyarların, baş tacı olur. Kazancı tasavvurun üstündedir. Başkalarını yüceltmek gayretinde olan yücelir başkalarına saygı gösteren, saygı görmeyi hak eder. Anadolu yaşam tarzında kişi kendini herkes gibi görür. Televizyon bütün dünya insanlarını standart hale getirmeden, Anadolu'da dâhil, bütün dünya toplumlarının davranış ve düşünme özelliklerinin bilimsel olarak incelenmesi gerekir.

4-HOŞGÖRÜ: İnsan olmanın dördüncü ve son şartıdır. Haksız, yanlış rahatsız edici bir olayla karşılaşıldığı zaman, genelde "**olaya**" reaksiyon gösterilir. Bu yüzden, tarih boyunca ve yaşadığımız her dakika hastaneler, hapishaneler, mezarlıklarda sonuçlanan olaylar yaşanmaktadır. Oysa ilk reaksiyonu refleks olarak; Dikkati olaya değil "**kişiye**" yöneltmek gerekir. Mazur görülmesi gereken kişi mazurdur. Ya bilgisizlikten, eğitim düzeyinden, yorgunluktan, sarhoşluktan, zekâ düzeyinden, ruh sağlığından dolayı yanlış davranmış olabilir. Bunlara dikkat etmeyip, muhatabı baştan kendiniz gibi sayınca, karşı hamle ile durumu eşitleme, ihtiyacı ve sonuç, hayvanlarda şahit olduğumuz, görüntüler. Oysa kişinin davranış sebebini anlamak için süratle "**kişiye**" dikkat ettiğimiz zaman, mazuriyeti yüzde doksan anlaşılır, yüzde on anlaşılmayabilir, o zaman onu yüzde yüz yapın, muhakkak bir şey vardır. Nezaketle "Sen haklısın arkadaş" demek ve özür dilemek artık size bir şey kaybettirmez. Tabii kabahat bizzat sizde de olabilir. O zamanda gine özür dilemesini bilmek gerekir. Karşılıklı anlayış ve nezaketle olay sonuçlanmışsa, her iki tarafta, toplumda, çok şey kazanmış olur. Bir Alman atasözüne göre "Ende gut, alles gut" eğer sonu iyiyse hepsi iyidir.

III) MEVLEVİ DERVİŞİNİN TOPLUM İÇİN YORUMU (EK-IVa):

21. asırda insanların; hem kendi vasıflarına, hem yapılarına, hem içinde yaşadıkları ve parçası oldukları evrenin ilahi ahenk ve düzenine yaraşan, toplumsal, matematik ve sistematik yapılanmayı kurup, birbirleriyle, Dünyayla, Evrenle bütünleşerek, evrenin en gelişmiş varlığı olmaya lâyık olduğunu, geç kalmadan kanıtlamaları gerekir.

Evrenin; galaksiler ötesine **sonsuz** büyüyen, atomun temel taneciklerine doğru **sonsuz** küçülen, **madde varlıkları**, astral ve atomal ölçekte, sonsuz zaman ve mekân ölçüleri içinde, **doğum, yaşam, ölüm** evrelerinden geçtiği, bu evrelerden geçerken, her şeyin matematikle ifade edilebilen, sonsuz vasıfları, karşılıklı etki ve tepkileri ile **ahenk, uyum, harmoni** içinde, iç içe, sonsuz sistemlerden oluşan **sonsuz mükemmellikte, ilâhi bir bütünlük** gösterdiği anlaşılmaktadır. **EK-IIf** ve **EK-Ia**'da, **Evrenlerin Kuantumları Tablosu**nda, her evrenin yaşam serüveni yani kaderi; astral ve atomal ölçekte **zaman** ve **mekân** olarak, Big-Bang öncesindeki, **sırf enerji halinin içinde (NUR-U KADİM)**, bilgisayar programı gibi, mevcut olması gerektiği görülmektedir. Burada **bilim** ve **dinler** birleşmektedir. Bu birleşme Her şey Kuramının sonunda "**Bose-Einstein kuantum yoğunlaşması (S-137,140,192,178)** olarak daha da açık olarak ortaya kondu.

İnsanlar mağara resimlerinden, en son tek tanrılı dinlere kadar, kendilerini yaratan güce, her çağda, akıllarının erdiği ölçüde yönlenmişlerdir. Takdire şayandır ki, bu birçok kültürde, **atalara, büyüklere saygıyı** beraberinde getirmiştir. Yaşadığımız çağda ise **inançsızlık;** "**Kim ne yaparsa, yanına kalacak, hesap soran yok**" düşüncesini doğurduğu için, dünyada yaşamı orman kavgasına çevirmekte ve içinde yaşadığımız dünyayı, bir gün yaşanmaz hale getirecek, maddi ve manevi kirlilik yaratmaktadır.

İnsanların bütün eserlerinde, taş baltadan, bugünkü uzay araçlarına kadar, üç unsur esas olmuştur; "**madde**", "**insan**", "**bilgi**" yani dervişin üç unsuru denebilir çünkü **ruh da bilgi** de soyut bir kavramdır. İnsan bilgisi ile maddeye şekil verip eser üretir. Fert için mevlevi dervişi nasıl modelse, toplum içinde modeldir. Toplum modelinde insanın yerini aşağıda görüldüğü gibi "**devlet**", manâ'nın yerini "**bilenler**" (üniversiteler) '**madde**'nin yerini "**üretenler**" (yapanlar veya meslek kuruluşları) alır. Kişi ve toplum olarak bu ortak modelin insanlara kazandıracağı evrensel düzen, ahenk, uyum, tarih boyunca insanlara felaket, kötülük, ıstırap kaynağı olmuş, eksik ve yanlış bilgilerin doğurduğu karmaşayı olumsuzlukları, tüm sorunları ortadan kaldıracak, dünyada insanları bütün olarak, sağlıklı, mutlu tek bir organizma yapısına kavuşturacaktır. **EK-IVa**'da dervişin topluma uygulaması, bütün detayları ile "**Bilimlerin Tasnifi Tablosu**"nda verildi. **Eflatun "Devlet bireylerin işlevlerinin büyütülmüş simgesidir"** der. İnsanlık tarihinde bugüne kadar, din, ahlâk, sezgi aracılığı ile sağlıklı beden ve ruh terbiyesi ile ferdi veya topluluklar halinde her şeyin kaynağı yaratıcısı olan, yüce güce, nizama, mükemmelliğe, gerçeğe yönelişlerin bizi kitabın sonunda anlatılan "**Altın** Çağ"a götürebilmesi ancak "**Çift Rabia**"yla **(S-185-189.201)** mümkün olabilir. Hem devleti hem insanı temsil eden dervişin başı üzerinde ki *kesrette vahdeti* yani evrenimizde her şeyin Allah'ın (cc.) birliğinde toplandığını ve insanlığın bekasının da (Beka billah) ancak insanların hem maddi hem manevi değerlere sahip olmalarıyla mümkün olabileceğini herkesin kabul etmesi gerekir. Bu gerçek, üniversitelerin kozmoloji fakültelerinde **evren bilimin çağdaş sentezleri ve sürekli yeni gelişmelerin ışığında güncellenerek tüm dünya insanlarına mal edilebilir.** Bu sentezlerin fertlere ve toplumlara, düşünce ve davranış olarak etkileri ve sonuçları ve dünyada insanların maddi ve manevi varlığındaki **dengenin, Barışın** evrenin maddesi ve enerjisindeki **ilahi denge gibi**, sadece dünyada insanların varlığını sürdürmesini güvenceye almakla kalmayacak, aynı zamanda dünyada İnsanlara, diğer canlılara, hattâ cansız varlıklara kazandıracağı, **harmoni, uyum, mutluluk,** ifade edilemeyecek kadar muhteşem olacaktır.

C) BUGÜN DÜNYADA HAKÎM OLAN MATERYALİZM'İN, TARİHİ ANALİZİ VE GELECEĞE DÖNÜK EVRENSEL ÇÖZÜM:

Asya ve Önasya insanları üzerinde tek tanrılı dinlerden önceki, çok tanrılı dinlerin, ciddi bağlayıcı ve korkutucu baskısı vardı. Mısır'da tapınak rahiplerinin, 3-4 bin yıl çalışmayla, 7 bilim dalında topladıkları bilgileri, Mısır rahiplerden öğrenen Yunanlılar, çok tanrılı dinleri, aynı tanrılara Yunanca isimler vererek benimsedilerse de bu tanrılar masal kahramanı haline geldi. Korkutuculukları kalmadı. Yunanlıların doğudan aldıkları bilgileri dönüştürüp özgürleştirmekle batı kültür, dünyasına yaptığı katkılar yadsınamaz. Ancak dinin masallaşması, insanlara benzeyen, birbirini öldüren, kıskanan tanrılar, hırsız tanrılar, Yunanlılar'da "günah" kavramını ortadan kaldırdı. Yunan kolonilerinde, doğu-batı ticaretinin getirdiği zenginlikle birlikte, yaşam maddeleşti. Mesela hırsızlık yapan yakalanmadıysa ayıplanmıyordu.

Yunanlı kardeşlerimiz kusura bakmasınlar; Yunanlılardan önce müslümanlara, Roma'ya, Ortaçağ Avrupa'sına Rönesans ve sonrası Avrupa'ya ulaşan bilgi transferi ve **özgürlüğe** evet ancak, binlerce yıllık ipek yolu ticaretinin getirdiği, **kurnazlık, bencillik, ferdiyetçilik, egoizmle** başlayan, daha sonra Avrupa'da ırkçılığa varan ve hâlâ devam eden **materyalizm**, dünyaya iki dünya harbi yaşattı. Son olarak Avrupa'da ve Amerika'da yaşanan ekonomik krizin Yunanistan'da had safhada yaşanması dikkate değerdir. **Herkesin ben dediği toplumlar varlığını sürdüremez.**

Yunan medeniyeti devam edemedi, **Roma** onlara özendi o da çöktü. **Derebeylerin, kralların, imparatorların ve kilisenin aristokrasisi** de bencilliğin devamıydı onlar da tarih oldu. Fakat bu aristokrasilerin Avrupa'da her biri kendi müzik tarzını geliştirirken, ezilen Avrupa halkları da bir nevi mücadele aracı olarak, **Avrupa halk m**üziklerini geliştirdiler. Bugünde devam eden, bu eski Avrupa halk müziklerinin sözlerinde; Derebeyler öncesinde, **halkla beraber, halk gibi yaşayan liderlerin özlemi** vardır. Bu liderler tahta tabakta yemek yiyen **Atilla**, belki Asya'dan, Türklerin ülkesinden giden, önce Norveç kralı sonra Germen tanrısı olan **Odin (S-192)** hatta İ.Ö. 9 000'de Asya'dan Avrupa'ya giden **Alpliner**in ve İ.Ö.3000'lerde **Etrüskler**in liderleri de olabilir.

Yunan yaşam tarzı Romalıları etkiledi. Romalıların zevk için arenalarda, insanları birbirine veya aslanlara parçalatmaları, istila ettikleri ülkelerdeki halklara karşı acımasız zalim uygulamaları, örnek verilebilir. Bir anlamda Yunanlıların **kurnaz zengin aristokrasisi**, Roma'da **zalim aristokrasiye** dönüştü denilebilir.

Hıristiyanlık; Kudüs'te Hz. İsa [Yesus Christus (Kurtarıcı Yesus)] tarafından, fakir ve mazlumların kurtarıcısı olarak kuruldu. Sonra Avrupa Hristiyanlaştıktan sonra, kilisenin Avrupa'da tek hükümran olarak, kralların da üstünde, Bilim karşıtı ve acımasız uygulamaları ile Avrupa bir karanlık orta çağ yaşadı. Cehaletin fakirliğin, harplerin ve hastalıkların hakîm olduğu Avrupa'da 800,000 kadın kilise tarafından yakıldı. **Yunan'da** ve **Roma'da** günah kavramının kayboluşu, sorunlar yaratırken, **Orta** çağda Avrupa'da kilisenin bağnaz ve her şeyi sadece İncil'de yazılanlara göre açıklamak isteyen kilisenin günah anlayışı sorun yarattı. Kilise dünyanın tepsi gibi oldugunda ısrarını sürdürdü. Ortçağ'da Avrupa sefalet cehalet ve vebayla uğraştı.

Rönesans ve sonrası Avrupa ise; Endülüs'ten ve İslam eserlerinden aldığı bilimi, teknolojiye ve sanayiye dönüştürüp, elde ettiği askeri ve ekonomik imkânlarla ve ortaçağdaki kilise baskısına tepki olarak, günah kavramı olmayan Roma zihniyeti, **Avrupa'da ırk** üstünlüğüne **ve sonra dünyada zengin milletlerin aristokrasisine, sömürgeciliğine, emperyalizmine ve büyük devletlerin silahlanma yarışına** dönüştü.

Nihayet Fransız İhtilali ile Avrupa'da **milli devletler**, sonra da üstün ırk düşüncesi aynı bencilliği devraldı. Onlarda daha önce kralların, aristokratların kendilerine uyguladığını, daha az gelişmiş ülkeleri sömürgeleştirerek bu sömürge halklarına uyguladılar. Son olarak Amerika ve Kanada dahîl Avrupa'da, sanayi devrimi ve bilgi çağıyla beraber refah düzeyi yükseldi, işçi ücretleri de yükselince firmalar Çin'de ve işçiliğin ucuz olduğu başka ülkelerde üretim yapmaya yönelirken, Avrupa ve Amerika'yı son ekonomik kriz zorluyor. Eğer devam ederse, Karl Marx'ın **"Patronları keselim"** formülü de krizi bitirmez.

XVII. Asırdan sonra Osmanlı'da ise, Kâtip Çelebi ve diğer bazı alîmlerin uyarılarına rağmen, bilim bir kenara bırakılıp, her şey sadece Kuran'daki ayetlerin yapılan yanlış tefsirleriyle (Kelam) düzenlenmeye başlandı. Kuran'da tamamen aksi ifadeler olmasına rağmen, bilimle uğraşmak, Allah›ın işine karışmak, mükemmel eser yaratmak Allah›a saygısızlık olarak algılanır oldu. Böylece, bir anlamda, Ortaçağ Avrupa'sının düştüğü hataya düşen Osmanlı, önce kapitülasyonlarla bir ölçüde güçlü zamanında bile kendini sömürgeleştirmeye başladı. Sonra 20. asrın başında I. Dünya Harbi sonucu topraklarının çoğunu Avrupalılara bir ölçüde sömürgeleştirilmek üzere terk etmek zorunda kaldı. Eski Osmanlı topraklarında 30-35 devletle beraber, Anadolu'da Türkiye Cumhuriyeti kuruldu.

Önce İngiliz sömürgesi olan Kuzey Amerika, **A.B.D.** olarak bağımsızlığını kazandıktan sonra, Kanada ile beraber Avrupa'yla bir ölçüde, en azından ekonomik ve kültürel bütünleşmesi sonrası, Avrupa ve Kuzey Amerika'da **"kapitalist materyalizm ve aristokrasi"**, Rusya ve Çin'de bir ülçüde **"komünist materyalizm ve aristokrasi"** dünyaya hâkim oldu denilebilir. Daha önce, İspanya, Portekiz, İngiltere, Fransa ve İtalya, dünyada sömürgeler elde etmişlerdi. **Darwin**'den kuvvet alan, diğer bazı bilim adamlarının geliştirdiği "ırkçılık" da yine Avrupa ülkelerinin Romalılara özenen **"Romalı ayrıcalığı"** talebi olarak düşünülebilir. Ancak Hristiyan Avrupa'nın, Roma gibi günah kavramına uzak olmaması sebebiyle, bir nevi kendilerini mazur gösterme arzusuyla, bilimden medet umma, yani **"Ne yapalım bilimsel olarak mücadele doğa kanunuymuş öyleyse herkes silahlarını alsın arenaya çıksın, kim daha çok Romalı anlaşılır"** düşüncesi dünyaya iki dünya harbi yaşattı.

Sovyetlerin; dağılmadan önce, kendi halklarına ve bağlı cumhuriyetlerin halklarına çektirdiği eziyetlerin ise, Komünizmin din karşıtı olması sebebiyle, günah kavramı olmayan **Roma özentisi** içinde olduğu düşünülebilir. Nihayet komünizmin iflası ve Sovyet cumhuriyetlerinin bir ölçüde, bağımsız demokrasiler haline gelmesi ile dünya bugün büyük ölçüde **materyalist kapitalizme** bağımlı hale geldi denebilir.

Sovyetlerin dağılmasından sonra dünya bir ölçüde Amerika ve Kapitalizme bağımlı hale geldi. İkinci dünya harbi, Amerika atom bombası kullandığı için bitti. Bugün bırakalım beş büyükleri, Pakistan ve Hindistan bile atom bombası yapabiliyor. Batının **"Ne yapalım hayat mücadeledir, er geç üstün olan kazanır"** zihniyeti dünyayı yaşanmaz bir hale getirebilir. **1960** yılında ülkelerin elinde bulunan, bütün atom bombalarının hepsi patlasa, dünyayı bir defa değil 250 defa yok edecek güçteydi. Bugün ne güçte bilmiyoruz. Esasen artık bilmeye de gerek yok. Bırakın harbi insan hatasıyla, bir kaza olsa zincirleme diğer bombalar veya atom santrallerini tetiklese yazık olmaz mı? Sorumluları ne yapacak? İnsanlık ne yapacak? Darwin ile başlayan güçlü hayvanlar hayatını devam ettiriyor gerçeği hayvanlar için doğru olabilir. İnsanlara uygulamak önce insanın kendisine saygısızlıktır. Bu zihniyet artık sömürgeler elde etmek amacını çoktan aşmıştır. Çok tehlikeli bir aşamaya geldiği açıktır.

Bugün, Hıristiyanların oranının %15'e indiği söylenen **Avrupa'da,** günah kavramının ve ırkçılığın ne ölçüde hâkim olduğu bir yana, bütün dünyada olduğu gibi, materyalizmin hâkim olmadığını söylemek yanlış olur. Artık bütün dünya halklarının günlük yaşamına hâkîm olan **materyalizmden kurtulup,** daha **dengeli, akıllı ve adil bir dünya** nasıl kurulabilir? Sorunun cevabının bu kitapta anlatılanların ışığında kesinlikle **Rabia'nın matamatiği ve geometrisi** olduğunu söyleyebiliriz.

ÇÖZÜMÜN ANAHTARI: Bu kitabın ön kapağının ortasında görüldüğü gibi, hem **fert,** hem **toplumu** ifade eden **"mevlevi dervişi"**nin geometrisi olan üçgen piramidin **altında** **E=MC²** formülüdür. Daha anlamlı bir ifadeyle **RABİA,** yani **1,2,3,4**'tür. Bu 4 sayı evrenin matamatik şifresi olan **Sayfa 144**'deki Pisagor üçgen piramitlerinin basamaklarının en üstünde de görülmektedir.

Bu kitabın başından, sonuna kadar, dünya kütüphanelerini dolduran bütün çağdaş ve evrensel bilgilerin, kapsamlı olarak kabaca genel çerçevesi çizildikten sonra; en azından yaşadığımız evrende her varlığın **enerji** ve **madde**den meydana geldiği, her varlığın, varlığını sürdürmesinin, bu iki ana unsur arasındaki üçüncü unsur olan, **denge**ye bağlı olduğu sonucuna varılmıştır. Dünyamızda bu dengeyi sağlamak, **mikrokozmos'u** temsil eden, **arif** ve **kâmil insan**a düşmektedir.

Bu tespitten sonra, insanların davranışlarına, kişisel ve toplumsal olarak materyalizmin, husumetin, bencilliğin hâkim olması sürdüğü takdirde, dünyadaki yaşam ve insanların varlığını sürdürme şansı daha ne kadar mümkündür? Bunu artık **21. asırda sorgulamak zorundayız.**

Daha önce İslâm'da; "**hoşgörü**" ve "**tövbe**" kavramlarına sığınan sorumsuzluk ve kural tanımazlıkla, batıda insani değerlerden çok maddi değerlere ağırlık veren anlayış tarzı arasında, bir tasavvufun ve dervişin dengesini gündeme getirmekten başlamak gerekir. Bir başka ifadeyle **Leonardo da Vinci**'nin insanın **ruh** ve **madde**den oluştuğunu gösteren çizimindeki bu iki unsur arasında, aktaramadığı **denge**, insanlığı **materyalizm**den kurtarabilir. Böyle bir dengenin toplumsal olarak gerçekleşmesi için, önce herkesi çağıran bir çağrıya ihtiyaç vardır. **XIII. Asırda** olduğu gibi, günümüzde de bu çağrıyı daha iyi yapan, tasavvuftan ve özellikle Mevlevi tasavvufundan başka bir düşünce sistemi yoktur.

Önce Mevlâna'nın çağrısını tekrarlamakla başlayalım. Mevlâna'nın Konya'daki türbesinin kapısında "**Gel! Gel! Nerede olursan ol yine gel, kâfir isen de rind isen de puta tapansan da gel, bizim dergâhımız umutsuzluk dergâhı değildir. Yüz defa tövbeni bozmuş olsan da yine gel!**" sözleri yazılıdır. Mevlâna bir başka ifadesinde: "**Dinler birdir, ayrılık gidiş yollarındadır, yüz kitap olsa hepsi bir bölümden ibaret, yüz tarafta da tek bir mihraba döndüler. Bu yolların hepsi bir eve çıkar. Bu binlerce başak tek bir tohumdan meydana gelmiştir**" der. Bu kitabın sonunda "**Her** şey Kuramı **Rabia**" başlığı altında (**S-178,201**) açıklamış olduğumuz **Big-Bang**'in, binlerce başağın meydana geldiği tek tohum olduğunu söylemek yanlış olmaz.

Yukarıdaki birinci ifadeyi güncelleştirirsek: **Gel! Gel! Nerede olursan ol, yine gel, Ateistsen de komünistsen de kapitalistsen de satanistsen de materyalistsen de** batılıysan da doğuluysan da **gel. Hangi renkteysen, hangi dili konuşuyorsan, hangi ırktan, dindensen, hangi mezheptensen, hangi düşünce akımına inanıyorsan gene gel, bizim dergâhımız ümitsizlik dergâhı değildir. Bin defa fikrini değiştirmiş olsan da** tövbeni bozmuş olsan da yine gel! Bu çağrı bize bugün daha yaşanabilir, vicdanlarımız sızlamadan yaşanabilir bir dünya için yol gösterebilir. Önce, Amerika'nın Irak ve Afganistan hamleleri, Polonya'da füze kalkanı projesi, sonra Gürcistan olayının ardından, İsrail, İran'ın nükleer çalışmaları **Arap baharı nihayet Suriye, Irak, İran hatta Kuzey Kore krizleri** gerilim ortamının tırmandığını gösteriyor. Daha fazla ümitsizliğe kapılmadan, çözüm için, neler yapılabilir? Konusu üzerine ortak aklın gereği nedir? Bu sorunun cevabını belirlemeye çalışalım: Bestekârlar kulağa hoş gelen **seslerle** (notalarla) müzik besteleri yapar, şairler **kelimeler** ve **cümlelerle** söz dizileri, şiirler yazar, ressamlar **çizgiler** ve **renklerle resimler**, heykeltraşlar çeşitli maddelerden üç boyutlu **heykeller** yapar. Gelin, bu kitabın dördüncü bölümündeki, **Her** şey Kuramı'ndaki bilgiler (**S-176,201**) temelinde, **evrenin ve insanın mükemmelliğine yakışan bir dünya ve dünya toplumu oluşturmaya çalışalım.** Bu yaratıcımızın en mükemmel eseri olarak, bize bahşedilen mükemmelliğe lâyık olduğumuzu göstermenin gereğidir. Ona ancak böyle yaklaşır, yüceliriz. mevlevi dervişinin, dönerek mistik olarak, **Allah'a yaklaşma** amacına, 21. asırda artık **bilim yoluyla** da ulaşabiliriz.

Fizikçiler ortaya üç her şey kuramı attılar ancak ispatlayamadılar. İspatlayabilecekleri yeni her şey kuramını beklemeden, üçüncü dünya harbinden kurtulmak için **RABİA** ile işe başlayabiliriz.

D) YAŞADIĞIMIZ ÇAĞIN BİZE KAZANDIRDIĞI TARİHTE GÖRÜLMEMİŞ ŞANSI BİZE KAZANDIRAN İKİ SEBEP:

Özellikle, yaşadığımız 21. asırda dünya gençlerinin, insanlık tarihinde görülmemiş bir şansa sahip olduklarından haberdar olmaları gerekir.

BİRİNCİ SEBEP: Amerika'da yaklaşık **1990**'lı yıllarda "**Bilgi Çağı**" başladı denebilir. İnsanlık tarihinde böyle bir çağ yaşanmadı. Sadece gençler değil, herkes bu şansı elde etmiş oldu. Bilgisayarlar önce iki otobüs büyüklüğündeyken artık cebe giriyor. Adeta Alaaddinin sihirli lambası gibi, ne istenirse gerçekleştirmesi mümkün.

İKİNCİ SEBEP: Yine **1990**'larda "**Sovyet Sosyalist Cumhuriyetler Birliği**" dağıldı. Osmanlıdan sonra 30-35 cumhuriyet ortaya çıkması gibi Sovyetler Birliği'nden sonrada, çok sayıda cumhuriyet ortaya çıktı. Yani **1990**'lı yıllardan önce Kuzey Yarım küre, **Rusya** ve Çin'in hâkimiyetinde, **komünist bloktu**, Kuzey "**komünist**" Güney "**kapitalist**" ve maalesef" **komünizm** teoride, **kapitalizm** pratikte olmak üzere ikisi de **materyalist** ülkelerdi. Aradaki sınırın adı, **demirperde** idi. O tarafa geçeni, bu tarafa geçeni sınırda vuruyorlardı. Almanya'yı ikiye bölen bu sınırda Almanlar Almanları vuruyordu. **1990**'larda bu sınır kalktı, sonra Berlin'i ikiye bölen duvar **1991'de** yıkıldı, yani **1990'lı yılların başında bütün dünya kapıları insanların önünde açıldı** ve insanların önüne sihirli kutu, **bilgisayar Alaattinin sihirli lâmbası gibi kondu.** Artık dünyanın bütün ülkelerine gidip gelmek **bir ölçüde** serbest oldu. Yani şans elde edildi.

Gençlerin bilmesi gereken; **şansı elde etmek başka, değerlendirmek başkadır.** Şans kuş gibi uçar, atarsan düşer. O kuş bir daha geçsin de şansımı tekrar denerim olmaz. Çünkü yaşam, gençken, insanlara sanki hiç bitmeyecekmiş gibi gelir. Oysa adeta göz açıp kapayana kadar çabuk geçiyor.

I) YAŞADIĞIMIZ ÇAĞIN BİZE KAZANDIRDIĞI TARİHTE GÖRÜLME-MİŞ ŞANSI DEĞERLENDİRMENİN DÖRT ŞARTI:

1) İNGİLİZCE ÖĞRENMEK: Mümkün olduğu kadar erken yaşta, çünkü Fransızcada, Almanca da zor hem de dünyanın her yerinde geçerli değildir. İngilizce hem kolay, hem her yerde geçerli. Biz eskiden İngilizce öğreten kitaplardan İngilizce öğrenmeye çalışırdık. Ancak kitaptaki harfleri Türkçe gibi okurduk, yani Tarzanca öğreniyorduk. Bugün İnternetten İngilizce öğreten bir programı cep telefonuna yükleyip, ertesi gün, otobüste, vapurda, yolda yürürken, kulaklıkla dinleyip, akşam yatarken zaten öğrenilmiş olan derslerin, sesini tekrar tekrar dinleyip aynı sesleri taklit etmeye çalışılırsa, bir senede sade boşa geçen zamanlarda o program biter ve kişi konuştuğu zaman da Amerikalı veya İngiliz gibi konuşmaya başlar.

2) SÜRELİ YAYIN TAKİBİ: Herkesin kendi mesleği ile ilgili, dünyada haftada birveya ayda bir yayın yapan fakat dünyada son bir haftada veya ayda o meslekle ilgili yaprak kıpırdasa haber veren bir mecmuayı, takip etmek.

3) ŞAMPİYON KİTAPLARI OKUMAK: Yani kitap. Herkesin, mesleği ile ilgili konuda, adını dünyaya kabul ettirmiş, o çağda, o mesleği en iyi bilen kişilerin, yazdığı kitapları yani dünya şampiyonu kitapları takip etmesi. Ancak bir hafta sonra veya bir sene sonra yeni araştırmaların ışığında eski bilgileri güncelleştiren yeni şampiyon kitaplar çıkabiliyor. Böylece eskiden doğru bilinen bazı bilgilerin yanlış olduğu anlaşılıyor.

4) İNTERNET TAKİBİ: İnternet, zaten herkese kendi mesleğinde, dünyada yarım saat önceki gelişmeleri haber veriyor. Bu süreli, süresiz yayınları ve interneti kendi mesleğinde 5 sene, 10 sene, takip eden herkes, mesleğinde en iyiler arasına girip, yaşadığımız çağın kazandırdığı şansı değerlendirebilir.

ÜÇÜNCÜ BÖLÜME EK BAZI RESİMLER VE ÇİZİMLER:

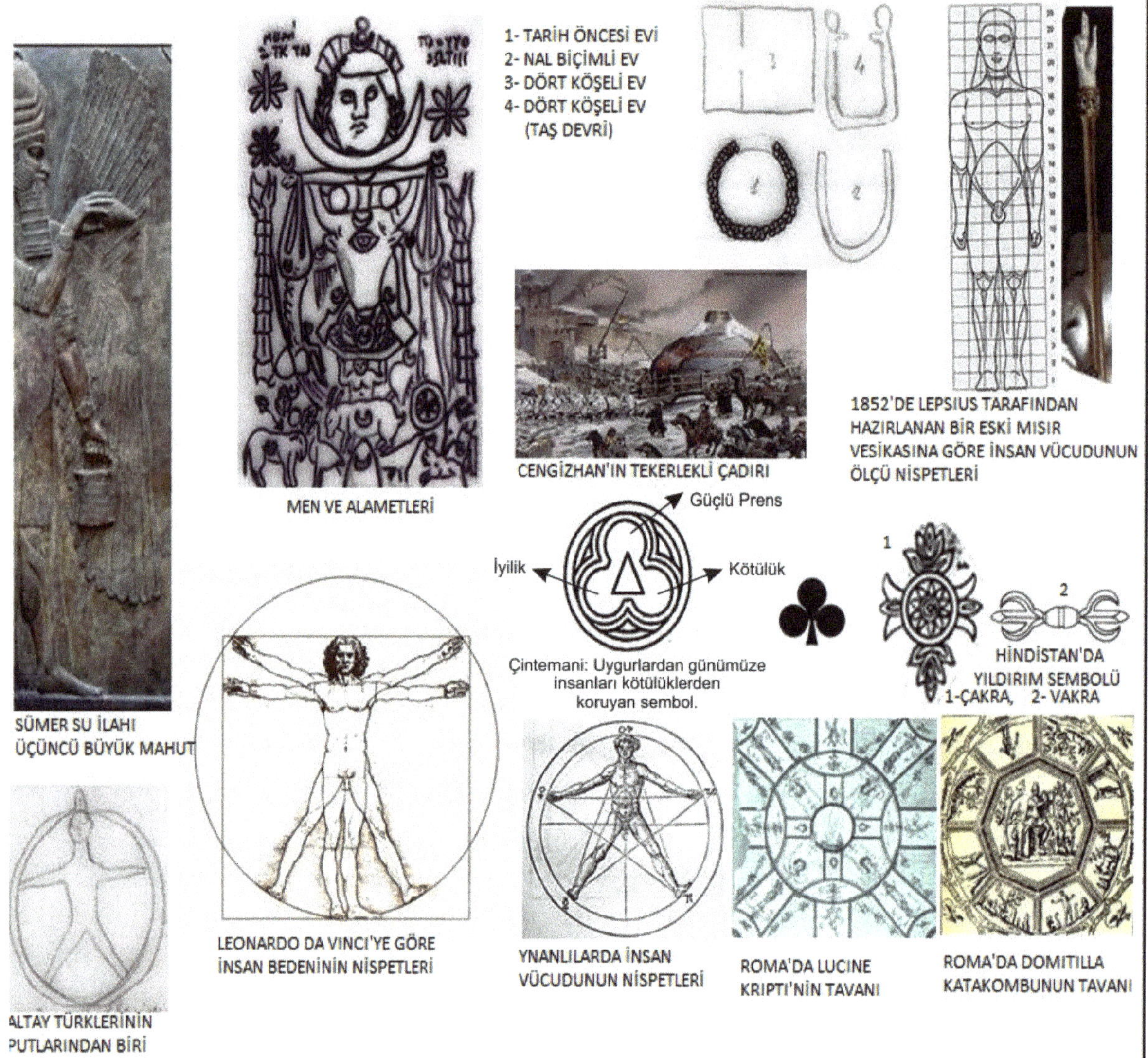

RESİM 1. MEVLEVİ DERVİŞİ

RESİM 2. ALTAY TÜRKLERİNİN İNSAN FİGÜRÜ

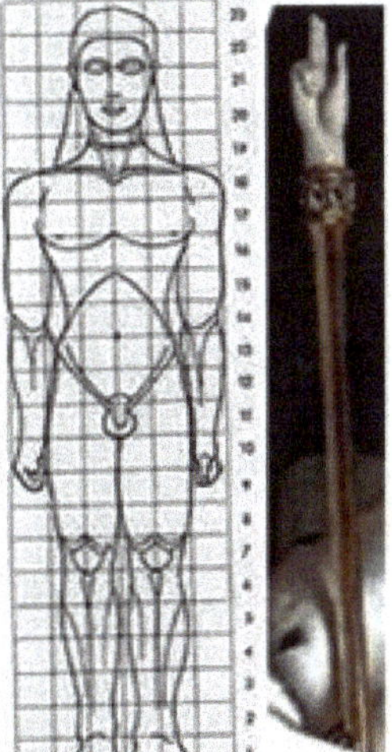
RESİM 3. 1852'DE LEPSIUS TARAFINDAN NEŞREDİLEN BİR ESKİ MISIR VESİKASI ÜZERİNDEKİ İNSAN VÜCUDUNUN ÖLÇÜ NİSPETLERİ

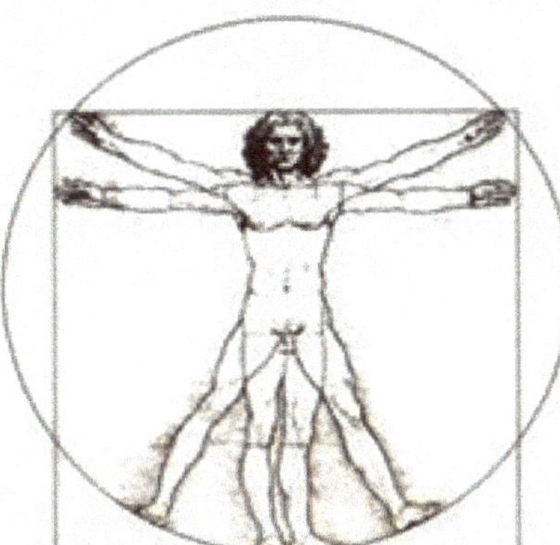
RESİM 4. LEONARDO DA VINCI'YE GÖRE İNSANIN ÖLÇÜLERİNDEKİ GEOMETRİ

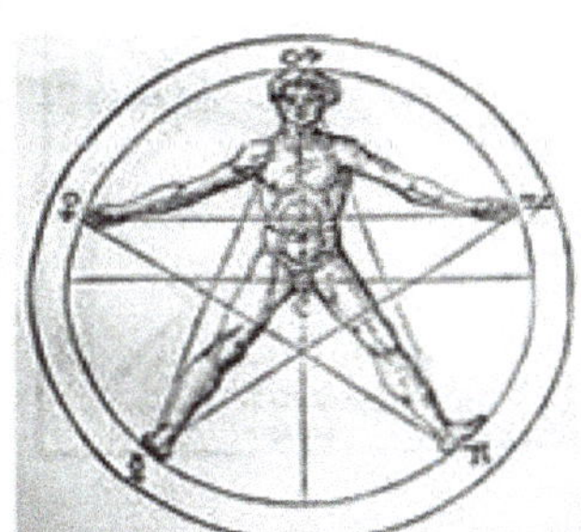
RESİM 5. YUNANLILARDA İNSAN VÜCUDUNUN NİSPETLERİNİN GEOMETRİSİ

RESİM 6. İ.Ö. 20. YÜZYILDA BİR HİTİT TANRISI

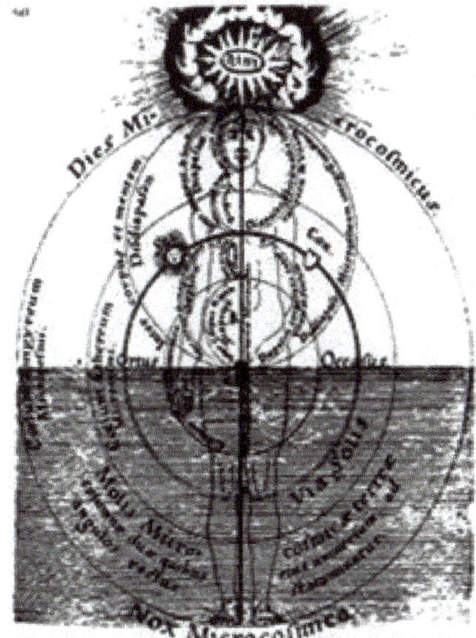
RESİM 7. AVRUPA'DA OPPENHEIM'DE 1619'DA "MİKRO KOZMOZ İNSAN" KONUSUNDA YAPILMIŞ BİR ÇİZİM

BAAL: Yakındoğu'nun, Kuzey Afrika'nın bazı Sami Halklarının tapındığı tanrıların başı. Bu altın kaplamalı bronz heykel Suriye'de bulundu.

DÖRDÜNCÜ BÖLÜM
"HERŞEY KURAMI RABİA"

A) BÖYLE BİR KURAMIN GEREKLİLİĞİ

Evrende her şeyi izah eden ve her şey için geçerli olacak evrensel gerçek aranırken (ki başka türlü, bu dünya düzene girmez) çağdaş literatürde var olan bilgilere bazı yeni tezleri de ilâve etmek gerekir. Çünkü bilim bugün Einstein'ın; ne 30 sene uğraşıp denklemlerle ispat edemediği **Kuantum'lu** Kütle Çekim Teorisi'ni, ne de **Birleşik Alan** ve **Süper Kütle Çekim Teorileri**'ni henüz aydınlatabilmiş değildir. **Evrensel senteze** ulaşmak, ancak anti-tezlere açık, yeni tezlerle olabilir.

B) ÖNCEKİ "HER ŞEY KURAMLARI":

I) BİRİNCİ KURAM

Aşağıda görülen "**elektromanyetik dalga**" (foton) ve **madde** (tanecik), graviton düğümlerinin "**kuantum alemi**" içinde dev enerjilerle "**kuantum mekaniği**", "**görelilik (relatitivite) kuramı**" ve diğer evrensel geometrileri birleştiren bu kuramlarla, 10 ya da birkaç fazla boyutta ilmiklenen ve titreşen, tek boyutlu ipliklerden oluşan, birkaç *süper iplik* türünün haritası çıkarıldı. (Sicim kuramı (**S-137**)

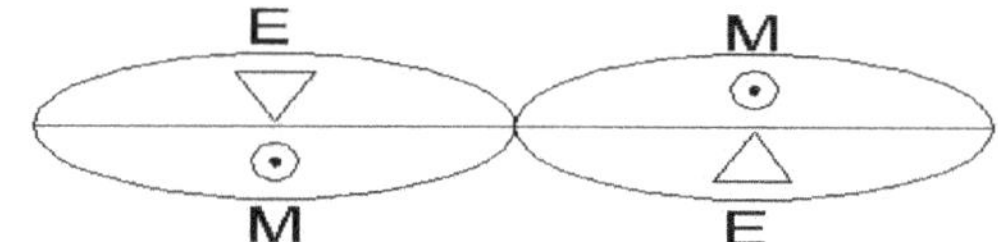

IŞIK KUANTUMLARI
(FOTONLAR)

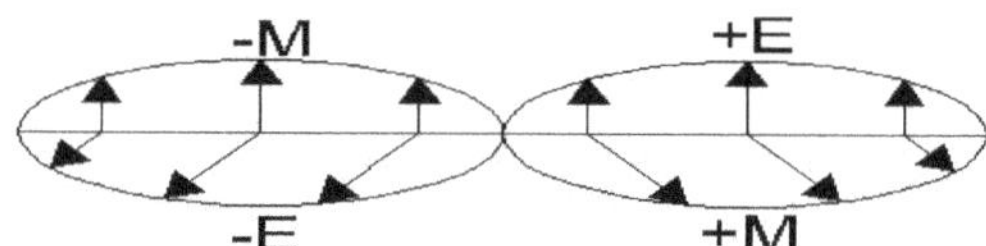

ELEKTROMANYETİK DALGALAR

E=ELEKTRİK ALANI: ELEKTROMANYE-TİK KUVVETLE ELEKTRONLARIN FOTON KUANTUMLARINDAN OLUŞAN ALAN
M= MANYETİK ALAN: ÇEKİM KUVVETİ İLE GRAVITON KUANTUMLARDAN OLU-ŞUR

II) İKİNCİ KURAM

İçinde yer çekimide olan bazı kuantum modelleriyle, karşılıklı etkileşimlerini, bazı görüntü ve olaylarla birleştirip atomaltı parçacıklarını birbirlerine bağlayan 11 boyutta süper simetriler'e sahip yapılar oluşturup bizim sonsuz sayıda evrenden birinde olacağımız sonucuna vardılar.

III) ÜÇÜNCÜ KURAM

Yanda görülen son görüşe göre de: *süper sicimlerden* oluşan örgülerle, *süper yer* çekim*ine* sahip bir "**M kuramı**" ortaya kondu. Bu kurama göre çarpışan ince zarlardan "Big- Bang" (Büyük Patlama) oluştu ve bu zarların kesiştiği bir yerde

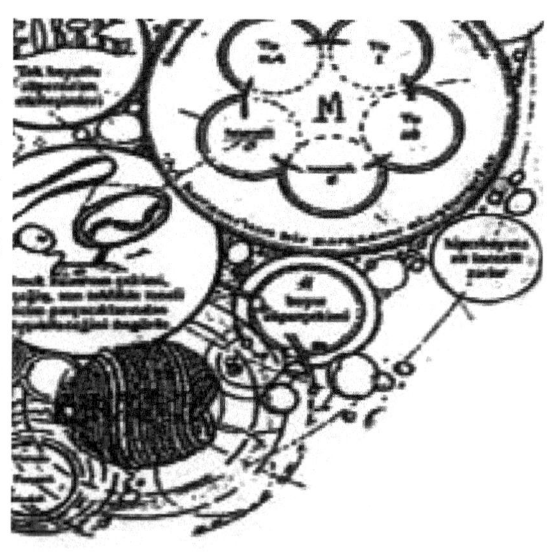

bizim evrenin olduğu ifade edildi. Burada bizim Her şey Kuramına geçmeden önce bu kuramın alt yapısını oluşturacak bazı bilgileri sıralayalım:

C) HER ŞEY KURAMINI HAZIRLAYAN EVRENLE İLGİLİ ÖN BİLGİLER

Burada ortaya koyacağımız "**Her** şey Kuramı" için **EK-Ia**'da ışık ve **elektromanyetik dalga kuantumları** gibi, "**Evrenlerin Kuantumları Tablosu**" verilmiştir. Bu tabloya göre **Big-Bang**'den sonra **fotonların kinetik enerjisi** ile genişleyen sonra **Big-Crunch**'da, **gravitonların potansiyel enerjisi** ile toplanmaya başlayacak olan ve sonra tekrar patlayacak olan **evrenlerin kuantumları** görülmektedir. Bu tablodaki evrenlerin Kuantumları belki de çok daha, devasa bir evrendeki bir ışık hüzmesinin kuantumlarından ibaret olabilir. **EK-Ia**'da gerek, genişleyen kuantumsal yapıdaki en dış çerçevenin, gerekse eklerdeki diğer tablolara dayalı olarak açıklayacağımız kuramın; bir sonraki bölümde verilen matematik tariflerine yorumlarına, tarihi gelişmelerine ve önceki her şey kuramlarına, ne kadar uyduğu, onları tamamladığı, görülecektir!

I)   EVRENİN GENEL OLUŞUMU VE YAPISI

EK-Ia'daki Evrenlerin Kuantumları Tablosu'na göre: Madde ve anti-madde evrenlerinin astral ölçekteki kinetik (hareket) elektrik alan enerji kuantumuyla, potansiyel enerjinin manyetik alan kuantumu gibi, atomal ölçekte de kinetik enerjiyi temsil eden elektromanyetik dalganın "foton kuantumu" ile potansiyel enerjiyi temsil eden "graviton kuantumu" iç içe zincir oluşturmaktadır. Başka bir ifadeyle "graviton" ve "foton", astral ve atomal ölçeklerde nöbetleşe sırayla ve periyodik olarak patlayıp genişleyen sonra toplanan ve tekrar patlayan evrenleri oluşturmaktadır. Böylece evrenlerin evrimi; kinetik enerji ile (K_E) ve potansiyel enerji (P_E) arasındaki denge tarafından yönetilir (evrensel dualite). Big-Bang sonrasında evrende K_E üstün olacağından, Big-Bang öncesinde maksimum yoğunluğa ulaşan anti-madde Big-Bang sonrasında evren genişlerken madde olarak çoğalmaya başlar. Big-Bang anında maksimum olan K_E ise azalmaya başlar ve Big-Crunch öncesinde sıfırlandığında bu sefer evrenin çevresindeki kara maddenin maksimum olması sebebiyle P_E'de maksimum olduğundan çevredeki kara maddenin, anti-maddeye dönüşmeye başlaması, bir anlamda kara maddenin içe çökmesi (Big-Crunch) süreci başlar.

Evrenlerin bütün evrelerinde, matematikteki "**taneli çokluk**" gibi oluşan **atomal ve astral boyuttaki madde ve anti-madde tanecikleri** eşite yakın değişen zaman aralarıyla, yani **periyodik olarak, ilahi bir matematik ahenk uyum ve harmoni** içind hem kendi etrafında,hem birbirleri etrafında, sürekli bir devinim ve değişim halindedir. Belki ileride bütün bu alem bilgisayarlarda **geometrik simulasyon modelleri** halinde **kristalografik geometri** ve aşağıda anlatılacak **evrenlerin kalkülüs denklemleri** ve **otomaton programları** ile hesap edilip görüntülenebilecektir.

Ek-Ib'deki **sayılar** ve **evrenimizin** ve **genel kalkülüs denklemi"**.

EK-Ic'de "**Evrenimizin atomaltı taneciklerinin, I. ve II. Big-Bang arasındaki değerlerine göre kalkülüs denklemi**",

EK-Id'de "**Evrenimizin atomaltı taneciklerinin** günümüzdeki değerleri ve g**ünümüzün simetrisindeki zamanda alacağı değerlerine göre kalkülüs denklemleri**".

Yukarıdaki **kalkülüs tabloları (EK-Ib, c, d)** ile **EK-IIa, b, f**'deki **BBY** ve **Big-Bang tanecikleri ile ilgili tablolar**; daha önceki tabloları, en yeni çağdaş bilgileri de kapsar hale getirmek amacıyla hazırlanan son tablolar oldu.

EK-Ib, c ve d'de verilen **kalkülüs denklemleri**, henüz hesaplanıp sonuçları alınmadığı gibi **EK-IIa** ve **f**'de verilen süper eşlerin varlığıda, yokluğu da henüz ispatlanmış değildir. İlerde bilimsel gerçeklerin ortaya çıkarılması için verdiğimiz tabloların ve bilgilerin bugüne kadar ispatlanmış ve teori haline getirilmiş bütün denklemlerin "**evrenlerin kalkülüs denklemleri**" ile birleştirilmesi gerekmektedir. Bu başarıldığı zaman bütün evrensel doğrular, yanlışlar, eksikler, fazlalar çok net olarak ortaya çıkacaktır. Evrenleri kuantumlayıp sonra da iki Big-Bang arasında sınırladığımız, evrenimizin, bütün bilinen ve bilinmeyenlerini bir bütün olarak **kalkülüs denklemi** haline getirmekle, **evrene ve İnsana dair her şeyi açıklayan**, insanlığın binlerce yıldır beklediği "**evrensel hakikat**" ortaya konacaktır. Bu amaca da ancak, **bilgisayarlar** ve **otomaton programları** ile ulaşılabilecektir. **Determinizm**e göre, her şey başka olayların gerekli sonucudur. **Buda**'ya göre evrende her şey olaylar zinciridir, bu olaylar birbirini izler ve bir önceki bir sonrakinin çıkmasına neden olur. Var olma yaratma işlemi böyle bir oluş çarkıdır (**Kalaçakra**), (Türkçesi **kalıcı çark** anlamında). **EK-Ia**'da verilen **Evrenlerin Kuantumları Tablosu** ve **EK-Ib, c, d**'de verilen **Evrenlerin Kalkülüs Denklemleri Tabloları**'nın determinizme ve Buda'ya uygunluğu dikkat çekicidir. Burada birbirini izleyen **olaylar zinciri, kuantumlar zinciri** olmaktadır.

Evrenimizin ilk yarısında; EK-Ib, c ve d'de verilen tabloların sağ altındaki Big-Bang'den, ortada üstteki, **Big-Crunch**'a kadar astral ölçekte evrenimizin içinde kinetik enerjisini (**K**$_E$) harcayarak genişleyen artı (**+**) yüklü **madde** ile evrenin dışında birbiri ile etkileşmeden potansiyel kütle çekim enerjisi (**P**$_E$) sürekli çoğalan yüksüz "**kara madde**" vardır. Bu ilk yarıda evrenin içinde sürekli kinetik enerjiye ait "**radyasyon**" maddeye dönüştükten (**EK-Ia,b,c,d**) sonra maddede yıldızların galaksilerin ortasında yakılıp genişlemenin enerjisi sağlanacak. Bu yanmadan artan yüksüz parçacıklar evrenin dışında, sürekli yüksüz bir kütle halinde "**kara madde**" olarak toplanacaktır. Evrenin sürekli hızlanarak genişlemesi dış çevrede sürekli artan kara maddenin kütle çekimi sebebiyle olmaktadır.

Evrenimizin ikinci yarısı: EK-Ib, c'de verilen tabloların, üst ortasındaki, Big Crunch'dan, sol altdaki ikinci Big-Bang'e kadar olan bölümdür. Evrenin genişleyen önceki yarısının sonunda, astral ölçekte evrenin dışındaki kara-maddenin maksimum kütleye ve kütle çekim gücüne ulaşması ve ışınım kalmaması, keza soğuması sebebiyle, halen genişleyen evrenimizde, büyük kütleli yıldızların, önce **nötron** yıldızı ve **beyaz cüce**, sonra **kara-deliklere** dönüşmesi gibi, evren ikinci yarıda **Big-Crunch**'la dıştan içe çökmeye ve bu arada birinci yarıda evrenin dışında maksimum kütleye ulaşan **yüksüz kara madde**, ikinci yarıda yavaş yavaş evrenin içinde **anti-maddelere** dönüşmeye başlar.

Evrenin içindeki **anti-madddeleşme** ve **kara delik** halinde yok olmanın hızı, bir sonraki Big-Bang öncesinde ışık hızına yaklaşırken, Astral ölçekte maksimum ısı ve yoğunluğa ulaşan ve radyasyona dönüşen **anti-madde**, evrenin atomal ölçekte, atom çekirdeklerindeki **anti-proton** ve **anti–nötronların** sayısı eşitlenir. (**EK-Ib, c, d**) Nihayet eksi (-) yüklü **anti-madde evreni**; anti-maddesinin son anti- gravitonlarının da ışık hızını geçip yok olmasıyla, sırf enerji haline gelir (**EK-IIg**). Böylece evrenin toplanmasının sebebi olan, Kütle çekim gücü yok olduğundan, astral ölçekte tamamen anti-maddeleşmiş ve sonra radyasyon haline gelmiş **eksi (-) yüklü anti-madde evreni**; belki yoğun eksi yük sebebiyle (**CASİMİR ETKİSİYLE**) çekme yerine itme gücü oluşturup, her tarafında birden **Big-Bang** olayı ile halen içinde bulunduğumuz evren gibi bir **artı (+) yüklü madde evreni** haline gelmeye başlıyacaktır. Önce atomal ölçekte **Ek-IIe**'nin sağındaki **atomaltı tekli taneciklerini**" yukarıdan aşağı doğru sırayla, sonra **EK-IIh**'deki "**ikili**", sonra **Ek-IIi**'deki "**üçlü atomaltı taneciklerini**" oluşturup, 300 veya 700 bin sene sonrada hidrojenden başlıyarak **atomlar** oluşmaya başlar. Artık gittikçe hızlanarak genişleyen ve Big-Cruch"a kadar yıldızların içinde yeni elementler oluşturan madde evreninin gelişimi söz konusu olacaktır.

EK-Ia'daki tablonun, kalkülüs denklemine uygulaması gereği olarak, aşağıdaki tablo **Big-Bang anında**, minimum olan potansiyel enerjisinin, 8 değişkeni (**BP1....8**) ve maksimum olan kinetik enerjisinin 8 değişkeni (**BK1...8**), **Big-Crunch'ın da** minimum olan kinetik enerjinin 8 değişkeni (**CK1....8**) ve maksimum olan potansiyel enerjinin 8 değişkeni (**CP1.....8**) kalkülüs denkleminin fonksiyonları olarak tanımlanacaktır.

BİG CRUNH ANINDA			BİG - BANG ANINDA		
CK	**ASTRAL ÖLÇEKTE MİNİMUM**		**ASTRAL ÖLÇEKTE MİNİMUM**		**BP**
1	KE (KİNETİK ENERJİ)	0	PE (POTANSİYEL ENERJİ)	1	1
2	GÜ (GÜÇLÜ ÇEKİRDEK KUVVETİ) TANECİĞİ HIGS: (h)	10^{-11}_{Mev}	ZA (ZAYIF ÇEKİRDEK KUVVETİ) TANECİĞİ GLUON: (g)	10^{-11}_{Mev}	2
3	EM (ELEKTRO MANYETİK KU.) TANECİĞİ FOTON: (γ)	10^{-40}_{Mev}	KÇ (KÜTLE ÇEKİM KUVVETİ) TANECİĞİ GRAVİTON: (⊙)	10^{-40}_{Mev}	3
4	γ (FOTON) SAYISI (AZ ENERJİLİ)		⊙ (GRAVİTON SAYISI)		4
5	IŞIMA		HACİM		5
6	ISI		UZAM	10^{-33}_{cm}	6
7	YOĞUNLUK		KÜTLE	10^{-5}_{gr}	7
8	HAREKET HIZI		ZAMAN HIZI	10^{-43}_{sn}	8
CP	**ATOMAL ÖLÇEKTE MAKSİMUM**		**ATOMAL ÖLÇEKTE MAKSİMUM**		**BK**
1	PE (POTANSİYEL ENERJİ)	1_{Mev}	KE (KİNETİK ENERJİ)	10^{19}_{Gev}	1
2	ZA (ZAYIF ÇEKİRDEK KUVVETİ) TANECİĞİ GLUON: (g)	1000_{Mev}	GÜ (GÜÇLÜ ÇEKİRDEK KUVVETİ) TANECİĞİ HIGS: (h)	1000_{Mev}	2
3	KÇ (KÜTLE ÇEKİM KUVVETİ) TANECİĞİ GRAVİTON: (⊙)	10^{42}	EM (ELEKTRO MANYETİK KU.) TANECİĞİ FOTON: (γ)	1_{Mev}	3
4	⊙ (GRAVİTON SAYISI)		γ (FOTON) SAYISI (ÇOK ENERJİLİ)	10^{42}	4
5	HACİM		IŞIMA		5
6	UZAM		ISI	$10^{32} K^{\circ}$	6
7	KÜTLE	10^{19}_{Gev}	YOĞUNLUK	$10^{88}_{\text{TON}/\text{CM}^3}$	7
8	ZAMAN HIZI	$10^{40}_{\text{yıl}}$	HAREKET HIZI	IŞIK HIZI	8

Yukarıdaki tabloda Big-Bang ve Big-Crunch anında dört grup değişken nasıl çapraz değişime uğruyorsa EK-Ib, c ve d'deki tabloların sağ ve sol üstünde görülen atomun 4 kuvvetine ait astral ve atomal ölçekteki 4 grup değişkenin de (fonksiyonların) benzer şekilde çapraz değişime uğradığı gösterilmiştir.

EK I-b, c ve d'de ve yukarıdaki tabloda verilen kinetik enerjiye (K_E) ait 8 fonksiyon (**BK1.....8**), Big-Bang'in ilk 10^{-43} saniyesinde (**Planck zamanı**) hep maksimum iken (+1), Big-Crunch'ta, hep sıfır veya minimum, buna karşılık potansiyel enerjiye (P_E) ait 8 fonksiyon (**Bp1....8**) Big-Bang'de (**Planck zamanında**) sıfır veya sıfır altı değerlerde minumum iken, Big-Crunch'ta maksimum olmaktadır. İkinci Big-Bang'de ise bütün fonksiyonların değerleri birinci Big-Bang'deki değerlere geri döner.

Burada savunulan **osilasyon teorisi**ne daha önce yapılan itirazların temel dayanağı, her patlayıp genişlemede, sürekli "**entropi**" artacağından, yani fotonlar artacağından artan fotonların, sonraki patlama, genişleme ve toplanmalara artık izin vermeyeceği idi. **EK-Ib, c, d**'de Big-Bang anında maksimum olan, çok **enerjili fotonlar**ın, yani radyasyonun, bir taraftan maddeye (nükleonlara) dönüşürken, fotonların enerjileri azalıyor. Nihayet Big-Crunch anında ise **az enerjili fotonlar**ın enerjileri çoğalmaya başlarken, maksimum kütle ve sayıya ulaşmış olan kara madde gravitonlarının enerjileri ve sayıları azalma evresine girip ikinci Big-Bang öncesinde, foton sayısı ve enerjisi sıfır olacağı için, bu tablolara göre entropi artışı sorunu olmayacağı açıktır:

EK-I a, b, c, d'deki evrenlerin değişim evreleri tablolarında yukarıda, evrenin bazı **entropi, k**ütle ve ışınım **gücü** oranları verilmiştir. Aşağıda görülen tabloda genişleyen ve toplanacak olan evrenimizin atom çekirdeklerinde **kuarklar arasındaki mesafe çoğaldıkça birbirlerini çekme gücünün sonsuz büyüme özelliğine sahip olduğu görülmektedir.** Böyle bir özellik astral ve atomal ölçekte başka hiçbir parçacıkta yoktur. Yani kuarklar birbirinden uzaklaştıkça birbirlerini çekme gücü artmaktadır. Acaba Big-cruch'a kadar genişleyecek olan evrenin tekrar toplanmasında, birbirinden maximum uzaklaşmış olan kuarkların maksimum çekme gücünün rolü olamaz mı? Acaba Big-Cruch'a kadar genişleyecek olan **EK-Ie'deki evrenimizin tarihi tablosu**nda ifade edildiği gibi; Big-Bang'in ilk 10^{-11} saniyesinde oluşan tekli taneciklerin ortaya getirdiği **BBY**'den önce, 10^{-35} **saniyede** oluşan **WİMPLER**'le beraber, **fotonlara** eşit sayıda **proton** vardı (**entropi=0**), ilk 10^{-11} **saniyede** oluşan tekli taneciklerden önce, protonların yaratılmış olması, protonları oluşturan üç kuark arasındaki çekim kuvvetinin büyüklüğünü gösteren ilginç bir olgudur. Baryonları oluşturan bu **kuarklar arası çekim kuvvetinin kaynağı EK-IIa, b, e'**de görülen ve kuarklar arasında alınıp verilen *renk kuantumları* (**gluonlar**) olduğunu biliyoruz. **Fotonlar**ın elektrik yükü yokken, **gluonlar** renk yükü taşımaktadır. **Acaba Big-Bang anındaki evrenin en büyük gücü "madde-antimadde gücü mü? Yoksa "kuarklar arası bu çekim gücü mü" idi.** Veya **kuarklararası** çekim gücüyle, **madde anti-madde gücü** aynı mı? Eğer aynı ise, bunun anlamı atomun bilinen dört kuvvetinden başka **beşinci kuvvet**i yani **kuarklar arasındaki gluon kuvveti** olduğu anlamına gelmez mi?

<table>
<tr><td rowspan="2"></td><td rowspan="2"></td><td rowspan="2"></td><td rowspan="2"></td><td>ENTROPİ</td><td>$\dfrac{M\odot}{L\odot}=\dfrac{\text{EVRENİN KÜTLESİ}}{\text{EVRENİN IŞIMA GÜCÜ}}$</td></tr>
<tr><td>BİG BANG'DE</td><td>$\dfrac{\curlyvee}{\oplus}=\dfrac{1}{1}$ $\dfrac{M\odot}{L\odot}=\dfrac{0}{\text{MAKSİMUM}}$</td></tr>
<tr><td rowspan="2">KUARKLAR VE ANTİ-KUARKLAR ARASINDAKİ MESAFE</td><td colspan="3" rowspan="2">ASTRAL MADDELER, ATOMLAR, BARYONLAR VE ELEKTRONLAR ARASINDAKİ MESAFE</td><td>BUGÜN</td><td>$\dfrac{\curlyvee}{\oplus}=\dfrac{10}{1}$ $\sim\dfrac{M\odot}{L\odot}=300$</td></tr>
<tr><td>BİG CRUCH'DA</td><td>$\dfrac{\curlyvee}{\oplus}=\dfrac{0}{0}$ $\sim\dfrac{M\odot}{L\odot}=1500$</td></tr>
<tr><td>AZALIRSA</td><td>ARTARSA</td><td>AZALIRSA</td><td>ARTARSA</td><td></td><td></td></tr>
<tr><td>BİRBİRİNİ ÇEKME GÜCÜ</td><td>AZALIR</td><td>ARTAR</td><td>ARTAR</td><td>AZALIR</td><td>GÜNÜMÜZDE EVRENİN PROTON, NÖTRON ORANI</td><td>$\dfrac{\oplus}{\otimes}=\dfrac{80}{120}=\dfrac{2}{3}$</td></tr>
</table>

Aşağıdaki tabloda görüleceği gibi, atomların çekirdeğinde baryonların etrafında dönen ve baryonların hem birbirinden uzaklaşması hem de çok yaklaşmasını önleyen **mezonlar**'ın iki kuarkından biri, **anti-kuark** (anti-madde) diğeri **kuark**'tır (madde). Bu iki kuarkın birbirine çok yaklaşması veya çok uzaklaşmasını önleyenler de **kuarkların etrafında dönen** aşağıdaki atom modelinde görüldüğü gibi **anti-gluon** (mor) ve **gluonlar**dır (kırmızı).

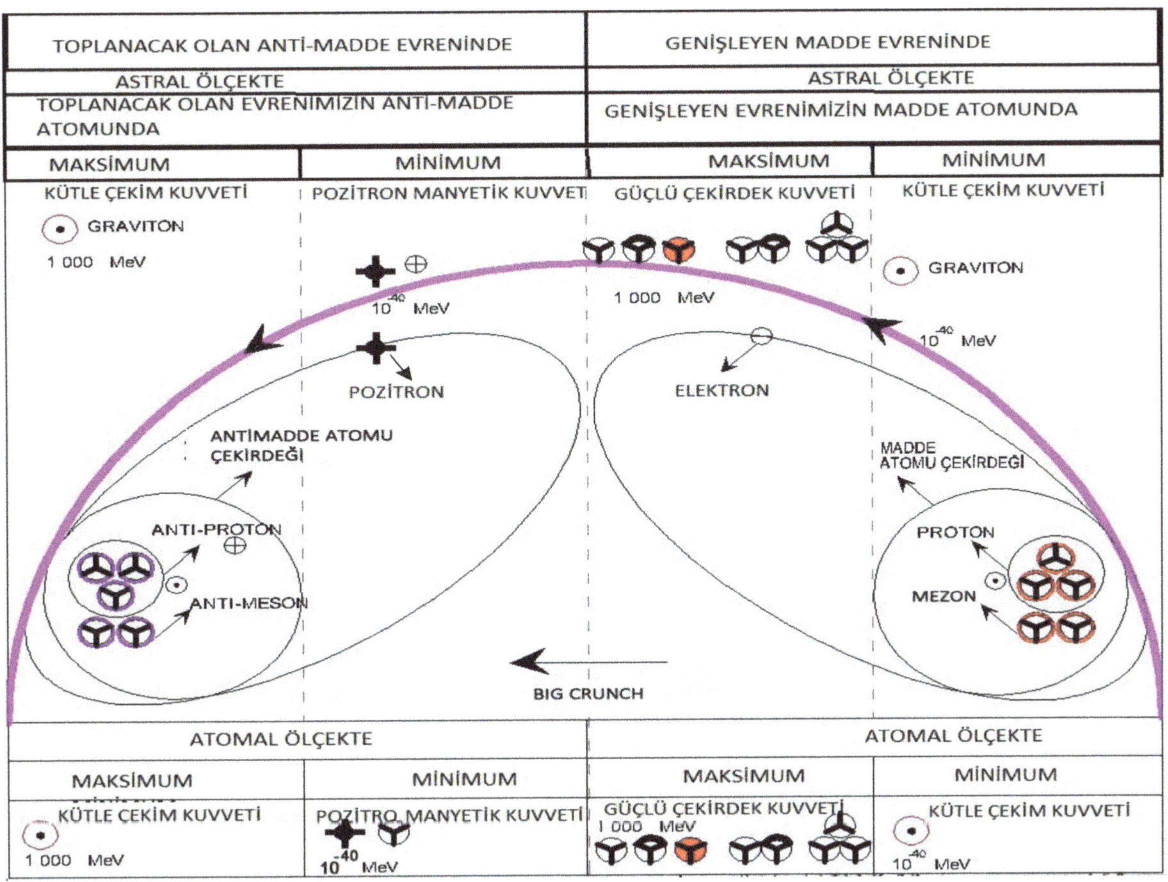

EK-Ib, c, d ve EK-IIe, f'de atomun dört kuvvetinden **kütle çekim** ve **güçlü çekirdek kuvvetleri yukarıda** görüldüğü gibi en fazla **1000 MeV** olmaktadır. Oysa **EK-IIe**'de görüldüğü gibi, +- 2/3 ve +- 1/3 yüklü **kuark ve anti kuarkların enerjisi 169,1-173,3 MeV** arasındadır. **Ek-IIi**'deki bazı Hiperonların ise "**Xi/b Hiperonu**" gibi enerjileri **5624 MeV**'ye kadar çıkmaktadır. **Big-Bang anında** ise evrende toplam kinetik enerji (K_E) **EK-Ib**'de 10^{19} **GeV** olarak görülmektedir. Bir önceki sayfanın üstündeki tabloda, kuark ve anti-kuarklar birbirinden uzaklaştıkça sonsuza dek artan **madde-anti-madde kuvveti**'nin (MAM) atomun bildiğimiz 4 kuvvetinden daha güçlü olduğu anlaşılan bu **madde-anti-madde kuvveti** veya **atomun 5. kuvveti,** kuarklar etrafında dönen ve elektromanyetik kuvvet gibi fakat ondan farklı olan, renk yükleri taşıyan **gluonlar**dan kaynaklanmaktadır. Gluonların taşıdığı **renk yükleri**'nin kuarkların elektrik yükleri gibi üç paydalı değerlerde olması (**EK-IIe**) tesadüf olmaması gerekir. Burada bahis konusu edilen **atomun 5. kuvveti olan renk kuvveti** maalesef ekteki tablolarda belirtilmedi. Ancak insanlık tarihinin bilgi gelişimi çağımızda **kuarklar**a ve **gluonlar**a (**EK-Ib, c, d, IIa, b, e**) dayandı demek yanlış olmaz. İlerde yapılacak çalışmalar da kalkülüs denklemlerine, bu beşinci kuvveti de katarak **evrensel hakikat**i anlama çalışmalarının daha eksiksiz hale getirilmesi gerekir. Böylesi konuların aydınlatılmaya çalışıldığı Avrupa'da **Cern** şehrindeki ve dünyanın diğer ülkelerinde ki yüze yakın akselatörlerle çalışmadığımıza göre, teorik olarak yani **akıl ve bilgi** yolu ile bilinmeyenlere bir nebze ulaşmak için, önce akselaratörlerde çalışanlar gibi, **Big-Bang'den sonraki ilk ve önceki son saniyede olanları (EK-IIf) mercek altına almaya başlayalım:**

EK-Id, c, b'de kalkülüs denklemleri verilen evrenimiz: Big-Bang'den önceki evrenin toplanırken sonunda kara delik haline gelip bütün anti maddesini yok ederek, sırf enerji haline gelmesinden sonra, **Big-bang**'le oluşmaya başladı. Bu oluşum belli bir bölgede değil evrenin her yerinde birden başladı. 10^{-43} **saniyede Planck Zamanı**'ndan önce; **Plank** ölçeğinden (**<10^{-35} m**) daha küçük ölçeklerde **Planck kütleli (10^{19} proton) kara delikler**den oluşan "**Kuantum Köpüğü**" ve "**Süper Sicimler**" vardı. 10^{-35}m'den daha küçük ölçekler henüz "**Kuantum Kütle Çekim Teorisi**" bilinmediği için meçhul. Ancak en az 10^{23} °K ısı olduğundan maddenin sadece kuarklardan ve gluonlardan oluşabileceğini biliyoruz. Zaten yüksek ısı nedeniyle bu devrede **kuark** ve **n**ötrino gibi zayıf ve kuvvetli etkileşen parçacıklar arasında fark olmayacağını da biliyoruz.

Şimdi **kuarklar ve gluonlar hakkında bildiklerimizi sıralayalım:**

KUARKLAR: Kuarklar aynı renkten olan **sanal kuark ve gluonlar** ile çevrelenmek eğilimindedirler. Yüksek enerji ortamından geçen kuark daha derine girer daha az renk görür, daha zayıf bir kuvvet hisseder. **Bir kuark çifti birbirinden uzaklaştıkça kuarkların çevresindeki üç paydalı gluon renk yüklerinin birbirini çekme kuvveti sonsuz büyüme eğilimi gösterir.** Kuarklar arasındaki mesafe azaldıkça ise aralarındaki etkileşme sıfırlanır. Bu yüzden kuarkların, hadronlar içinde serbest parçacıklar gibi davrandığı anlaşılmaktadır.

GLUONLAR: Hadronları bir arada tutan ve kuarklar arasında alınıp verilen **renk kuantumlarıdır.** Big-Bang'in ilk 10^{-45} saniyesinde Planck zamanında 10^{23} °K ısı, 10^{19} **GeV** enerjide en küçük ölçekte (10^{-35} **m**) ve en yüksek yoğunluktaki (10^{88} **ton/cm3**) parçacığın kütlesi 10^{19} **proton (GeV)** idi. (**EK-Ie**) Bu devrede ilk 10^{-35}**sn'ye kadar** ağır parçacıklar (**baryonlar, mezonlar**) ve hafif parçacıklar (**elektronlar, fotonlar**) yüksek ısı ve enerji nedeniyle aynı davranışa sahiptiler. Keza **kuvvetli ve zayıf çekirdek ile elektromanyetik kuvvetler** arasında simetri vardır. Yani bu üç kuvvet birleşikti. 10^{-35} **sn'de Büyük Birleşme Dönemi'**nde ısı 10^{10} °**K,** enerji 10^{15} **GeV**, kütle 10^{15} **protona** düşünce, kuvvetli ve zayıf çekirdek ile elektromanyetik kuvvetler birleşik olduğu için "**Wimpler**" (kararsız zayıf etkileşimli, büyük kütleli, tekli tanecikler) ve evrende **baryon** sayısı kadar **foton** var (Entropi=0).

10^{-11} **sn'de** evrenin enerjisi 10^{15} **GeV'**in altına düştüğü için evrende simetri bozuldu yani birleşik olan atomun üç kuvveti birbirinden ayrıldı ve **W⁺, W⁻, Z° bozonları** oluşurken evrende "örgüler" (küresel kabul edilirler) (Bence bunlar **EK-IIa, b**'de verdiğim **BBY'**ler olabilir) ve "**sicimler**" var. (**eni** 10^{-35} **cm, boyu sonsuz, tek boyutlu yüksek enerji sicimleri**) (bence bunlar da ışık kuantumları gibi boğum, boğum olmalı). Örgü ve sicimlerin olmadığı boşluklarda ise potansiyel enerji yoğunluğuna sahip "**HİGS Alanları**" **bulunuyor.**

10^{-10} **sn'de** atomun 4 kuvveti de birbirinden ayrıldı. **Foton**un elektrik ve manyetizmayı birleştirmesi gibi parçacıklarda elektro-manyetik ve zayıf çekirdek kuvvetlerini aşağıda görüldüğü gibi birleşirir. Bu evrede enerji **200 GeV'**nin altına düştüğü için bu parçacıklar bozuldu ve muhtemelen **BBY'**yi oluşturan 160 tanecik yaratıldı.

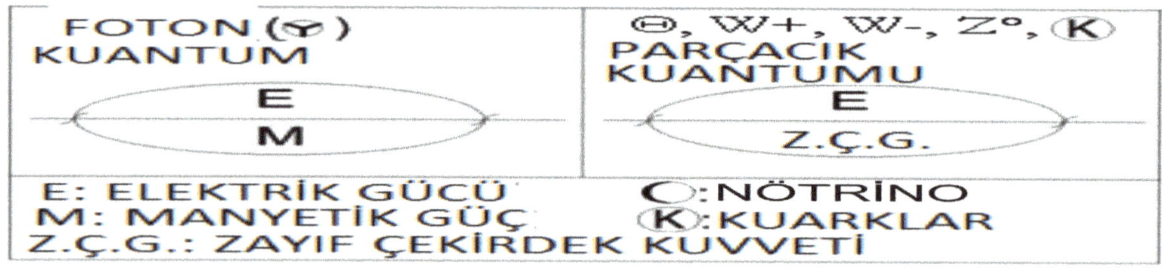

10^{-5} **sn'de** iki kuarklı mezon ve anti mezonlar yaratıldı.

10^{-4}**sn'de** üç kuarklı baryon ve anti baryonlar (nükleonlar) yaratıldı.**1. sn'de** enerji **1 MeV'**nin, ısı 10^{10} °**K'**nın altına indi. Daha önce oluşmuş elektron ve pozitronlar yok oldu. Nötron ve nötrinoların sayıları sabitlendi ve evrende **10 proton/1 nötron** kaldı. (Bugün bu oran, **2 proton/3 nötron**dur). (**S-143-144**)

1. Dakikada artık parçacık yaratılması durdu.

Yukarıda verilen bilgilerden dikkate değer olan; Big-Bang'in ilk 10^{-45} **sn**'sinde, 10^{-35}**m** ölçekte, 10^{23} °**K** ısıda 10^{19} **GeV** enerjiye sahip evrenimizin, böylece **minimum zaman, uzam, maksimum ısı ve kinetik enerji** ile oluşurken; maksimum değerlerin minimuma, minimum değerlerin maksimuma doğru değişmeye başlamasıdır. Evrenimizin bilinmeyenlerini, asıl ortaya koyacak olansa, **EK-Ib, c, d**'de verilen **kalkülüs denklemleri ve tabloları olabilir. Bu yüzden bu tabloları açıklamaya devam edelim:**

EK-Ib'deki tablo üzerinde önce "Neden "kütlesel **zaman**", "**yoğunluksal zaman**" gibi yeni terimler bu tabloda yer aldı?" sorusuna cevap verelim: Güneşin kütlesinin dünyadan büyük olması sebebiyle, **güneş** üzerinde bir saniye geçerken, **dünya üzerinde 11,5 gün (1 000 002 sn) geçtiğini biliyoruz.** Keza **Big-Bang anında**, **EK-Ib**'de görüldüğü gibi maksimum yoğunluk, minimum kütle **Big-Crunch anında** da maksimum kütle ve minimum yoğunluk olduğunu biliyoruz. Bu yüzden **zamanın ve maddenin kütleye ve yoğunluğa göre relatif olabileceği** düşüncesiyle "kütlesel ve **yoğunluksal** *zaman*" gibi "**kütlesel ve yoğunluksal** *madde*" terimleri bilim dünyasına amatörce de olsa belki test edilmeye değer yeni terimler olarak sunuldu. Her ne kadar Big-Bang'in ilk 10^{-35} **sn**'deki "**Wimpler**" ve 100 000 yıl sonra oluşan "**Macholar**" (**EK-Ie**) büyük kütleli tanecikler olsa da bunlar evrenin içinde işlevleri biter bitmez, kara maddenin, ilk madde varlıkları olarak, evrenin çevresinde yerlerini aldılar ve bugün muhtemelen kara maddenin en dış tabakasını oluşturuyorlar.

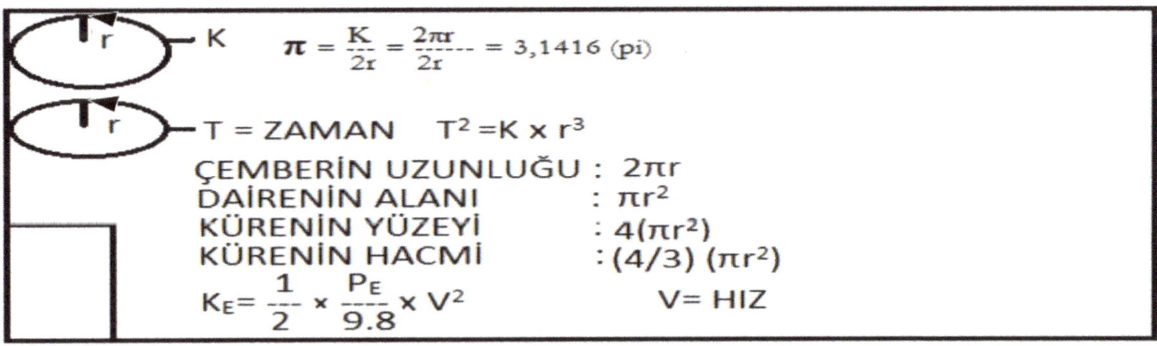

Big-Crunch'dan sonra toplanacak evrende ise, **kara madde**nin en iç tabakalarındaki nötronların, Anti nötronlaşmasıyla, anti-maddeleşmenin başlamış olması muhtemeldir. Bu anti-maddeleşme toplanan evrenin **-1/2** evresinde (**EK-Ib, c, d**) tamamlanıp, ikinci Big-Bang'e kadar da karadelik haline gelen evrenin mevcut anti-maddeleri yok ettiği düşünülebilir. Son aşamada potansiyel kütle çekim enerjisiyle (P_E) çekim gücü sıfırlanan evren, ikinci Big-Bang'le, önceki Big-Bang'den sonra olduğu gibi, genişleyen bir maddeleşme evresine girmiş olur.

EK-Ib'deki tabloda: +1 ile sembolik olarak "**+ maksimum**", -1 ile "**eksi maksimum**" ifade edilmektedir. **Sıfır (0)** ise yine sembolik olarak **artı ve eksi değerlerin minimumunu** ve keza sıfır altı değerleri de temsil etmektedir. Aradaki 2 ve 3 paydalı değerlerde, tablolarda **-1 ve +1** arasındaki yerlerini almış oldu. Son olarak fizikteki karşılıklarını koymadığım **oransız** $(+,-\sqrt{2})$ ve **gerçek sayılara** $(+,-\pi)$ gelince, daha önce evrenlerin astral ve atomal ölçeklerde birbiri etrafında ve kendi etrafında belli zaman aralıkları ve hızlarla dönen paçacıklardan oluştuğu anlatılmıştı.

EK-Ib, c, d'deki **kalkülüs denklemleri**nde genel olarak evrenin astral ve atomal ölçeklerde temel değişkenlerini, (fonksiyonlar) yukarıda verdiğim basit formüllerden ve bugüne kadar ispat edilmiş bütün teorilerin denklemlerinden ayrı düşünmek, akıl dışı olur. Bütün bu denklemlerle beraber **EK-Ib, c, d**'deki tabloların sağ ve sol altındaki ve **EK-Ib**'nin üstündeki $(+)$ $-\sqrt{2}$ ve $(+)$ - π sayılarının da bütünün olmazsa olmaz parçaları olması gerektiği yadsınamaz. **EK-Ib, c, d**'de verilen bazı fonksiyonların, bilinen değerlerinin önce doğruluğunun kontrolünü ve genel düzeltmeleri yapmayı, sonra kalkülüs denklemi aracıyla bilinen fonksiyon değerlerinden, bilinmeyen fonksiyon değerlerini bulmayı matematikçilere ve Fizikçilere bırakıyorum.

II) EVRENİMİZ'İN İHTİŞAMI:

2012 Ocak ayı itibariyle, fizik biliminin ulaştığı son durum kabaca yandaki grafikte göründüğü gibiydi.

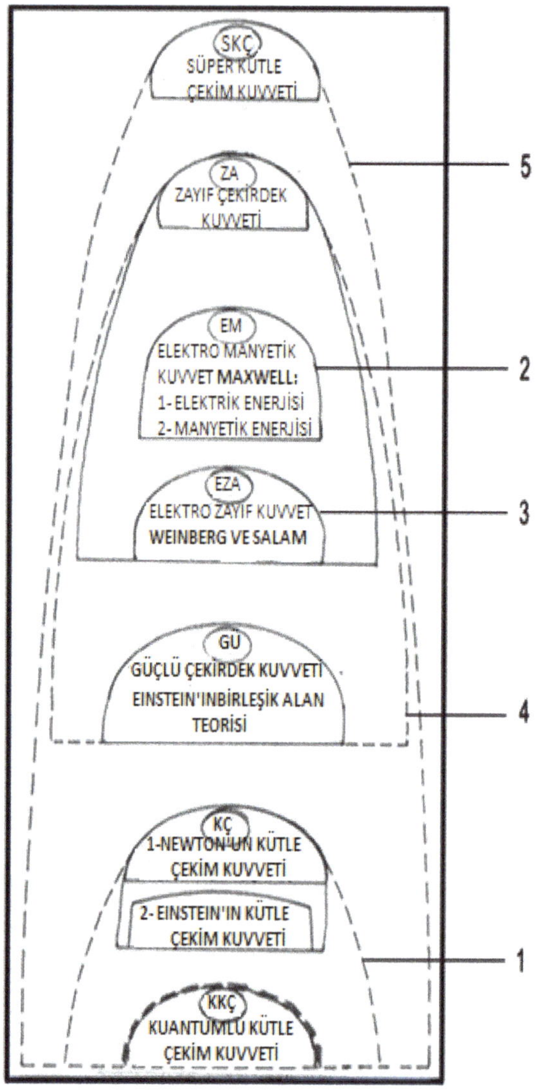

1) Yandaki şemanın en altında, atomun içinde nevtonun belirlediği **kütle çekim kuvvetini (KÇ)**, Einstein **"kuantumlu kütleçekim kuvveti" (KKÇ)** olarak tamamladı ve ispatladı.

2) Daha yukarıda atomun içindeki **elektrik enerjisini, Maxwell "manyetik enerji"** ile birleştirip "elektro/manyetik kuvvet" adıyla **(EM)** tanımladı.

3) **Weingerg ve Salam** ise, atomun **EM enerjisini,** çekirdekteki **"zayıf çekirdek kuvvet (ZA) enerjisi"** ile **"elektro zayıf kuvvet (EZA) enerjisi"** adıyla birleştirdiler.

4) **Einstein EM ve ZA** kuvvet enerjilerini, güçlü çekirdek kuvvet **(GÜ)** enerjisi ile **"birleşik alan teorisi"** adıyla, birleştirmek istedi, fakat 30 sene uğraştı başaramadı.

5) En son atomun **EM, ZA, GÜ** kuvvet enerjilerini, kütle çekim enerjisi **(KÇ)** içinde, **"süper kütle çekim enerjisi" (SKÇ)** adıyla birleştirme aşamasına gelindi. Ancak bu son aşamada, henüz ispatlanmadı. Yandaki grafikte verilen ispatlanmış olanlar, düz çizgiyle, henüz ispatlanmamış olanlar, kesik çizgi ile belirtilmiştir. Evren hakkındaki mevcut bilgilerin bütünleştirilmesi çabalarına ilâve olarak, bu kitapta ve eklerinde verilen bilgileri de katıp, içinde yaşadığımız evrenin bütünlüğünü ve ihtişamını biraz daha anlamaya çalışalım:

Evrenin temel yapısı; atom altı ölçekten astral ölçeğe **taneciklerden** (küreler, kuantumlar) oluşmaktadır.

EK-IIe'de görüleceği gibi; evrenin, Big-Bang'in ilk saniyesi içinde oluşan, atom altı taneciklerinden; önce **atomun 4 kuvvetini ileten ve etkileyen bozonlar**, sonra **atomun 4 kuvvetinden etkilenen fermiyonlar** oluştu. **EK-IIf**'de **etkileyen bozonlar** ile **etkilenen fermiyonların** genel şeması görülmektedir. Bugün Astral ölçekte gördüğümüz evrenin yapı taşlarını, bu **atomaltı tanecikler** oluşturdu.

a) **SİMETRİ ÇEŞİTLERİ:**
    *** GEOMETRİ'DE SİMETRİ**
    *** UZAY-ZAMANDA SİMETRİ: (Süper Simetri)** Süper uzayın ilâve boyutları, bizim boyutlarımız gibi değildir, büyüklükleri hiç yoktur, **Sicim Kuramı**ndaki gibi, aşırı küçük boyutlara da benzemezler. Uzay simetrik olmasa, **kütlesiz ve spinsiz parçacıklar**la dolardı.

    EK-IIe'deki **Süper Eşler**'de, eğer var idiyse, *süper simetrinin* ürünüdür.

Süper simetri ve Higgs Mekanizması, evrenin kara maddesinin, **EHS (en hafif süper eş)** ile oluşmaya başladığı ihtimaline uyuyor. Demek ki, Higgs Mekanizması daha o zamandan, parçacıklara kütle kazandırmaya başlamış.

***UZAY-ZAMAN SİMETRİSİ:** Einstein'ın **"Birleşik Alan Teorisi"**nin amacı, **atomun içindeki 4 kuvvetin, atomun boyutlarını, zaman boyutu da dâhil, geometrik özelliklerine göre bütünleştirmekti.**

b) SİCİM KURAMI

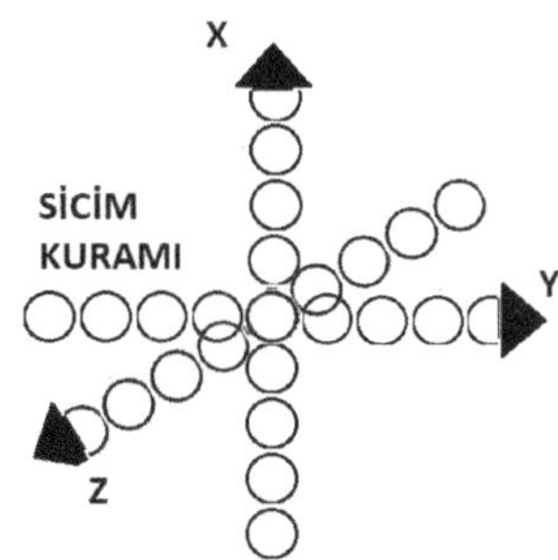

1980'de ortaya atıldı, bu kurama göre: **3 boyut (x,y,z)+6 minik boyut+zaman=10 boyutlu** kütle çekim **(KÇ) dünyası** Sicimlerin kalınlığı 10^{-35} **cm**, boyu sonsuzdu. Boş uzay aslında **Higgs parçacıkları** ile doludur. **Gravitonlar** ve **Higgs parçacıkları** sebebiyle evrenin yaymış olduğu kütle çekim alanına **"kozmolojik bağlanma sabiti"** denir. **Higgs parçacıkları, Bose-Einstein kuantum yoğunlaşmasına uğramışlardır.** Bu boş uzayın, bir *süper iletkenin* içine benzeyen çok sayıda özelliği var. **Higgs parçacıkları, evrenin Higgs alanının kuantumlarıdır.** Higgs alanı sıfırdan farklı durunda olduğu zaman, en düşük enerji durumundadır. **Sicim, Higgs alanından kalan bir topoloji** olarak tarif edilir.

Big-Bang'in ilk 10^{-11} saniyesinde, sicimlerin olmadığı evrede, potansiyel enerjiye (P_E) sahip **Higgs Alanları** oluştu. Demek ki, **sicimler** kinetik enerjinin (KE) ürünüydü. **Higgs alanları** da eğer varsa, önceki evrenden kalma olabilir. Bütün parçacıklar, ayar bozonları, fermiyonlar ve Higgs'in kendisi de kütlelerini **Higgs** ile olan ilişkilerinden alırlar.

EK-Ia'da görünen, iki Big-Bang arasındaki, atom altı parçacıkların, **EK-Ic**'deki kalkülüs tablosunun ortasında spinleri görülmektedir. Evrenin bütün genişleme ve toplanma evrelerinde, **spinler** önemlidir, çünkü **spinleri şu unsurlar etkilemektedir:**

1- Elektrik yükü.

2- Uzam.

3- Hacim.

4- Kütle-zaman.

5- Einstein'ın özel görelilik ve kuantum kuramları

(İkisi birlikte **"göreli kuantum kuramı"**).

6- Süper simetri.

7- Atomun içindeki 4 kuvvetten zayıf kuvvet (ZA).

Bütün bu konulardaki bilgilerin derinine inildiğinde, sadece spinlerin önemi değil, evrenin ihtişamıda ortaya çıkar. **EK-Ia, b, c, d** tablolarında genişleyen ve toplanan evrenin, her aşamada atomlarındaki, **proton, nötron oranları** verilmiştir. Bence bu oranları oluşturan temel etken, parçacıkların **spin**leridir. Gelecekteki araştırmaların, bu etkileşim zincirini özellikle, **kalkülüs denklemleri** ile ortaya çıkarabileceğine inanıyorum. Bu etkileşim zincirinin daha derininde, bugünkü bilgilerimize göre **gluonlar**ın olma ihtimali kuvvetli görülüyor. Bu konuda **zayıf kuvvet (ZA)** ile ilgili birkaç not düşelim: **ZA atomlara, sağ-sol ayırımı yapabilecek, sarmal bir yapı kazandırır. Sol helisiteli bir parçacık,** enerjisini negatiften, pozitife çevirebilir ve bu parçacık kaybolur, yerine **sağ helisiteli parçacık** yaratılmış olur. Yani kütlesini **instanton**a borçlu olan, iki kuarklı **"Eta mezonu"** **"QCD"**deki gibi davranır (**Q**: Kuantum, **C**: Anti parçacık, **D**: Zamanda geri gitme).

İNSTANTON: (Yüksüz akım) Higgs'in kütle çekimi (KÇ) ve Z^0 taneciğinin, **zayıf kuvvet (ZA)** değiş tokuşundan oluşur. Böylece bu **yüksüz akım etkileşimi olan "İnstanton" genişleyen evrende maddelere (HİGGS bozonu gibi) kütle kazandırır. Sayfa 131,134,164,201**'de; genişleyen madde evrenimizdeki atomların, çekirdeklerindeki protonların içindeki kuarkların kırmızı gluonlar ve anti-protonların içindeki kuarkların

KÜTLELİ ⊙'NUN EKSENİ
BOYUNCA SPİNLERİ VE HELİSİTELERİ:

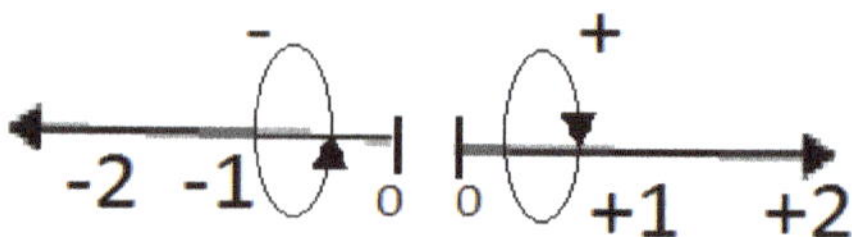

KÜTLESİZ ⊙'NUN GİTME YÖNÜNDE
SPİNLERİ VE HELİSİTELERİ:

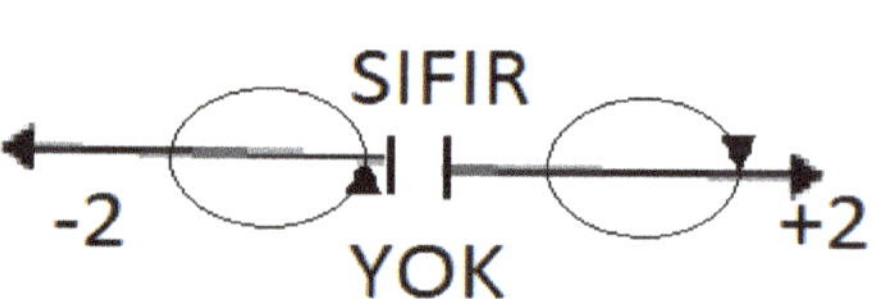

etrafında ise, mor gluonlar, yani kırmızı gluonların karşıtı olan gluonlar görülmektedir. Keza **EK-IIe**'de, renk ve karşıt renkleri ile 120 çeşit **fermi gluon** verilmiştir.

Renk ve karşıt renk gluonları arasındaki çekim gücü; sonsuz seri oluşturan **rezonanslar**ın birindeki ağır parçacıkların, daha çok enerjili olanlarının, daha büyük **spin**leri vardır (**EK-Ic**). Bu yüzden kendi eksenleri etrafında daha hızlı dönerler. Big-Bang'deki kütleli **graviton** bu durumdadır. **Rezonanslar**ın da kuarklara benzer bir şeylerden meydana geldiği var sayılmaktadır. Bu kitapta verilen tablolarda rezonanslar maalesef yoktur, oysa atomların çekirdeğinde güçlü kuvvetle (**GÜ**) ilgili, bizim buraya kadar geniş bilgi vermeye çalıştığımız "**standart model**" olarak tanımlanan atomaltı Parçacıklarına benzer, fakat varlığı henüz kanıtlanamamış **rezonanslar**ın da olma ihtimâli vardır. Rezonansların kütleleri, bildiğimiz parçacıklardan daha büyük ve **spinleri** de daha fazladır. Rezonansların da **tekli, ikili (mezonik), üçlü (baryonik)** olanları varsayılmaktadır. Rezonanslar, hızlandırıcılardaki parçacık çarpıştırmalarında tespit edildi. **baryon** ve **mezonlar**'ın yapı taşları nasıl **kuarklar** ise, **rezonanslar**ın yapı taşlarınada "**Parton**" adı verildi, ancak kuark olmaları ihtimalide düşünülüyor.

EK-IIf'deki; atomun 4 kuvvetini ileterek "**etkileyen bozonlar**" ve onlardan "**etkilenen fermiyonlar**" evrende her şeyi oluşturmuş olup, ikiside tek başına bir şey ifade etmez. Atomun 4 kuvvetinin şiddetleri, farklı ölçeklerde değişir, Planck ölçeği civarında aynı şiddete yaklaşır.

Eistein'a göre;
Işıma yapmayan karanlık madde+kütle çekimi [potansiyel enerji (P_E)] ve
Işık saçan madde+kinetik enerji [elektrik enerjisi (K_E)]
Esas evrensel ikilemdir (dualite).

c) BİG - BANG İLE GENİŞLEYEN EVRENİMİZDE MAKSİMUM DEĞERLER:

Genişleyen evrenimizde, **Big-Bang'deki maksimum yoğunluk (10^{88} ton/cm³)**; ışıma yani **foton sayısı 10^{42}**; ısı 10^{32} **K^0**; hız, ışık hızı, **kinetik enerji (K_E) 10^{19} GeV** gibi fonksiyonlar azalırken, **Higgs tanecikleri etkisiyle**, kütle, **graviton sayısı, potansiyel enerji (P_E), hacim, uzam ve zaman çoğalarak genişlerken, kütlesinin sürekli yükselmesi sebebiyle, evrende zamanın geçme hızı da yavaşlamaktadır (EK-Ia, b, c, d). Big-Crunch** öncesinde, aynı zamanda en geniş hale gelmiş, soğumuş ve 10^{40}yıl yaşına gelmiş evrende "**zamanın geçme hızının durmuş olması gerekir.**"

Toplanacak evrenin Big-Crunch anındaki maksimum: Kütle (**10^{19} proton**), hacim, uzam, graviton sayısı (**10^{42}**), zaman (**10^{40} yıl**), gibi fonksiyonları azalırken, evren önce anti-madde haline gelip, sonra anti-maddesini gittikçe hızlanarak ve güçlenerek kara delik halin de yok etme aşamasına geçer. Kütle çoğalması sebebiyle Zamanın geçme hızı arttığı için, ikinci Big-Bang öncesinde "**zamanın geçme hızı**" belki **ışık hızında olacak** ve **EK-Ie**'de varlığından bahis edilen, "**geçmiş ve geleceğin birleştiği kurt delikleri**" (teklik) oluşacaktır.

GENİŞLEYEN EVRENDE:
DIŞTA KARA-MADDE KÜTLESİ SÜREKLİ ARTTIĞI İÇİN ZAMANIN GEÇME HIZI SÜREKLİ YAVAŞLIYOR

İÇTE KİNETİK EVRENİN MADDE KÜTLESİ SÜREKLİ HIZLANARAK ARTIYOR VE ZAMANIN GEÇME HIZI YAVAŞLIYOR, FAKAT KÜTLESİ 2 PARÇACIKLAR İÇİN BELKİ IŞIK HIZINDA.

DIŞTA KARA-MADDE POTANSİYEL EVRENİ
İÇTE MADDE KİNETİK EVRENİ

BIG-CRUNCH'DA:
EVRENE GÖRE ZAMAN DURUYOR. BİZE GÖRE EVREN 10^{40} YIL YAŞINDA

BIG-BANG'DE:
EVRENE GÖRE ZAMANIN GEÇME HIZI BELKİ IŞIK HIZINDA BİZE GÖRE SIFIR

TOPLANAN EVRENDE:
DIŞTA ANTİ-MADDE KÜTLESİ SÜREKLİ HIZLANARAK AZALDIĞI İÇİN ZAMANIN GEÇME HIZI SÜREKLİ ARTIYOR. DIŞTA POTANSİYEL EVREN

İÇTE KİNETİK EVRENDE ANTİ-MADDE KÜTLESİ SÜREKLİ HIZLANARAK AZALIYOR VE ZAMANIN GEÇME HIZI ARTIYOR. BİR SONRAKİ BIG-BANG ÖNCESİNDE KİNETİK EVRENDEKİ HAREKET IŞIK HIZINA YAKIN, GEÇMİŞ GELECEK BİRLEŞECEK (TEKLİK=KURT DELİKLERİ)

DIŞTA ANTİ-MADDE POTANSİYEL EVRENİ
İÇTE ANTİ-MADDE KİNETİK EVRENİ

BİR SONRAKİ BIG-BANG'DE: EVRENE GÖRE ZAMAN BAŞA DÖNECEK. BİZE GÖRE EVREN 10^{80} YIL YAŞINDA OLACAK

HIZ = UZAM X ZAMAN

BUGÜN EVRENİN İÇİNDE:
$$\frac{\text{ATOMUN KÇ GÜCÜ [POTANSİYEL ENERJİSİ } (P_e)]}{\text{EM " [KİNETİK " " } (K_e)]} = \frac{1}{40} = X$$
X = STANDART MODELİN HİGGS MEKANİZMASININ SÜPER SİMETRİ AÇIKLAMASIDIR.

BIG-CRUNCH'DA EVRENİN DIŞINDA:
$$\frac{\text{EVRENİN KÇ GÜCÜ [POTANSİYEL ENERJİSİ } (P_e)]}{\text{EM " [KİNETİK " " } (K_e)]} = \frac{40}{1} \text{ OLACAK}$$

$$KÇ = P_e \times \text{KÜTLE (M)} \times C^2 \text{ (IŞIK HIZININ KARESİ)} \qquad \frac{P_e}{K_e} = \frac{M}{E} \times C^2 = K \text{ (KRİTİK YOĞUNLUK)}$$

Kuantum köpüğü, 10^{-31}metreden küçük hacimlerdeki **Planck kütleli (10^{19} proton) kara deliklerden oluşur. Güneşin kütlesi dünyanın kütlesinden** ~330 000kat fazladır. **Güneş üzerinde 1 saniye geçerken, dünya üzerinde 1 000002 saniye (11,5 gün) geçer**.

Bu kütle çekiminin, zamanın geçme hızına etkisi sebebiyle, kütle büyüdükçe zamanın geçme hızının yavaşladığını gösteriyor. Demek ki, biz üzerinde yaşadığımız dünyanın kütlesine göre zamanı ölçüyoruz. Galaksimiz Samanyolu'nun merkezinin kütlesinin, güneş kütlesinin 160 milyar katı olduğunu biliyoruz. En büyük kütle evrenin kara maddesindedir. Gravitonun, gluon ve fotonların, hattâ nötrinoların çoğunun kütlesiz olduğunu biliyoruz.İnsanlarında zaman anlayışı, dünyanın kütlesine göre olmaktadır. Oysa, kütle çekimi zamanı yavaşlatmaktadır. Bu tanecikler üzerinde zamanın geçme hızı, acaba sonsuz mu? Einstein'a göre; bütün uzam ölçümleri, zaman ölçümleridir, yani zaman mesafeye göre de değişmektedir. Bu yüzden biz uzaydaki galaksileri, dünyanın kütlesine göre 1 milyar yıl önceki haliyle görmekteyiz.

Kütlenin hızlada ilgisi konusundaki bir bilgide: **Işık hızında giden bir cismin kütlesi sonsuza ulaşır veya cisim yok olur. Güneş üzerinde 1 saniye** geçerken, **dünyada 11,5**

gün geçiyor olması, Einstein'ın, genel relativite teorisine göre ve "**tensör kalkülüs**" yardımı ile vardığı sonuçtu. Bu gerçeğe göre genişleyen ve toplanacak olan evrende olması gereken durum bir yukarıdaki tabloda görülmektedir. Bundan çıkan sonuç; atom altı ve astral ölçeklerdeki küreler üzerindeki her varlık için zaman, üzerinde bulunduğu kürenin kütlesine göre değişmektedir. Böylece insanlarında zaman anlayışı, dünyanın kütlesine göre olmaktadır.

1930'larda **Sir Arthur Eddington ve Nobel ödüllü fizikçi Paul Dirac 10^{40} sayısının** atomun mikro dünyasını, kozmik yapıya bağlayan kapsamlı bir ilişkinin şifresi olduğuna inanıyorlardı. Eddington bu amaçla geniş bir de şema ortaya koymuştu. Aynı öngörüyü destekleyici, burada da birkaç bilgi verelim:

Evrendeki toplam parçacık sayısı yaklaşık $10^{40}+10^{40}=10^{80}$ 'dir. Yani atomun elektromanyetik gücünün (EM), kütle çekim gücüne (KÇ) oranının karesi kadar. (**EK-Ib, c, d) Bir atomun KÇ gücü10^{-40} MeV olup, EM gücünün 10^{40}'da biridir. Sayfa 167'deki Yaratılış monokordu'**nda evrenin en dış erimi 10^{40} olarak verilmişti.

Yine, "**dolaşıklık teorisi**"ne göre; atom altı araştırmaları sonucu maddelerin birbiri ile bağlantılı olduğu, evrensel bir bütün gibi birleşmiş tek bir ağ olarak, dolanık halde bulunduğu, artık kabul edilmektedir. **Tao'da, Brahmanlarda, İslâm Tasavvufu** da aynı şeyi anlatmaya çalıştı.

Einstein'ın "**izafiyet teorisi**"ne göre ise; her şeyin sürekli hareket halinde olan enerji parçacıklarından oluştuğu ve birbirlerini etkilediği ifade edilir. En düşük enerjide **bozon ve fermion kuantumları**'nın yoğunlaşması "**Bose-Einstein kuantum yoğunlaşması**" veya "**vakum**" olarak biliniyor. Önceki evrenin kara delik haline gelip, anti maddesini yok ederek bitirmesi sonucu oluşan enerjinin içindeki vakumda bir "**Bose-Einstein kuantum yoğunlaşması**" idi. EK-Ic'de; Big-Bang öncesindeki atom altı ölçekte, en düşük enerji olan **pozitro manyetik enerji (PM)10^{-40} MeV**, Big-Bang sonrasında atomal ölçekte en düşük enerjinin ise, **kütle çekim enerjisi (KÇ) 10^{-40} MeV** olduğu görülmektedir.

Her insanın kendi beynindeki bozon-fermiyon kuantumlarının, Bose-Einstein yoğunlaşması'yla, kendi bilincine vardığını biliyoruz. EK-IIf'nin altında, Big-Bang sonrası atomun 4 kuvvetini ileten ve etkileyen **bozonlar**la, bozonlardan etkilenen **fermiyonları** görüyoruz.

Maddi dünya'nın yapı taşları olan *fermiyonlar* birbirinden ayrı, kendilerini kendilerine saklamayı tercih ederler, yani asosyaldirler. *Bozonlar* ise sosyaldir, bir araya gelip gruplar oluşturma temayülündedirler. Fermiyonlar "*parçacık*", bozonlar "*dalga*" özelliği taşırlar. Kuantum ise hem dalga, hem parçacıktır. **Bose-Einstein yoğunlaşması** da bir kuantum yoğunlaşmasıdır ve *bilinci* oluşturur. Bu bilinç, iki kuantumun buluştuğu yerde başlamaktadır. (Big-Bang'deki NUR-U KADİM gibi) insan beynindeki kuantumların yoğunlaşması ile insan bedenindeki 10^{10} adet sinir hücresinin (nöronlar) bilgisayar benzeri somut yapısı birlikte çalışır. "Beynin ürettiği düşünce"nin, elektrik akımlarına benzer etkiler gösterdiğini biliyoruz. Düşüncenin insan beynindeki vakumun kuantumları hem parçacık hem dalga özelliği taşır. Vakumun oluşturduğu düşünce, yenilenen bir tutarlılığa doğru gelişir ve *vakuma* zenginleşmiş dalgalanmalar (kuantumlar) olarak, belki *aura* ve çakralar aracılığıyla geri döner. Evreninde Big-Bang öncesindeki vakumdan sonra, Big-Bang ile patlayıp, genişleyip, sonra Big-Crunch ile toplanıp, tekrar vakuma geri dönecek olması gibi. İnsan düşüncesi kendini çok hızlı değiştirerek, çok yüksek oranda titreşen saf bir enerjidir, Big-Bang öncesindeki sırf enerji hali gibidir ve evrenin o enerjisinin İnsan beynindeki oluşumudur. Evrenin Big-Bang öncesindeki vakumunda, "evrenin bilinci" oluştuğu gibi, insanın beyninde de "*insanın bilinci*"nin oluştuğu anlaşılıyor. Cansızlarda daha az bozon, daha gevşek biraraya gelirken, canlılarda insana doğru, bir araya gelebilen Bozonların sayısı çoğaldığı gibi, aralarındaki bağda güçlenir. Astral ölçekte, yıldızların, galaksilerin, atomal ölçekte, atomların bir araya gelip kümeleşmeleri gibi. Çünkü kütle çekim alanıda bir bozon alanıdır. Acaba galaksilerin ortasındaki yogunlaşmada galaksilerin kendi bilincinimi oluşturuyor? Bu sorunun cevabı henüz literatürde yok! Vakumlara kütle kazandıranın, Higgs parçacıkları olması; evreni kaplayan **Higgs bozonlarının**, Big-Bang öncesi vakumundan günümüze genişleyen evrenimizin bilincinin de insanların bilincinin de sürekliliğini sağladığı sonucunu ortaya koymaktadır.

İngiliz bilim adamı **Danah Zohar**, **bilinci**, **kuantum benlik** olarak tanımladı ve kendimizle olduğu kadar dünyayla da barışma mücadelemizde kuantum fiziğini kullandı. Kuantum fiziğine göre kuantum benlik; insanların kendileriyle, diğer insanlarla ve dünyayla ilişkilerinde "**içsel**" ve "**dışsal**" arasında bir ikilik yaşanmaz. Çünkü zihnin içsel dünyasıyla, (fikirler, değerler, iyilik, hakikat, güzellik, erdem v.s.) maddenin dışsal dünyası olan olgular birbirini doğurur. **Zihin** ve **madde** arasındaki diyalog, insanın ve evrenin yaratıcılığının temelidir. **Kuantum benlik** için, ne bireysellik (fermiyonik karakter), ne de ilişki (bozonik karakter) önce gelir. Çünkü bunların ikisi de eş zamanlı ve aynı ağırlıkta kuantum alt tabakasından yani **Bose-Einstein kuantum yoğunluğu**ndan doğar. **Kuantum benlik böylece insan bilincinin fiziği olarak, hem batının maddeci bireyciliğini (materyalizm), hem doğunun manevi kollektivizm'ini (mistisizm) ve insanlık kültür dünyasının doğuşunu ve gelişimini sağlamaktadır.** Çünkü, insan bilinci'nin fiziği ile evrenin bilinci'nin fiziği aynıdır. Her insan kendi alt kimlikleri'yle (beden ve zihin) olan ilişkilerinden ve dünya'yla ilişkilerinden oluşur. Devamlı büyüyen genişleyen evrenimiz gibi, dünya üzerindeki insanlarında nüfusu bilgi birikimi ve kültürel üretimi artmaktadır.

III)   ATOMALTI TANECİKLER VE SANAL GEOMETRİLERİ:

EK-IIa, b' deki Big-Bang yıldızının (**BBY**); EK-Ie'de Big-Bang'in ilk 10^{-11}sn'sindeki yüksek ısı ve enerjide, 10^{-20}cm çapında ve küresel olduğu kabul edilen "**örgüler**" olup olmadığı araştırmaya muhtaçdır. **BBY**'ler; Planck zamanında (10^{-43}sn), 10^{19} GeV enerjide, 10^{-35} m ölçeğindeki 10 boyutlu "**kuantum köpüğü**" de olabilir.

EK-IIe, g, h, i'deki 3. tabloda da üzerlerindeki açıklamalarda belirtildiği gibi, birli, ikili, üçlü tanecikler açıklandı.

EK- IIa, b'nin üst ortasındaki **graviton, nötrino ve kuarklar**dan oluşan rombik iki prizmanın her birinin bir kuantum paketi içindeki durumu **EK-Ia**'daki "**evrenlerin kuantumları**" içindeki **rombik prizmalara** benzemektedir. Aşağıda görülen **Louise de Broglie**'ye ait atom modelinde, elektronların foton (ışık) kuantumları gibi çekirdek çevresinde dairesel yörüngede kuantum paketleri içinde de sanal olarak rombik prizmalar düşünülebilir. **Saniyede 50 000 km hızla** çok küçük bir alanda dönen elektronların kuantum dalgaları elbette aşağıda görülen Broglie atom modelindeki gibi kaba dalgalar halinde değil yüksek frekansta, nano dalga boyu ve genişlikte Heisenberg-Schrodinger-Dirac modelindeki gibi bulut şeklinde görünecektir. Bu yapı bize belki de Werner Heisenberg'in **belirsizlik ilkesi**ni de çözmemizi sağlayabilir.

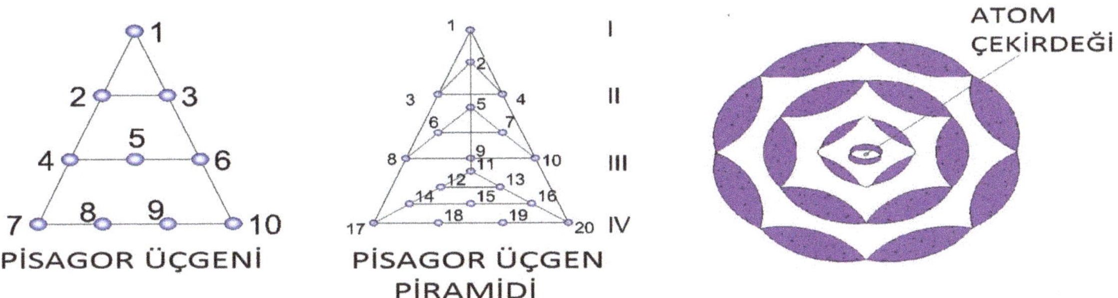

EK-II c'deki **Süper küp**
EK-IId'deki **Davut Yıldızı Prizma**

BBY'leri hazırlamadan önce, 1'inci aşamada Süper küp, 2'nci aşamada Davut yıldızı prizma, son aşamada da, BBY ortaya çıkmıştı.

EK-IIg'de, Big-Bang'in Çift Pisagor Üçgen Piramitleri **tablosu**'nun üst yarısındaki üçgen piramit üzerinde, Big-Bang'den önceki evrenin son, alt yarısındaki üçgen piramit üzerinde ise, Big-Bang'den sonraki evrenimizin ilk tanecikleri, kristalografik geometrik yapıda görülmektedir. Yukarıda görülen Pisagor üçgeninin özelliği, iki boyutta 10 tanecikten oluşmasıdır. 10 evrensel bir sayıdır, çünkü $10^{-\infty}$-$10^{+\infty}$olarak, bu sayıyla sadece evrenimizi değil, önceki ve sonraki evrenleri de anlatabiliriz. Pisagor üçgeninin üç boyutlu hali olan **Pisagor Üçgen Piramid**inde I. II. III'üncü basamakların toplam tanecik sayısı yine, 10 olup, dördüncü basamaktakilerle beraber toplam 20 tanecik olmaktadır.

EK-IIe'de yukarıdan aşağı evrenin ilk 10 taneciği, üç basamaklı üçgen piramidin tanecik sayısına eşittir. Sonraki 10 nötrino ile beraber toplam 20 tanecik ise, dört basamaklı Pisagor üçgen piramidinin, toplam tanecik sayısıdı

EK-IIa, f'de verilen **süpereş**lerin varlığı veya yokluğu henüz ispatlanmadı. Süpereşlerde varsayılarak verilen bu tablolardan çıkan sonuç; Big-Bang'in ilk taneciklerinden önceyaratılan **süpereşler**in, hemen evrenin dışındaki kara maddeye katılmış ve kara maddenin ilk taneciklerini oluşturmuş olmaları ihtimalidir.

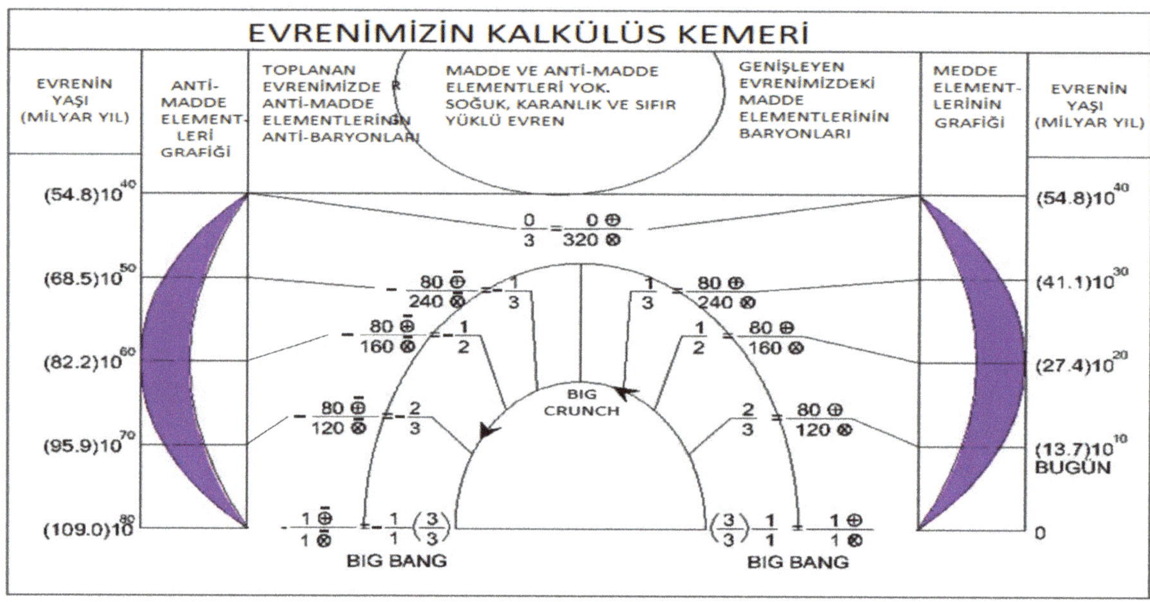

IV) ATOMLAR

EK-IIIa'da elementlerin atomlarının elektron yörüngeleri ve alt yörüngelerinde kaç elektron olduğu görülebilmektedir.

EK-IIId'de ise, atomaltı taneciklerinden elementlere evrenin şifresi olarak; Çift Pisagor Üçgen Piramitleri verildi. Yukarıda; **iki Big-Bang arasındaki evrenimizde elementlerin kalkülüs kemeri** görülmektedir. Bu tabloda genişleyen evrenimizdeki madde elementlerinin proton, nötron sayılarının oranlarının evrimi milyar yıl olarak verilmiştir.

EK-Ia, b, c, d'deki tablolarda **evrenlerin gelişim evrelerinin +1, -1 ve 3 paydalı, 2 paydalı bayağı kesirli devirlere ayrılması; EK-Ia, IIa,b,e**'de görüleceği gibi kuarkların **3 paydalı** elektrik yükleri sebebiyle olduğu kadar, aşağıdaki **tabloya göre de isabetli olmuştur**.

Aşağıdaki tabloda sağda, evrenimizin yaşadığımız evresinde mevcut olan elementlerin, atom çekirdeklerindeki "**proton ve nötron sayılarının ortalama oranları görülmektedir.** Bu ortalama bugün tablonun sol yanında görüldüğü gibi; **80 protona/120 nötron**dur (veya **2 protona/3 nötron**). Yukarıdaki tabloda görüldüğü gibi evrenimiz halen 10^{10} **milyar yani 13,7 milyar** yaşında, 10^{30} **milyar** (yaklaşık **41,1 milyar**) yaşına gelince, protonların bozunmaya başlayacağı bugün biliniyor. Evren 10^{40} **milyar** (yaklaşık **54,8 milyar**) yaşına gelince bütün protonların, nötronlara dönüşüp evrenin çevresindeki kara madde içinde toplanacağı, evrenin içinde element kalmadığı için, dıştaki kara maddenin *kütle çekim* gücüyle, evren **Big-Cruch** ile içe çökerken aynı zamanda anti-madde elementleri oluşmaya başlayıp, evren **Antimadde evreni** olarak toplanma evresine girecektir. Evren 10^{80} milyar (Yaklaşık 109 milyar) yaşına geldiğinde tekrar II. Big-bang ile patlayacağı, EK-Ib,c,d'de de görülmektedir.

ELEMENTLER		PROTN SAYISI $\oplus$		NÖTRON SAYISI $\otimes$		TOPLAMI $\oplus + \otimes$	$\oplus , \otimes$ ORANI
H	HİDROJEN	1	+	1	=	2	1/1
H	DÖTERYUM	1	+	1	=	2	1/1
He	HELYUM 4	2	+	2	=	4	1/1
Li	LİTYUM	3	+	3	=	6	1/1
B	BOR	5	+	5	=	10	1/1
C	KARBON	6	+	6	=	12	1/1
N	AZOT	7	+	7	=	14	1/1
EY	OKSİJEN	8	+	8	=	16	1/1
Ne	NEON	10	+	10	=	20	1/1
Mg	MAGNEZYUM	12	+	12	=	24	1/1
Si	SİLİSYUM	14	+	14	=	28	1/1
S	SÜLFÜR	16	+	16	=	32	1/1
Ar	ARGON	18	+	18	=	36	1/1
CA	KALSİYUM	20	+	20	=	40	1/1
Te	TELLÜR 130	52	+	78	=	130	2/3
Nd	NEODİM 150	60	+	90	=	150	2/3
Gd	GADOLİNYUM 160	64	+	96	=	160	2/3
Er	ERBİYUM 170	68	+	102	=	170	2/3
HF	HAFNİYUM 180	72	+	108	=	180	2/3
Os	OSMİYUM 190	76	+	114	=	190	2/3
Pt	PLATİN 195	78	+	117	=	195	2/3
Hg	CIVA 200	80	+	120	=	200	2/3
Po	POLONYUM	84	+	126	=	210	2/3
Uuq	UNUNQUADIUM	114	+	171	=	285	2/3

EK-IIIb'de "**proton ve nötron sayılarına göre periyodik elementler ve izotopları**" verildi. Yukarda içindeki proton/nötron oranı tam olarak **1/1** ve **2/3** olan bugüne kadar oluşan elementleri gösteren bir tablo görülmektedir. **EK-Ia, b, c, d** ve önceki sayfanın üstünde; **kara madde**, **tanecikler** ve **kritik yoğunluk** oranlarına göre, genişleyen ve toplanan evrenin evreleri: **-1/1, -2/3, -1/2, -1/3, 0, +1/3, +1/2, +2/3, +1/1** oranlarına göre belirlenmişti. Yukarıda ve sağda tablolarda elementler açısından da bu oranları belirlemenin doğruluğu açıkça görülmektedir.

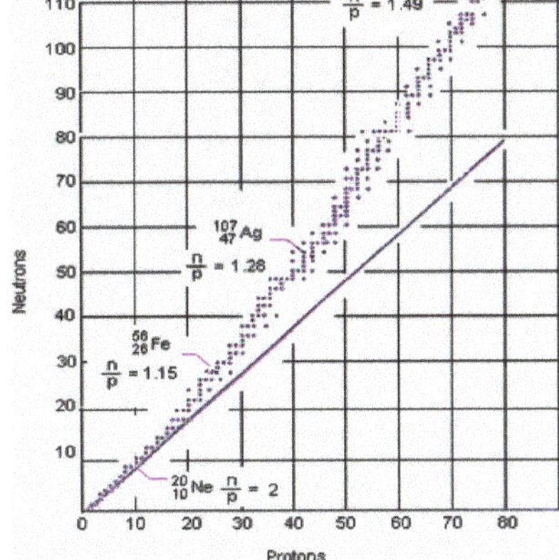

EK-IIIc'de "**120 elementli** Çift Pisagor Üçgen Piramidi" tablosunda Big-Bang öncesindeki anti-madde elementlerinin ve Big-Bang sonrasındaki madde-elementlerinin yaratılış şifresinin **Pisagor Üçgeninin Piramidi** olduğu ortaya koyuldu.

Yukarıda sağdaki küçük şemada maximum **120 nötron**, maximum **80 proton** oranının, EK-IIIb'de **civa 200** izotopunda görülüyor olmasıda ilginçtir. Ayrıca EK-IIIa'da görülen, günümüzün iki boyutlu element tablosunun en son elementi **118** nolu element iken, EK-IIIc'deki üç boyutlu üçgen piramit tablosunun son elementinin **120** olması, aslında üç boyutlu tabloyu kullanmamız gerektiğini göstermiyor mu? Eğer **119** ve **120**. elementler ileride bulunursa bu sorunun cevabı anlaşılacaktır. Bu EK-IIId ve IIg'deki tabloların da yanlış olmadığını gösterebilir.

Aşağıda "**Pisagor Üçgeninin Piramidinin sayısal gelişim tablosu**" verilmiştir. Bu tabloda iki boyutlu **Pisagor Üçgeni**nin, üç boyutlu **Pisagor Üçgen Piramidi** haline getirilmiş şekli görülmektedir. Tepedeki bir noktadan, aşağı doğru her basamaktaki noktacık sayıları ve bu sayılar arasındaki matematik bağıntılar verilmiştir.

Aşağıdaki resimde, görülen "**tetraksi**" dört sıra halinde 10 sayıdan oluşan üçgen (**1+2+3+4=10**) **Hermestot**'tan **Pisagor**'a, **Platon**'a İslam tasavvufundaki "**İhvan-üs safa**"ya Bizans tasavvufuna yani **Palamizm**'e, **Kabala**'ya, **Tapınak Şövalyeleri**'ne geçen ve **Tanrının adımları ve kozmos'un bir ifadesi** olarak kabul edilen bu **ezoterik** öğreti daha sonra **modern bilim**'i, **Numoroloji'yi**, **Kepler'i**, **Galileo'yu ve Einsstein'ı etkilemiştir.**

RABİA PİRAMİTLERİ TABLOSU:

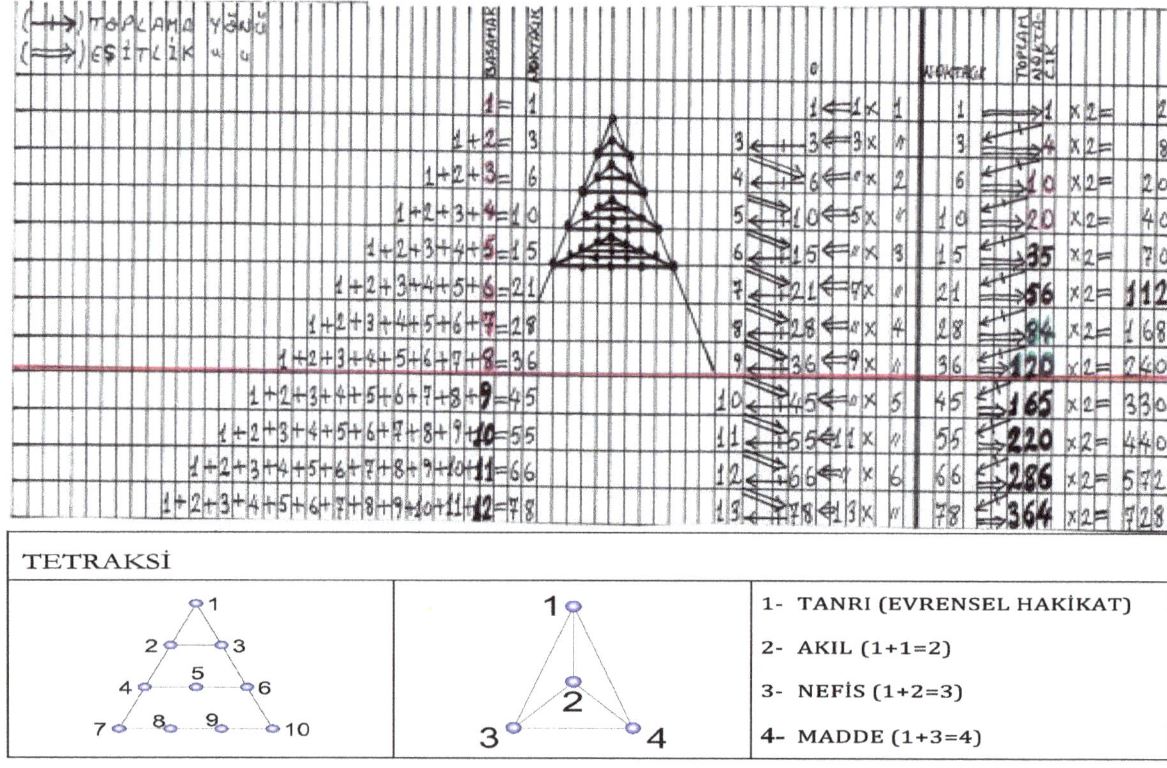

TETRAKSİ

1 2 3 4 5 6 7 8 9 10	1 2 3 4

1- TANRI (EVRENSEL HAKİKAT)

2- AKIL (1+1=2)

3- NEFİS (1+2=3)

4- MADDE (1+3=4)

Keza yanındaki düzgün dört yüzlüdeki, 4 sayıda tetraksideki 10 sayıyı temsil eder. "İhvan-ı sefa"ya göre, her sayının aslı 1'den 4'e kadardır. **Diğer sayılar bu dört sayıdan (RABİA) meydana gelir.** Yirminci asırda **Werner Heisenberg**, modern kuantum teorisinde; "**Temel parçacıkların en sonunda matematiksel biçimler alacağını ama bunların pisagor tarafından var sayılandan çok daha karmaşık bir yapıya bürünebileceğini**" ifade etmişti.

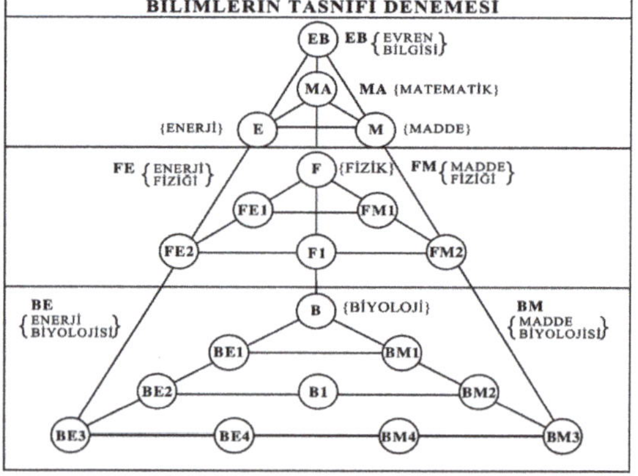

Bu kitabdaki bilgilere göre yanda "Bilimlerin tasnifi tablosu" verildi. Tablonun altına "Sosyoloji"de ilâve edilebilir. Bu tabloda "**EVREN BİLGİSİ**" esasen Madde'nin de. Enerji'nin de sahibi, herşeyi kapsayan "**ALLAH**"a c.c. aittir. Tasavvuf'a göre onun Dünyadaki temsilcisi "**Güzel ahlâk**" sahibi "**Kâmil insan**" bu yüzden ölümsüzdür.

EK-IIId'deki **8 basamaklı Pisagor Üçgen Piramidiyle**; (Oktakty) **Heisenberg**'in **(S-98)** sadece atomaltı parçacıkları için ileri sürdüğü öngörü, iki Big-Bang arasında önce genişleyen sonra toplanacak olan evrenimizin **4 kademede yaratılan ve 4 kademede yok edilecek olan evrenimizde**, (Burada da **RABİA**'yı hatırlamakta yarar var) hem atomaltı tanecikler hem elementler için, **Heisenberg**'in sandığının aksine oldukça basit şekilde gerçekleşmiştir. (Bak: **EK-I a, b, c, d ve EK-II a, b, e, g, EK III c, d**)

V) MOLEKÜLLER, BİLEŞİKLER, CANLILAR VE İNSAN

Moleküller aynı veya farklı atom küreciklerinin bir araya gelmesiyle oluşan, yine küresel yapıda atom gruplarıdır. **Bileşikler**'de küresel yapıdaki molekül gruplarından oluşur. **Bir bileşiğin kendi özelliğini taşıyan en küçük parçası moleküldür.** Moleküllerdeki atom sayısı 1'den 1 milyara kadar çıkabilir. **Her bileşiğin molekülleri arasında uzaydaki galaksiler arasında olduğu oranda boşluklar vardır.** Keza moleküller ve atomları bir galaksinin yıldızları gibi sıcaklıkla artan bir hızla sürekli hareket halindedir. **Bilinen milyarlarca bileşiği de galaksilere benzetebiliriz. EK-Ie**'ye göre;

Big-Bang'den 300 bin sene sonra **ilk atomlar** yani **hidrojen atomları** oluştu.

Big-Bang'den 1 milyar sene sonra **ilk galaksiler**, Big-Bang'den 9, 2 milyar sene sonra **güneşimiz, gezegenleri ve dünya**, Big-Bang'den 10 ila 7 milyar sene sonra dünya üzerinde **ilk tek hücreli canlı** olan yosunlar (algler), su ve karbon'un (H_2O+C) birleşmesinden oluştu. Ancak ilk canlının oluşmasından önce, ileride o canlının organellerini oluşturacak olan **inorganik bileşikler: mineraller, asitler, bazlar** ve **tuzlar**'la birlikte, **organik bileşikler** olan: **karbonhidratlar, yağlar, proteinler, vitaminler ve nükleik asitler** Afrika'nın doğusunda suların içinde oluşmuştu. Şimşek ve yıldırımların elektrik şoku ile bu bileşikler ilk tek hücreli canlılara dönüştü. Bugün lâboratuarlarda bu bileşiklere, su dolu bir kapta elektrik şoku vererek, tek hücreli canlılar elde edilebilmektedir.

Günümüzden yaklaşık **50-100 bin yıl önce** bugün mensubu olduğumuz insan tipi olan **homosapiens** insanının atası olan, Afrika kabilesinin de Afrika'nın doğusu olan bu bölgeden Asya'ya göç edip çoğalmış olması da ilginçtir. Bugün Kızıldeniz'deki canlı çeşitliliği belki bize henüz bilmediğimiz daha çok şeyi anlatmaya çalışıyor olabilir. Kinetik hareket enerjisiyle (elektromanyetik kuvvet) genişleyen ve temelde +,-, **0** Elektrik yüklerinden enerjisini alan, genişleyen evrenimiz, kendi içinde aynı elektrikle (yıldırım ve şimşek) canlı yaşamı başlatmış olmaktadır. **Tek hücreliler**'den sonra çok hücreli bitkiler ve **hayvanlar** önce denizlerde sonra karalarda çeşitlendi ve bugün evren **13,7 milyar** yaşındayken düşünce ve konuşma yeteneği ile hayvanlardan üstün olan biz insanlar yaklaşık **50-100 bin yıldır** dünya üzerinde yaşıyoruz. İlk atom olan hidrojenden sonra atom çekirdeğindeki proton ve nötronlar (**EK-IIIb**) ve çevrelerinde dönen elektronların, (**Ek-IIIa**) kademe kademe çoğalması ile oluşan, bugün evrende **118 elementi** biliyoruz.

Atomların bu evrimi gibi, keza tek hücreli yosunun çekirdeğindeki **DNA**'nın sürekli evrim geçirmesi ile de diğer canlılar ve insan oluştuğu da iddia ediliyor. Bugün bedenimizde, evrenimizin başlangıcı olan Big-Bang'den kalma atomaltı taneciklerini ve daha sonra oluşan atomları elementleri, molekülleri, bileşikleri taşıyoruz. Belki bu sebepten 21. asırda, evren belki ilk defa kendi yarattığı bir canlı olan bizlere, sadece içinde yaşadığımız evrenin değil daha önceki ve daha sonraki evrenlerin bilincine varmamızı da bugünkü ölçüde sağlamış olmaktadır. İlk tek hücreli canlıdan insana kadar olan evrim; **100 trilyon hücreye sahip olan mensubu olduğumuz homosapien** ınsan **tipinden sonra** daha gelişmiş bir insan tipinin oluşma ihtimalinde doğal olarak akla getiririyor.

HANGİ EKTE	ÖLÇEĞİ (NM)	EVRENİMİZİN BIG-BANG'TEN İNSANA KADAR EVRİMİ
I a, b, II, a, b, f	$\sim 10^{-20}$	ATOMALTI TANECİKLER:
I a, b, II, a, b, f	$\sim 10^{-20}$	I- TEKLİ TANECİKLER
I a, b, II, a, b, f	$\sim 10^{-20}$	- BOZONLAR
I a, b, II, a, b, f	$\sim 10^{-20}$	- GRAVITONLAR
I a, b, II, a, b, f	$\sim 10^{-20}$	- FOTONLAR
I a, b, II, a, b, f	$\sim 10^{-20}$	- W+, W-, Z °
I a, b, II, a, b, f	$\sim 10^{-20}$	- LEPTONLAR
I a, b, II, a, b, f	$\sim 10^{-20}$	- KUARKLAR
IIc	$\sim 10^{-15}$	II- İKİLİ TANECİKLER (MEZONLAR)
IId	$\sim 10^{-15}$	III- ÜÇLÜ TANECİKLER (BARYONLAR)
IIIa, b, c, d	$\sim 10^{-10}$	ATOMLAR
Ie.f	$\sim 10^{-9}$	MOLEKÜLLERİ
Ie,f	$\sim 10^{-6}$	BİLEŞİKLER
Ie,f	$\sim 10^{-6}$	CANLILAR VE İNSAN
Ie,f	$\sim 10^{-5}$	I- TEK HÜCRELİ CANLILAR
Ie,f	$\sim 10^{-5}$	- TEK HÜCRELİ BİTKİLER
Ie,f	$\sim 10^{-5}$	- TEK HÜCRELİ HAYVANLAR
Ie,f	$\sim 10^{-4-1}$	II - ÇOK HÜCRELİ ORGANIZMALAR
Ie,f	$\sim 1^{-20}$	- ÇOK HÜCRELİ BİTKİLER
Ie,f	$\sim 1^{-3}$	- ÇOK HÜCRELİ HAYVANLAR
Ie,f	$\sim 1^{-2}$	- İNSAN

VI)   DNA, ASTROLOJİ VE KUANTUMSAL EVREN:

Bugün Evren'in; Birbirleriyle etkileşen, hareket eden, değişen ve farklı frekanslarda titreşen kuantumlar halinde, Big-bang anındaki Bose-Einstein kuantum yoğunlaşmasıyla bilince de sahip olmuş bir canlı gibi, yok edilemez ve varda edilemez ancak halden hale geçen bir enerji olduğunu biliyoruz. Bu enerjiyi meydana getiren atomların içindeki 4 kuvvet olduğunu da biliyoruz. (S-27-29)

Yukarıda atomal ve moleküler ölçekte **atomların ve moleküllerin, bileşiklerin,** astral ölçekteki **yıldızlara ve galaksilere benzediğini açıklamıştık. Yine bir sonraki sayfada görülen canlı DNA'sının açık formüllerinin içindeki atomlarında, Astral yapılardan pek farklı olmadığı görülmektedir. Hücrelerimizin çekirdekleri içinde, bir iğne ucunun yaklaşık binde biri kadar olan** kromozomlar'**ın üstünde, sarmal merdiven şeklinde ve açıldığında futbol sahası uzunluğunda bir** "DNA sarmalı" **bulunmaktadır. DNA merdiveninin iki tarafında:**

1 şeker (Ş), 1 **fosfat (P)** zincir şeklinde uzanırken, ortada 4 çeşit bazın 3'er harfli 64 farklı şifresi ile Ş ve P'nin birleşiminden oluşan **nükleik asitler** yani **genler** oluşur. Her harfi bir baz'ı temsil eden **3 harfli şifreler kelimelere, P, Ş ve 2 bazdan (C-G** veya **A-T)** oluşan **genler de cümlelere benzetilebilir. İnsan DNA'sında 30 bin gen,** yani cümle var denebilir. DNA'mız her biri 300 sayfalık 1000 kitaba sığabilecek bilgi içermektedir. İnsan hücresinin çekirdeğindeki DNA'ya göre, önce; **20 çeşit aminoasit** ve bu asitlerin farklı dizilişi ile bedenimizin sudan sonra en çoğunu oluşturan **proteinler** üretilmektedir. Her insanın DNA'sına göre üretilen proteinler o insanın farklı **bedensel yapısını, vücut ısısını, düşüncelerini, duygularını, hareketlerini hattâ kaderini oluşturmaktadır.**

DNA'nın 4 nükleotid'ine adını veren adenin, guanin, sitozin ve timin isimli 4 organik bazın, bizim RABİA'mızla ilgisi araştırmaya değer.

Anne karnında, babadan gelen hücreyle, anne hücresinin birleşmesinden çocuğun ilk hücresi (zigot) oluşmaktadır. Zigotun çekirdeğindeki DNA merdiveninin basamaklarının oluşmasında Astrolojik etkenler olma ihtimalinin sebepleri:

1. SEBEP: Aşağıda görülen şema, normalde canlı hücrenin çekirdegi içinde sarmal halde olan DNA'nın düz ve açık görüntüsüdür. Bu örnekte DNA'yı meydana getiren kimyasallar (Nükleotitler) alışılmış klasik semboller yanında keza açık formülleriylede gösterilmiştir. Böylece DNA'nın atomlarının gökyüzündeki yıldızlara benzediği görülmektedir. DNA'yı oluşturan bütün nükleotitlerin atomlarının, uzayda yerleşiminin, böylece iki boyutlu yani yüzeysel olduğu ortaya konmuş oldu. (Güneş ve gezegenleri gibi veya grafit kristali gibi) Bu yapı; DNA sarmalı yay gibi kapandığında, Nükleotitlerin yaprak yaprak, üst üste gelip az yer kaplamasını sağlıyor. Güneşin gezegenleriyle oluşturduğu düzlemsi yapı, toplu halde bu düzlemsi yapıyı bozmadan, sürekli sarmal çizerek, Samanyolu içinde yol aldığını biliyoruz. Güneşin, ayın, dünyanın, gezegenlerin ve zodyak kuşağını oluşturan 12 burcun yıldızlarının elementer yapıları sebebiyle birbirlerine elektrik manyetik ve kütle çekimsel sonsuz etkileşim halinde olduklarını biliyoruz.

2. SEBEP: Big-Bang öncesi evrenimiz "sırf enerji" halindeyken (Nur-u Kadim), bu enerji sıra ile kendinin farklı bir boyutu olan ışınım evreni'ni, sonra madde evreni'ni ve dünya üzerinde de bildiğimiz canlılar'ı ve nihayat düşüncesi'yle bütün bu evrimi ve sonrasını idrak edebilecek bir varlığı yani insanı yarattı. Böylece bu Big-Bang öncesindeki "sırf enerji hali" 13,7 milyar yıl sonra, kendi varlığının bilincine varabilecek bir varlık yaratmış oldu. Çağdaş atomaltı araştırmaları sonucu; maddelerin birbiri ile bağlantılı olduğu evrensel bir bütün gibi ve birleşmiş tek bir ağ ile dolaşık halde bulunduğu artık kanıtlanmış olup bu dolaşıklık teorisi olarak tanımlanmaktadır. Çağdaş bilim böylece İslam tasavvufu, Tao, Brahma ve Dharmakaya ile aynı sonuca varmış olmaktadır. Evrende her şey evrenin farklı bir boyutunda bir bölümüdür. Big-Bang'den günümüze ve bir sonraki Big-Bang öncesi tekrar her şey enerjiye dönüşene kadar NUR-U KADİM yani evrenin enerjisi farklı zaman ve mekân ölçeğinde bir bütün olarak, sürekli farklı titreşim ve enerji boyutunda, matematiksel, müzikal ve ilahi bir programa göre uyumla, her şeyi var etmekte, yaşatmakta ve sonlandırmaktadır

3. SEBEP: Uzakdoğuda ve Asya'da sağlık ve yaşamla ilgilendirilen ve Alternatif Tıpta kullanılan; İnsan bedeni etrafında Güneşin 7 rengine sahip, 7 tabakadan oluşan, insanı koruyan ve aura olarak tanımlanan bir elektrik enerji alanı ve manyetik alanı vardır. Ayrıca insanın alnından kuyruk sokumuna kadar 7 şakra ile (chakra) çevredeki aura bir bütün olarak çeşitli titreşim frekansı ve dalga boyutlarında çevreye enerji yayıp, çevreden enerji almaktadır. Her insanda farklılık gösteren ve insana doğumla geçen bu biyoenerji varlığı, erkekte sağa, kadında sola doğru sürekli devir halindedir. Ayni atomların etrafında çifter çifter birbirine ters yönde dönen elektronlar gibi. İnsanın madde dışı varlığını oluşturan bu Biyoenerji sisteminin merkezindeki beyinde oluşan düşüncede kendini çok hızlı değiştirerek çok yüksek frekansta titreşen saf bir enerji biçimidir. Başka bir ifadeyle evrensel enerjininin insan beynindeki oluşumudur. Beynin ürettiği düşüncenin, elektrik akımlarına benzeyen etkiler gösterdiği zaten bilinmekteydi. 20. y.y.'da Rus S. Velantino Kirlian, insanda ve diğer canlılarda olan elektrik alanların renkli fotoğraflarını çekmeyi başardı. Böylece Pisagordan günümüze gelen bu bilgi, çağdaş teknoloji ile görüntülenmiş oldu. Böylece hem evrenin yani Kozmoz'un hem mikrokozmoz olan insanın madde ve enerji olarak ayrılmaz bir bütün oluşturuyor olması, astrolojinin de ciddiye alınması gerektiğini ortaya koymaktadır.

AMİNO ASİTLER VE KISALTILMIŞ SEMBOLLERİ (64 ADET)

	U	C	A	G	
U	UUU (FENİLALANİN)	UCU (SERİN)	UAU (TİROZİN)	UGU (SİSTEİN)	U
	UUC (FENİLALANİN)	UCC (SERİN)	UAC (TİROZİN)	UGC (SİSTEİN)	C
	UUA (LÖSİN)	UCA (SERİN)	UAA (STOP)	UGA (STOP)	A
	UUG (LÖSİN)	UCG (SERİN)	UAG (STOP)	UGG (TRİPTO-FAN)	G
C	CÚU (LÖSİN)	CCU (PROLİN)	CAU (HİSTİDİN)	CGU (ARGİNİN)	U
	CUC (LÖSİN)	CCC (PROLİN)	CAC (HİSTİDİN)	CGC (ARGİNİN)	C
	CUA (LÖSİN)	CCA (PROLİN)	CAA (GLUTAMİN)	CGA (ARGİNİN)	A
	CUG (LÖSİN)	CCG (PROLİN)	CAG (GLUTAMİN)	CGG (ARGİNİN)	G
A	AUU (İSOLÖSİN)	ACU (TREONİN)	AAU (ASPARAGIN)	AGU (SERİN)	U
	AUC (İSOLÖSİN)	ACC (TREONİN)	AAC (ASPARAGIN)	AGC (SERİN)	C
	AUA (İSOLÖSİN)	ACA (TREONİN)	AAA (LİZİN)	AGA (ARGİNİN)	A
	AUG METİONİN)	ACG (TREONİN)	AAG (LİZİN)	AGG (ARGİNİN)	G
G	GUU (VALİN)	GCU (ALANİN)	GAU (ASPARTİK ASİT)	GGU (GLİSİN)	U
	GUC (VALİN)	GCC (ALANİN)	GAC (ASPARTİK ASİT)	GGC (GLİSİN)	C
	GUA (VALİN)	GCA (ALANİN)	GAA (GLUTAMİK ASİT)	GGA (GLİSİN)	A
	GUG (VALİN)	GCG (ALANİN)	GAG (GLUTAMİK ASİT)	GGG (GLİSİN)	G

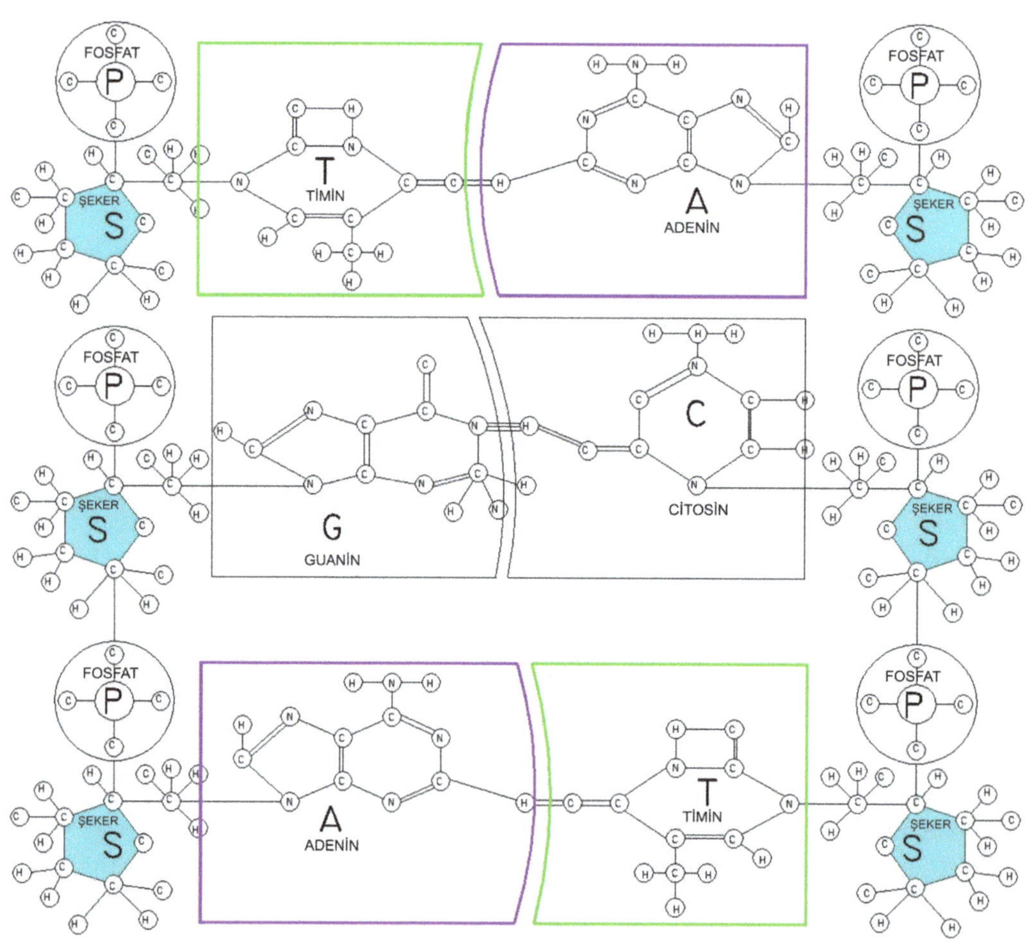

VII) BİLİMLERİN TASNİFİ TABLOSU (EK-IVa)

Bu tablo ile toplumun yapılanmasıda; **mevlevi dervişinin** sağ avucu üzerinde "**bilgi**" (soyut), sol avucu altında "**madde**" (somut) dualitesi temelinde, ortaya konmuş olmaktadır. Keza belkide ilk defa, Bilimlerin tasnifi, bu **evrensel ve toplumsal dualite** şablonu içinde, ilahi ve ideal bir yapıya kavuşmuştur. Tablonun üst ortasında **devlet**'in yönetici kurumları ve insanları, devletin sağında toplumun bilgi kurumları ve insanları **(bilenler)**, devletin solunda, toplumun üreten firmaları ve insanları **(yapanlar)** (üretenler) vardır. Bu tabloya göre devletin görevi, toplumda her konuda, bilenlerin yapanlara bildiklerini aktarmasını sağlamaktır.

Devlet **üretenler**den ve satanlardan (kazananlardan) aldığı vergiyi yani **para**yı, topluma yapılacak birçok hizmet yanında, temel olarak **bilenler**e yani eğitim kurumlarına ve insanlarına harcayıp, bu kurumların ürettiği yetişmiş bilgili insanları da üreten haline getirmek için harcamak zorundadır. Sistemin dinamik ifadesi; **yapanlar**dan ve satanlardan vergi olarak devlete **para** giderken, bu paranın yeterli bölümü **bilenler**e aktarılmak ta böylece her mesleğin çağdaş bilgileriyle, yetiştirilmiş insanların, **yapanlar**a katılması yani Üretici hale gelmesi sağlanmış olur. Böylece sürekli artan **kalite, üretim, iş gücü, milli gelir** yani **para** (sermaye) artışı idealine ulaşmak mümkün olabilir.

D) HER ŞEY KURAMINI HAZIRLAYAN MATEMATİKLE İLGİLİ ÖN BİLGİLER:

I) MATEMATİĞİN BAZI TARİF VE YORUMLARI

* Matematik evrenin sistematiğidir.

* Matematik "aksiyom" adı verilen değişmez temel kuramların sonucu olarak evrenin muhteşem kusursuzluğuna, güzelliğine, hakikatine ulaşabileceğimiz bir araçtır. Matematiğin konusu evrenin değişmez doğrularıdır.

* Evrenin dili olan **matematik; sayılar**, şekiller (geometri) ile **harfleri** (terimleri) **semboller**, kelime ve cümleleri **formüller** olan bir **aksiyom sistemidir** (organlardan oluşan bir bütün). Matematik hem kendi içindeki hem evrendeki ve bütün bilimlerdeki henüz bilinmeyenlerin sırlarını içinde taşır.

* **Matematik** bütün bilimlerin temelini oluşturur. Bilimleri birbirine bağlar, bilimlerin sistematiğini oluşturur.

* **Platonculuk:** Matematiğin insandan ve kültürden bağımsız varlığa, öncesiz bir gerçekliğe ilişkin, mutlak doğrulara yönelik bir çalışma olduğu görüşüdür. *Bugün insan zekâsı; henüz **matematiği** tam açıklayamamış olduğu gibi, "**fiziksel evren**" ile "**matematiksel evren**"i, ya da ikisi arasındaki ilişkiyi de tam anlamış değildir.

* **Platon**, sayıların, doğanın gizemlerini çözecek belli anahtarlar verdiğini kabul eder. Platon gibi daha sonraki birçok filozof matematiğin kültürleri aşan evrensel bir niteliğe sahip

METRE OLARAK EVRENSEL SAYILAR	
$10^{-googol}$	-GOGOLPLEKS
10^{-100}	-GOGOL
10^{-30}	
10^{-29}	
10^{-28}	
10^{-26}	
10^{-24}	
10^{-23}	
10^{-22}	
10^{-21}	
10^{-20}	ATOMALTİ TANECİKLER
10^{-19}	
10^{-18}	
10^{-17}	
10^{-16}	
10^{-15}	
10^{-14}	ATOM ÇEKİRDEĞİ ÇAPI
10^{-13}	
10^{-12}	
10^{-11}	
10^{-10}	ATOM ÇAPI
10^{-9}	
10^{-8}	ANGSTROM (Å) MOLEKÜLLERİ
10^{-7}	NANOMETRE
10^{-6}	BİLEŞİKLER
10^{-5}	TEK HÜCRELİ CANLILAR
10^{-4}	MİKRON
10^{-3}	
10^{-2}	
10^{-1}	
1	GELİŞMİŞ CANLILAR
10^{1}	
10^{2}	
10^{3}	BİN
10^{4}	
10^{5}	
10^{6}	GEZEGENLERİN UYDULARI
10^{7}	GEZEGENLER
10^{8}	
10^{9}	MİLYAR
10^{10}	
10^{11}	
10^{12}	YILDIZLAR
10^{13}	
10^{14}	
10^{15}	KATRİLYON
10^{16}	
10^{17}	GALAKSİLER
10^{18}	KENTİLYON
10^{19}	
10^{20}	EVRENİMİZ
10^{21}	SEKSTILYON
10^{22}	
10^{23}	
10^{24}	SEPTİLYON
10^{25}	
10^{26}	
10^{27}	OKTİLYON
10^{28}	
10^{29}	
10^{30}	NONİLYON
10^{48}	EVRENDEKİ ATOMLARIN SAYISI
10^{100}	+ GOGOL
10^{googol}	+ GOGOLPLEKS

olduğunu, **matematiğin konusu**'nun evrenin değişmez doğruları olduğunu ifade ettiler

* **Matematik;** tabiatta rastlanan problemleri sayılar ve şekillerle ifade ederek çözmeye çalışan bilim dalıdır. "Ölçü Bilimi" olarak, diğer bilimlere alet olarak kullanılır.

* **Matematik** evrenin güzelliğinin ve hakikatinin gizleridir. **Hakikat** hatasız bir argümanlar dizisinin sonunda bulunur. Matematik yasalarının özelliği tartışılmaz olmalarıdır.

MATEMATİK İKİYE AYRILIR:

1- Pür matematik: fikirler düşünceler dünyasıdır ve soyuttur.

2- Uygulamalı matematik: Gerçek dünya ile ilgilidir ve somuttur.

***Matematikdünya** kafanın içinde **gerçek dünya** onun dışında yaşar. Doğayı anlamak ve somut olgular üzerinde çalışmak için matematik kullanımıyla belirlenen entellektüel alana uygulamalı matematik denir.

* **Matematiğin** gelişmesi somut temelden başlar, soyut genellemelerle kuramsal düzeye gelir. Sonra ulaşılan kuramı pekiştirme doğrulama amacıyla, somut düzeydeki problemlere geri dönülür. Kısaca somuttan soyuta gidiş, soyuttan somuta dönüş, matematiksel düşünmenin özüdür. Sibernetik'deki "**feed-back**" gibi (sürekli bilgi alışverişi).

* **Galileo** "Evren matematiğin diliyle yazılmış bir kitap gibidir ancak o dili bilenler tarafından anlaşılabilir. Harfleri üçgen, çember ve öteki geometric şekillerdir" der.

* **Evren, matematik**'le yazılmış ve de matematik düşünülerek algılanabilecek ilahi bir uyuma harmoniye ve dengeye sahiptir.

* **Matematik** karmaşık görünen durumlardan düzen aramaktır. O halde bugün dünyada toplumlar ve bilimler arası karmaşaya, düzen getirecek, çözüm getirecek tek araç da matematik olacaktır

II) MATEMATİĞİN TARİHİNDEKİ ÇOK TEMEL GELİŞMELER

Matematik önce; sümerlerin geldiği Yenisey ve Orhun Nehirleri ile İndüs vadisinde bugün bilinen "**Mohenjodaro ve Harabba**" şehirleri gibi yerlerde önce 9'a kadar sayılarla başladı. Bu dokuz sayının dini anlamda o devirde inanılan iyilik tanrılarının bulunduğu 9 kat gökle ilgisi vardı. 9 sayıdan sonra ikinci önemli gelişme **sıfır**'ın kullanılmasıdır. Sıfırı Sümerlerin astronomi hesaplarında kullandıkları sanılıyor. Mezopotamya'da ancak İ.Ö. 700-500 yıllarında sadece astronomi metinlerinde sıfır anlamına gelen özel bir işaret kullanıldığını biliyoruz. İ.S. 632'de Hindu matematikçi ve astronomu **Brahma Gupta** yazdığı astronomi ile ilgili "**Sıddhanta**" adlı eserde, sıfırın ilk defa diğer **9** sayı ile beraber nasıl yazıldığını açıkladı. Bu eser İ.S. **773'te** Bağdat'ta Halife El Mansur'un sarayında "Astronomlar nazarında Büyük Sinhind" adıyla tercime edildi. İ.S. 830'da Horzumlu Mehmet [Harzemli Muhammet (Harezmi)] "**Kitab-ul Cebir ve el Mukabala**" adlı eserinde 9 sayısının ve sıfırın aritmetik işlemlerde nasıl kullanılacağını açıkladı. Horzumlu'nun eserinin Endülüs yoluyla Avrupa'ya geçmesi ile Avrupalılar **XII. y.y.**'ın başında Romen rakamları yerine sıfırlı hesap sistemini kullanmaya başladılar. Horzumlu en az sıfır kadar önemli ve ilk defa kendisinin ortaya koyduğu **cebir**i de insanlığa hediye etmiştir. Cebir neden önemlidir? Çünkü evren **simetri** esasına göre kurulmuştur. Bunu horzumlu sayılarla, **eşitlik (denklem=denklik=denge)** olarak ifade etmiştir. Cebir böylece, eşitliklerin her iki tarafındaki sayı gruplarının, bilinenlerinden bilinmeyenlerini bulma, imkânı kazandırmış oldu. Matematikte üçüncü önemli gelişme İ.Ö. VI. **yy'da Pisagor**'un mısır tapınak rahiplerinden öğrendiği bilgilerdir. Pisagor öğretisinin tümüne "**matamatalar**" adını vermiştir. "İnsan bilgisinin tümünü kapsayan" anlamındaydı. Günümüzdeki karşılığı ise "**Her şey kuramı**" olabilir. Pisagor'a göre her şey sayıdır. Ona göre **1'den 4'e kadar sayıların birbiriyle toplanması çarpılması, bölünmesi gibi matematik işlemlerle diğer bütün sayılar elde edilebilir. Evren bir sayı uyumudur** (harmonia) **ve kurucu ilkesi** zıtlıklardır. **Gerçeklik birbirine karşı olan şeylerin uzlaşmasıyla oluşur.** İlk varlık olan **1 nokta'**dır, **2 çizgi, 3 yüzey** (üçgen), **4 dört yüzlü bir cisim**'dir. 4 ve 4 yüzlü cisim **aheng'**i ve **erdem**'i temsil eder ve **güzel** de ahenkle oluşur: "**Hayatın amacı ruhun bilgiyle temizlenmesi, arınmasıdır.**" Onuncu yüzyılda İslam dünyası'nda "**Saflık kardeşliği**" (İhvan-üs-safa) adıyla **Basra**'da **Platoncu, Pisagorcu, Hermestotcu** (Pisagor'dan önce Mısır tapınak rahiplerinden, bilgileri öğrenen ilk Yunanlı) düşünceler:

1 sayısıyla başlayan "**sayı bilim**" bütün bilimlerin kökeni ve doğaüstü bir bilim olarak insanları Tanrı'nın birliği düşüncesine götürdü. Ortaçağ Avrupasında ise, **evren-dünya-insan** arasında bir sayısal uyum olduğu inancı "Harmonia Mundi" (**Müzikal Harmoni**) olarak ifade edildi. XVII. Yüzyılda Avrupa'da önce **R. Descartes**, cebiri geometriye soktu. Şekiller, **saf geometri ve fiziksel geometri** yanında "**kartezyen geometri koordinatları**" ve "**analitik geometri**" sayesindeyse Decartes'in ifadesiyle, **geometri cebire indirgendi, keza cebir de geometri ile görselleşmiş oldu. Decartes'in analitik geometri**'sine göre bir doğru üzerindeki bir noktadan sağa doğru artı (+) ve sola doğru eksi (-) nicelikli noktalar ile reel yani oransız sayılar (+, -, √2) arasında bire bir eşleşme vardır ve bu yapının geometrik şekilde ifadesi kabul edilirken artık **geometri** ile **aritmetik "matematiksel analiz**" adıyla birleşti. **(EK-Ib)** Kartezyen koordinatlarla dogru, düzlem ve uzamdaki noktalarla sıralı reel ölçüleri arasında bire bir eşlemeler bulunur. **Noktalar** veya nokta kümeleri böylece cebirsel olarak ifade edilebilmektedir.

    XVIII yüzyılda Newton ve Leibniz, kalkülüs'ü (yüksek matematik) ortaya koydular. Böylece horzumlu Mehmet'in "**cebir**" yani **eşitliğin sayısal ifadesi**'yle, şekilsel **yani geometrik ifadesi "simetri"** bütünleşmiş oldu. **Kalkülüs denklemi**'nde bir veya birçok değişkenlere bağlı olarak değişen nicelikler yani "**fonksiyonlar**" hesap edilebilmeye başlandı. Keza **1, 2, 3,** gibi doğal sayılarla sayma işlemi matematikçileri "**taneli** çokluk" kavramına götürdü ve "**süreklilik**" kavramına ulaşıldı. Ayrıca **Leibniz**'in "**analisitus**" dediği "**topoloji**" yani sayı şekil kullanmadan **alt-üst, sağ-sol, arka-ön** bağlantısıyla "**herhangi bir sürekli formasyon'un değiştiremediği şekillerin biçimlerin özeliklerin incelenmesi bilimi**" gelişti. **Topolojide cebir** yani **simetri** ve **eşitlik** gibi birinci derecede önemli evrensel kavramlardan biridir. Topolojinin bu tarifi; **Leibniz**'in en eksiksiz varlık olarak Tanrıyı tanımladığı "**monat**" ve "**töz**" kavramlarının, değişmeye uğrayan şeylerde değişmeden kalan varlık, yani "**cevher**" tarifine uymaktadır. Keza Avrupa'da; **evet, hayır** gibi ikilik (**dualite**) esasına dayanan "olasılıklar teorisi" ile (**ihtimaller hesabı**) geçmişin verilerine göre, geleceği hesaplama (**fütüroloji**) araştırmaları başladı. Canlı ve cansızlarda çevreden **bilgi girişi-ayarlama (kontrol)–gerekli işlemin yapılması (bilgi çıkışı)** olgusu; önce **sibernetik** sonra **bilgisayar**'larda uygulandı. Bilgisayarlarda bilgi alışverişi; **pozitif (+) evet, negatif (-) hayır** anlamına gelir. Canlılarda, **sinir sistemi, hücre içindeki (+)** ve (−) akım alışverişi sayesinde hayatlarını sürdürebilmektedir.

    Son gelinen noktayı; **Einstein**'ın tarifini yaptığı ancak, 30 sene uğraşıp ispat edemediği teorisini onun tarifine uygun olarak belirleyelim:

    "**Birleşik alan teorisi**" ve **kuantumlu kütle çekim teorisi**'nin amacı; Big-Bang'in ilk saniyesinin, 10^{-43} sıfırda birinde yani Planck **zamanı**'nda (**EK-Ia, b, c, d, e**) evrenin enerjisinin 10^{19} **Gev olduğu zaman, atomun 4 kuvvetinde, 4 boyutlu uzay-zaman kavramının geometrik özelliklerine (bu geometri EK-Ia'daki kuantumların geometrisi neden olmasın) dayanarak tek bir kuvvet haline geleceğini ispat etmekti. Zaman** da mesafeye bağlı olduğu için, **4'üncü boyut** olarak kabul edilmekteydi. Bir başka ifadeyle Einstein, **kütle** çekim **alanlarıyla, elektromanyetik alanları tek bir gometrik yapı çerçevesinde birleştirmek** için 30 dene uğraştı ancak başaramadı. (**EK-Ia'da** bu iki alan en azından görsel olarak birleştirildi) Bunu başarmak için **standart kuantumlama yöntemleri** Einstein'ın teorisine uygulandığında kütle çekim kuvvetlerinin "**graviton**" adı verilen kuantumlarının, alınıp verilmesinden kaynaklanacağı bugün var sayılmaktadır. Bu teori başarılsaydı atomların ve atomaltı taneciklerinin hareketlerini, **kuantum mekaniği yasaları**'na uygun olarak açıklamak mümkün olacaktı. (Bizim EK-Ia ve diğer tablolar belki bu amaca ulaşmalarına yardımcı olabilir.) **Kuantum kütle çekim teorisi**ne göre: her biri atomaltı tanecikleri, ya da onların etkileşmelerinin tüm kombinezonlarını temsil eden ve sadece **Planck ölçeğinde** (10⁻⁴⁵ m) olabilecek **en az 10 boyutlu bir uzay** varsayılmıştı. (**EK-I a, b, c, d, e**) kuantum mekaniğine göre **bütün enerji birimleri** kuantize edilmiş somut kuanta taneciklerinden oluşur. EK'teki tablolarımızda önceki ve sonraki evrenler bile yarısı (+) yarısı (−) yüklü birer kuanta olarak verildi. **Kuanta elektro dinamiği**'nde ise, elektrik yüklü (**+,-**) taneciklerin etkileşmesi elektromanyetik alanın "**foton**" denen kuantumlarının alınıp verilmesinden kaynaklanmaktadır. Modern fiziğin makro evrendeki en önemli teorisi izafiyet teorisine göre oluşan determinizm yani "Belli nedenlerle, belli koşullar altında belli sonuçlara ulaşılır" kuralı son aşamada Kuantum teorisiyle, mikro evren ölçeğinde de olsa bizi tehlikeli bir şekilde indeterminizme götürdü. Böylece eskiden bir şey ya doğru veya yanlışdı hem doğru hem yanlış olamazken, Kuantum teorisiyle, kuantum ölçeğinde doğruda, yanlışta olasılık haline geldi. Bu gelişme felsefe tarihinde aklımızdan şüphe eden şüpheciler kadar tehlikelidir. **Sayfa 186**'de indeterminizm'e nasıl dönülebileceği anlatılacaktır.

III) İNGİLİZ ASTRONOM MARTİN REES'E GÖRE EVRENİN YARATILMASINDAKİ 6 TEMEL SAYI:

MARTİN REES kâinatın ve hayatın, müthiş plânlama ve tasarımına dikkati çektikten sonra, evrenin en küçük ve en büyük parçalarına nüfus eden, bu birbirinden ayrı gibi görünen 6 sayıyı; tablolarımızda ve özellikle onun "**evrenin büyük planı**" olarak ifade ettiği "**evrenlerin kalkülüs denklemleri**" (EK-Ib,c,d) tablolarında, yerli yerine koymaya çalışalım.

1. Sayı: D= 3 Busayı evrenin bugün üç boyutlu olmasıdır. 2 veya 4 boyutlu olsa evrenimiz oluşmayacaktı.

2. Sayı: E=7/1000 Bu sayı atom çekirdeğini bir arada tutan kuvvetin enerji şiddetidir. Helyum atomunun çekirdeği kendisini oluşturan **2 proton, 2 nötron**un toplam ağırlığının **% 99, 32**'sini oluşturur. Kalan **% 07**, ısı olarak açığa çıkar. Böylece güneşin içindeki, yakıt olan **hidrojen gazı, helyum**'a dönüştüğünde kütlesinin **0,007**'si enerjiye dönüşür. Bu rakam **0,006** olsaydı proton, nötrona bağlanmayacak ve evren sadece hidrojen ihtiva edecek ve hayat olmayacaktı. Bu sayı **0,008** olsaydı füzyon çok hızlı olacak Big-Bang'den günümüze evrende hiç hidrojen kalmayacak, güneş sistemi ve hayat çok çabuk yok olacaktı. Bu sayı **EK-I a, b, c, d** ile ilişkilendirilebilir.

3. Sayı: N=10³⁶ bu sayı da **atomları bir arada tutan kuvvetin** şiddeti'nin, **atomlar arasındaki gravitasyonel çekim kuvveti**'ne oranıdır. Yani atomların arasında gravitasyondan daha kuvvetli bir çekim olduğunu gösteriyor. Bu rakam daha küçük olsa evren çok daha kısa ömürlü olurdu. Bu sayı da keza **EK-I a, b, c, d** ile ilişkilendirilebilir. Ayrıca **gluonlar**la ve **kuark-anti kuarklar**'la ilgili, "**madde-anti-madde kuvveti**" yani **atomun 5. kuvveti**'yle mi ilgili? Araştırılabilir.

4. Sayı: Ω=Gerçek Yoğunluk/Kritik Yoğunluk: Evrenin görünen ve görünmeyen madde yoğunluğudur. Evrenin bütün madde yoğunluğu olan bu sayı daha fazla olsaydı, genişlemekte olan evrenimizin genişlemesi durur ve evren kendi içine çökmeye başlardı. Bu sayı daha küçük olsaydı galaksi ve yıldızlar artık yaratılamaz ve evren daha farklı olurdu. Bu sayının evrimi **EK-Ia**'da açıkça görülmektedir.

5. Sayı: (Λ) 1998'de keşfedilen bu sayı, evrenin genişlemesini kontrol eden, **anti gravite kuvvetinin şiddetidir**. Bu sayı çok küçük olduğundan, **10⁹** ışık yılından daha küçük yapıları etkilemiyor. Bu sayı daha büyük olsaydı yıldızlar ve gezegenler oluşamıyacaktı. Bu sayıda **EK-Ib**'nin sağ üstünde görülen, genişleyen evrenimizde atomal ölçekte minimum olan (**1 Mev**) elektromanyetik kuvvetin, astral ölçekteki karşılığı olan **10⁻⁴⁰ MeV** değeri olamazmı?

6. Sayı: Q=1/1000 Genişleyen evrenimizde gezegen ve galaksilerin oluşmasına yol açan **karmaşık düzensizlik** veya başka ifadeyle **dalgalanmaların genliği'**dir. Bu sayı daha büyük olsaydı uzayda büyük madde kümeleri dev kara delikler haline gelecek güneşi ve yıldızları yutacaktı. Bu sayı da yukarıdaki **5**.sayı gibi **EK-Ib'**nin sağ üstündeki elektromanyetik kuvvetle ilgili olamazmı?

Martin Rees'in yukarıda verdiği 6 sayının **EK-Ia, b, c, d'**deki tablolarda yerli yerine konup bu tabloların daha geliştirilmesi gerektiği görülmektedir. Keza astral ölçekte verdiği **Q'**nun değeri olan **1/1000'**nin atomal ölçekteki karşılığının ne olabileceği araştırılabilir.

Ayrıca Martin Rees evrende **çok büyükle, çok küçüğü birleştiren bir teoriye ihtiyaç** olduğunu da ifade etmektedir. Bu teorinin adına "Her **şey kuramı** Rabia" dersek, **sayfa 176,178,201'**de "Her **şey kuramının** ve Evrende var olan Barış'ın 1'den 4'e kadar sayısal ve geometrik rabia'sı" bölümü ve sonrasında nasıl kesin bir evrensel çözümün ortaya çıktığı anlaşılacaktır.

IV) MATEMATİK TABLOSU (Matematik'te Dikotomi Denemesi):

	SOYUT EVREN				SOMUT EVREN		
	SOYUT (SAF) MATEMATİK (DÜŞÜNCELER, FİKİRLER)				**SOMUT (UYGULAMALI) MATEMATİK**		
	SOYUT ARİTMETİK		**SOYUT GEOMETRİ**		**SOMUT GEOMETRİ**		**SOMUT ARİTMETİK (BİLİMLER)**
A	SAYILAR	**A**	a.-SAF G. b. ANALITIK G.	**A**	FİZİKSEL GEOMETRİ	**A**	ATOMALTI TANECİKLER,
	a-DOĞAL S. b--TAMSAYILAR c--KESİRLİ S. d-RASYONEL S.		c-AKILSAL G. (1-SEZGİSEL				ATOMLAR, MOLEKÜLLER, BİLEŞİKLER
	e-İRRASYONELSAYILAR .f-GERÇEK (REEL) SAYILAR, g-SANAL SAYILAR,		2-A PRIORI 3- KURAMSAL				BİTKİLER, HAYVANLAR, İNSANLAR
	h-KARMAŞIK (KOMPLEKS) SAYILAR		4-İNDÜKTİF 5-TASARI G.				
B	EVRENSEL SAYILAR (Π, FIBONACCI, e, VB)	**B**	BOYUTSUZ ŞEKİL (NOKTA)	**B**	SENTETİK GEOMETRİ	**B**	FİZİK, KİMYA
			1-NOKTA'YA GÖRE SİMETRİ				
			2- NOKTANIN İZDÜŞÜMÜ				
C	CEBİRSEL EŞİTLİKLER (DENKLEMLER)	**C**	TEK BOYUTLU ŞEKİLLER	**C**	DENEYSEL GEOMETRİ	**C**	ASTRONOMİ
a	BİR BİLİNMEYENLİ 1. DERECEDEN DENKLEMLER	a	DOĞRULAR		(APOSTERİORİ AMPİRİK)		
b	BİR BİLİNMEYENLİ 2. DERECEDEN DENKLEMLER		1-DOĞRUYA GÖRE SİMETRİ				
c	2. DERECEDEN 3 TERİMLİ DENKLEMLER		2-PARALEL DOĞRULAR				
d	2. DERECEDEN PARAMETRİK DENKLEMLERİ		3-DİK DOĞRULAR				
e	LİNEER DENKLEMLER		4-HARMONİK BÖLME				
f	POLİNOM DENKLEMLERİ	b	EĞRİLER				
g	ORAN, ORANTI, YÜZDE		1- EĞRİLERİN ASİMTOTLARI				
		c	AÇILAR				
			1-KENARLARI PARALEL AÇILAR				
D	KÜMELER, CÜMLELER	**D**	İKİ BOYUTLU ŞEKİLLER	**D**	KESİN GEOMETRİ	**D**	JEOLOJİ, COĞRAFYA
a	DİZİLER (1-ARİTMETİK 2-GEOMETRİK)		(DÜZLEMLER)				
b	MATRİS VE DETERMINANT		1-NORMAL DÜZLEMLER				
			2- DÜZLEMİN İZDÜŞÜMÜ				
		a	ÜÇGENLER				
		b	DÖRTGENLER				
		c	ÇOKGENLER				
		d	DAİRE				
E	EŞİTSİZLİKLER	**E**	ÜÇ BOYUTLU RESİMLER	**E**	TÜMDENGELİM GEOMETRİ	**E**	BİYOLOJİ, TARIM, BOTANİK
a	1.DERECEDEN EŞİTSİZLİKLER VE TABLOLARI		1-TOPOLOJİ 2-UZUNLUĞU				
b	2.DERECEDEN EŞİTSİZLİKLER VE TABLOLARI		3-DERİNLİK (YÜKSEKLİK)				
			4-GENİŞLİĞİ				
F	BAĞINTI	a	PİRAMİT	**F**	MANTIKSAL GEOMETRİ	**F**	ZOOLOJİ, HAYVANCILIK
			1-DÜZGÜN ÇOK YÜZLÜLER				
G	FONKSİYONLAR VE SÜREKLİLİK		2-DÜZGÜN DÖRTYÜZLÜ	**G**	ANSİYOMATİK GEOMETRİ	**G**	TIP, SPOR, PSİKOLOJİ
a	LOGARİTMİK FONKSİYONLAR		3-KESİK PİRAMİT				
b	ÜSTEL FONKSİYONLAR	b	PRİZMA				
c	TRİGONOMETRİK FONKSİYONLAR	c	KONİ				
	1-DÜZLEM TRİGONOMETRİ		1-KESİK KONİ 2-ELİPS				
	2-KÜRESEL TRİGONOMETRİ		3-PARABOL 4-HİPERBOL				
		d	SİLİNDİR				
		e	KÜRE				
H	KALKÜLÜS DENKLEMİ	**F**	KALKÜLÜS GEOMETRİ	**H**	UZAY GEOMETRİ	**H**	TARİH, SOSYOLOJİ, DİN, DİL, EDEBİYAT, RESİM,
a	KAL	a	LİMİT GEOMETRİ				SANAT, HEYKEL, FOTOĞRAF, MİMARLIK,
b	DİFERANSİYEL DENKLEM	b	DİFERANSİYEL GEOMETRİ				İSTATİSTİK, EKONOMİ, TİCARET HUKUKU
c	İNTEGRAL VE TÜREV	C	İNTEGRAL, TÜREV GEOMETRİ				ÖĞRETİM, EĞİTİM, KAMU YÖNETİMİ
I	OLASILIK TEORİSİ			I	NÜKLEER GEOMETRİ	I	BİLİŞİM BİLİMLERİ
i	ALGORİTMA, SİBERNETİK, BİLGİSAYAR						ANSİKLOPEDİLER, DENEME, PERİYODİKLER,
J	MODERN BİLGİSAYAR KURAMI						BASILI VE GÖRSEL MEDYA

Yaşadığımız çağın tartışılan temel matematik sorunu, matematiğin **somut mu, soyut mu?** olduğudur. Bu sorunun cevabı buraya kadar anlatılmaya çalışılan evrende her şeyi **madde** (somut) ve **enerji** (soyut) dualitesigereği olarak matematiğinde hem **soyut** hem **somut** olacağı doğaldır. Yukarıdaki tabloda bu amatörce de olsa yansıtılmaya çalışılmıştır.

MATEMATİK ŞİFRELER	
I- SAYILARDA SİMETRİ (DENKLEMLER	
1) $-\pi/-\sqrt{2}../-1,-2/3, -1/2, -1/3 \mid 0 \mid 1/3,1/2,2/3,1/\sqrt{2}, \pi$	
2) (EK Ib'DEKİ SAYILAR	
3) FİBONACİ SAYILARI	
4) LOGARİTMA	
5) MÜZİKTE NOTALAR (ARMONİ) VE MELODİ (FREKANS VE DALGA BOYU ORANLARI)	PİSAGOR, KEPLER, NEWTON, EINSTEIN VE DİĞERLERİNİN KURAMLARI
II- GEOMETRİDE SİMETRİ (DENGE)	
1) PLATON CİSİMLERİ	
2) ALTIN ORANLAR	
3) TRİGONEMETRİ	
4) Pi (3,141…)	
5) PİSAGOR ÜÇGENİ VE PİRAMİDİ	
MADDE EVRENİMİZDE	
I) ASTRAL ÖLÇEKTE:	
1) KÜRELERİN (GEZEGENLER, UYDULAR, YILDIZLAR VE GALAKSİLER)	- ÇAPI - ÇEVRESİ - KİTLE - (KENDİ ETRAFINDA DÖNER) HIZLI
2) KÜRELERİN YÖRÜNGELERİNİN:	- ÇAPI - ÇEVRESİ - HIZINA (YÖRÜNGE) - GEZEGEN SAYISI
II) CANLILARIN YAPISINDA	
1) BITKILERDE	- YAPRAKLAR, ÇİÇEKLER, VS.
2) HAYVANLARDA	- BAŞ, KOLLAR, BACAKLAR, VB.
3) İNSANLARDA	- BAŞ, KOLLAR, BACAKLAR, VB.
III) ATOMAL ÖLÇEKTE:	
1) KÜRELERİN: (ATOMALTI TANECİKLER, ATOMLAR, MOLEKÜLLER)	- SPİNLERİ - KÜTLESİ - HIZ (KENDİ ETRAFINDA) - ENERJİLERİ - YÜKÜ
2) KÜRELERİN YÖRÜNGELERİNİN:	- ÇAPI - ÇEVRESİ - HIZINA (YÖRÜNGE) - ELEKTRON SAYISI
IV) KRİSTALLERDE SİMETRİ:	- EKSEN SAYILARI
(3 BOYUTTA)	- EKSEN UZUNLUKLARI
	- EKSEN AÇILARI

V) MATEMATİK ŞİFRELER VE MADDE EVRENİMİZ:

Yukarıdaki tablolarda üsteki matematikle, alttaki astral ve atomal maddeler, canlılar ve kristaller arasındaki bağıntılar, belirtildiği gibi, tarih boyunca ve günümüzde bilim adamları tarafından aydınlatılmaya çalışılıyor olsada; evrensel olarak son sözü söyleyen bir açıklama henüz getirilmemiştir. Yukarıda sıralanan matematiği; **evrenin ilahi senfonisi'nin şifreleri** olarak da tanımlayabiliriz. Yukarıda matematik şifreler tablosunda kavramların hepsindeki **uyum, ahenk, armoni, denge,** alttaki madde evrenimiz tablosunda evrenimizindeki ilahi senfoniyi yaratmaktadır. Maalesef uyumsuzlukların, dengesizliklerin, kavganın gürültüsünü yaşadığımız dünyamızda, ibret verici olabilir ümidiyle, **evrenin ilahi senfonisi** konusunda biraz daha bilgi verelim.

1) GEZEGEN YÖRÜNGELERİNDEKİ MATEMATİK

1778'de J. Bode; 1766'da J. Titius'un yaptığı gözleme dayanarak: (0), 3, 6,12, 24, 48, 96, 192, 384 dizisine 4 ilave edince; 4, 7, **10**, 16, 28, 52, 100, 196, 388 sayılarını elde etti. Bu dizide dünya **10** birime denk gelirken, diğer sayılar aynı sırayla, Neptün hariç gezegen yörüngelerinin yarıçapları olarak ortaya çıkmıştı.

2) GEZEGEN YÖRÜNGELERİNDEKİ GEOMETRİLER
• **Gezegenlerin oluşumunda iç içe iki beşgen:** 1948'de **Carl Von Weizsacher;** gezegenlerin bir parçacık bulutunun yoğunlaşması sonucu oluştuğuna dair kuramını, aşağıda görülen şemadaki gibi, iç içe iki beşken olarak açıklamıştı.

• **Ayrıca iç içe iki beşgen:**
b1) **Merkürün** yörünge kalınlığında.
b2) **Mekür-Venüs arası boşlukta,**
b3) **Dünya'la Mars'ın göreli ortalama yörüngelerinde,**
b4) **Mars-Ceres arası boşlukta belirir..**

• **İç içe geçmiş 3 beşgen:**
c1) **Venüs-Mars arası boşlukta,**
c2) **Ceres'le** Jüpiter'in ortalama yörüngelerinde vardır.

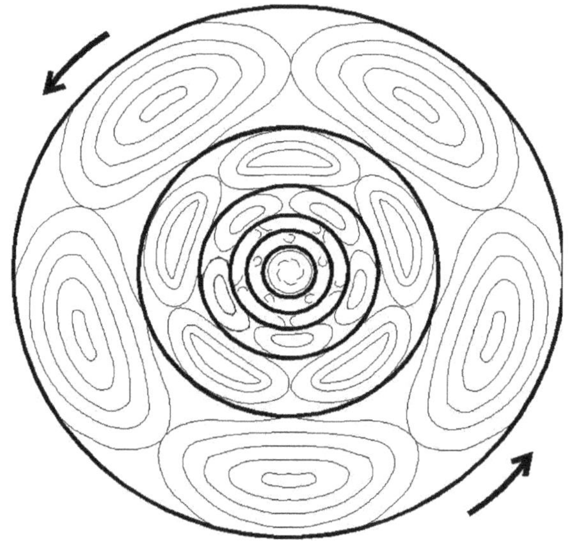

10-20 Milyar ışık yılı çapındaki astral evrenimizde, milyarlarca galaksi ve galaksilerin içinde milyarlarca yıldız ve kat, kat fazlada gezegen ve uydu olduğunu, evrenimizin atomal yapısında 10^{80} parçacık ve 10^{79} molekül olduğunu ve **dünyada bugün 2 milyon canlı türü yaşadığını, daha önce yaşayanların ise, %90'ının artık yaşamadığını** biliyoruz. Yukarıda verilen örneklerden anlıyoruz ki; **evrenimizin bütün madde âleminin varlığı ve yaşamı bu bölümün başında belirttiğimiz matematik şifrelere göre olmaktadır. Matematik şifreleri** de geometrideki **küreler** ve **kürelerin içindeki platon cisimleri** olarak özetleyebiliriz. Şimdi Platon cisimlerine dâhil olması gerektiğine inandığımız, Big- **Bang** Yıldızı'ndan (**BBY**) başlayalım

Tetra Hedron	Okta Hedron	Küp	İkoza Hedron	Dodeka Hedron	BBY(Big-Bang Yıldızı)

3) PLATON'UN DÜZGÜN YÜZLÜLERİYLE İLGİLİ MATAMATİKÇİ EULER DENKLEMİ

Euler Platon'un düzgün yüzlülerindeki kenar köşe ve yüz sayıları arasındaki bağıntının denklemini ortaya koymuştu, aşağıda görülen tabloda bu bağıntı görülmektedir. Platon'un 5 düzgün yüzlüsüne, tabloda altıncı düzgün yüzlü olduğunu iddia ettiğimiz EK-IIa, b' deki tablolarda görülen BBY'yide (Big-Bang-yıldızı) ilave ettik. Görüldüğü gibi Euler'in denkleminin, BBY içinde geçerli olduğu, bu vesile ile ortaya çıkmış oldu. Üç boyutu olan Platon cisimlerinin, her birinin yüzleri aynı kusursuz çokgenden oluşur, kenarları eşit uzunluktadır. Bu çokgenlerin her bir noktası, düzgün yüzlünün merkezinden aynı uzaklıktadır. Ayrıca her bir Platon düzgün yüzlüsü; Her köşe noktası ile teğet yapan bir kuşatıcı küre, her kenarın orta noktasından geçen, orta küre ve yüze tam değen iç küre olarak 3 küreye sahiptir. Tetra hedron'da İç küre yarıçapı, kuşatan küre yarıçapı'nın üçte birine (1/3) eşittir. Platon'un düzgün yüzlülerinde sürekli altın oran (Fi) $\sqrt{2}$, $\sqrt{3}$, $\sqrt{5}$İrrasyonel sayıları ortaya çıkar. (Fi=1,618..., $\sqrt{2}$=1,414..., $\sqrt{3}$=1,732..., $\sqrt{5}$=2,236.) İrrasyonel bir sayı olanaltın oran, basit bir kesir cinsinden ifade edilemez. Altın oranlar bütün canlıların yapısında ke za güneşin gezegenlerinde de vardır.

DÜZGÜN YÜZLÜLER	YÜZ SAYISI (F)	KÖŞE SAYISI (V)	KENAR SAYISI (E)	EULER DENKLEMİ: F + V =E + 2
TETRAHEDRON	4	4	6	4 + 4 = 6 + 2
KÜP	6	8	12	6 + 8 = 12 + 2
OKTAHEDRON	8	6	12	8 + 6 = 12 + 2
DODEKAHEDRON	12	20	30	12 + 20 = 30 + 2
IKOZAHEDRON	20	12	30	20 + 12 = 30 + 2
BIG-BANG YILDIZI (BBY)	60	32	90	60 + 32 =90 + 2

3) PLATONUN DÜZGÜN YÜZLÜLERİ İLE İLGİLİ MATEMATİKÇİ EULER'İN DENKLEMİ:

DÜZGÜN YÜZLÜLERİN ŞEKLİ	DÜZGÜN YÜZLÜNUN ADI	YÜZ SAYISI (F)	KÖŞE SAYISI (V)	KENAR SAYISI (E)	DENKLEMİ F+V=E+2
	DODEKA HEDRON	12	20	30	12+20=30+2
	İKOZA HEDRON	20	12	30	20+12=30+2
	KÜP	6	8	12	6+8=12+2
	OKTA HEDRON	8	6	12	6+8=12+2
	TETRA HEDRON	4	4	6	4+4=6+2

4) PLATON'UN'UN DÜZGÜN YÜZLÜLERİNİN YILDIZLARIYLA İLGİLİ MATEMATİKÇİ EULER DENKLEMİ:

DÜZGÜN YÜZLÜLERİN YILDIZLARIN ŞEKLİ	DÜZGÜN YÜZLÜNUN YILDIZININ ADI	YÜZ SAYISI (F)	KÖŞE SAYISI (V)	KENAR SAYISI (E)	DENKLEMİ F+V=E+2
	DODEKA HEDRON YILDIZI	60	32	90	60+32=90+2
	İKOZA HEDRON YILDIZI (BBY)	60	32	90	60+32=90+2
	KÜP YILDIZI	24	14	36	24+14=36+2
	OKTA HEDRON YILDIZI	24	14	36	34+14=36+2
	TETRA HEDRON YILDIZI	12	8	18	12+8=18+2

Yukarıdaki tablolarda platon'un 5 düzgün yüzlüsünün **yüz, köşe ve kenar sayıları** ile aralarındaki bağlantıyı gösteren **Euler denklemi** görülmektedir. Bir önceki sayfadaki tabloda Platon'un düzgün yüzlülerinin görüntüsünün sağında Euler denklemine uygunluğu, yukarıdaki tabloda Platon düzgün yüzlülerinin yıldızlarının sağında Euler Denklemine uygunluğu yani **yüz, köşe ve kenarsayıları** arasındaki **Euler bağıntısı** görülmektedir.

5) PLATON'UN DÜZGÜN YÜZLÜLERİ, İKİ TÜR, DİK AÇILI ÜÇGENDEN OLUŞMUŞTUR

a) Eşkenar üçgenin yarısı olan bir dik üçgen: Aşağıda görülen **tetrahedron, oktahedran, ikozahedron ve dodekahedron,** eşkenar üçgen yüzlerinin iki katı kadar, bu yarım eşkenar üçgenlerden meydana gelir.

b) Karenin köşegeninden ikiye bölünmesiyle oluşan dik üçgen: Bu üçgenlerde küpü oluşturur. **Tetrahedron, küp, oktahedron** hep birlikte minerallerin kristallerinde de görülür. **Kristallerde** ki **(sayfa 37-44)** simetri ekseni, simetri düzlemi, ayna görüntüsü, dönme ekseni gibi kavramlar aynen Platon cisimleri içinde geçerlidir. **Sayfa 172**'de verilen tablonun ortasında müzikteki seslerin, iki farklı armanografla tespit edilmiş çizgileri görülmektedir. Sağında ve solunda ise gezegenlerin ikişer, ikişer uzayda zaman içinde takipettikleri yollar verilmiştir. Ortadaki **müzik seslerinin çizgileri** ile sağdaki ve soldaki **gezegen yörüngelerinin, çizgileri** arasındaki benzerlik yani ortak armoniler şaşırtıcıdır. **Bu konu (Sayfa 166) "Müzikte Matematik" bölümünde açıklanacaktır.**

6) BİG-BANG YILDIZI (BBY) İLE İLGİLİ OLABİLECEK DİĞER KONULAR:

a) BBY'NİN İÇİNDE DİĞER PLATON CİSİMLERİ:

Evrenin yaratılış şifrelerini bize anlatabilecek bütün bilimlerin en üstünde olan bilim *geometri'dir.* Geometri noktayla başlar, ikinci bir *nokta'ya* kadar ilerler çizgi olur. Yani ikilem (dualite) başlar. Her iki noktadan eşit uzaklıkta üçüncü noktayla *eşkenar* üçgen olur. Böylece üç noktayla iki boyutluluk başlar. İki boyutta noktalar çoğaldıkça düzgün dörtgen (Kare), Beşgen, altıgen ongen devam eder *daire* ile son bulur. Üçüncü boyutta eşkenar üçgen, önceki üç noktadan eşit uzaklıkta dördüncü bir noktayla *düzgün dört yüzlü* oluşur ve üç boyutlular başlar. Küp, beşgen prizma, koni, silindir gibi bütün üç boyutlu cisimler *küre* ile son bulur. Nokta'yla başlayan küre'yle son bulan (bir anlamda kürede makro bir noktadır) bu oluşum içinde "Platon cisimleri" olarak bilinensadece 5 tane düzgün yüzlü üç boyutlu cisim vardır.

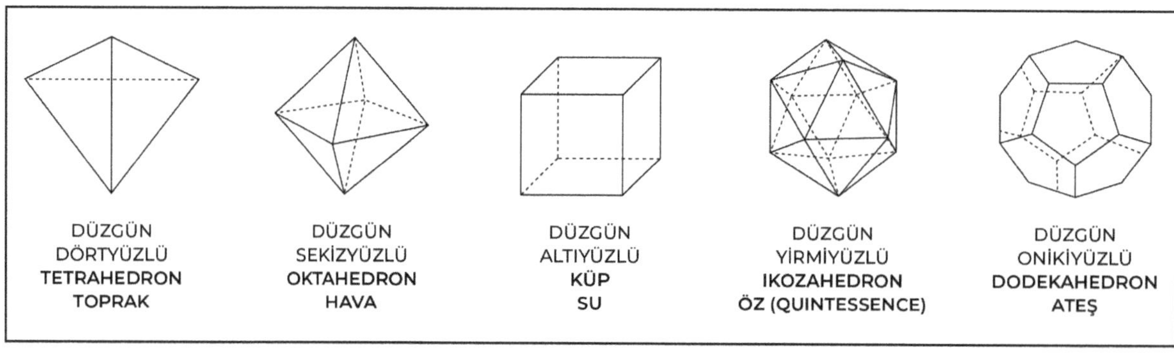

Yukarıda bahis konusu olan geometriler BBY'de olduğu gibi, elementlerin kristallerinde ve atomaltı taneciklerin bazı sanal modellerinde de görülür. Aslında BBY'ye "Kingtessence" demek daha uygun olacaktır.

Yukarıda görülen Platon cisimleri yüzleri kenarları birbirine eşit çokgenlerdir. Aşağıda BBY'yi oluşturan 10 çift kuvantum'un içindeki, 10 çift rombik prizmadan birinin iki ucundaki tetra hedronlar **(RABİA'lar)** görülmektedir.

<u>İkozahedron,</u> küre yüzeyi üzerinde 20 eşit üçgen, <u>dodekahedron,</u> küre yüzeyi üzerinde 12 eşit beşgenden ibarettir.

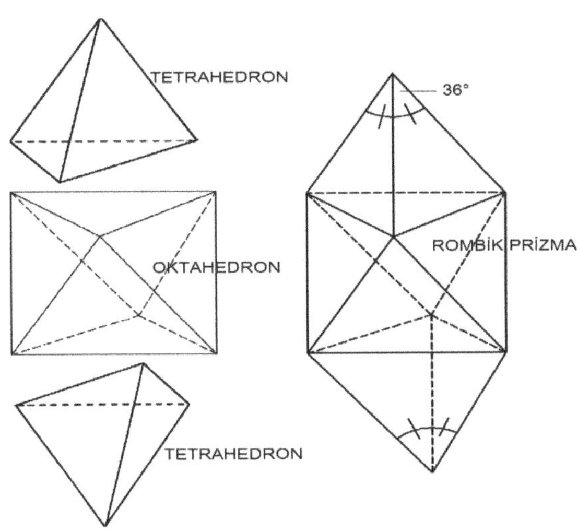

Tetrahedron, EK-IIa,b'de yanda görüldüğü gibi, **BBY**'yi oluşturan her rombik basık prizmanın alt ve üst kesitleri yani yıldızın dıştaki ve içteki uçları.

Oktahedron: BBY'yi oluşturan ve yanda görülen rombik basık prizmaların orta kısmı,

İkozahedron; **BBY**'nin dışındaki tetrahedronları alındıktan sonra küre yüzeyindeki tabanlarıyla görüntüsü.

Nihayet **BBY**'nin dış yüzeyinde birbirine özdeş **5**'li gruplar halinde rombik basık prizmaların uçları, küre yüzeyinde **ikozahedron**daki gibi 12 beşgen oluşturmaktadır.

b) KALKÜLÜS DENKLEMİ

(EK-Ib, c, d) Bir fonksiyonun türevinin integrali (tamamlayıcısı) fonksiyonun kendisine eşittir. Galileo'nun ifadesi "Doğanın kitabı matematikle yazılmıştır" yerine "Kalkülüs'le yazılmıştır" diyen matematikçilerde oldu.

Türev: Bir değişkenin başka bir değişkene göre oranı (bazen hız olarak yorumlanır)

Fonksiyon: Bir veya birçok niceliklere bağlı olarak değişen nicelik.

Analitik Geometri: Koordinat geometrisi.

Analiz: Diferansiyel ve integral hesapların çağdaş gelişimidir.

İntegral **Kalkülüs:** Belirli integral denen eğri uzunluğu, eğik cisim hacmi gibi küçük miktarlar toplamının "**limit**"i ile uğraşır.

Difrensiyel Kalkülüs: Türevlerle uğraşır. İntegral ile **türev** birbirinin tersidir.

Diferansiyel Denklem (D.D.):

F (x) -----> İntegral x Türev ---------> Kalkülüs
(Fonksiyon) (f) (Limit)

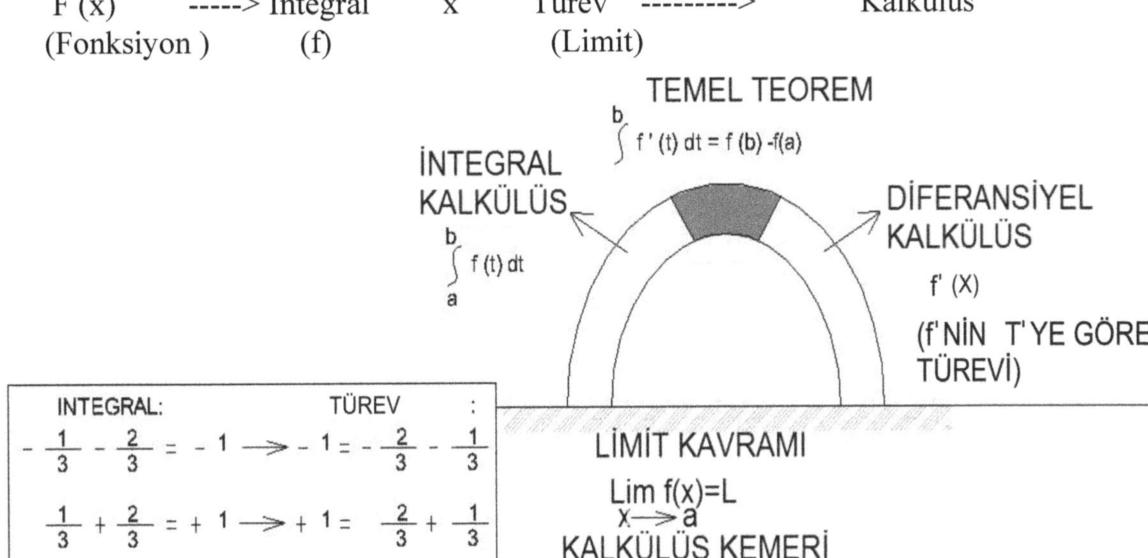

BBY'deki rombik prizmaların her birindeki elektrik yüklerin oranları, **Fibonaci sayıların**daki gibi, "Her sayı kendinden önceki 2 sayının toplamı" olma prensibine uygun olduğu gibi **kalkülüs'e de** yukarıda ve aşağıdaki tablolarda görüldüğü gibi uymaktadır.Doğal olarak, **BBY**'nin 10 eksende bütün tanecikleri içindeki, bu elektrik yüklerin vektörlerinin bir eksene göre momenti bütün taneciklerin vektörlerinin, bu eksene göre momentleri toplamına eşit olan bir **bileşke** ortaya getirirken bir **evrensel kalkülüs** oluşturması gerekir. Burada da **BBY, kalkülüs** ve **Fibonacı sayıları** bütünleşmiş oldu.

c) ELEMENT KRİSTALLERİ

Element kristallerinin birim hücrelerinde **X, Y, Z** simetri eksenleri arasında **a, b, y** açılarının, birim hücrenin geometrisini belirlediğini biliyoruz. **BBY**'de ortaya konan 10 eksen; kristallerinde belki yeniden daha kolay anlaşılabilir bir tasnifinin yapılmasını veya **BBY, kalkülüs** ve **kristalografinin** bütünleşmesini sağlayacaktır.

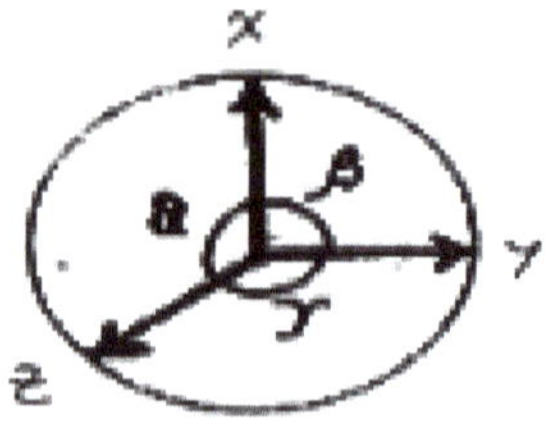

d) ALTIN ORANLAR

d1) Tek boyutta (uzamda) altın oran: Düz bir çizgi üzerindeki iki parçadan büyüğünün küçüğüne oranı ikisinin toplamının büyük parçaya oranına eşitliği olarak tanımlanır.

$$ALTIN\ ORAN : \frac{CB}{AC} = \frac{AB}{CD} = 1{,}618$$

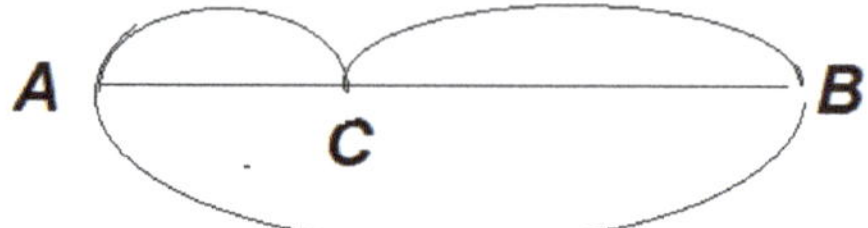

1: 2: √5 Dik üçgeniyle altın nokta'nın bulunması: Bir AB doğrusu alınır, A noktasından AB'nin yarısı kadar Bir dik doğru çizilir. Merkezi D noktası yarı çapı AD olan bir yay çizilip E noktası bulunur Sonra merkezi B noktası yarıçapı EB olan bir yay daha çizilip C altın noktası bulunur.

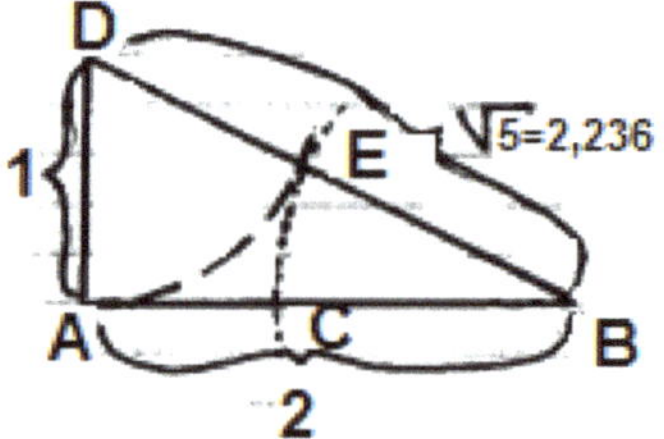

d2) İki boyutta altın oranlar:

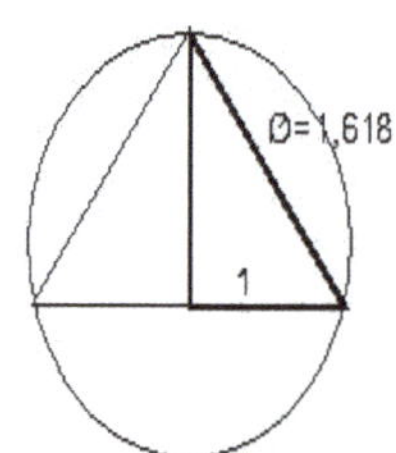 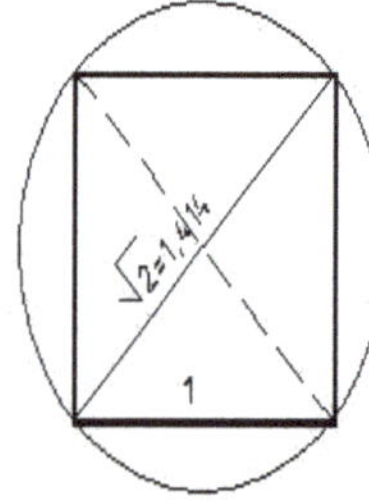 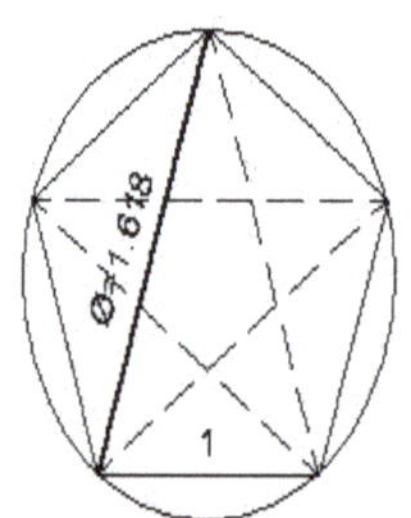 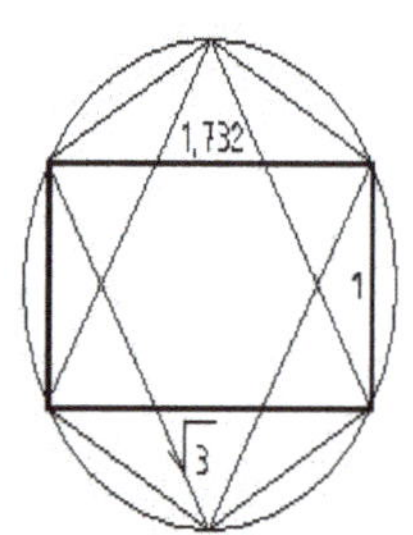 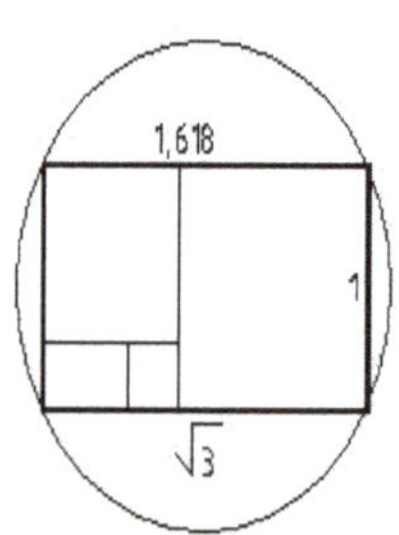

d3) Üç boyutta altın oranlar: Evtren'deki bütün varlıkların ve dünyadaki canlıların üç boyutlu yapılarının yaratılış şifresi; temelde Platon'un düzgün yüzlüleri ve BBY (Big-Bang yıldızı) olmak üzere, tek boyutlu, iki boyutlu, üç boyutlu ve altın oranlı geometrik şekillerin sarmal oluşturmasıdır. Bu şifre astral evrendeki galaksilerden, dünyadaki kasırgalara, girdaplara, deniz kabuklularına, bitkilerin yapraklarına, kelebeklerin kanat yapılarına kadar sayısız varlıkta görülmektedir. Altın oran boyuttan boyuta ve formdan forma geçmeye olanak sağlayan kesin bir matematik işleve sahiptir. Bu işlevi simetriden asimetriye, asimetriden simetriye geçiş imkânı verip çeşitlilik yaratırken, en ufak bir tek düzelik olmadan mükemmel bir denge sağlar. Böylece bütünle parçaları arasında boyut ilişkisi olan altın oran hem Ritimhem denge kaynağıdır. Evrende her yerde altın oran vardır demek yanlış olur. Ancak son derece dengeli mükemmel ve güzel olan formlarda ve durumlarda altın oran olduğu görülmektedir. Örnek olarak evrendeki katı maddelerin amorf yapılarındaki düzensizlik gelişigüzellik, kristal yapıya sahip katı maddelerde yerini periyodik ve simetri özellikleriyle kesin bir düzenliliğe bırakır. Sonuç olarak evrendeki düzenlilik ve düzensizliklerin birlikteliğinde bir denge ahenk düzen olduğu görülür.

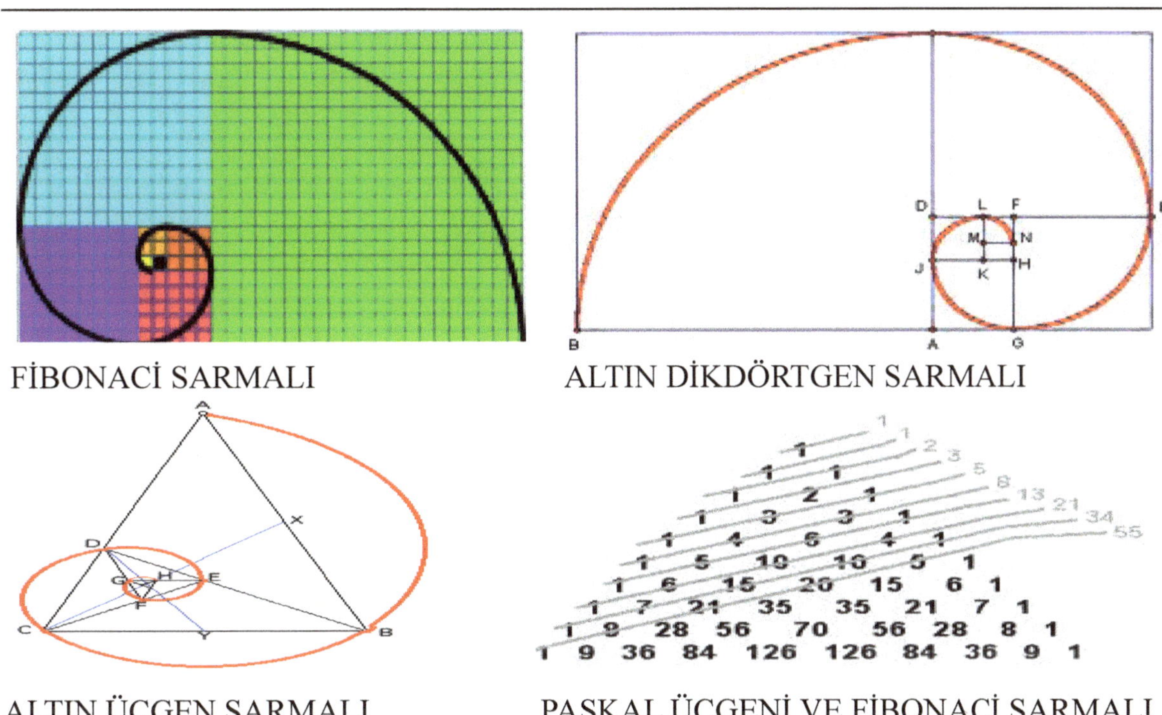

Big-bang'in sıfır zamanında, önceki ve sonraki evrenin 4 taneciğinin sarmal yapısında Tesla'nın **3,6,9** (veya 1,2,3) sayısına göre altın oran denemesi (EK-Ia1):

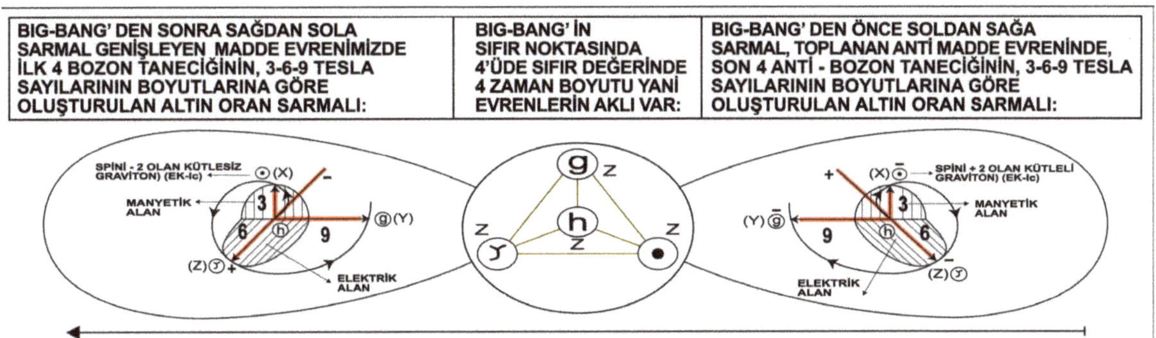

Yukarıda sol tarafta görülen genişleyen evrenimizin sarmalının orta ekseninin dibinde Higs taneciğinin **1** ölçü **X** boyutu yönünde **Graviton**, **2** ölçü **Z** boyutu yönünde **Foton ve 3** ölçü **Y** boyutundaki **Gluon** tanecikleri (EK-Ia1, S-202,203); Daha sonra evrenimizin içinde yaratılacak bütün astral, atomal, canlı, cansız bütün varlıkların 3 boyutlu yapılarından sorumlu olacaklardır. Örnek olarak Dünyada hortumlar, girdaplar, insanların DNA sarmalındaki, bitkilerin RNA sarmalındaki 4 amino asitte, çam kozalaklarında, deniz kabuklarında, ay çiçeğinde, keza altın oranlarda, ağaçların dalları üzerindeki yaprakların Fibonaci sayılarına göre sarmal dizilişinde ilh.

İngiliz edebiyatçı **C. Samuet Taylor**'a göre (1772-1834) **güzellik** "çeşitlilikteki **birliktir**" bilim ise doğa'daki sonsuz çeşitlilikte saklı olan birliği keşfetme amacına yönelik arayıştır. Şiir, resim ve diğer güzel sanatlarsa; insanların çeşitlilikteki birliğe ulaşabilme çabalarıdır. Burada İslam tasavvufu'nun en güzel tarifi olan **"kesrette vahdet"** yani "çoklukta birlik" tanımını da hatırlamak gerekir.

M.Ö. 4000'lerde **Sümerler**'le başlayan resim yazı (çivi yazısı) yaklaşık M.Ö. 1000'den itibaren Ön asya'da Fenike, Nebati, Himyeri, Arami, İbrani, Süryani ve Araplar tarafından hece, ses ve harf işaretleriyle geliştirilerek bugünkü Arap yazısı olan **hat** yani çizgi sanatı oluştu. Arap yazısını altın oranlarla yazma sanatı İslamiyet'den sonra gelişen **Sülüs** (1/3 anlamında) **yazıyla** en güzel örneklerini verdi. Özellikle geniş uçlu kamış kalemle yazılan

Talik yazı bütün harflerin altın oranlarla ve Fibonacci sayılarına göre yazılmasına olanak vermektedir. Hat yani Çizgi sanatı esasen bir geometri tanımıdır. Arapça "**Mühendis**" kelimesi de "**geometri bilen**" anlamındadır. **Hat sanatı "manevi geometri"** olarak tanımlanır. Müzikteki **ritim**, şiirdeki **kafiye** gibi hat sanatında da tekrarlar vardır.

Milat'tan önceki bin yıllarda Mısır tapınak rahiplerinin bulduğu "altın oranlar" Mısır'da tapınak ve mezar mimarisinde, Yunanlılarda, Romalılarda ve Rönesans Avrupasında heykel, resim ve tapınak mimarisinde insanlığa güzel eserler kazandırırken, Yunan sonrası İslam mimarisi ve hat yani yazı sanatında da güzel eserler ortaya çıkmasını sağlamıştır.

Makro, normo, mikro ve infra evrendeki uyum ve birliğin ifadesi olan altın oran irrasyonel bir sayıdır ve basit bir kesir olarak ifade edilemez. Altın oran düzgün çokgenlerde yer alan üç basit orandan biridir. **Sayfa 144'de** verilen Pisagor üçgen piramidi'ndeki 1,3,21 ve 55 sayılarının yukarıdaki Fibanacci tablosunda da olması araştırmaya değer. Keza **sayfa 171**'de gezegenlerin yörünge çizgileri ve müzikteki seslerin armanoğraf çizgilerindeki sarmal yapılarının da altın oranlardan ayrı düşünülemiyeceği açıktır.

Aşağıdaki 5 köşeli yıldızda, üstekilere ilâve olarak; dıştaki daire, **dünya**'nın, içteki küçük daire **Merkür**'ün büyüklüğü olup, altın oranlar burada da görülmektedir. Yıldızın, solunda **Fibonaci sayıları**nın ardışık dizilişinde gittikçe altın orana çok yaklaştığı görülmektedir.

Güneş ay ve dünya'nın çevrimlerinin hepsi altın oranın basit birleşimleri halinde ifade edilebilir. **Merkür, Venüs, dünya** ve **Mars**'ın yörüngelerinde de altın oranlar vardır. Evrendeki güzelliklerin, estetiğin matematik şifresi olan **altın oran**, aşağıda, güneş sisteminin en büyük iki gezegeni olan Satürn ve Jüpiter'in yörünge dönemlerinin 2/5'lik oranında da görülmektedir. Burada **Satürn** ve **Jüpiter**'in dansı, hem Jüpiter'den Satürn'e hem Satürn'den Jüpiter'e bakıldığında görülen üçgen ve ortada güneş görülmektedir.

0+ 1		= 1	1: 1	= 1
1+ 1		= 2	1: 2	= 0.5
1+ 2		= 3	2/ 3	= 0.6667
2+ 3		= 5	3/ 5	= 0.6
3+ 5		= 8	5/ 8	= 0.625
5+ 8		= 13	8/13	= 0.6154
8+13		= 21	13/21	= 0.619
13+21		= 34	21/34	= 0.6176
21+34		= 55	34/55	= 0.6182
34+55		= 89	55/89	= 0.6180
55+89		=144	89/144	= 0.6181
1, 2, 3, 5, 8, 13, ...Ø = 10.61803399				

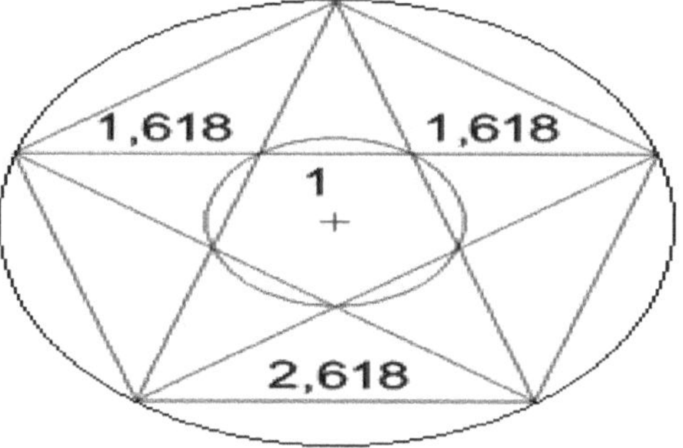

DIŞTAKİ DAİRE DÜNYANIN, İÇTEKİ DAİRE MERKÜRÜN BÜYÜKLÜĞÜDÜR.

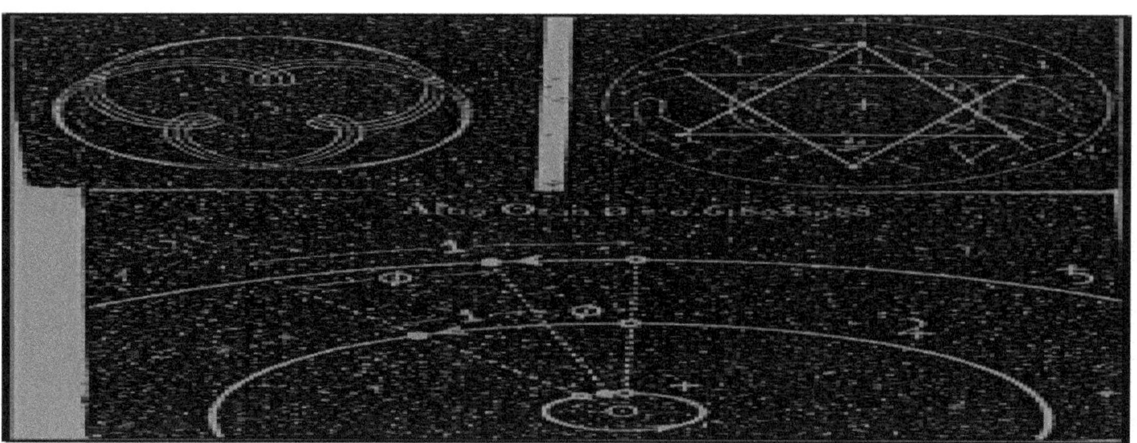

Sağ üste ise; 20 yılda bir bir araya gelen Jüpiter ve Satürn'ün dünyadan görüntüsünde kavuşma konumları, burçlar kuşağının dışında karşı konumları olmak üzere oluşan 6 köşeli yıldız verilmiştir. Alttaki şekilde dünya (+), Jüpiter ve Satürn'ün yörüngelerinin göreli hızlarına göre bulundukları konumlardan ortaya çıkan altın oranlar görülmektedir. Güneşin ve gezegenlerinin yarıçapları güneşin etrafındaki dolanımlarının zaman süreleri ve uzayda çizdikleri geometriler arasında ilahi bir uyum **matematik, Fibonaci sayıları, altın oranlar ve müzik notaları** oluşturduğunu gösteren daha onlarca örnek vardır.

Tekrar **BBY**'nin geometrisine yani **BBY**'nin içinde de olan **dodekahedron**'a (düzgün 12 yüzlü) dönersek, bunun 20 köşe noktasından 12'si, gine birbirine dik 3 altın dikdörtgen ve geri kalan 8 köşe noktasıda, kenar uzunluğu **Fi²** birim değerli **küp** olur. **Dodekahedron**'un ortadan kesiti olan yukarıdaki 6 köşeli Davud Yıldızlarında da bu dikdörtgenler görülmektedir. İkozahedron'un (düzgün 20 yüzlü) 12 köşe noktasıda, keza **birbirine dik, 3 altın dikdörtgen**'le tanımlanır. Çünkü onunda ortadan kesitinde yukarıda görülen 6 köşeli yıldız vardır. **Platon'un 5 düzgün yüzlüsünde altın oranlar: 0, (Fi), √2, √3 ve √5 dir. Bütün platon cisimleri altın oranlarla birbirinin içinde oluşturulabildiği gibi, bu içiçe yapılanma, hem dışa, hem içe, sonsuza kadar gidebilir. Keza tüm canlıların yapısında** da altın oranlar, yapraklarda, çiçeklerde ilh. vardır. Burada verilen bilgilerden sonra **BBY**'nin en azından bütün **Platon cisimlerini, altın oranları, Fibonaci sayılarını, atomal ve astral ölçekte evrenin tamamının şifrelerini**, bünyesinde topladığını iddia etmek yanlış olmaz.

BBY'nin dışındaki düzgün **4 yüzlüler**, beşli gruplar halinde, düzgün **beşgenler** ve **BBY**'nin tamamında ise farklı bir yıldız **dodekahedron** görüntüsü kazanır. Burada altın oranın neden 5›li simetriyle ilgili olduğunun, belki **BBY**'nin geometrisi ve matematiğinde, gerçek evrensel açıklaması saklıdır. Burada **iç, içe 2 beşgen'in (Sayfa 164) Merkür**'ün yörünge kalınlığı, **Merkür**'le **Venüs** arası boş uzayı, **dünya**'yla **Mars**'ın göreli ortalama yörüngelerini ve **Mars, Ceres** arası boşluğu belirlediği, iç içe geçmiş 3 beşgen'in **Venüs, Mars** arası boşluğu, **Ceres** ile **jupiter**'in ortalama yörüngelerini belirlediğini ifade etmekte yarar vardır. Ayrıca **dünya**'yla **Venüs** 8 yılda bir yörüngeleri ile bir beşgen çizerler. Kepler **dünya**'yla **Mars**'ın yörünge aralıklarını **dodekahedron**la, **Venüs**'le **dünya**'nın yörünge aralıklarını İkozahedronla belirlemişti. Geometride **Platon cisimleri** gibi, birbiriyle uyum halinde sadece belirli sayıda şekil olduğu gibi, Müziktede de birbiri ile **akort halinde** sadece belirli sayıda nota vardır.

e) BİG-BANG YILDIZI (BBY) BOSE-EINSTEIN KUANTUM YOĞUNLAŞMASININ GEOMETRİSİ OLAMAZ MI?

Big-Bang yıldızının, Big-Bang'in ilk 10^{-11} saniyesinde oluşan ve 3 boyutlu düğümler (örgüler) (EK-Ie) içindeki veya insan beynindeki Bose-Einstein kuvantum yoğunlaşmasının geometrisi olma ihtimali düşünülebilir. Çünkü BBY içindeki evrenin ilk 160 atomaltı taneciğinin herbiri olması gerektiği yerde ve hiçbirinin BBY'nin başka bir yerinde olma ihtimali yok. Bu yoğunlaşmanında rasgele yoğunlaşan kuvantumlar olması pek mantıklı olmaz. **Sayfa 202.203**'de Bose-Einstein yoğunlaşmasının 4 Bozon taneciğin yoğunlaşması olduğu ortaya çıkarıldı.

YARADILIŞ MONOKORDU:

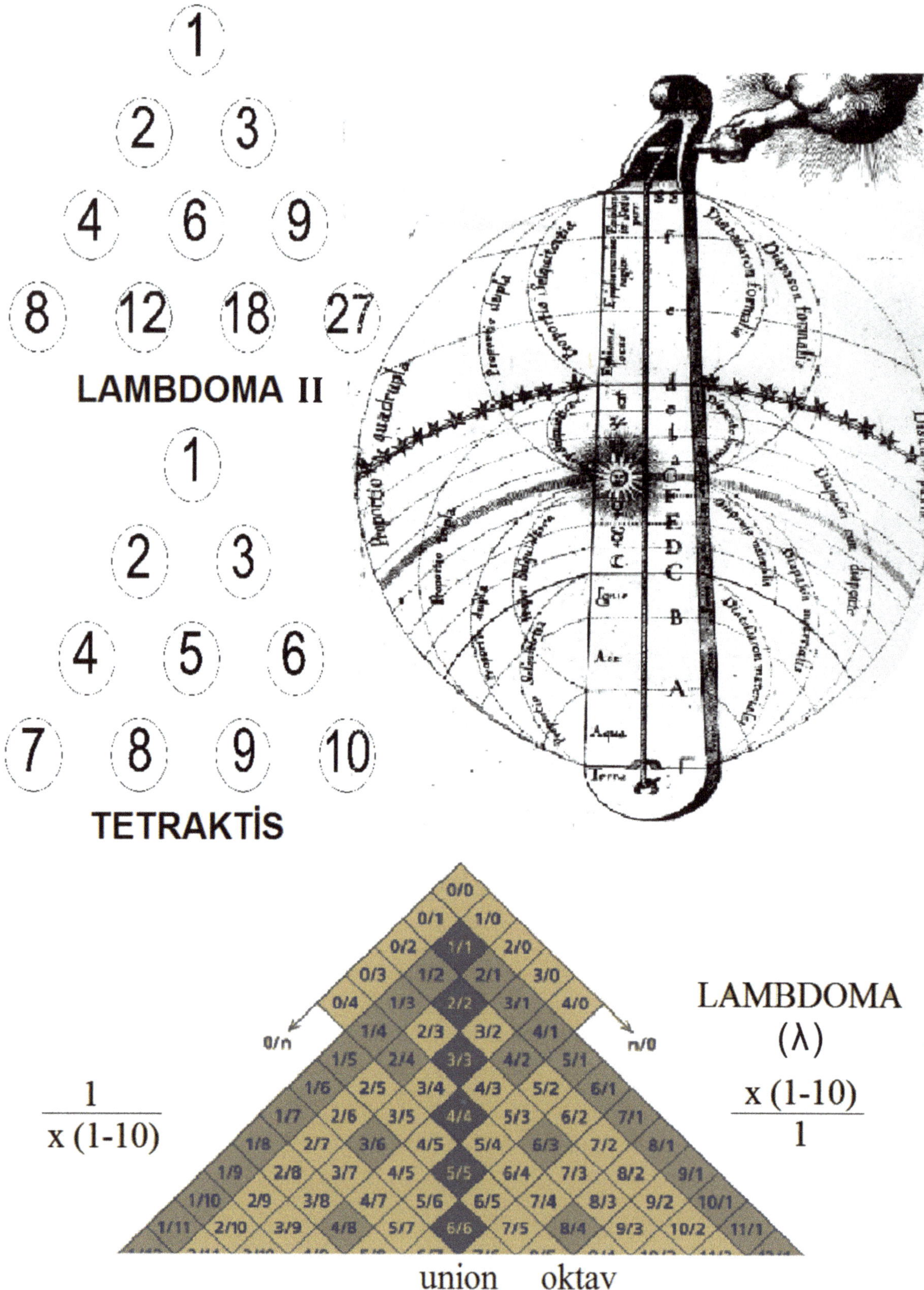

Yaklaşık 2500 yıl önce Pisagor, seslerin frekanslarındaki oranlar, basit sayılardan oluştuğu zaman, müzikteki uyumu (**harmoni**) sağladığı ve kulağa hoş geldiğini keşfetmişti. Bir çekicin yarı ağırlığında başka bir çekiç, ağır çekiçten, iki kat daha ince bir ses çıkardığı için, (**birsekizli=oktav=1/2**) ağırlık oranı **2/3** olan başka bir çekiç ise **beşli** bir aralık oluşturup, başka bir güzel ses oluyordu. Telli sazlarda teller, farklı kalınlık ve uzunlukta, üflemeli sazlarda farklı kalınlıkta ve boyda borular, keza farklı büyüklükte zillerde de aynı kural söz konusu oldu.

Sonuçta "**tüm doğanın sayılardan ortaya çıkan uyumdan oluştuğu**" sonucuna vardılar. **Pisagor**'un müzikteki seslerin sayılarla ilgisini tespit etmesinden sonra 1800 lü yıllarda **armonograf**, 1827'de **kaleydofon**, 1880'de **eydofon**, 1787'de **Chladni düzeneği**'yle, seslerinde **sayfa 172-174**'de görüldüğü gibi geometrik görüntüleri elde edildi. **Müzik** zamandaki sayı (daire) **geometri** uzamdaki sayıdır denildi.

Genel harmoni: Farklı frekanstaki ve eşit genlikteki (dalga yüksekliği) aynı yönde ve karşıt yönde çift seslerin, armonoraf aleti ile çizgilere dönüşen görüntüleridir.

Lambdoma (λ): Önceki sayfada görülen şemada müzikteki harmoni (uyum) **Lambdoma yani** λ'nın sağında, yukarıdan aşağı üst harmoniler (doğuşkanlar), solunda yukarıdan aşağı alt harmonilerin (doğuşkanlar) oluştuğu basit oranlar sıralanmaktadır. (**Sayfa-166-168**) Üst harmoniler şeklin sağında yukarıdan aşağı tam sayılar olarak inerken, alt harmoniler solda yukarıdan aşağı yarım yarım inmektedir. Tablonun sağında aşağıdan yukarıya **8/4=6/3=4/2=2/1** aralıkları, birbirinin aynıdır. Sağ ve soldaki bu özdeşlikler tepede **%** oranında birbirine kavuşur. Bu Lamdoma'daki **toplam 64 harmonik oran** bizim **süper küp** modelimizde (**EK-IIc**) **64 Lebton-kuark taneciği sayısı** kadardır. Ayrıca müziktcbirim olan **8** sayısıda, **süper küp** ve diğer atomaltı tanecilerinin sanal modelindeki her bir **rombik prizma**'nın içindeki tanecik sayısı ile aynıdır. (**Keza DNA'nın 64 farklı şifresi**) (**S-148**)

Lmbdoma II: Yukarıdaki resmin solunda görülen bu pisagor üçgeninde sayılar, sol yanda ikiye ve sağ yanda üçe katlanmakta olup, yatay olarak, komşularından kusursuz beşlilerle ayrılan sesler yaratırlar. Buda BBY'nin dış yüzeyindeki beşkenleri çağrıştırabilir. **Yaratılış Monokordu (evren monokordu):** Yine yukarıda yaratılışın tek telliği görülmektedir. Şemada en altta bir kuantum dalgasından, en üstte evrenin dış sınırına kadar maddeler, sırayla üslü nitelikte olmak üzere 10^{40}'dan fazla bir erimi kapsar ve sıralama resimde görüldüğü gibidir.

Tetraktis: Yukarıdaki resmin solunda görülen bu pisagor üçgeninde 4 sıra halinde, 10 sayıdan oluşan (**1+2+3+4=10**) üçgende, ilk 3 sıra basit aralıklar üretir. (pisagor üçgeni ve düzgün 4 yüzlü gibi). **Müzikte kulağa hoş gelen sayıların; 16- 12- 9- 8- 6- 4** olduğu kabul edilir. Bu sayılar birkaç şekilde çiftler oluşturabilir. Aşağıda görülen 8 nota böyledir.

MÜZİKTEKİ NOTALAR:		
DO λ	PAYDASI EŞİTLENMİŞ ORANLAR	1
RE 8/9	160/180λ	2
MI 8/10=4/5	144/180λ	3
FA 6/8=3/4	135/180λ	4
SOL 6/9=2/3	120/180λ	5
LA 6/10=3/5	108/180λ	6
SI 8/15	96/180λ	7
DO 5/10=1/2	90/180λ	8

Bir piyano klavyesinde **7 tane 8'li (oktav) = 7 oktav**
İnsanın duyma kapasitesi **11 tane8 'li (oktav) = 11 oktav**
 Her **8**'linin en yüksek noktasının, ilk notanın frekansından, 2 kez daha yüksek olan frekansı vardır. Frekanslar İnsanın alt duyum eşiğine denk **saniyede 16 titreşim** (16˙Hertz)'den başlayıp, **saniyede 20 000 titreşim**'de son bulur. Aşağıda insan kulağının duyabildiği frekanstaki (saniyedeki titreşim sayıları) sesler ve karşılığı olan oktav sayılarıyla gam numaraları verilmiştir.

				İNSAN KULAĞININ DUYABİLDİĞİ FREKANSLAR											
FREKANS	2	4	8	16	32	64	128	256	512	1024	2048	4096	8192	16384	20000
FREKANS	2^1	2^2	2^3	2^4	2^5	2^6	2^7	2^8	2^9	2^{10}	2^{11}	2^{12}	2^{13}	2^{14}	
OKTAV SAYISI			1	2	4	8	16	32	64	128	256	512	1024	2048	
GAM NO					DO	DO_1	DO_2	DO_3	DO_4	DO_5	DO_6	DO_7	DO_8	DO_9	

Müzikte: 1/1 (Union) (2'li) aynı perdede.
1/2 (Oktav) (**3'lü**) +2/3 (**5'li**) =Armoni (**EK-Ia, b, c, d**'deki evrenlerin 1/2, 2/3

evreleri gibi)

$$3 \; + \; 5 \; = \; 8 \qquad (\textbf{3, 5, 8} \text{ Fibonaci sayılarıdır})$$

Gezegenler, kadim dünyanın **kürelerin müziği** olarak adlandırıldığı gibi, **güneş** çevresinde yaklaşık olarak 1/2 oranlı bir sekizliye denk gelen, paralel yönlü yörüngeler çizerler. Aşağıda görüldüğü gibi her gezegen çiftinin farklı sürelerde, kendi yörüngelerinin birbiri ile kavuşa kavuşa oluşturduğu çizgiler, güneşten uzaklıkları ve hızlarına göre farklı sayısal oranlara sahip olarak akort oluştururlar.

Yukarıda **Merkür** ve **D**ünyanın oluşturduğu **akort** görülmektedir. **Kepler** gezegenlerin yörüngeleri için, geometri yada müzikle ilgili bir çözüm ararken güneş merkezli ilk 6 gezegenin, müzikte 5 aralık anlamına geldiğini gözlemlemişti. Bu amaçla platon'un 5 düzgün yüzlü cisimlerini, kürelerinin, arasına yerleştirdi (**sayfa 208, resim 7**) Kepler **dünya**'yla **Mars**'ın yörünge aralıklarını belirlerken **de dodekahedronu**, **Venüs**'le **dünya** arasını belirlerkende **ikozahedronu** kullanmıştı. Ayrıca gezegenlarin azami açısal hızları arasındaki oranların hepsinin **müzikteki harmoni**'ye uyan aralıklar olduğunu da fark etmişti.

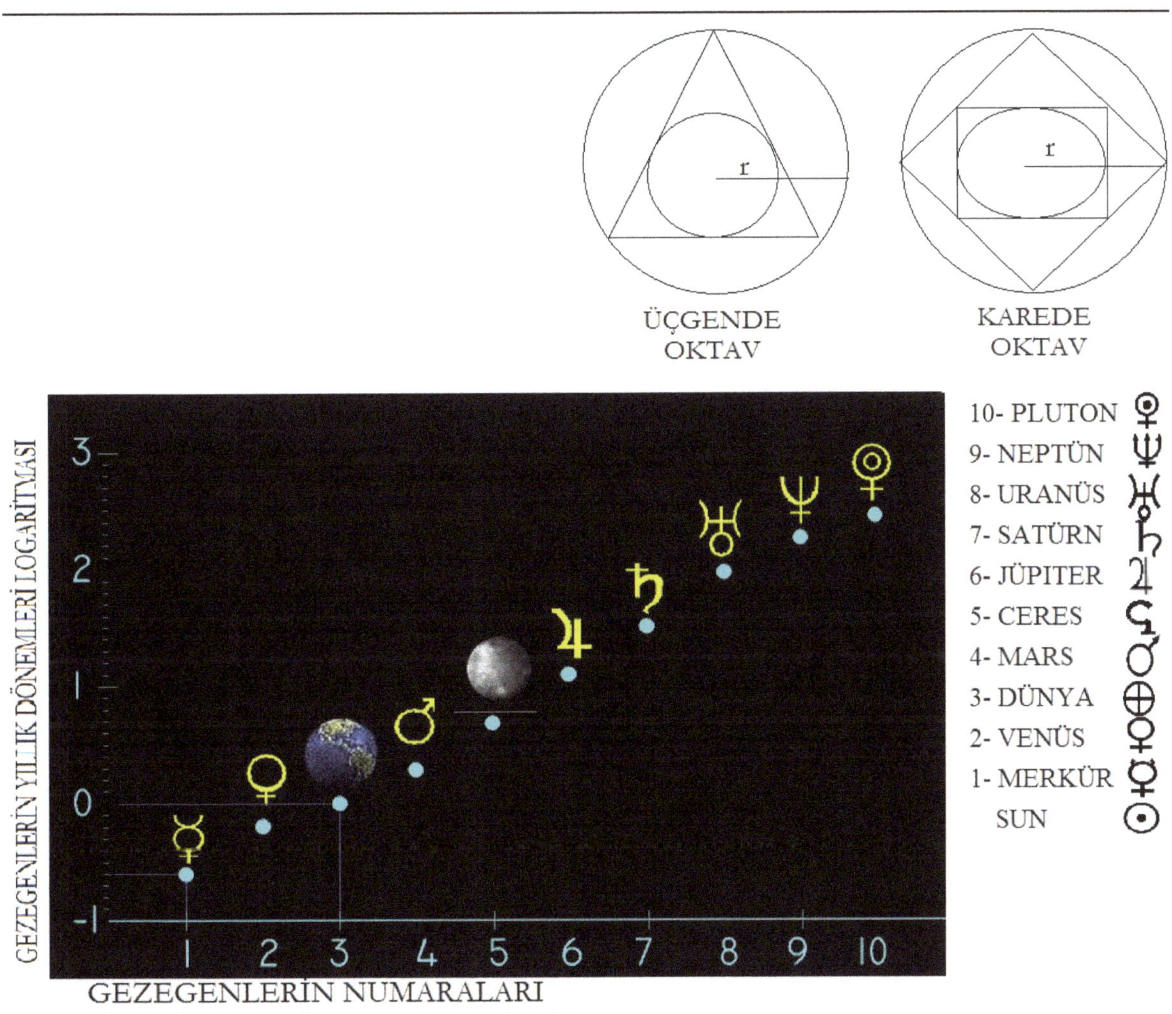

Einstein ise **güneşe** daha yakın konumlarda **Merkür**'ün daha hızlı (ve buna bağlı olarak daha yavaşlayan zamanlı) deviniminin yol açtığı **küçük uzam-zaman etkileri**'nin, elips yörüngelerin binlerce yılı bulan yalpalı devinimli dönüşlerini etkilediğini gösterdi. Böylece kepler'in modelini oda desteklemiş oldu. Müzikte frekans'ın ya da dalgaboyu'nun yarıya indirgenmesi veya ikiye katlanması olan **oktav**'ı geometride belirlemenin yolu; bir eşkenar üçgenin veya karenin, yukarıda görüldüğü gibi, içindeki ve dışındaki daireleri çizmekten geçer. İçteki dairenin çapı veya yarıçapı dıştakinin yarısı kadar olur.

Uranus 84, **Neptün** 165 yılda olmak üzere gezegenler güneş çevresinde bir sekizliye (1/2) denk gelen paralel yönlü yörüngeler çizerler. Gezegenlerin dönemleri ve yörüngelerine ait **temel logaritmik grafik düzen** yukarıdaki resimde görülmektedir. Gezegenlerin yörünge dönemleri bazen birbirlerinin basit oranları şeklinde ortaya çıkar. **Jupiter** ile **Satürn**'ün **2/5** 'lik oranı buna örnektir. Dünya'nın güneş tarafında **Venüs**, aksi tarafında **Mars** vardır. Dünya'nın **Venüs**'le her 4 kavuşması için, **Mars**'la 3 kez kavuşma durumu olur. Yani **dünya** etrafında sürekli çalmakta olan çok yavaş **3/4**'lük bir ritim veya 4 derecelik aralığı kapsayan bir müzik mevcuttur. **Uranüs, Neptün** ve **Pluton,** ritim ve uyum içinde birliktelik gösterirken **Uranüs**'ünkiyle **Neptün**'ünki toplanınca **Pluton**'unkini verecek, **1/2/3oran-tısını** sergilerler. **Neptün**'ün yörünge dönemi **Uranüs**'ün iki katıdır. (1 oktav) **Uranüs**'ün yörünge dönemi **Pluton**'un üçte ikisidir (**2/3**). **Neptün**'ün en iç halkasının büyüklüğü en dış halkasının **2/3**'ü kadardır. Buda Müzikte 5 derecelik bir aralığa denk gelir. **Jüpiter** ve **satürn**'ün yörüngelerinin oranı **6/11**'i verir. Bu ise **Ay** ve **dünya**'nın oranı olan **3/11**'in iki katı, ya da oktav'ı kadardır.

Burada üflemeli sazlardaki boru kalınlığı ve boyu, telli sazlardaki tel kalınlığı ve boyu gibi diğer müzik aletlerinin yapıları gibi her gezegenin de kendi yapısal özelliklerine göre farklı müzik sesleri oluşturduğu anlaşılıyor.

Not: **Matematik** bütün bilimlerin en üstündedir ancak, atomal ve astral evrenin ürünü olan her varlık gibi evrenin en mükemmel varlığı olan insanda, evrenin matematik ahengi uyumuna, melodisine göre yaratılmıştır. Müzik'de ancak frekansları matematik olarak birbirine uyumlu ve ahenkli seslerden oluşabildiği için, müzik sesleri kulaklar ve beyin aracılığıyla algılandığında insanda hâtta diğer canlılarda çok özel ve ilâhi bir etki yaratır. Osmanlı devrinde bu yüzden müzik "İlm-**i Şerif**" yani şerefli ilim olarak tanımlanmıştır.

Bugün dünyada **klasik batı müziği** ve **klasik türk müziği** olarak iki farklı matematik sisteme göre hazırlanmış, iki klasik müzik vardır. Her ikiside, ayrı yollardan giderek ölümsüz eserler ortaya koymuştur. Temennimiz odurki, astral ve atomal evrendeki her şeyde olduğu gibi müzikteki sesler arasında da var olan ahengi uyumu, melodiyi bir gün insanlar arasında da sağlamayı başarabiliriz. Aksi halde dünya toplumu, her hastalıklı yapı gibi varlığını sağlıklı sürdüremez.

MÜZİKTEKİ MATAMATİĞE EK RESİM VE TABLOLAR:
1) SESLERİN, NOTALARIN, GÖRÜNEN IŞIĞIN, ISI IŞINIMLARININ
YAKLAŞIK DALGA BOYLARI VE FREKANS DEĞERLER

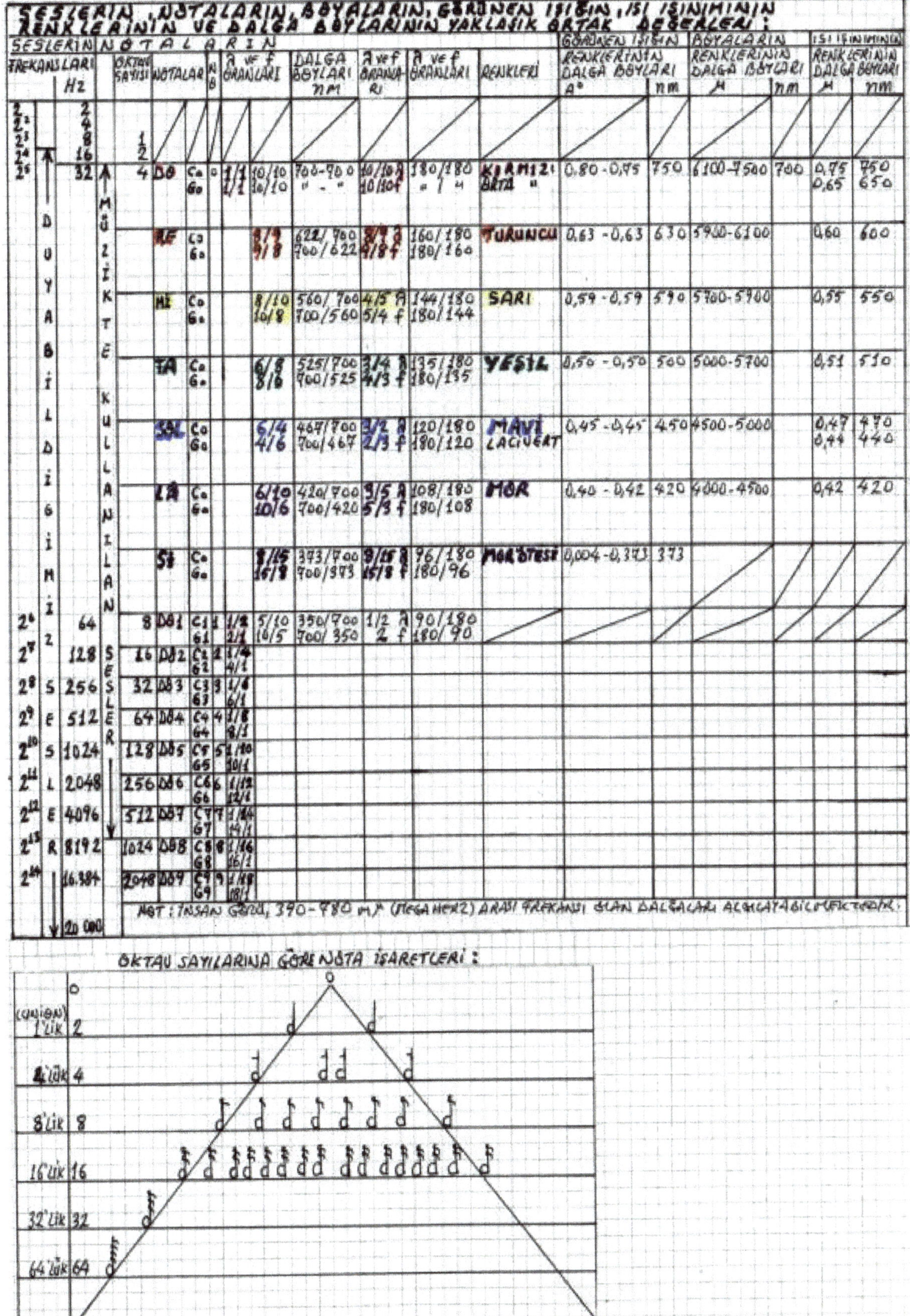

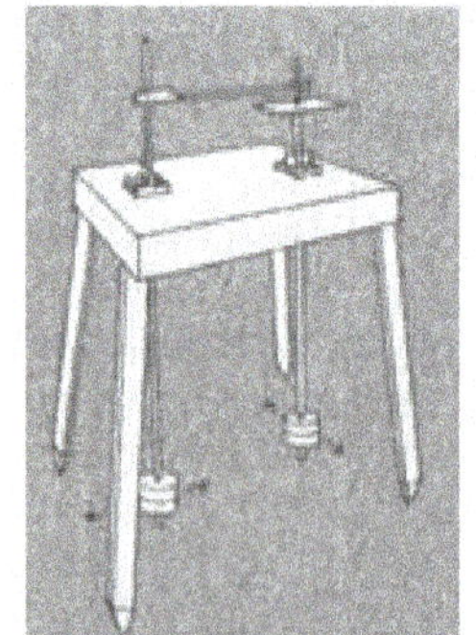

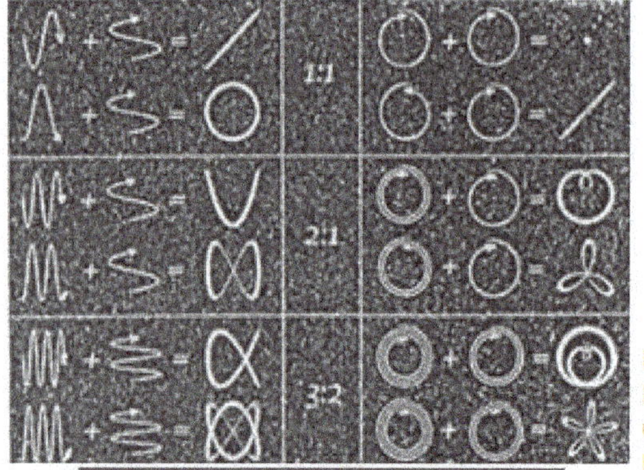

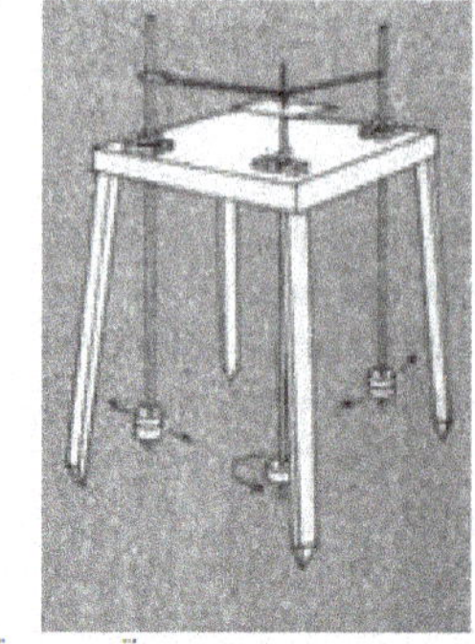

RESİM 1. YANAL ARMONOGRAF
BU SAYFANIN SOL ORTA
YARISINDAKİ SESLERE AİT
ÖRNEKLER BU ARMONOGRAFLA
ELDE EDİLMİŞTİR.

RESİM 2. DÖNER ARMONOGRAF
BU SAYFANIN SAĞ YARISINDAKİ
GÖRÜNTÜLER BU ARMONOGRAFLA
ELDE EDİLMİŞTİR.

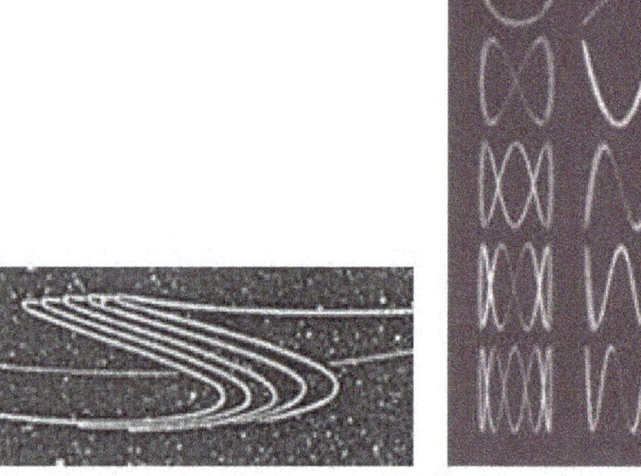

RESİM 3. GÜNEŞ BURÇLAR
KUŞAĞININ ÇEVRESİNDE
DEVİNİRKEN VE VENÜS DE
GÜNEŞİN ETRAFINDA DÖNERKEN 8
DÜNYA YILINDA (VEYA 13 VENÜS
YILINDA) VENÜSÜN ÇİZDİĞİ YOLUN
DÜNYADAN GÖRÜNTÜSÜ
BU RESİM YANAL ARMONOGRAF
ÇİZGİLERİNE (SOL YARIDAKİ)
BENZEYEN, BULABİLDİĞİM TEK
RESİM.

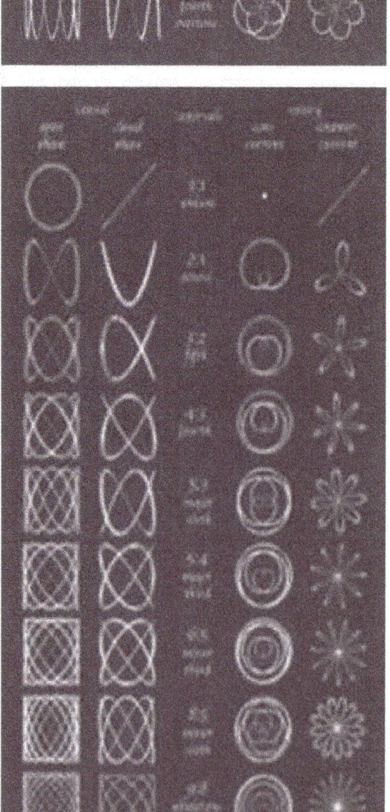

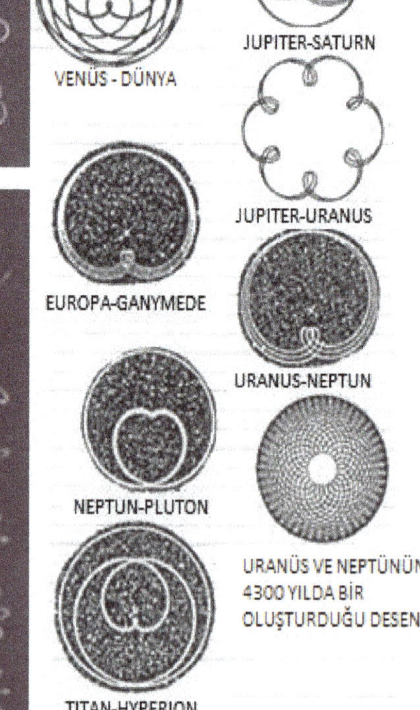

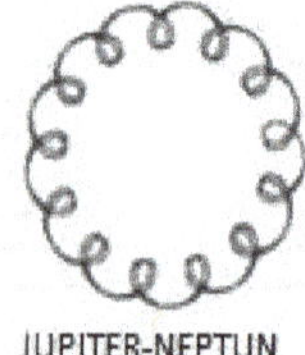

3) NOTALARI OLUŞTURAN ÇİFT SESLERİN FREKANSLARININ BİRBİRİNE ORANLARI TABLOSU

1/16	1/15	1/14	1/13	1/12	1/11	1/10	1/9	1/8	1/7	1/6	1/5	1/4	1/3	1/2 λDO1	1/1 λfDO
2/16	2/15	2/14	2/13	2/12	2/11	2/10	2/9	2/8	2/7	2/6	2/5	2/4 λDO1	2/3 λSOL	2/2	2/1 fDO1
3/16	3/15	3/14	3/13	3/12	3/11	3/10	3/9	3/8	3/7	3/6 λDO1	3/5 λLA	3/4 λFA	3/3	3/2 fSOL	3/1
4/16	4/15	4/14	4/13	4/12	4/11	4/10	4/9	4/8 λDO1	4/7	4/6 λSOL	4/5 λMI	4/4	4/3 fFA	4/2 fDO1	4/1
5/16	5/15	5/14	5/13	5/12	5/11	5/10 λDO1	5/9	5/8	5/7	5/6	5/5	5/4 fMI	5/3 fLA	5/2	5/1
6/16	6/15	6/14	6/13	6/12 λDO1	6/11	6/10 λLA	6/9 λSOL	6/8 λFA	6/7	6/6	6/5	6/4 fSOL	6/3 fDO1	6/2	6/1
7/16	7/15	7/14 λDO1	7/13	7/12	7/11	7/10	7/9	7/8	7/7	7/6	7/5	7/4	7/3	7/2	7/1
8/16 λDO1	8/15 λSI	8/14	8/13	8/12 λSOL	8/11	8/10 λMI	8/9 λRE	8/8	8/7	8/6 fFA	8/5	8/4 fDO1	8/3	8/2	8/1
9/16	9/15 λLA	9/14	9/13	9/12 λFA	9/11	9/10	9/9	9/8 fRE	9/7	9/6 fSOL	9/5	9/4	9/3	9/2	9/1
10/16	10/15 λSOL	10/14	10/13	10/12	10/11	10/10	10/9	10/8 fMI	10/7	10/6 fLA	10/5 fDO1	10/4	10/3	10/2	10/1
11/16	11/15	11/14	11/13	11/12	11/11	11/10	11/9	11/8	11/7	11/6	11/5	11/4	11/3	11/2	11/1
12/16	12/15 λMI	12/14	12/13	12/12	12/11	12/10	12/9 fFA	12/8 fSOL	12/7	12/6 fDO1	12/5	12/4	12/3	12/2	12/1
13/16	13/15	13/14	13/13	13/12	13/11	13/10	13/9	13/8	13/7	13/6	13/5	13/4	13/3	13/2	13/1
14/16	14/15	14/14	14/13	14/12	14/11	14/10	14/9	14/8	14/7 fDO1	14/6	14/5	14/4	14/3	14/2	14/1
15/16	15/15	15/14	15/13	15/12 fMI	15/11	15/10 fSOL	15/9 fLA	15/8 fSI	15/7	15/6	15/5	15/4	15/3	15/2	15/1
16/16	16/15	16/14	16/13	16/12	16/11	16/10	16/9	16/8 fDO1	16/7	16/6	16/5	16/4	16/3	16/2	16/1

E) HER ŞEY KURAMINI HAZIRLAYAN DİĞER ÖN BİLGİLER:

2005 Yılında, İstanbul'da Kandilli Rasathanesinin boğaz tarafındaki Feza Gürsey Fizik Enstütüsünde, 40-50 kadar dinleyiciye, bir fizik doçenti: "Şimdi bir **bozon taneciğinin iki boyutta çizdiği eğriyi anlatacağım**" dedikten sonra, bu basit eğrinin, 20 sayfa kadar denklemini, bir saatten fazla, projeksiyonla perdeye aksettirip anlatmıştı. Sonunda "**bu denklemlerdeki a, b, x, y gibi işaretlerin sayısal değerlerini de dâhil edip, aynı hesapları yapsaydım haftalar sürerdi, zaten bunu başarabileceğimden emin değilim**" demişti. Bu örnek bize karmaşık evrensel gerçeklerin, geometrik şekillerle herkesin anlayabileceği şekilde nasıl anlatılabileceğini göstermektedir. **Herkesin anlayabileceği evrensel sentez, ancak geometri ile olacaktır. Bu kitabdaki çalışmaların nihayi sonucu olan geometri de** "**Çift üçgen piramit**" **oldu. (S-8,185-189,202)**

Düşünebilen ve konuşabilen insanlar (**Homosapien**) olarak, **42 000 yıl önce Orta Asyada oluşmuşuz (S-48-51,231). Yaklaşık 20 000-15 000 yıl önce Pasifik'te MU** kıtası, 15 000-12 000 yıl önce **de Atlas okyanusunda Atlantis kıtasının olduğu ve battığı söyleniyor. Atlantis kıtası hakkındaki bilgiler Mısır rahiplerinden, Mu hakkındaki bilgilerde, İngiliz James Churchward'ın batı tibette bulduğu** "**Naacal tabletleri**"**nden** öğreniyoruz. **Sayfa 202'de insanların düşünce ve inanç tarihindeki iki boyutlu kutsal geometriler ilk defa bu kitabta,** üç boyutlu "**Çift üçgen piramit**" **olarak verildi (S-185-189).** Dünyada altın çağ algoritması olan bu geometrideki RABİA, AHLÂK VE ADALET kavramlarının daha **Mu zamanından beri kutsal olduğu anlaşılmaktadır. Mu'daki bilgiler, orta Amerika'da Mayalar'a (MÖ 800-MS 1500), Asteklere, Asya'da Uygurlar'a,** İskitlere, Çin'deki 5-6 000 yıllık "**Beyaz piramitler**"**e, Endonezya'da batı Jawa'daki 28 ooo** yıllık "**Hilltop Piramidi**"**ne, Kuzey Hindistandaki Brahman ve Tibet rahiplerine, Türkmenistan'daki** "**ANAV kültürün**"**de (MÖ.VI-VII.y.y.) Ok-uz Türklerine, sonra ANAV'dan Mezopotamya'ya giden Sümerlere (MÖ. III.y.y.) ve Babil, Mısır tapınak rahiplerine, nihayet Yunan ve İslâm filozoflarıyla Avrupa'ya ulaştı. Şimdi Yunan ve sonrasındaki bazı filozofları aşağıda verelim:**

HERMESTOT İ.Ö.1300-800 (S-77) İ.Ö.3-4 bin yıl mısır tapınaklarındaki rahiplerin 7 bilim dalında topladığı (**1-Gramer, 2-Mantık, 3-Belagat, 4-Hendese, 5-Matematik, 6-Müzik, 7-Astronomi**) bilgileri ilk öğrenen yunanlı oldu. İkinci yunanlı **Pisagor** olacaktır. **Hermestot'a** göre "Küçükle büyük, içle dış arasında bir ayrılık yoktur. **Işık ruh**'tur, **Karanlık** da **madde**dir. İnsan maddeye boyun eğerse, **ruhundaki** tanrısal ışık geldiği yere döner, ışıksız kalan **ruh** karanlıkta kalır, erir tükenir. İ.S. **XIII.** asırda **Mevlâna** buna kendi etrafında dönen dervişin sağ avucu üstünde **ruh**, sol avucu altında **madde** yani dünya nimetleri olarak yorum getirecektir.

PISAGOR İ.Ö.570-490 (S-80) Menfis tapınağından kaçtıktan sonra Güney İtalya'da **Delf** adıyla kendi tapınağını kurdu. Daha sonra kuzey batı Hindistandaki **Delhi**den **BRAHMAN** bölgesinden **Harezmi** sıfırı öğrenip **cebir'le beraber** dünyaya kazandıracaktır. Pisagor'a göre; "**matamatalar**" evren bilgisinin tamamını kapsar ona göre bütün madde ve madde dışı varlıklar **sayıyla ifade edilen birer şekildir.** Sayı evrende en hakim olan şeydir. Evrende en güzel olan şey ise varlıklar arasında mevcut olan **ahenk**tir, barıştır ve güzel de ahenkle oluşur. **Felsefe çoklukta birlik arama** çabasıdır. 1 noktadır, 2 çizgidir, 3 üçgendir, **4 DÖRT YÜZLÜ BİR CİSİMDIR, TANRISAL GÜÇTÜR, AHENK'dir ve PİRAMİT yunanca merkezdeki ateş anlamındadır ve büyük ihtimalle dünyanın altındaki ateş kastedilmiştir. (Yunanca** "**piro**" **ateş,** "**amid**" **merkez). 10 ise tetraksi'dir, ERDEM'i temsil eder (pisagor üçgeni 1+2+3+4=10).**

PLATON İ.Ö.430-347 **(S-82)** Daha sonra Pisagor'un dört yüzlü cismini **tetrahedron** olarak 5 düzgün yüzlüsünün ilki olarak bize vermiştir. Platon'a göre; "Devlet bireyin işlevlerinin büyütülmüş bir simgesidir ve **ADALET** olmazsa devlet yozlaşır. Halkı yönetmek için **GEOMETRİ** bilmek şarttır" **(Sayfa 185-190)**

HAREZMİ. 780-850 **(S-84)** Hindistan'dan Bağdat'a döndükten sonra bugünkü anlamda 9 sayının ve sıfır'ın nasıl kullanılacağını insanlığa ilk öğreten oldu. Ona göre evren bir geometrik tanım olan **simetri** esasına göre kurulmuştu, birbirine eşit iki sayı gurubuyla bu simetriyi sağladı ve böylece **CEBİR**'i ayrıca **ALGORİTMA**'yı insanlığa kazandırdı. Bugün uzay programları, her şey kuramları bile **algoritma** ve cebir denklemleriyle hazırlanıyor **(S-84)**.

GALİLEO 1546-1642 **(S-88)** Evren matematik diliyle yazılmış bir kitap gibidir. Harfleri üçgen çember ve diğer geometrik şekillerdir.

DECARTES 1596-1650 **(S-89)** analitik geometriyle uzaydaki noktalar ve nokta kümelerini kartezyen koordinatlar ile cebirsel olarak ifade edebildi.

İ. NEWTON 1642-1727 ve **G. W. LEIBNITZ** 1646-1716 **(S-90) kalkülüs** yani yüksek matematiği ortaya koydular. Bu denkleme göre birçok değişkenlere bağlı olarak değişen nicelikler yani fonksiyonlar hesap edilmeye başlandı. Daha sonra 1, 2, 3 gibi doğal sayıları sayma işlemi matematikçileri **taneli çokluk ve süreklilik** kavramlarına ulaştırdı.

A. EINSTEIN 1879-1955) **(S-96)** Tarifini yaptığı 30 sene uğraşıp ispat edemediği **birleşik alan teorisi veya kuantumlu** kütle çekim **teorisi**ne göre her biri atomaltı tanecikleri ya da onların etkileşimlerinin tüm koordinatlarını temsil eden ve sadece **Plank ölçeğinde** (EK-Ie) **(10^{-45} sn, 10^{-35} m)** olabilecek en az 10 boyutlu bir uzay farz edilmişti. Einstein'dan sonra evrende her şeyi açıklama amacıyla üç **her** şey kuramı ortaya atıldıysa da hiçbiri henüz ispatlanamadı. Bu kitabta **sayfa 202-203**'de ispatladığımı iddia ediyorum.

F) İLK DEFA BU KİTABTA ORTAYA KONAN BULGULARIN BAZILARI:
Her şey kuramını hazırlayan ön bilgilere ilave olarak, mevcut çağdaş literatürde ki bilinenlerin dışında bu kitapta ilk defa ortaya konan yeni bulguların bir kısmını daha tekraren, kısaca sıralayalım:

Kitabın dördüncü bölümünde ortaya çıkan sonuç; Üstteki üçgen piramit toplum için, alttaki üçgen piramit fert için hem Dünyada hem Ahrette Cennet algoritması olan **sayfa 185-189'** deki **"Çift üçgen piramit"** yani **"ÇİFT RABİA"** oldu. **Sayfa 144'de; Pisagor üçgeninin basamakları 1,2,3,4,5,6,7,8,9,10,11,12** basamağa kadar çıkarılıp, üç boyutlu hale getirildiğinde ortaya çıkan üçgen piramitlerdeki nokta sayılarının matematik tablosu verilmiştir. Tablonun en üstünde dört köşesinde birer noktayla, **düzgün dört yüzlü**, üçgen piramit, yani **RABİA** görülmektedir. Onun altındaki **kenarları 3 noktalı üçgen piramit**'in ise toplam nokta sayısı, ayni pisagor üçgeninin iki boyutlu yapısındaki üçgenin toplam nokta sayısı gibi **10** olmaktadır. Böylece iki boyutlu Pisagor üçgeninin toplam nokta sayısı **10:** kenarları 3 noktalı ve üç boyutlu üçgen piramitle elde edilmiş oldu. Pisagorda, rahiplerde atlamışlar. 12 basamaklı tablomuzun **8.** basamağında oluşan üçgen piramidin toplam nokta sayısı olan **120** sayısı ise **EK-IIId**'de Big-Bang'den sonra evrenimizin **8 basamaklı (oktav)** ilk üçgen piramidin toplam sayısı olarak görülmektedir. Ayni tabloda Big-Bang ile Big-Crunch'ın arasında orta yerde **120** atomaltı taneciği ve **120** elementin oluşması bitecek, bu aşamadan sonra hem tanecikler hem atomlar yıldızların ortasında yanıp yok olma aşamasına girecektir. **EK-Ia,Ib, Ic ve sayfa 143,144'**deki tablolarda evrenimizin

elementlerindeki **120 nötron/80 proton** oranında da aynı **120** sayısı görülmektedir.
EK-IIIa'daki iki boyutlu bilinen mevcut element tablomuzda son element **118** nolu element olarak görülmektedir. Oysa **EK-IIIc**'deki tablonun big-Bang sonrası oluşacak elementlerin üç boyutlu üçgen piramidindeki son element **120** nolu elementtir. Bu bizim iki boyutlu element tablomuzdan, iki element daha fazladır. İlerde bu iki elementte bulunursa bu iddiamız kanıtlanmış olacaktır.

EK-IIe'deki atomaltı tanecikleri tablosunda bu sayı **120 fermi gluon** olarak tekrar karşımıza çıkmaktadır. Keza bu parçacık tablosunda bilinen madde tanecikleri mavi renkle gösterilmiş olup, ileride bulunacak olan bütün taneciklerle birlikte verilmiştir. **EK-IIa ve IIb**'deki **big-bang** yıldızı (BBY) tablolarında, **EK-IIe**'deki **atomaltı tanecikleri tablosu**'nda ki bütün taneciklerin ne eksik ne fazla tamamının yerli yerine konmuş olması, tesadüf olamaz. Geometriyi hafife alan fizikçilerin kulakları çınlasın. Burada **BBY**, keza Platon'un **5** düzgün yüzlüsünün altıncısı olarak verilmiş oldu.

G) SÜMER, BABİL VE MISIR RAHİPLERİNDEN GÜNÜMÜZE RABİALARIN TARİHÇESİ:

Esasen **ilim** Arapça, âlem kelimesinden doğmuştur ve **işaret**, şekil, evren anlamı taşır. Mısır'da tapınak rahipleri, böylece **ilim** yani bütün bilimleri **geometri** olarak tanımlamışlar denebilir. **Evrensel hakikat**i bilim yoluyla anlamanın asıl temel vasıtası **matematik** ve matematiğinde göze hitap ettiği için herkesin anlayabileceği özeti olan **geometri**'dir. **Evrenin atomaltı ve astral ölçeklerdeki varlıkları**, kendi etrafında ve birbiri etrafında dönen **madde kürecikleri**'dir. Hatta kozmik enerji uzmanlarına göre **enerji de şeffaf enerji küreciklerinden oluşmaktadır.** Kürecikler ancak sayılarla yani matematikle ifade edilecektir. Element atomlarının molekül ve bileşikleri oluştururken, 3 boyutta uzaydaki yerleşimleri, soguyup hareketsiz ve katı hale geldiğinde atom taneciklerinin merkezlerinin birleştirilmesi ile gözle görülebilen somut **kristaller** oluşturduğu ve çok çeşitli geometrik yapılar ortaya çıktığı, bugün bilinen bir gerçektir. **Atomaltı taneciklerinin** de atom çekirdeğinin içinde benzer geometrik yapılar oluşturup, oluşturmadığı henüz bilinmiyor. Bu kitabın ekindeki bazı tablolar, zaten fizikçiler tarafından daha önce ortaya konan taneciklerin sanal geometrilerinin daha da geliştirilmesiyle hazırlandı. Bu kitapta, Plank ölçeğindeki taneciklerin hareket ve etkileşimleri, kitaplar dolusu denklemlerle açıklanıp yeni bir **Her** şey kuramı henüz

geliştirilemedi. Ancak bu kitabta **sayfa 201-204**'de yeni bir herşey kuramını çift üçgen piramid olarak ortaya koyup ispat da ettiğimizi iddia ediyoruz. Fzikçilerin hafife aldığı geometri; yukarıda sıraladığım **element atomlarının** oluşturduğu **somut** kristallerle, **atomaltı taneciklerinin** sanal geometrilerini, **kristalografik geometri** tanımıyla bütünleştirilip, Mısır rahiplerine kadar giden kadim geometrilerin ve çağdaş bilgilerin ışığında **RABİA** olarak özetlenmiş oldu. **Böylece herkesin anlayabileceği bu basit geometrinin, matematiğinde bütün bilimlerinde özü olduğu, mevcut bütün bilgilerimizin hepsini kapsadığı ve hepsinin üzerinde olduğu ortaya çıkarıldı.**

Sayfa 144'de Pisagor üçgen piramidleri tablosunun en üstünde görülen ve matamatiğinde, geometrininde özü olan **RABİA**, Kur'an-ı kerimin ilk ayeti olan **"oku"** emrinin yerine getirilmesinde bize anahtar olabilir. Bitkilerin **RNA**'sındaki 4 organik baz (adenin, guanin, sitozin, urasil), hayvanların ve insanların **DNA**'sındaki 4 organik baz (adenin, guanin, sitozin, timin) temelinde eğer genlerin şifresi çözülürse, hazırlanacak **"Yapay RNA'lı hayırlı virüsler"**le bitki hastalıkları, **"Yapay DNA'lı hayırlı virüsler"**le hayvan ve insan hastalıkları anti biyotiklere gerek kalmadan yok edilip bitkilerin, hayvanların ve insanların sağlık sorunları halledilebilir. **Ateş, hava, su, toprak** dengesinin sağlanmasıyla üzerinde yaşadığımız Dünyanın ve **"CİHANDA VE DÜNYADA BARIŞIN BİLGİSİ RABİALAR"**la da insanlığın ahlâk sağlığı kurtulabilir. **(S-9, 185-189)**

     RABB Arapça da ve İbranice de ALLAH c.c. anlamına da gelmektedir. Mısır rahipleri ve Mezopotamya'da Sümer ve Babil rahiplerine göre; Güneş tanrısı RA ise (tek bir tanrı) Asya tarihinde olduğu gibi dört yön veya 4 boyutu ifade ediyordu. Güneş tanrılarından Temmuz 4 **temmuz'da doğardı. Babil krallığının işareti KOTH'un diğer adı RABİA işaretidir yani elin baş parmağı kapalı diğer parmakları açık olan işeretdir. ZİONİST Musevilere göre ZİON, RABİA ile aynıdır.**

Z Açık olan işaret parmağı.

İ Açık olan orta parmak.

O Açık olan yüzük parmağı.

N Açık olan serçe parmağıdır.

Kapalı başparmakta **12 yahudi kabilesini temsil eder.**

     Rabia işareti hem aydınlanma hem cehennemin kapılarını açıp kapatma anlamına gelmektedir. Bugün Amerikan Dolarındaki, piramidin tepesindeki göz, küresel Dünya'da her şeyi gören **RA'dır, Tanrıyı kıyamete zorlamayı temsil eder ve Babil kırallığının adı KOTH, Musevilere göre günümüzde İLLUMİNATİ'dir.**

     Sümer. Babil ve Mısır Rahiplerinin bilgilerini önce Yunanlılar sonra Müslümanlar sonra Avrupalılar, batılılar geliştirdi ve bugün bilgi çağına ve uzayçağına ulaştık. Sadece başlangıçtaki Rabia veya Ziyon'u günümüzde öne çıkarıp, **Rahiplerden sonraki gelişmeleri yok sayarak doğru çözüme ulaşamayız. Bu kitabta insanlığın bilgi evriminin din ve inanç tarihinin iki boyutlu Kutsal geometrilerinin (S-9,201-205) tamamının analizi sonucu ortaya** çıkan **ilk defa 3 boyutlu geometrik sentez; (sayfa 9 ve 185-189) Evrendeki ve Dünyadaki barışın geometrik algoritması olarak "Çift Rabia kristali" oldu. Böylece tarihte ilk defa Sümer, Babil, Mısır ve Brahman rahiplerinide** kıskandıracak **kapsamlı** çağdaş **bir** çözüme ulaşmış olduk. **İLLUMİNATİ'de RABİA'da veya KOTH'da hem aydınlanma hem cennetin kapılarını açıp kapatabildiğine göre, artık Tanrıyı kıyamete zorlamaya gerek yok, Dünyada üçüncü Dünya harbini önleyip, cehennemin kapılarını kapatıp, Cennetin kapılarını açmak için, önümüzde artık engel kalmadı.**

     Mısır ve Mezopotamya rahipleri RABİA kelimesinin hem 1'den 4'e kadar sayılar, hem üçgen piramit olarak **ALLAH'a cc. matematik yoluyla ulaşmanın yolu olduğunu anlatmak istemişler. Ayrıca Arap kelimesinin de Allah (Rab) yolunda olan insan anlamına gelebileceğini hem hatırlatmak hem de sormak zorundayız. Artık hiçbir topluma hesap sormadan, hep birlikte DÜNYADA BARIŞIN VE ALTIN ÇAĞIN GEOMETRİK RABİASI"yla, Dünyada barışı ve Cennet'i oluşturmak için çalışmaya başlayabiliriz.**

Buraya kadar Evrenin yaratılış şifresini ararken, bu şifrenin, zaten doğal olarak **Matematik** ve onun göze hitab eden ifadesi olan **Geometri'**de aranabileceği aklın gereğiydi. Atom**altı ve astral** kürecikler gibi **evrenin** de halen genişlemekte olan bir **küre** olduğu gerçeği (belki elipsoit yumurta) düşünülürse, **evrensel hakikati** kürenin içindeki geometrilerde, yani **Platon'un 5 düzgün yüzlüsü'**nde aramaya başlamak gerekir. **EK-IIa ve b'**de, bence altıncı ve son düzgün yüzlü olan **Big-Bang-Yıldızı (BBY)** verildi. Kürenin içindeki geometrilerin 3 boyutta son aşaması **BBY** olurken, ilk aşaması da Platon'un ilk düzgün yüzlüsü olan **düzgün 4 yüzlü (Tetrahedron)** yani **RABİA** oldu. Böylece bütün bilimlerin en üstünde **Matamatik** Matamatiğinde özünde sayı olarak **1,2,3,4**, Geometri olarak **Tetrahedron** olması, bizim **Her** şey **kuramı'**nı da sadece **RABİA** olarak tanımlamamızın temel sebebi oldu. Kitabın ön kapağının üstünde ve **aşağıda görülen resimde** sağa doğru görülen atomal evrenden insana kadar **atomaltı** tanecikler, **atomlar, bileşikler ve insanın GEOMETRİK RABİALARI** görülmektedir.

     Mevlevi dervişinin elleriyle başı arasındaki üçgen ayaklarının arasıyla birleşince ortaya çıkan mikro kozmos'u yani insanı temsil eden üçgen piramit yani RABİA oluşur.

Dervişin elleriyle başı arasındaki üçgenle iki boyutta daire dahil, üç boyutta üçgen piramitlerin tekrarıyla küre dahil bütün geometriler yapılabilir. **4** Pisagor'a göre sayısal olarak **10**'uda temsil eder, yani **10** pisagor üçgeninin toplam nokta sayısıdır. **(1+2+3+4=10)** ve **4**'den sonraki sayılar, **4**'e kadar sayıların birbirleriyle işlemlerinden elde edilebilir. **10$^{-\infty}$ -10$^{+\infty}$** ise bütün evrenleri anlatmaya yeter. **arif ve kâmil** insanı temsil eden dervişin sağ avucu üstünde bütün soyut **manevi değerler**, sol avucu altında bütün somut maddi **değerler** vardır. **Pisagor epsilon (γ)** harfinin insanın önünde açılan iki yola benzediğini, bunların **erdem** ve **kötülük** yolları olduğunu söylemişti. **Einstein**'ın **E=MC²** formülü dervişin altına

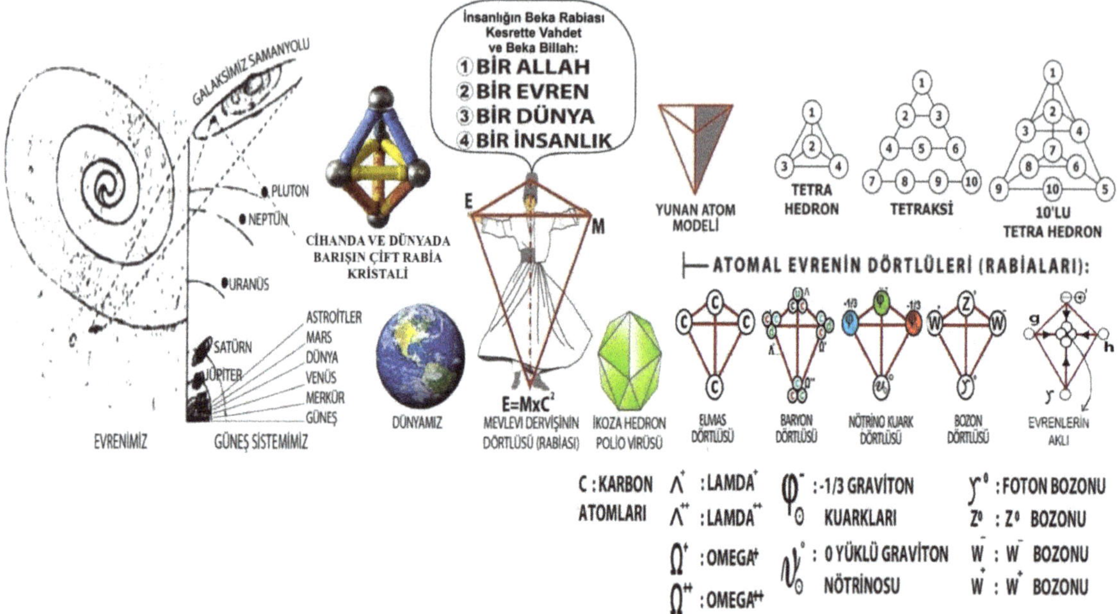

konduğunda, insanın sahip olduğu maddi **değerler 1** ise, manevi **değerler (erdem)** ışık hızının (300 milyon m/sn) karesi kadar fazla olduğu sonucu çıkmaktadır. Böylece sağda kaç var, solda kaç var bilinirse, boğazını sıksanız, insanlar birbirine ters bile bakamaz. Geçte olsa artık bu hakikatin herkese anlatılması gerekir. Yukardaki tabloda sağdan sola doğru, Big Bang'den sonra Plank ölçeğinde. İlk ışık taneciğinden İnsan'a kadar atomaltı ölçektedeki taneciklerin, dörtlü gruplar halinde oluşturdukları üçgen piramitleri başka ifadeyle dörtlüleri, mevlevi dervişinin yani **Arif** İnsanın geometriside dahil artık kısaca **RABİA** olarak tanımlayalım. Yukarıda atomaltı taneciklerinden evrenin tamamına kadar, ne varsa tamamı için, mevlevi dervişinin Rabia'sının altındaki, Einstein'ın **E=MxC²** formülü geçerlidir. Yani **E=MxC²** hem **MİKRO KOZMOZ** insan hem **MAKRO KOZMOZ** için geçerlidir.

H) HERŞEY KURAMININ VE EVRENDE VAR OLAN BARIŞIN 1'DEN 4'E KADAR SAYISAL VE GEOMETRİK RABİASI:

1 PİSAGOR'A GÖRE NOKTADIR:

1 sayısı evrende her yönde rastlanan üçlüğün ilkesi olan tekliktir, teklik üçlüğü özetler. Pisagor'un felsefesi ve İslam Tasavvufu çoklukta birlik (kesrette vahdet) arama çabasıdır. Mevlevi dervişleri **sema ayini**'nde hem kendi etrafında hem birbirleri etrafında hem o zaman bilinen astral tanecikler hemde bugün bilinen atomal tanecikler gibi dönerek her şeyin yaratıcısı olan **Allah**'a c.c. mistik yolla yaklaşmaya çalışırlar.

Her insanın beyninde de **kendi kişiliğinin bilincinin oluşması**; Beynindeki belki Epifiz bezinde ve **10^{20}** adet sinir hücresinin (**nöronlar**) somut bilgisayar benzeri sistemde 4 Bozon'un **elektriksel ve kuantumsal Bose Einstein yoğunlaşması**yla gerçekleşmektedir.

İnsan beynindeki **vakum**un kauantumları hem **parçacık** hem **dalga** özelliği taşır. Vakumun oluşturduğu **düşünce,** yenilenen bir tutarlılığa doğru gelişir ve **vakum**a zenginleşmiş dalgalanmalar (kuantumlar) olarak geri döner. Evrenin Big-Bang öncesindeki sırf enerji hali olan **vakum**dan sonra, **Big-Bang**'le patlayıp genişleyip sonra, **Big Crunch**'la toplanıp tekrar vakuma geri dönecek olması gibi, **insan düşüncesi**'de kendini çok hızlı değiştirerek çok yüksek oranda titreşen aynı Big-Bang öncesi vakum gibi **saf bir enerjidir.** Yani evrenin Big-Bang öncesi **vakum** undaki enerjisinin insan beynindeki oluşumudur. Big-Bang öncesi vakumdan günümüze genişleyen evrenimiz gibi, insanların bilinçlerinin de sürekli gelişdiği görülmektedir.

Önceki evrenin karadelik haline gelip, anti-maddesini yok ederek bitirmesi sonucu oluşan **"vakum"** yani **kuantumsal Bose-Einstein yoğunlaşması**'yla evrende insan gibi kendi bilincine varmış olabilir. Bu acaba, **Salvador Dali**'nin **nükleer mistisizm**'inde, öngördüğü, Tanrının varlığının bir ölçüde ispatı mıdır? Kutsal kitaplarda **Levh-i mahfuz,** (muhafaza edilen levhalar) tasavvufta **Nur-u Kadim** olarak ifade edilen, Allah'ın yaratmadan önce her şeyi yazmış olduğu metin, bilimsel olarak big-bang öncesindeki, devasa enerjinin içinde bir **Bose-Einstein kuvantum yoğunlaşması**'mıdır? Bunun ispatlanması halinde, 21. Asırda **bilim'le din birleştirilmiş** ve Mevlevi dervişlerinin, sema ayininde dönerek Allah'a c.c. mistik yolla yaklaşma amacına, bilim yolu ile ulaşılmış olmaz mı? (**S-201'de Evrenin aklı**) Böylece tasavvufta cennet'e açılan dördüncü kapı olan **hakikat kapısı** bütün insanlığa açılmaz mı? (**1-Şeriat, 2-Tarikat 3-Marifet 4-Hakikat**, kapıları) **İnsan bilinci**'yle, **evren bilinci**'nin, aynı fiziksel oluşuma sahip olması, bütün sorunlarımızı çözme yolunda, insanları, Allah'ın ilahi düzenine uygun yaşamaya yöneltmez mi?

2 PİSAGOR'A GÖRE ÇİZGİDİR:

Astral ölçekte genişleyen ve yıldızlarla ışıldayan aydınlık evren ve **karadelikler ve karamadde olarak** bir karanlık evren **olarak bir ikilem mevcuttur.**

Atomal ölçekte evrenimizin, Big-Bang ile genişlemeye başlarken (**EK-Ia**), önce atomun 4 kuvvetini ileten ve etkileyen, bilinç, zihin ve ilişki kuran **tanecileri olan BOZONLAR, (EK-IIe ve IIId)** sonra Evrenimizin maddesinin yapı taşları olan ve **ilişki kurulan madde tanecikleri** olan **FERMİYONLAR** yaratıldı. Akıl kelimesinin arapça bağlayıcı anlamına gelmesi gibi, **Zihin; ilişki kuran, madde; ilişki kurulan**'dı. **BOZONLAR dalga, FERMİYONLAR parçacık** özelliği taşırlar. Dünyamızın maddesinin yapı taşları olan **fermiyonlar** birbirinden ayrı kendilerini kendilerine saklamayı tercih ederler yani asosyaldirler. **Bozonlar** ise sosyaldir, bir araya gelip gruplar oluşturma temayülündedirler. Bugün batı toplumlarının fermiyon, doğu toplumlarının bozon özelliği taşıdığını söylemek çokmu yanlış olur? **Big-Bang**'den sonra oluşan cansızlarda daha az **bozon** gevşek bir araya gelirken canlılarda insana doğru bir araya gelebilen bozonların sayısı çoğaldığı gibi aralarındaki bağda güçlenir. Astral ölçekte **yıldızların, galaksilerin,** atomal ölçekte **atomların, moleküllerin** bir araya gelip kümeleşmelerini sağlayan **kütle çekim alanı'** da bir **bozon alanı**'dır. Yani **Graviton** ve **Higgs parçacıkları** da **bozon**dur.

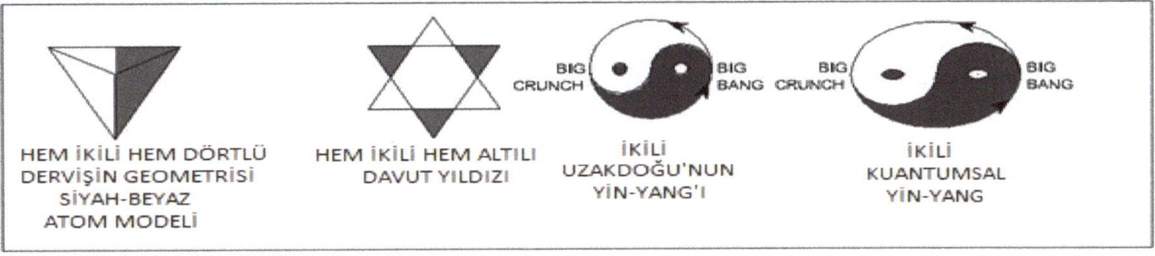

Yukarıda verilen ikili örneklerden sol baştan sırayla yarısı siyah yarısı meyaz Üçgen Piramit **yunan atom modeli,** ikinci şekildeki yukarı doğru beyaz üçgen **su** (dişi unsur), aşağı doğru

siyah üçgenin **ateş'i (erkek unsuru)**, temsil eden **davut yıldızı**'ndaki iki üçgen uyumlu bir dualite düzeni gösterir. Çin'in dualite sembolu **yin-yang**'a göre
(S-74, resim 6) evrende mikro ve makro düzeyde bütün zıtlıklar **denge** ve **harmoni**'yle varlığını sürdürebilir. **Yin -yang**'ın Çinde evrenin doğuşu anlamına gelmesi sebebiyle, döner disk son iki şekil **Big-Bang** ile genişleyen beyaz **aydınlık evren** ve **Biğ cruch** ile toplanacak olan siyah **karanlık evren** kuvantumu olarak verildi.
Kitabın ön kapağında ve **EK-Ia**'da evrenin genişlerken, içinde ışıldayan aydınlık evren ve dışında bir **kara-madde** olması ayrı bir ikilemdir. Toplanacak olan evrende ise, bunun tersi olarak belki dışta ışıldayan aydınlık anti-madde, içerde karanlık anti-madde olarak bir ikilem olabileceği akla gelmektedir.
Orta çağda **Leonardo Da Vinci,** iç içe **daire** ve **kare**nin ortasındaki **insan** modelinde, Dairenin **ruhu,** karenin **madde**yi temsil ettiğini ve ruhla maddenin insan bedeninde birleştiğini anlatmak istemişti. Da Vinci'nin Endülüs'ten İslam tasavvufundaki insanın **ruh ve madde**sini öğrendikten sonra, bunu geometriyle ifade etmesi, çok isabetli oldu. Çünkü İslam'da resim yasak olduğu için, geometride ihmal edilmişti. Da Vinci **ruhu daire,** **madde**yi **kare** ile temsil etti kare ile haç zaten hristiyanlıktan önceki çağlarda Mısır tanrısı **RA** gibi yeryüzünü doğu, batı, kuzey güney olarak temsil ediyordu. Ancak ortaya çıplak bir erkeği koyması, islâm'ın edeb kavramına karşı olduğu kadar, hem kadınları yok saymak, hemde Tasavvufun **arıf** ve kâmil insanı temsil eden derviş'le vermek istediği, **"arif ve kâmil insanın madde (bencillik) ile ruh (özveri) arasında dengeli olması gerektiği"** mesajını bozdu. Da Vinci'nin mesajı **batılı toplumlarda materyalizme,** ırkçılığa, sömürgeciliğe, emperyalizme ve iki dünya harbine sebep oldu. Bugün toplumları 3. dünya harbine doğru sürüklüyor. Çağdaş mutasavvufların, akademisyenlerin, uluslararası İslami kuruluşların batılı bilim dünyasına bu düzeltmeyi geç kalmadan benden daha iyi yapmaları gerekir. Hattâ **bu amaçla** 3. dünya harbini önleme adına acil gündem oluşturularak uluslararası konferanslar, sempozyumlar **düzenlenmelidir.** İslâmi kuruluşların, **Papanın, Musevilerin ve diğer dinlerin benzer kuruluşlarının denge** unsuru olarak 3. dünya harbini önleme şansı yok denemez.

3 PİSAGOR'A GÖRE YÜZEYDİR (VEYA ÜÇGEN).

Evrende dualiteleri oluşturan zıtlıkların, ayrılmaz bir bütün olduğunu ve tek başına, herhangi birinin bir anlam taşımadığını bu zıtlıklar arasındaki dengenin de (ahenk, uyum, harmoni, simetri, adalet ilh.) üçüncü bir unsur olarak önceki iki unsurun varlığını sürdürme şartı olduğunu da anlamış oluyoruz.

3 ahenk'dir, uyum'dur, barış'dır ve harmoni'dir, ahlâk'tır. Evrenin dengesi, uyumu, ahengi, harmonisi; matematikte **denklem**i, geometride **simetri**'yi, varlıkların boyutları ve renklerinin frekansları arasında **harmoniyi** ve **güzelliği, estetiği** yaratır.

İnsanların kişi ve toplum olarak aralarındaki uyum **uygarlığı, barışı,** aralarındaki anlaşmazlıklarda, **adaletle ve dengeyi** sağlar. Keza insanlar için Adem, Havva ve çocukları **ve ailede anne, baba, çocuklar** en önemli üçlemedir.

Güzel sanatlarda sanatcılar ürettikleri sanat eserlerinin renkleri boyutları ve eserlerin bulundukları ortama uyumu konusunda, evrendeki **denge**yi **uyumu, ahengi** ve **harmoniyi** sağladıkları ölçüde eserlerine güzellik kazandırırlar.

Toplumda adalet, müzikte **harmoni,** ailede ana babadan sonra **çocuklar,** güzel sanatlarda **altın oranlar,** Mevlevi dervişinin **ruh** ile **madde** arasında sağlaması gereken **denge**yi temsil eder.

Çağımız batı toplumlarının daha ziyade **materyalist** ve **ferdiyetçi** düşünce yapısıyla, doğu toplumlarının maneviyatçı, ruhcu düşünce yapıları birbirine dönüşürken materyalistleştiğini gözlemliyoruz. Bir üçüncü dünya harbi henüz olmasa da global düzeyde uluslararası siyasi, askeri ve ekonomik gelişmeler endişe verici olmaya devam ediyor. Oysa yukarıdaki bilgilerden çıkan sonuç: Bugün ne ferdiyetçi ve materyalist ne de maneviyatçı toplumların tek başına varlığını sürdüremiyeceği, her ikisinin, **bir üçüncü unsur ahlâk, denge, adalet, harmoni,** adına ne dersek diyelim, hürriyetleri kısıtlamadan, zor kullanmadan **birbirini bir ölçüde değiştirip, dönüştürerek** bütünleşmesi gerektiğidir. Varılan bu sonuç, hem **evrenin** hem insanın, birbirinin aynı olan **kuantum benliklerinin** de gereğidir. mevlevi dervişinin mesajında da; hem **fert** hem **toplum** için zaten aynı mesaj vardır:

Fert için mesaj: **Arif** (bilgili), **Kamil** (bilgisine uygun yaşayan, **ahlâklı ve** kusursuz insan) insanın, hem maddi hem manevi değerler arasında, dengeli bir yaşam sağlaması gerektiğidir.

Dünya toplumu için mesaj: Dünya insanlarının varlığını sürdürmesi için hem **ferdiyetci batı toplumlarının** hem **ruhcu, maneviyatçı doğu toplumlarının, bilgiye, ahlâka** ve **adalete** dayalı bir "Dünya Birleşik Devletleri" adı altında **D**ünyada **barış** için birleşmeleridir.

a) ONDALIK SAYILARDA ÜÇLEMELER

Evrende önce her şey sayıdır. Çünkü sade maddenin değil enerjinin ifadeside sayılardır. Enerji maddeleştiğinde, sayının karşılığı, sırayla, Big-Bang sonrası atomal boyutta **temel tanecikler, atomlar, moleküller, bileşikler sonra virüsler, bakteriler, bitkiler, hayvanlar ve insan**, astral boyutta **yıldızlar, gezegenler, uydular, galaksiler** oluştu. Aşağıda görülen her 3 haneden sonra gelen dördüncü sayı, yeni bir birim oluşturmaktadır:

1	2	3	4	5	6	7	8	9	10	11	12
1	10	100	10 BİN	100 BİN	1 MİLYON	10 MİLYON	100 MİLYON	1 MİLYAR	10 MİLYAR	100 MİLYAR	

b) GEOMETRİDE ÜÇLEMELER:

Geometride sayıların yerini noktalar alır. **1 nokta**. **2 nokta (çizgi) 3 nokta** (üçgen), üçgenlerin tekrarı ile **daire** dâhil, iki boyutta bütün geometrik şekiller oluşturulabilir

c) FİZİKTE ÜÇLEMELER

c1) ATOMUN TEMEL TANECİKLERİNDE İKİ BOYUTTA GEOMETRİK ÜÇLEMELER:

Big-bang'in ilk saniyesinde, aşağıda görüldüğü gibi, ilk **foton**lardan **elektron** ve **pozitron'**ların oluşmasıdır:

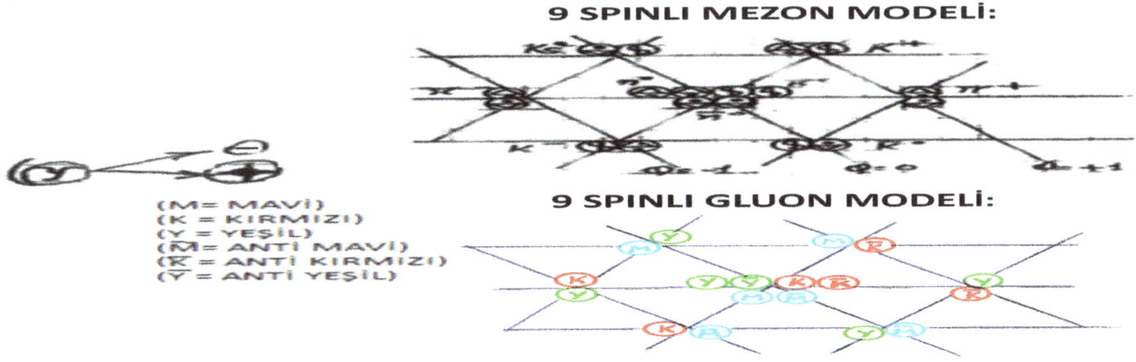

c2) ATOMALTI TANECİKLERDE SAYISAL ÜÇLEMELER

c2a) EK-IIe'DE TEKLİ TANECİKLER TABLOSUNDAKİ BOZANLAR, LEPTONLAR, KUARKLAR: +, -, 0 yüklüdür, **kuarklar,** mavi-yeşil-kırmızı renkte, **anti-kuarklar,** sarı-turuncu-mor olarak, 3 karşıt renktedir; keza Işığın mavi-yeşil-kırmızı, 3 temel rengi olması.

c2b) EK- IIh'DEKİ İKİ TANECİKLİLER (MEZONLAR) TABLOSUNDA: Bütün mezonların **+, -, 0** yüklü olması. yukarda görüldüğü gibi sanal **9 spinli mezon modeli**'nde üçgenler.

c2c) EK-IIi'DEKİ ÜÇ TANECİKLİLERDE:
-Üç kuarklı baryonlardan oluşan iki boyutta **0,-1/2,-3/2, +3/2, +1/2** spinli baryon modelleri
-Laboratuarlarda sıfır yüklü (yüksüz) nötron tanecikleri parçalanınca (+) yüklü protonla, (-) yüklü elektronlara ayrılmaktadır.

c2d) Atom çekirdeğindeki (+) yüklü protonlar, sıfır yüklü nötronlar, eksi yüklü elektronlarda üçlemelere örnektir.

d) DİĞER ÜÇLEMELER:
d1) Her şey doğar, yaşar, ölür,
d2) Algılayabildiğimiz evrenimizin **3 boyut**lu oluşu;
d3) Diyalektik'te **tez, antitez, sentez** vardır,
d4) Taoizm'e göre: Tao **bir'**i yaratır, bir **iki'**yi, iki üç'ü, üç **bütün varlıklar'**ı oluşturur.
d5) Asya'da **aile ocağı'**nı temsil eden, çadırın ortasındaki 3 ayaklı kazanın, fil başlı ayakları **ana, baba ve** çocuklar'ı temsil eder ve aile ocağına dayanmayan bir toplum ayakta kalmaz.
d6) Buda'ya göre mutluluk, ne **zevk sefa** hayatında, ne **oruç perhiz** hayatında değil, ikisi ortasındadır
d7) Pisagor'dan önce Mısır tapınaklarındaki bilgileri öğrenen ilk Yunanlı olan **Hermestot'**a göre ise (İ.Ö. ~800-1400) "Küçükle büyük, içle dış arasında, bir ayrılık yoktur. Işık **ruh'**tur, karanlık'ta **madde'**dir. İnsan maddeye boyun eğerse ruhundaki tanrısal ışık geldiği yere döner, ışıksız kalan ruh karanlıkta kalır, erir tükenir." Mevlananın yorumu olan ve Kâmil insanı temsil eden Mevlevi dervişinin sol avucu altında **madde** (karanlık), sağ avucu üzerinde **ruh** (aydınlık) vardır

e) BİLEŞİKLERDE ÜÇLEMELER:
Boyaların mavi, kırmızı, sarı renkleri. **Diğer renkler bu renklerden elde edilebiliyor.**

4 PISAGOR'A GÖRE DÖRT YÜZLÜ BİR CİSİMDİR (ÜÇGEN PİRAMİT) VE BİRDEN DÖRDE KADAR 4 SAYIDIR YANİ HERŞEY KURAMI RABİA'DIR:
I) EVRENDE VAR OLAN GEOMETRİK RABİALAR:
a) ATOMALTI TANECİKLERDE ÜÇGEN PİRAMİT RABİA'LAR:
a1) EK-IIg'de Big-Bang öncesindeki son 10 tanecik (10 anti bozon)ve Big-Bang sonrasındaki ilk 10 tanecikden (10 bozon) sonra iki tanecikli mezonlar ve üç tanecikli baryonlar'dan oluşan **"çift pisagor üçgen piramidi"** görülmektedir.(**S-8,185-189,201-204'de** Çift Rabia kristali)
a2) EK-Ia'daki evrenlerin kuantumları tablosunda, sağ altta **BBY**'ye ait 10 çift kuantumdan evrende ilk oluşan kuantum çifti verilmişti. Çift rombik prizmadan oluşan

ilk kuantum çiftinin merkezinde aşağıda görülen çift üçgen piramit, önceki anti madde evreninden madde evrenimize geçişte, önceki evrenin son 4 anti madde taneciğinin ve evrenimizin ilk 4 madde taneciğinin oluşturduğu ilk sanal üçgen piramittir bir başka ifadeyle önceki evrenin son ve evrenimizin ilk **RABİA**'sı. Daha sonra sırayla çoğalan, rombik prizmalar **BBY**'nin (**EK-IIa, IIb**) merkezindeki 10 çift üçgen piramidi ve BBY'nin dış yüzündeki 10 çift üçgen piramidi oluşturmaktadır. **EK-Ie**'de **evrenimizin tarihi tablosu**'nda BBY'nin ilk 10^{-11} saniyesinde oluşmuş olan örgüler'in, **BBY** olma ihtimali düşünülebilir:

a3) Sanal **3/2 spinli "souped-up" baryonlardan oluşan** ve aşağıda görülen baryonlu

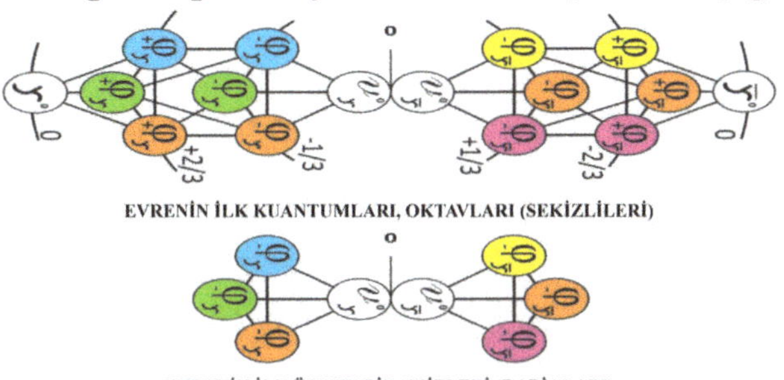

piramid'in, dört yüzünde de Pisagor üçgenindeki dizilim aynen oluşmaktadır.

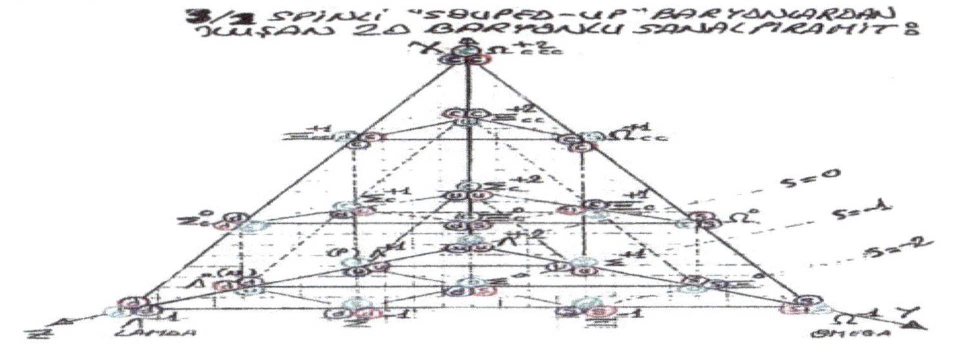

Keza aynı üçgen piramit yapılar aşağıda verilen bazı elementlerin, bileşiklerin kristallerinde ve bu arada buz kristalinde görülmektedir. Bu üçgen piramitler kitabın ön kapağının üstündeki RABİA'lara ilave olarak düşünülebilir.

b) ATOMLARDA VE MOLEKÜLLERDE ÜÇGEN PİRAMİT RABİA'LAR:
Periyodik elementler tablosunun sağ üstünde (**EK-IIIa**) diğer bütün elementlerden çok daha fazla bileşik yapan (özellikle karmaşık organik bileşikler) "üçgen piramit kristalli elementler" aşağıda görülmektedir. Bütün elementler aşağıda görülen Helyum çekirdeklerinden meydana gelir. Başka ifadeyle **Helyum Rabia's**ından demek yanlış olmaz

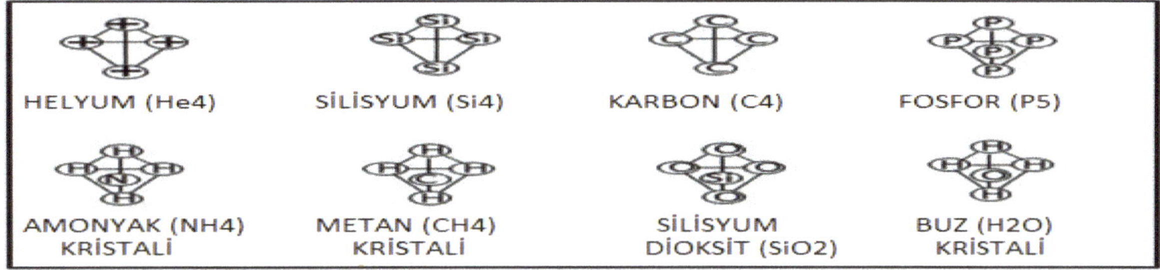

c) KRİSTALLERDE ÜÇGEN PİRAMİT RABİALAR: Sayfa 44'deki tablonun altında C3h Trigonal Bipyramidal 6' üçgen çift piramit kristali) vardır. (Çift Rabia Kristali)

d) ÖNERDİĞİMİZ "DÜNYA BİRLEŞİK DEVLETLERİ BAYRAĞI"NDAKİ
GEOMETRİK RABİA (S-185-189)
1) EN ÜST EVRENSEL BİLGİLER (RABİALAR)
2) GEOMETRİK SEMBOL: Mısırlılara ve Yunanlılara göre Sembol; Birlikte
tartışmak, birlikte birleştirmek, bir araya toplayıp, herşeyi kapsayacak
şekilde bağlamak anlamına gelmektedir. Türkçe Akıl kelimesini
birleştirmek anlamına gelen Arabça "akale" kelimesinden gelmesi gibi. En
üst Evrensel bilgiler ancak bütün insanlara, aynı dilden hitab edebilen
geometriyle birleştirilebilecektir.
3) İDEAL AMAÇ AHLÂK.
4) AKILLI İNSANLAR: Yunan filozofu demokritos'a göre;
İyi düşünen
İyi söyleyen
Iyi yapan, insanlardır.

II) EVRENDE VAR OLAN SAYISAL RABİALAR
(1'DEN 4'E KADAR 4 SAYI):
a) MÜZİKTE NOTALARDA SAYISAL RABİA'LAR:
Sayfa 166'de Pisagor üçgenini TETRAKTİS ve LAMBDOMA II adlarıyla görüyoruz
(1+2+3+4=10). Sayfa 168'deki tabloda, insan kulağının duyabileceği frekansların Oktav
sayıları da 4-8-16-32-64-128-256 ..ilh. hep dördün katları olarak devam etmektedir.
b) İNSAN VE HAYVANLARIN DNA'LARI VE BİTKİLERİN
RNA'LARINDA SAYISAL RABİA'LAR:
Sayfa 148'de, 4 çeşit Baz'dan oluşan 64 farklı şifreyle (64 Amino asit), sayfa 166'deki
LAMBDOMA (λ)'nin 64 basamaklı harmonik oranı benzeşmektedir.
c) EVRENİMİZİN EN DIŞ ÖLÇEĞİNDE SAYISAL RABİA'LAR:
EK-Ib,c,d'deki tablolarda Evrenimizin Big-bang'den sonra Big-cruch'a kadar, + yüklü
madde olarak 1, 2/3, 1/2, 1/3, 0 Proton Nötron oranlaruna göre **4 aşamada genişleyip**,
Big-cruch'dan sonrada – yüklü anti-madde olarak -0, -1/3, -1/2, -2/3, -1 Anti-proton,
Anti-nötron oranlarına göre **4 aşamada II.Big-bang'e kadar nasıl toplanacak olduğu**
görülmektedir. Evrenimizin en dış ölçeğindeki bu oluşumlar atomun Elektro manyetik
kuvveti (EM), Güçlü çekirdek kuvveti (GÜ) ve Kütle çekim kuvvetinin (KÇ) etkileriyle
gerçekleşir **(S-27-29)**
d) EVRENİMİZİN KUANTUM ÖLÇEĞİNDEKİ SAYISAL RABİA'LAR:
Çağdaş bilimin ulaşabildiği en derin konu olan Kuantum fiziğinde, fizikçilerin ortaya
koyduğu "Belirsizlik ilkesi" aşağıda açıklanmaktatır. Bu belirsizlik ilkesine, Einstein
fizikçilerin henüz bilmediği bir parametrenin sebep olduğunu iddia etmişti. Aşağıda
bu kitaptaki tabloların ve bilgilerin ışığında Kuantum ölçeğindeki sayısal RABİA'lar
anlatılırken bu vesileyle Einstein'nın bahsettiği eksik parametreyi de bulmaya çalışalım.
EK-IIe'deki tabloda fizikçilerin bildiği Kuantum tanecikleri mavi renkte, henüz
bilmedikleri de siyah renkli olarak verilmişti. EK-Ic'de Evrenimizin Biğ-bang'den Big-
cruch'a kadar + yüklü 2, 3/2, 1, ½, 0 veya 4/2, 3/2, 2/2, 1/2, 0 spin numaralı bütün kuantum
taneciklerinin **4 aşamada genişleyip**, Big-cruch'dan sonra da – yüklü olarak anti-kuantum
taneciklerinin -0, -1/2, -1, -3/2, -2 veya -0, -1/2, -2/2, -3/2, -4/2 spin numaralarıyla **4 aşamada
toplanacak olduğu** görülmektedir.
EK-Ib, c, d Evrenin en dış ölçeğindeki **4 aşamada genişleme** ve **4 aşamada toplanacak
olmasının** element atomlarındaki **Proton/Nötron** oranlarına göre olduğu anlatılmıştı.
Acaba Kuantum tanecikleri de, **4 aşamada genişleyen evrende** + yüklü **Pozitron/Nötrino**
oranları, **4 aşamada toplanan evrende** - yüklü **Elektron/Nötrino** oranlarına göremi

oluştu? Yani her kuantum taneciği içindeki Elektron veya Pozitronların, Nötrinolara oranına göremi farklılaştı?

Bu konuda EK-IIe'de sayfanın sağ üst köşesinde sadece kütleli Graviton süper eşine ait spin sayısının 3/2 olması, EK-Ic'deki kütleli graviton süper eşinin 3/2 spin sayısıyla örtüşmektedir. Keza toplanacak olan evrenin sonundaki – yüklü kütlesiz Anti-Gravitonun süpereşinin -3/2 spin sayısıyla da örtüştüğü görülmektedir.

Kuantum fizikçileri "Belirsizlik ilkesi"ndeki Einstein'ın eksik parametresini ararken yukardaki hususlarıda hesaba katmalarında yarar olabilir.

d1) KUANTUM FİZİKÇİLERİNİN "BELİRSİZLİK İLKESİ" SEBEBİYLE ORTAYA ÇIKAN İNDETERMİNİZM'DEN KURTULMA YOLLARI:

Makro evrenin izafiyet teorisine göre oluşan Determinizm yani "Belli nedenlerle, belli koşullar altında, belli sonuçlara ulaşılır" kuralı son aşamada bizi Kuantum teorisine göre inteterminizme götürdü. Yani eskiden bir şey ya doğru veya yanlıştı hem doğru hem yanlış olamazken, artık Kuantum ölçeğinde de olsa, doğruda, yanlışta olasılık haline geldi. Önce kuantum fizikçilerini indeterminizme götüren sebeplerden başlayalım.

Sayfa 141'da görülen Louise de Broglie'nin atom modelinde, elektronlar çekirdek çevresinde dairesel yörüngede kuantum paketleri şeklinde saniyede 50 000 klm. Hızla dönerken kuantum ölçeğindeki küçük bir alanda Heisenberg-Schrodinger- Dirac modelindeki gibi ancak bulut şeklinde görülecektir. Kuantum fizikçileri elektronların atom çevresinde, aynı anda hem konumunu hem hızını hesaplayamadıkları için bunada "Belirsizlik ilkesi" adını verdiler. Fizikçileri belirsizliğe götüren ikinci bir olayda; Bir elektron tabancasından üzerinde iki yarık açılmış bir metal levhaya elektronlar yolladılar, levhadaki aralıklardan geçen elektronlar levhanın arkasına geçtiğinde girişimler yapan dalga özelliği gösterdi. Bu sefer levhadan geçen elektronları gözlemlemek için araya bir ölçüm cihazı yerleştirdiler. Işık bu durumda levhadaki aralıklardan geçip arkadaki ikinci bir ışığa hassas levha üzerinde çizgi şeklinde iz bırakmıştı yani tanecik özelliği göstermişti. Böylece ışığın hem dalga hem tanecik özelliği taşıdığı sonucuna vardılar. Oysa bence ölçüm cıhazı elektronların hızını azalttığı için madde özelliği göstermiştir. Çünkü madde'nin enerjinin yavaşlamış hali olduğunu biliyoruz. Işığın hangi limitin altına yavaşlarsa maddeye dönüştüğü yani tanecik özelliği kazandığı pek söz konusu edilmiyor.
Ayrıca W. Pauli'ye göre "Bir atomda hiçbir zaman 4 kuanta sayısı aynı olan iki elektron bulunmaz" Işığın hem dalga hem tanecik özelliği taşımasının sebebi bu olabilir.

Einstein, B. Podolsky ve N. Rosen (EPR) birlikte kuantum fiziğinde henüz bilinmeyen eksik parametrelerin bu belirsizliğe sebep olduğunu ileri sürmüşlerdi. Einstein da kuantum fiziğine karşı olduğunu "Tanrı zar atmaz" sözüyle ifade etmişti. Einstein haklıydı çünkü kuantum fizikçilerinin ortaya koyduğu belirsizlik ilkesi yani indeterminizm dünyayı korku, panik ve Kaosa götürür. İndeterminizmi kuantum ölçeğinde bile olsa ortadan kaldırmak zorundayız. Ancak eğer gerçektende öyleyse onu kuantum ölçeğinde bırakıp yaşadığımız yeryüzüne bulaştırmayalım veya aşağıda açıklayacağımız Rabia'lar aracıyla Determinizme geri dönme yollarını arayalım:

I) DÜNYADA VE AHRETTE CENNET İÇİN RABİA DEVLETİ MODELİ:

42 Bin yıl önce Güneynil bölgesinden Orta Asyaya göçeden bir afrika kabilesinin, orada çoğalmasıyla ortaya çıkan, düşünen ve konuşabilen Homosapien insanlarıyız. Nuh tufanına kadar ve sonra sayısız devletler kurduk. Bugün 2021 yılında nüfusumuz 8 milyar oldu nükleer silahlara sahip bütün ülkelerdeki bombaların hepsi patlasa, dünyayı yüzlerce defa yok edebileceğini biliyoruz. Bugün Büyük devletler Atom ve Hidrojen bombalarıyla artık savaşamıyacaklarını anladıkları için günümüzde terör örgütleriyle

vekâlet savaşlarına yöneldiler. Bu tercihte de **AHLÂK, ADALET VE BARIŞ** olmadığı için Dünyanın geleceği olması imkânı maalesef kalmıyor.

Savaşmadan birleşik bir Dünya devleti kurmak istiyorsak 42 bin yıldır en çok devlet deneyimi olan Orta Asya halklarının liderlerinde aradığı **BİLGELİK** vasfı bize yol gösterebilir. M.Ö 2000'de bilgiyi arayan Sümer kıralı Gılgamış'ı halkın tanrılaştırmasından başlarsak **(S-53).** M.Ö II. y.y.'da Türklerin ve Asya'ya adını veren Aslar'ın (Alanlar) ülkesinden gelen ve önce İsveç Kralı olan **Odin**'i **(S-192)** halk o kadar çok sevmiş ki, öldükten sonra tanrılaştırmış. Sümerler'in Gılgamış (**Bilgamış** bilgili, kutsal, soylu, anlamında) destanında olduğu gibi Odin'in **BİLGELİK** vasfından başka birde **ADALET** vasfı ve sekiz ayaklı bir mitolojik atı da vardı. 8 mitolojide sonsuzu **temsil** eder. Mesaj açıktır: Odin; "**Adalet** ve **Bilgelik**'le ben sonsuza kadar varım" diyordu. Ancak Aşağıda sağda görülen, **"İNSANLAR İÇİN DÜNYADA VE AHİRETTE CENNET"** geometrisi'ne göre **Odin**'i yeniden değerlendirelim:

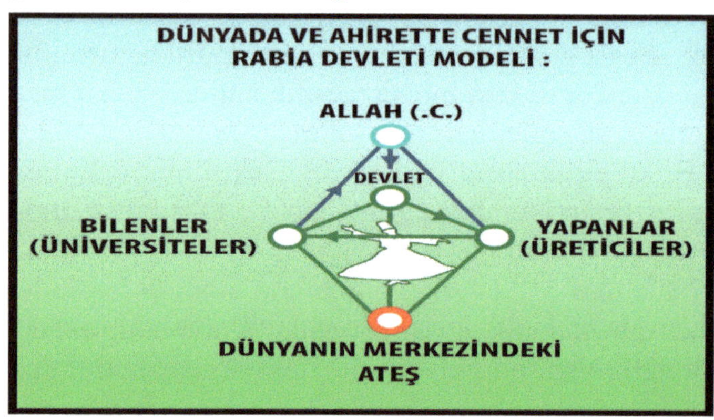

Önce Odin **AHLÂK**'lı olmasa, **ADALET**'li olamazdı. Demek ki kendi gök tanrı inancının **BİLGİ**'sine göre, Ahlâklı olması gereğine inanmıştı. Çünkü kullandıkları Runik yazı bile Asyadaki Orhon kitabeleri gibi yukardan aşağı doğru yazılıyordu. Böylece **BARIŞ**'ıda kendi toplumunda yeterli bir süre sağlamış olmalı. Ancak bugüne kadar Dünya'da Barış'ı sürekli sağlamış bir Devlet olmadığına göre, inşallah kurulacak **"DÜNYA BİRLEŞİK RABİA DEVLETLERİ"** içinde tarihten bir örnek veremiyoruz. Yukarda solda görülen şemadaki çift üçgen piramitle, Kitabın ekleri **Ia,Ia1** ve **IIId**'de, Big- Bang ve Biğ-crunch arasındaki çift üçgen piramitler örtüşmektedir. Dünyadaki Kozmoloji Enstütülerinde kitabın bu eklerindeki çift üçgen piramitlerin, **EK-IIf**'de görülen atom altı parçacıklarla derin ilişkileri araştırılabilir. **Sayfa 201'de**, kitabın eklerinde ve kapağında görülen insanlığın düşünce inanç tarihindeki 2 boyutlu kutsal geometriler burada ilk defa 3 boyutlu ayağı yere basan kapsamlı bir **"Algoritmik çift Rabia kristali"** olarak ortaya çıktı. **Bu iki boyutlu Davut yıldızının, üç boyutlu "İç içe çift üçgen piramit" yorumu, MERKABA YILDIZI (S-59), EVRENLERİN AKLI** (S-201) veya **EK-Ia, IIa, b, d** ve **sayfa 201 ve 178**'de ve aşağıda görülen toplam köşe sayısı **8** olan Rombik Pirizmalar da olabilir çünkü **8** sonsuzu da ifade etmektedir. Uygulamaya konması ise, ancak bugün Dünya Üniversitelerinde ki Kozmoloji kürsülerinin onayıyla mümkün olabilir.

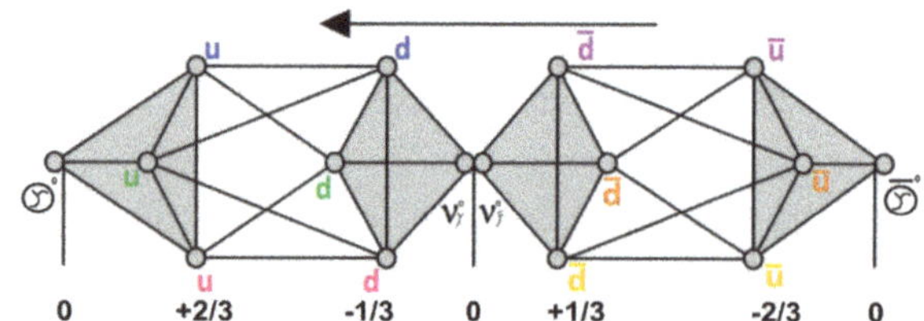

CİHANDA VE DÜNYADA BARIŞIN ATOMAL GEOMETRİSİ ÇİFT RABİA KRİSTALİ :
C3h Üçgen Çift Piramit 6'
(S-44)

60 Yıldır, daha iyi bir Dünya ve insanlık amacına yönelik, insanlara yol gösterecek, Evrensellik adına, Evrenin sırlarını bulma adına topladığım bilgileri birleştirip, çağdaş,

kolay anlaşılır bir senteze ulaşmaya çalışırken, sonunda ne çıkacak bende merak ediyordum.

Bu kitabın birinci bölümünde **"EVREN"**, ikinci bölümünde **"İNSAN"** ile ilgili çağdaş bilgiler verildi. Üçüncü bölümdeyse ilk iki bölümde verilen çağdaş bilgilere göre, Evrenin ve insanın sentezinin; İnsanı yani Mikro Kozmosu temsil eden ve Mevlevi dervişinin de geometrisi olan **"Üçgen piramit"** yani **"RABİA"** olduğu sonucuna varıldı. Kitabın dördüncü bölümünde (S-128) ve sonsöz'de (S-201) daha kapsamlı bir çalışma sonucu, kitabın sonundaki ek tablolara dayalı olarak çıkan, çağdaş literatürde olmayan ve Dünyanın kurtuluş algoritması olan sonuç; **"Çift üçgen piramit"** yani **"ÇİFT RABİA"** oldu.

Ayrıca, yukarda görülen, bu ters yönlü çift üçgen piramitler; Big-bang' in ilk saniyesinin milyarda birinde (Plank zamanında) (S-201), önceki evrenin son anti madde taneciği anti-foton'un, bizim evrenin ilk ışık taneciği Foton'a dönüşürken, 8'er tanecikli rombik pirizmaların iki ucunda ortaya çıktı. Bugün kullandığımız bilgisayarlarda 8 bit'in bir bayt oluşturması gibi. Keza 8'li Rombik prizma iki adet 4'lükten yani iki Rabia'dan oluşur ve de 8 sonsuzu temsil etmektedir.

Mısırlılara ve Yunanlılara göre **SEMBOL** birlikte tartışma, birlikte birleştirme, bir araya toplayıp her şeyi kapsayacak şekilde bağlamak anlamındadır. En üst Evrensel bilgiler ise ancak bütün insanlara aynı dilden hitap edebilen geometriyle birleştirilebilir.

Türkçede **"akıl"** kelimeside arapcada **birleştirme** anlamına gelen **"akale"** kelimesinden gelmektedir. Yazının icadından sonra önceki sözlü bilgileri ilk birleştirme çalışmasını başlatanlar da Mısır tapınak rahipleri oldu. **Einstein**'a göre, en iyi çözüm en basit olandır ve **Newton**'a göre de gerçek sadelikte saklıdır. İnsanlık tarihinde **Bilgi** tanrıların taş kabartma heykellerinde ellerindeki sepetlerle temsil edildi ve yazı bulunduktan sonra ilk defa daha önceki bilgiler Mısır tapınak rahipleri tarafından, binlerce yıl kapsamlı olarak birleştirildi.

EK-IIe'de verilen bütün temel tanecikler, EK-IIa ve b'deki 10 çift sanal rombik pirizma üzerinde belirlenip BBY (Big-bang yıldızı) elde edilmişti. Yukarda verilen EK-IIb'deki **BBY**'nin ilk sanal çift rombik pirizmasında, önceki evrenin son anti bozon taneciğinin, bizim evrenin ilk ışık taneciği bozon'a dönüşmesi görülmektedir. Daha sonra atomal ölçekte sırayla EK-IIe' de verilen diğer bütün tekli tanecikler, EK-IIh' de ikili, EK-IIi' de üçlü tanecikler, EK-IIIa,b' de atomlar verilecektir.Böylece daha sonra evrende yaratılacak moleküller, bileşikler ve astral ölçekte de, kuasarlar, galaksiler, yıldızlar, gezegenler ve uyduları, nihayet dünya gezegeni üzerinde bildiğimiz canlilar ve insanlar oluşacaktir.

Dünyayı üçüncü Dünya savaşından kurtarmak için, bir **"Dünya birleşik Rabia devletleri"** kurmayı başarabilirsek, Dünya bayrağındaki (S-188) bu "üçgen piramit" ile, Sümerlerin yanlış hesaplayıp **2012** aralık ayında başlayacağını öngördükleri **Altın** çağ'ı belki **2022**'de başlatabiliriz. **Altın** çağ ise insanlık tarihi boyunca aradığımız ve bize hem Dünyada hem Ahrette cenneti kazandıracak **"Kızılelma"** olur. Bu geometride yukarı doğru üçgen piramidin tabanında ki üçgenin köşelerinde 3 temel kavram; Dünyada **BARIŞ** (4) için **ADALET** (3), adalet için **AHLÂK** (2), ahlâk içinde yukarı doğru üçgen piramidin tepesinde **ALLAH** (1) cc. verildi. Ateistler ona **RABİA** diyebilir çünkü Rabia hem sayısal hem geometri olarak matematiğin özüdür. Keza enerji veya Pisagor gibi sadece Matematik veya Big-bang'de ve insan beyninde de olan ve insana kendi bilincine varmasını sağlayan **Bose-Einstein kuvantum yoğunlaşması** da (S-140,137) diyebilirler. Çünkü inanmamak sorumluluk duygusunu ortadan kaldırır ve sorumsuz insanlar ise serseri mayın gibidir. Ancak **Ahlâk, Adalet, Barış** varsa Dünya erdemli kadınlar, erkekler ve çocuklarla cennete dönüştürülebilir. **"İNSANLAR İÇİN DÜNYADA VE AHRETTE CENNET"** geometrisinde (S-186) Aşağı doğru üçgen piramidin alt köşesinde ve Mevlevi Dervişinin ayağının altında **DÜNYANIN MERKEZİNDEKİ ATEŞ vardır.** Böylece, **Mu** (S-206) kıtasından günümüze, bu kitapta da verilen, 2 boyutlu kutsal geometriler, tarihte ilk defa, insanları Allah'a cc. yönelten, 3 boyutlu **"Çift üçgen piramit"** geometri olarak ortaya konmuş oldu.

Rabia'nın kaynağında Mısır rahipleri vardır. Mısırdan binlerce yıl önce, Orta Asya ve Sümer kültüründe her biri 6500 yıl sürecek olan ve **Ateş, Hava, Toprak** ve **Su** ile sonlanacak olan, 4 çağ'ı temsil eden ters L şeklindeki 4 ÖG tamgası birleşince, 4 çağda da **"Dönerek tanrıya erişmeyi"** temsil eden **Gamalı haç** yani OQ tamgası oluşuyordu. Bu tamga İslâm Tasavvufunda Ahmet Yesevi (S-86), Mevlâna (S-87) ve Hacı Bektaş-ı Veli (S-87) ile, dönen dervişlere dönüştü ve bugüne kadar geldi. Gamalı haç H. Schliemannn'ın Turuva'dan kaçırdığı hazineyle beraber almanyaya gidince gerçek anlamına çok ters olan Hitlerin maalesef Nazi partisinin sembolü oldu.

Kurulacak Dünya devletinin bayrağının, Dünya devleti kurulmadan da bütün dünyadaki bayrakların sağ üst köşesine konulması, halk oylamasına sunulabilir. İnsanlık böylece; Yaşadığımız çağın temel sorunu **AHLÂK'** a (Ayni manada **EDEB** Arabça kaide, kural temel anlamında, Kur-an' da ki 666 ayetin özü ve Allah'ın cc. varlığına inanmak yani **ÎMÂN'** dır) vakit kaybetmeden yönelmiş olur. Ancak **AHLÂK, ADALET ve BARIŞ'** ı sağlamak Dünya Anayasasının konusu olmalıdır.

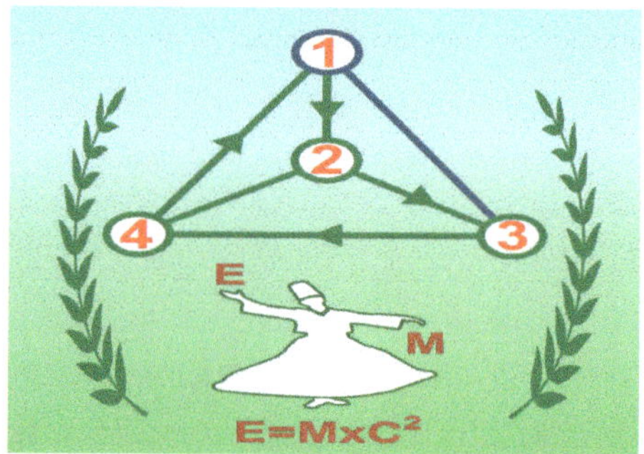

Allah cc. sadece insana akıl verdiği, için, her insan kendi varlığından, sağlığından, mutluluğundan olduğu kadar, diğer insanların ve bütün canlıların varlığından, sağlığından, mutluluğundan da sorumludur. İnsanlar bu sorumluluğu taşımazsa, dünyadaki varlığını sürdüremez. Çünkü her insanın varlığı dünyadaki diğer insanların ve canlıların varlığına bağlıdır. Dünyada sadece arılar bile yok olsa, insanlar artık yaşayamaz. İslâm'da Allah cc. kavramı dışında hiçbir şey yoktur. Allah cc. yeryüzündeki her şeyin bu muhteşem bütünlüğü, güzelliği içinde yaşamamızı istediği için bize, kendi aklından bir miktar vermiş. Lütfen artık o aklı, daha çok geç kalmadan kullanmaya başlayalım. İnsanların kontrol edilebilmesi amacına yönelik ortaya koyduğumuz **"Çift üçgen piramit"**, günümüzde çok yoğun çalışmaları sürmekte olan **Yapay zekâlı robotlar'** ın ahlâklı programlanmak suretiyle, kontrol edilebilir olmasını da sağlayabilir.

ALLAH'a cc. yönelen insan **AHLAK'** lı, ahlâklı insan, **ADALET'** li, adaletli insanlar Dünya'da **BARIŞ'** ı sağlar, barışı sağlayan insanlar tekrar **ALLAH** a cc. yönelir. Bu zincir koparsa Dünyanın sonu gelir. Çünkü Evrende Astral ve Atomal ölçekte önce, Allah'ın cc. yarattığı zıtlıklar sonra bu zıtlıklar arasında uyum, ahenk, **BARIŞ** vardır ve insanlarda buna aykırı davranamaz. Barış gözlere güzellik, kulaklara müzik, bedenlere sağlık, Dünyadaki bütün insanlara mutluluk olarak yansır. Bugün insanların beyninin, hayvanlarda olmayan üst zarı **Korteks'**te tarih boyunca farklı kökenlere, dinlere, mezheplere, inançlara göre toplanan farklı bilgiler, stres ve çatışma kaynağı oldu. Artık bu farklılıkları önce, burada verilen **"Çift üçgen piramit"** geometriyle barıştırıp Dünyamızı Cennete çevirelim. Sonra biz Ahlâklı insanlara Allah'ın cc. Ahrette de Cenneti bahşedeceğinden kimsenin şüphesi olmasın.

Sorumluluğumuz; Evren'de zaten var olan barışı, düzeni örnek alarak, Dünya'da barışı sağlamak için, sayfa **188**'de ve yukarda görülen **"DÜNYA BİRLEŞİK RABİA DEVLETLERİ BAYRAĞI"** altında toplanmak olmalıdır. **"İNSANLAR İÇİN DÜNYADA VE AHRETTE CENNET"** geometrisinde (S-186) Aşağı doğru üçgen piramidin alt köşesinde ve Mevlevi Dervişinin ayağının altında **DÜNYANIN MERKEZİNDEKİ ATEŞ vardır.** Bu Dünya bayrağındaki Evrensel geometri belki, **Mu (S-206)** kıtasından, M.Ö.'ki bin yıllarda Mezopotamya ve Mısır tapınaklarındaki rahiplere intikâl eden **Rabia** bilgisinin, **Gılgamış** (S-53) ve **Odin** (S-192) örneğiyle birleştirilmesiyle ortaya çıktı,

Bayrakta verilen 4 tanım, bütün okullarda, üniversitelerde, kütüphanelerde olan ve Dünyada sürekli konuştuğumuz kelimelerin, tanımların en üstündedir. Hem dünyada hem ahrette cennet için sayfa 186'daki **"İNSANLAR İÇİN DÜNYADA VE AHRETTE CENNET"** tablosunun solundaki çift üçgen piramidin üst yarısında her insan için, alt yarısında toplum için **"DÜNYADA VE AHRETTE CENNET İÇİN RABİA DEVLET MODELİ"** verildi. Yaşadığımız 21. Asrın başında bizi 3. Dünya savaşından kurtaracak bu Evrensel geometrideki Rabiayı sırayla açıklayalım:

1) **BİRLİK: Allah** c.c. (Mevlânaya göre ona verilen farklı isimlerde vardır)

İnsanları Allahın birliğine ulaştıran **Cihanın bilgisi** Rabialardır.

2) **İKİLİK: Ahlâk'**ı temsil eder. Einsteinın **E=MxC²** formülüne ve tasavvufa göre insan ne sadece maddi değerleri (Nefsini, ihtiyaçlarını) nede sadece insani, manevi değerleri (Enerji) tercih edebilir. Her ikisini dengelemekle yükümlüdür. İnsanı Ahlâk olmadan düşünmek, einsteinın formülünü **E** olmadan düşünmeye benzer. Doğaya aykırıdır, toplumları hasta eder ve yok olmaya götürür Böylece Dünyada varlığımızı sürdürmenin temel şartı olarak **Ahlâk** ortaya çıkmaktadır. İnsanlara ilkokullardan itibaren ahlâk'ın sosyal ve evrensel geometri olan **"Dünya birleşik Rabia devletletleri bayrağı"**ndaki (S-188) konumu anlatılmadan, kimsenin Dünyadaki **kaos'**tan şikâyet etmeye hakkı olmaz. Kaos ne kelime, Dünya kokuşmaya başladı, artık virüsler ortaya çıkıyor ve bu durmayacak daha başımıza neler geleceğini bilmiyoruz. Bu Dünya ahlâklı annelerin, ahlâklı babaların ve ahlâklı evlâtların dünyası olması için, Dünya bayrağındaki ve solundaki Çift üçgen piramitin altındaki Mevlevi dervişinin sağ avucu üzerinde **E** (Enerji, **manevi**), sol avucu altında **M** (Madde) verildi

3)**ÜÇLÜK:** Sayfa 188'daki Dünya Rabia devleti bayrağındaki yukarı doğru üçgen piramidin tabanının karşı köşesinde **Ahlâk (2),** sağında **Adalet (3),** solunda **Barış (4) vardır.** Işık insanın dışını aydınlatır, insanın içini, ruhunu aydınlatansa ahlâktır. **Adalet** arapça bir şeyi yerli yerine koyma anlamında, **zulm** kelimesinin tersi anlamındadır. **Zulm'** ise bugün yaşadığımız **Kaos** demek oluyor. Böylece müzikte uygun notalarla bir beste yapmak veya uygun arap harflerleriyle **sülüs yazı** yazmak, altın oranlara uygun eserler ortaya koymak, işinin ehli insanlarla devlet yönetmek gibi anlamları çok genişletilebilir.

4) **DÖRTLÜK: Barış'**tır Evrendeki uyumu, ahengi, melodiyi, güzelliği, Dünyada **ve ahrette** mutluluğu temsil eder.

60 Yılda hazırlanan bu kitapta ne varsa sonuçta hepsi insanları Allah'a cc. yöneltmek için verilmiş oldu ve insanları uzun, uzun kitaplar okumadan, kolayca Allah'a cc. yönelten geometriyse **"Dünya Birleşik RABİA Devletleri Bayrağı"** olarak, burada ortaya kondu. Mevlâna'nın dediği gibi, Allah'a cc. başka isimler verenler de olsa, bütün kitablar bütün yollar sonuçta ona çıkacaktır **(S-87).**

Bu semiyotik **(S-100,105,109)** geometri'ye göre bir Dünya Devleti kurulması, halen mevcut devletlerde halk oylamasına sunulup onaylanırsa ve mevcut devletler eyalet haline gelir ve **EK-IVa'**daki Bilimlerin Tasnifi Tablosu'na göre, her insan mensup olduğu meslek gurubuna göre cep telefonundan merkezdeki kuantum bilgisayarındaki, yapay zekalı Blockchain programına bağlanırsa, Dünya nüfusu 8 değil, 28 milyar bile olsa Dünyada insan toplumu yekpare bir bütünlük kazanır ve bir arı kolonisinin bal üretmesi gibi Dünyaya sürekli sağlık ve mutluluk üretir. Yukarıda görülen bayrağın, bir Dünya Devleti kurulmadanda, bugün bütün Dünyadaki bayrakların sağ üst köşesine sayfa 188'de görüldüğü gibi konulması, halk oylamasına sunulabilir. İnsanlık böylece yaşadığımız çağın temel sorunu **AHLÂK'**a vakit kaybetmeden yöneltilmiş olur.

a) DÜNYADA İNSANLAR İÇİN BAZI TEMEL RABİALAR:

Yaşadığımız 21. yüzyılda fizikçiler üç her şey kuramı ortaya koydular ancak ispatlaya madılar. İspatlayacakları bir her şey kuramını beklemeden ve bir üçüncü dünya savaşın dan kurtulmak için artık aşağıda verilen **RABİALAR** ile işe başlayabiliriz.

I) İSLÂMIN "SİLM" BARIŞ KELİMESİNDEKİ SAYISAL RABİA:

İslâmda barış kelimesinin dört anlamı vardır (S-63):

1) EVRENİN BÜTÜN VARLIKLARI ARASINDA BARIŞ.

2) MİLLETLER, DEVLETLERARASINDA BARIŞ.

3) AİLE FERTLERİ ARASINDA BARIŞ,

4) KİŞİNİN NEFS'İ (İHTİYAÇLARI) İLE AKLI ARASINDA BARIŞ.

II) İNSANLIĞIN BEKA SAYISAL RABİASI, KESRETTE VAHDET VE BEKA BİLLAH:

1) BİR ALLAH

2) BİR EVREN

3) BİR DÜNYA

4) BİR İNSANLIK

Dünyadaki dinlerle, bilimi birleştirecek Mutlak hakikat; Hem Evrende barışın bilgisi hemde matamatiğin özü olan Rabialardır (Dörtlükler). Allah cc., Evren'i yaratmadan evvel Big Bang öncesinde ki sırf enerji halinin içine, **yani Nur-u Kadim'in içine yaratacaklarını yazarken belki 4 mısralı manzum şiir şeklinde yazmış da olabilir (S-201'de Evrenin aklı). Rabialar** hem Mevlâna'nın "Ne olursan ol gel!" çağrısı hem tasavvufun **"kesrette vahdet"** yani çoklukta birlik ifadesi, **hem "Kutadgu Bilig"teki (S-85 insanlara Dünyada ve Ahrette mutluluğu kazandıran "KUT" yani AHLÂK ifadesidir. Keza Rabialar Asya Veda'larından Brahmanlara ve sonra Hinduiz'min Yoga anlayışına geçen (S-58) "Evrendeki her şeyle ve kendi varlığıyla bütünleşen sağlıklı, mutlu, mükemmel, gerçek Bilge insan" idealine ulaşmanın yoludur. Bu ideale ulaşan insanlar artık farklı olduklarının değil, Allah'ın cc. birliğinde toplanan Evrenin, Dünyanın ve İnsanlığın bir parçası olduklarının bilinciyle yaşayacaklardır.**

21. Asırda insanlığın varlığını sürdürme şartı olan **"Ahlâk"** konusunda herkesin **kabul ettiği böyle ortak bir anlayışa maalesef sahip değiliz. Yaşadığımız 2021** yılında Mısır tapınak rahiplerinin ve **islâm tasavvufunun bize hediye ettiği, ahlâk'ın evrensel matamatiği olan "Rabia ahlâkı"yla, sadece halen Dünyadaki bütün dinlerle bilimleri birleştirmiyelim, insanlığı Evren'le bütünleştirelim ve Mayaların ve Sümerlerin 2012'de olacağını hesapladıkları altın çağı biraz daha geç de olsa artık başlatalım.**

III) İNSANLARIN SAĞLIKLI OLMA SAYISAL RABİASI:

1) TEMİZ BEDEN, TEMİZ ÇEVRE

2) DOĞRU BESLENME

3) DENGELİ UYKU

4) HAREKETLİ YAŞAM

IV) BÜTÜN CANLILARIN MUTLU OLMA SAYISAL RABİASI:

1) KARNI DOYACAK.

2) SOĞUĞA SICAĞA GİYSİSİ OLACAK VEYA POSTU OLACAK.

3) YATACAK BİR EVİ OLACAK VEYA KOVUĞA GİRECEK.

4) OCAĞI TÜTECEK: Yani yanında karşı cinsten bir hayat arkadaşı olacak.

Ocak kelimesi Türkçe "üç **ok**"tan türemiştir. Asya›da çadırın ortasında, ateşin üzerinde, üçayaklı bir Kutsal aile ocağının kazanı vardır (Brahmanlarda Mandala bugünkü türkçede Mangal). **Kazanın üçayağı da fil başlıdır.** Muhtemelen hortumları da ayak oluyor. **Fil mitolojide bilgeliği temsil eder.** Çadırın ortasındaki **Ateş** ile hem yaz gelene kadar ısınılacak hemde yemek pişirilecektir. Hayatın kaynağı güneştir. O toplumu yöneten Hakanın işareti de güneş işaretidir (sembolü daire içinde nokta). Japonlar'ın da Yakut Türkleri olmaları ihtimali vardır. Yakut kırmızıdır, beyaz bayrağın ortasında kırmızı güneş. "Hirohito güneşin oğlu" olarak anılmaktadır. Ocağa tekrar dönersek, kazanın üç köşesinde filbaşlı ayakların biri **ana**yı, öteki **baba**yı, üçüncü çocukları temsil eder. **Bilgili anne, bilgili baba, bilgili çocuklar.** "**Evrende barışın bilgisi Rabialar**"dan haberdar olan ana, baba ve çocuklar demek artık yanlış olmaz.

V) AHLÂKLI İNSAN YANİ HANIM VE ADAM OLMANIN
    SAYISAL RABİASI:
    1) **BÜYÜĞE SAYGI,** küçüğün sorumluluğudur.
    2) **KÜÇÜĞE SEVGI,** büyüğün sorumluluğudur.
    3) **ÖZVERI,** gerektiği yerde gerektiği kadar.
    4) **HOŞGÖRÜ,** hoşgörü ile bitmeyen birşey insani olamaz.

Ahlâk arapca **"Hulk"** kelimesinin çoğuludur, iyi vasıflara sakip kişilik yani önce Allah'a (İlâhi **takva** yani Allah'ın emirlerine ve yasaklarına uyan) sonra **aileye, doğal çevreye, topluma, devlete** bağlılığı ifade eder. Büyüğe saygı geleceğin büyüğüne yani kendine saygıdır. Kendine saygısı olmayanın başkasına saygısı olamayacağı için okullarda gençlere önce kendilerine saygılı olmaları öğretilmelidir.

VI) ERKEKLER İÇİN KEMÂL, KADINLAR İÇİN KEMÂLE OLMANIN
    SAYISAL RABİASI:
    1) **İYİ BİLGİ.**
    2) **İYİ SÖZ.**
    3) **İYİ HAREKET.**
    4) **İYİ AHLÂK (veya arapça kurallar anlamında olan EDEB)**

VII) TASAVVUFFA GÖRE CENNETE AÇILAN DÖRT KAPININ SAYISAL
    RABİASI:
    1) **ŞERİAT (Kur'an ayetleri)**
    2) **TARİKAT (Kur'anın farklı yorumları)**
    3) **MARİFET**
    4) **HAKİKAT**

VIII) İDEAL DEVLETİN SAYISAL RABİASI:
    1) **CUMHURİYET**
    2) **DEMOKRASI**
    3) **EŞİTLİK**
    4) **HÜRRİYET**

IX) HER ÜLKEDE BARIŞ'IN SAYISAL RABİASI:
    1) **BİR BAYRAK**
    2) **BİR MİLLET**
    3) **BİR VATAN**
    4) **BİR DEVLET**

X) DÜNYADA BARIŞIN SAYISAL RABİASI:
1) BİR DÜNYA BAYRAĞI
2) BİR DÜNYA MİLLETİ
3) BİR DÜNYA VATANI
4) BİR DÜNYA BİRLEŞİK DEVLETLERİ
(VEYA DÜNYA BİRLEŞİK RABİA DEVLETLERİ)

Altınçağ'ı başlatmak **Amerika Birleşik Devletleri** gibi çatışmayı önlemek için **coğrafi isimler taşıyan ve her devletin egemenliği kayıtsız şartsız kendi milletine ait olmak şartıyla bir** "Dünya birleşik devletleri" veya "**DÜNYA BİRLEŞİK RABİA DEVLETLERİ**" kurmakla mümkündür. **Yukarda sağda görülen Odin'in vasıfları olan ADALET ve BİLGELİK keza islâm kahramanı Hz. Ali'nin kılıcının iki çatalıyla da temsil edilir. ADALET ve BİLGİ'yle** yönetilen Dünyada, **Allah'ın cc.** yarattığı en mükemmel varlık olan insan, **AHLÂKLI**'da olursa hem kendi mükemmelliğine hem Evrenin mükemmelliğine yakışan bir toplum düzeni kurabilir.

Önce Orta doğuda sonra Avrupa birliği, Rusya ve Asya devletleri olarak bir "**Avrasya Birleşik Devletleri**" kurulursa sonra Çin ve Amerika Birleşik Devletlerini' de inşallah barıştırıp Demokratik bir **Dünya Birleşik Devletleri** kurulabilir. **Büyük sermayedarlar da dahil** herkes gelsin, Dünya'yı Anadoludan yönetelim.

b) DÜNYADA BARIŞI SAĞLAYACAK 2 NOLU TANIM "AHLÂK":

Bugün Dünya'da bütün sorunların sebebi; Bilim ve Din insanlarının bugüne kadar, topluma ortak bir Ahlâk tanımı sunamamış olmalarıdır. Bu kitabın başından buraya kadar, **60** yılımı alan analizler ve sentezlerin en çarpıcı sonucu, **sayfa 186**'da görülen "**DÜNYADA VE AHRETTE CENNET İÇİN RABİA DEVLETİ MODELİ VE DÜNYADA VE AHRETTE CENNET İÇİN RABİA SENBOLÜ**" oldu: Dünya'da barış artık Dünya'da Cennet haline getirilebilir. **BARIŞ** olması için **ADALET,** Adalet olması için insanların **AHLÂK**'lı olması gerekiyor. İnsanları Ahlâklı olmaya yöneltecek "**EVRENDE BARIŞIN BİLGİSİ RABİALAR**" olduğu sonucuna **AKIL** yoluyla varmış olduk. Çünkü akıl arabça "**Akale**" yani "**Bağlayıcı**" anlamına gelmektedir. **RABİA** bilgilerini birbirine bağlayan **AKIL** ancak **AHLÂK**'a yönelebilir. Filozof kelimesinin tarifide zaten devrinin bilgilerini akli esaslar dahilinde birleştiren ve bir sistem oluşturan kişiydi. Burada da kitabın önceki bölümlerinde verilen bütün bilgiler Akılla birbirine bağlanıp "**EVRENSEL HAKİKAT**"e yani **RABİALAR**'a ulaşılmış oldu. Keza Evrene Big-bang anında ve **her insana da beyninde kendi bilincine varmasını** sağlayan "**Bose-Einstein kuvantum yoğunlaşması**" **Kur-an**'daki "**Ben size kendi aklımdan bir katre üfledim**" ifadesiylede örtüşmektedir. Bu yeni ve çarpıcı sonuçlara ulaşmamızı, insanlık adına hep beraber ayağa kalkıp, havai fişeklerle kutlamamız gertektiğine inanıyorum.

Yapılması gereken; Budistler, Brahmanlar, Hindular, Tao'cular, Hristiyan, Musevi, Muslüman ve diğer dinlerin mensupları arasında, Dünya'da Ahlâkın matamatik ifadesi olan

ORTAK RABİA AHLÂKI'nın, **Asyalı Uygurların ifadesiyle hem Dünyada hem ahrette mutluluğu kazandıran kutsal ahlâk yani KUT'un** kabûl görmesi için çalışılmasıdır (**S-85** Yusuf Has Hacip). Keza Hermestot'a göre) Işık **RUH**'tur Karanlıksa **MADDE** insan maddeye boyun eğerse ruhundaki tanrısal **NUR** geldiği yere geri döner ruhu karanlıkta kalır, erir tükenir. İnsanın yüceltilen ruhuysa tüm aydınlık, tüm güzellik, tüm güç, tüm akıl olur bu ise ölümsüzlüktür. **"EVRENDE BARIŞIN** BİLGİSİ RABİALAR" ın bize kazandıracağı **AHLÂK**, artık bütün dinleride, Bilimleride kucaklayabilecektir. Bunun için Dünyadaki Kozmoloji enstütülerinin bünyesinde "**RABİA AHLÂKI ARAŞTIRMA GELİŞTİRME VE TANITMA ENSTÜTÜSÜ" oluşturulabilir.**

Pisagora göre ipsilon harfi (y) bir insanın önünde açılan iki yola benzer, **kötülük** ve **erdem** yollarına, birlik **AKIL**'dır. Hz. Muhammed s.a.v. "Ben başka bir maksatla değil, **GÜZEL AHLÂK'ı (EDEB)** tamamlamak için gönderildim. Birbirini sabra ve merhamete teşvik edenler sağ taraf ehlidir, delillerimizi inkâr edenlere gelince onlar sol taraf ehlidir, onların üzerine ateş yağacaktır." Der. İslâmda Hz. Muhammed s.a.v. İYİ BİLGİ, İYİ **SÖZ, İYİ HAREKET, İYİ AHLÂK'ta tam olan** KÂMİL İNSAN'ı temsil eder. Mevlevi tarikatinde Kâmil insan Mevlevi dervişiyle temsil edilir. Başka bir tarife göre **AHLÂK**, insanın **BİLGİ, DÜŞÜNCE, DAVRANIŞ VE DUYGULAR**'ının bütünüdür. Bu dört unsurda da **doğru** ve ölçülü olan insan güzel ahlâk sahibidir. Ahlâkın zirve noktası olan **EDEB** (Arapça kaide, kural, temel anlamında, Kur-andaki 666 ayetin özeti ve Allah'ın varlığına inanmak) İslâm'a ve Tasavvufa göre bizi **Kâmil** insana ulaştıran dördüncü kuraldır **(S-192 Ahlâklı insanın davranışlarındaki güzel görüntüdür** ve her şeyden önce gelir. Edeb'i ve Ahlâk'ı günümüzde daha iyi anlaşılır hale getirmek için genel bir kavram olmaktan çıkarıp, aşağıda görüldüğü gibi biraz daha unsurlarına ayırmaya çalışalım.

Kâmil ve Kemâle insan olmanın dördüncü şartı olan **EDEB**'in Mevlevi dervişine göre dengelenmesi gereken bazı birbirine ters unsurları:

SAĞ AVUÇ ÜSTÜNDE İNSANI ALLAH'A C.C. YAKLAŞTIRAN HAYIRLAR, TAKVALAR:	SOL AVUÇ ALTINDA İNSANI ALLAH'TAN C.C.UZAKLAŞTIRAN ŞERLER FÜCURLAR:
BİLGİ (Cihanda barışın Bilgisi Rabialar)	BİLGİSİZLİK
AHLÂK (EDEB)	AHLÂKSIZLIK
ADALET	ADALETSİZLİK
BARIŞ (Dünyada-barış)	KAVGA
ÖZVERİ	BENCİLLİK
SAYGI	SAYGISIZLIK
SEVGİ	NEFRET
HOŞGÖRÜ	HOŞGÖRÜSÜZLÜK
ERDEM	ERDEMSİZLİK
DÜRÜSTLÜK	İKİYÜZLÜLÜK
TEMİZ KALBLİLİK	FESATLIK
GÖNÜL ALAN	NOBRANLIK
GÜVENİLİRLİK	GÜVENİLMEZLİK
CÖMERTLİK	CİMRİLİK
MERHAMET	ACIMASIZLIK
SABIRLILIK	SABIRSIZLIK
GÜLER YÜZLÜLÜK	ASIK SURATLILIK
NAMUSLULUK	NAMUSSUZLUK
ONURLULUK	ONURSUZLUK
İFFETLİLİK	İFFETSİZLİK
VEFALILIK	VEFASIZLIK
VİCDANLILIK	VİCDANSIZLIK
SELÂM VEREN	SELAM VERMEYEN
BAŞKASININ ARKASINDAN KONUŞMAYAN	BAŞKASININ ARKASINDAN KONUŞAN
TEVAZU	KİBİR
SORUMLULUK	SORUMSUZLUK

Adalet dedik, **Ahlâk** olmadan adalet olamazdı **kavga'**yı ortadan kaldırmadan da **Ahlâk** olamaz, mağluplar fitneye vücura, şer'e yönelebilir. **Kurtuluş; Kitabın ön kapağının üstündeki mevlevi dervişinin başının üzerindeki "İNSANLIĞIN BEKA RABİASI" ve keza sayfa 190'da** "İSLÂMIN "SİLM" BARIŞ RABİASI" ve diğer Rabiaların **sağlayabileceği bir Dünya barışındadır.** Böylece bu kitapta 200 sayfadan fazla topladığımız bilgilerin en üstünde olduğunu anlayabildiğimiz **BARIŞ'**ın, İslâmın adının 4 anlamıyla yani Rabia ile zaten baştan ortaya konmuş olduğunu görüyoruz. **(S-63,185-189)**

Ancak insanlara **AHLÂK'**ın ne olduğu iyi anlatılmamışsa, ahlâksızlık yapanlara kabahat bulunamaz. Böylece yukardaki tabloda **BİLGİ'**nin, **BARIŞ'**ında üstünde olduğu ortaya konmuş oldu. Hattâ insanın bilgili olması için önce **AKIL**'lı da olması gerektiğine göre, Aklın bilgidende önce geldiği anlaşılmaktadır. Aklı'da Allah cc. İslâm'a göre kendi aklından bir katre olarak insana vermiştir. Kur'anın ilk ayeti **OKU** yani sadece Kur'anı oku değil Evrende yarattıklarımın hepsini sana verdiğim **AKIL**'la anlamaya çalış, yani Evren'in bütün **BİLGİ**'lerine sahip ol, anlamına gelmektedir. Bugün bütün bilimlerin en üstünde matematik olduğunu biliyoruz, Mısır ve Mezopotamya rahipleri de matematiğin özünün **RABİA** olduğunu ortaya koyduğuna göre, Kur'anı kerimdeki **OKU** kelimesinin de, **RABİALAR**'nın her şeyi kapsadığını anla, anlamına da geldiği sonucu çıkarılabilir.

OKU kelimeside, **MATEMATİK** kelimesi de çok geniş bir kavram olmaktan çıkarılıp, **SAYISAL VE GEOMETRİK RABİA** kavramları içinde toplandığı zaman, artık kalan bütün temel kavramlar hem ilâhi hem bilimsel, açık ve net olarak herkesin anlayacağı evrensel bütünlük içinde kolay anlaşılır hale gelmiş olur.

İslâmda **ALLAH** cc. tapınılmak için bulunmuş bir mabut değildir. İslâmda ALLAH cc. kavramının dışında hiçbir şey yoktur. Evrenin veya evrenlerin en dış sınırından, kuantumlar ötesine her şeyi yani Evrenin bütün **BİLGİ**'lerinin tamamını kapsar. **EDEB** Mevlânaya göre Allah'a cc. **İMAN**, arapca kaide, kural, temel anlamında, Kur-andaki 666 ayetin özü olunca **Allah**'la cc. başlayıp Edeb'le ve Barış'la biten **RABİALAR** ve yukarda toplamaya çalıştığımız Edeb'in ve Ahlâk'ın saydığımız ve saymadığımız unsurlarının hepsi Allah'a cc. iman eden insanların zaten büyük ölçüde uyacagı unsurlardır, yeterki Dünya'da genel bir kabûl oluşsun. **"DÜNYA BİRLEŞİK RABİA DEVLETLERİ"** kurulduktan sonra insanlar Dünya coğrafyasını ortak vatan kabul edip yukarda belirlediğimiz ayni zamanda matamatiğin özüde olan **RABİALAR** anaokullarından üniversitelere kadar öğretilmeye başlanırsa dünya üzerinde Beka sorunumuz büyük ölçüde ortadan kalkabilir. Çünkü **sayfa 192**'de Mevlevi dervişinin başı üzerindeki **"BEKA BİLLAH"**; İslam tasavvufunda yüksek Ahlâki, manevi ve insani vasıflara sahip olan insanların Allah için ayağa kalkmalarından **(KIYAM BİLLAH)** sonra Beka billah'a yönelmesi anlamına gelmektedir. Böylece insanlığın bekasının yani varlığını sürdürmesinin ancak insanların manevi ve insani değerlere sahip olmasıyla yani Güzel Ahlâk'la sağlanabileceği anlatılmak istenmiştir.

Erzurum'lu İbrahim Hakkı'nın **(S-90)** "Mevlâm görelim neyler, neylerse güzel eyler" sözünü **"encab'ını da hayr eyler"** olarak tamamlarsak, güzel'inde üst mertebesinde ölümsüz olan "Encab" **(İlâhi asalet)** olduğu görülüyor. Daha yüce bir asalet artık düşünülemez. Allah cc. insanlara da encab'ı hayr olmayı nasib etsin. Bugünün ifadesiyle, Allah cc. İnsanlara; Birbirlerine, Dünya›ya faydalı ve hayırlı yaşarken, bu yolda güzel'inde ötesinde **"İlâhi asalet" (encab)** mertebesini eski ifadeyle Tanrı Erenlerinden **(Ricâlullah, Nücebâ)** olmayı nasib etsin inşallah.

İnsanların kişilikleri genelde kendilerine verilen isimlere benzer, 6 asır yaşayabilen Osmanlı devletinin temelinde bence, **Edebali** (Edeb öğreten veya yüce edeb anlamında) vardı. O hem kızının hem damadı Osmanın hocasıydı, Osmana verdiği öğütle sonra gelen padişahlarıda yönlendirmiş oldu. Bu öğüt bugün bile ibret vericidir. Sonradan Osman'ın eşi olacak kızına **"Rabia Bala"** ismini vermişti. Demekki Rabiadan onunda haberi vardı ayrıca "Bala" hem yüce hem çocuk anlamına geliyordu. Edebali Türkmenistanda Merv şehrinde doğmuştu. Yani Sümerlerin Mezopotamyaya, Odin'in isveçe gittiği bölgeden. Gılgamış ise zaten Sümer kıralıydı. Bala'nın hem yüce hem çocuk anlamına gelmesi bu bölge kültüründe, çocuğun doğduğu andan itibaren, Tanrının ana babaya hediye ettiği yüce bir varlık olarak görüldüğü anlaşılmaktadır. Bugün yeni doğan çocukların çöp kutularına bırakıldığı bir çağda yaşamaktan utanıyoruz. Sümerologlar tek tanrılı semavi dinlerinde kaynağının Sümerler olduğunu iddia etmektedir. Daha fazlasını ilerde Sümerologların yapacakları araştırmalar bize gösterebilir.

Edebali'nin Osman'a öğüdünden örnekler: **"Ey oğul, beysin, güçlü, kuvvetli, akıllı, kelâmlısın ama bunları nerede nasıl kullanacağını bilmezsen, sabah rüzgârında savrulur gidersin. Kişinin gücü günün birinde tükenir ama bilgi yaşar. Bilginin ışığı** kapalı gözlerden bile içeri sızar, aydınlığa kavuşturur. Bir bey sabretmesini bilmelidir, çiçek vaktinden önce açmaz. Bu dünyada inancını kaybedersen yeşilken çorak olur, çöllere dönersin. Ananı atanı say bereket büyüklerle beraberdir. İnsanı yaşatki devlet yaşasın. Hayvan ölür semeri kalır, insan ölür eseri kalır. Geçmişini bilmeyen, geleceğinide bilemez. Nereden geldiğini unutmaki, nereye gideceğini unutmayasın".

Bu öğüt aslında, bugünün atom bombası beyleri olan, Amerika, Avrupa, Rusya ve hattâ Çine olmalıdır. Çünkü Müslümanları ispanyadan kovan ispanya kıralı gibi Mao'da eski kitapları yakıp komünist çini kurmuştu. Eğer insanlığın bir geleceği olacaksa herkesin nereden geldiğini bilmesi gerekiyor oda kitabları yakmakla olmaz. Bugün Avrupa ve Amerikada yaşayan insanlar, 12 Bin yıl önce, buz devri sona erdikten sonra orta asyadan geldiklerini, bugün uzaya gitmelerini sağlayan bilgilerin, Sümer, Babil ve Mısır tapınaklarından Yunanlılara sonra bugün yerle bir ettikleri Bağdat, Halep, Şam gibi şehirlerde orta Asyada ve Ortadoğuda toplandığını sonrada Avrupada Rönesansı yarattığını ve bugün bizi uzay çağına ulaştırdığını bilmeleri gerekiyor. Artık 3. Dünya harbinden kurtulmak için insanlığın gideceği tek yer ve son şansı; Rabia bilgilerine, Ahlâka ve Adalete dayalı bir Dünya barışı ve birliğidir.

Kitabın ön kapağının üstündeki dervişin sol avucunun altında "**madde**" (M), sağ avucunun üstünde **"Allah, Manâ, ahlak, edeb, Bilgi" veya enerji (E) vardır, çünkü bu kavramların hepsi de soyuttur.** Bu ahlâki değerler insanlığın bekasının algoritması olduğu kadar, insana insan olmanın erdemini de kazandırır. Evrende **ENERJİ** neyse, insanda **AHLÂK** odur. İnsanı Ahlâk olmadan düşünmek, Einstein'ın **E=MXC²** formülünü **E** olmadan düşünmek gibidir.

Siyasi amaçlarla 1886'da Fransa tarafından Amerikaya hediye edilen bugün Newyork'taki Hürriyet heykeli, Mısırda Portsait limanı girişine konulmak ve Firavunlar devrinde yaşamış bir Mısırlı kadını (Belki de RABİA'yı) temsil etmek üzere, 1865'de Osmanlı padişahı Abdülaziz tarafından parası peşin ödenen ancak sonra istenmeyen bir heykeldi. Heykelin sağ elinde, Fransızlara göre Dünyayı aydınlatan özgürlüğün senbolü meşhale, başındaki 7 sivri uçlu taçda, güya Dünyada 7 kıta veya 7 deniz olarak yorumlanmıştı. Fransızlar heykelin yüzünü ve kollarını değiştirmiş, tacı değiştirmemiş ancak yanlış yorumlamışlar. Doğru yorum, bu taç firavunlar devrinde Dünyanın etrafında döndüğü zannedilen 7 gezegeni ve tapınaklarda rahiplerin çalıştıkları 7 bilim dalını temsil edebilir (Gramer, mantık, belagat, hendese, matamatik, müzik, astronomi) **(S-79)**. Heykelin sağ elindeki meşhalenin ne olduğunu ise yukarda Hermestot çok açık anlatmış. Yaşadığımız Madde Evrenindeki ilk madde taneciğinin ışık taneciği **Foton** olduğu bu kitabta daha önce anlatılmıştı, ancak bu meşhaleye hürriyet dersek, Fransız kıralına karşı hürriyet olabilir ancak Allaha cc. karşı hürriyet olmaz, isyan gibi olur ve bugün yaşadığımız Dünya ortaya çıkar. Fransız ihtilalinden sonra zaten uygulanmayan Hürriyet, Eşitlik, Adalet kavramlarından **Hürriyet** üstelik yanlış anlaşıldı. Evrenide, insanı da yaratan yüce güce karşı Hürriyet, aklada, bilime de aykırıdır. "**Kul**" arapça esir anlamındadır, "**Edeb**" ise Allah'ın cc. kurallarına kul olmaktır. Sadece Nefs'inin ihtiyaçlarının esiri olan insan Hür olamaz, olursa bugün virüslerden sokağa çıkamıyoruz, yarın en azından pencereleri de açamayız.

S-191'de hürriyet **"İDEAL DEVLET RABİASI"**nda doğru yerde verildi. Heykelin doğru yorumu; Heykeldeki hanım Mısırlı veya Romalı fark etmez cihanda barışın bilgisine veya heykelin tacında temsil edilen çağdaş bilimlere göre Meşhale, insanın hem dışını aydınlatan ışığı hem ahlâklı insanın içini yani ruhunu aydınlatan ışığı yani NUR'u temsil etmelidir. Genişlemekte olan ve **ENERJİ** (Ruh), **MADDE** dengesi sayesinde sağlıklı olan bir ışık evreninde yaşıyoruz, lütfen materyalizmle Dünyamızı hasta edip insanları karanlıkta bırakmıyalım.

Sayfa 185-189'da "DÜNYADA VE AHRETTE CENNET İÇİN RABIA SENBOLÜ" olarak verilen tabloda, **AHLÂK**'ı bize kazandıracak Cihanda barışın bilgisi olan Rabialar ve **sayfa 188**'deki Dünya bayrağının altında ve kitabın ön kapağındaki Mevlevi dervişinin altında görülen Einstein'ın formülü verildi. Bu formüle göre dervişin sol avucunun altındaki maddi değerler 1'se, ışık hızı (C) saniyede yaklaşık 300 bin kilometre (~300 Milyon metre) olduğuna göre; soldaki 1'in 300 milyon'la çarpılması değil, 300 milyonun karesinin alınıp, sonra 1'le çarpılması gerekiyor. Tasavvufta sağ avuç üzerinde, Allah'ın birliğindeki manevî, ahlâki değerler kalpte toplanır kalb sevgiyi temsil eder. Böylece Allahın cc. insana emanet verdiği **RUHUN NURU**'da kalbtedir ve ahlâklı insan öldüğü zaman, ruhunun nuru kaybolmadan Allaha cc. geri döner. Şimdi bütün dünya insanlarını, sağ ellerini kalpleri üzerine koyup "Hepimizde aynı cevher var, Atom bombası, Hidrojen bombası az gelir, burada Big-Bang var" demeye davet edelim. Dünya'dan kaçmak için bugün içinde su olan bir gezegen arar duruma geldik. Oysa artık Dünyada barışın geometrisiyle neden altın çağı başlatmayalım.

J) KİŞİSEL VE TOPLUMSAL OLARAK YAPILMASI GEREKENLER:

Artık 21. asrın bilimsel birikimiyle, kanatlı meleğin, ucu yıldızlı sopasıyla dünyaya dokunup **Cennet'e çevirmesi** misali bütün bilgilerimizden çıkan sonucu **matematik, fizik, kozmolojinin, tasavvufun, Rabia Ahlâkının, insanlığın beka Rabia'sının ve** İslâmın **Barış Rabiasının** ışığında **Evrenin kuantum benliği**nin yarattığı **(S-141)** evrenin kusursuz mükemmelliği ve bütünlüğünü örnek alarak, 21.asırda **Dünya insanlarının kuantum benliği'**yle, artık yeryüzünü ve Doğu ve Batı toplumlarını **dengeli** (**adil**) bir bütünlüğe ve kusursuz bir mükemmelliğe kavuşturmak zorundayız Buraya kadar anlatılanlar, Evrenin kuantum benliği'nin bize bu sorumluluğu yüklediğini göstermektedir Aksi halde evrende her varlığın bu arada bütün zıt kutupların varlığını sürdürme şartı olan **denge'**nin yaşadığımız dünya üzerinde kaybolabileceği açıktır. Ortaya koyduğumuz bilgiler ışığında, bu **denge'**yi (**adalet'i, barış'**ı) ancak, **batının Fermiyonik maddeci bireyciliği** yani **materyalizm**i'yle, **doğunun Bozonik Ruhcu toplumculuğunu, ayrılmaz bir bütün haline getirmekle başarabiliriz**. Esasen mevlevi dervişinde de olan bu evrensel mesaj hem fertleri hem dünya toplumunu yapılandıracak, **demokratik ve adil** bir "**DÜNYA BİRLEŞİK DEVLETLERİ** (veya **DÜNYA BİRLEŞİK RABİA DEVLETLERİ**) bünyesinde hayata geçirilebilir.

21. asrın başındayız, Avrupa ekonomik topluluğu artık Avrupa birliğine dönüştü, oldukça kapsamlı bir **Avrupa Birliği mevzuatı** hazırladılar. Bu birliğin ve mevzuatının, önce birleşmiş milletlere sonra yeryüzünde üzerinde yaşadığımız beş kıtada ne kadar benzeri kurum varsa, Kuzey Atlantik paktı, Nato, Balkan paktı, Rusya'nın Çin'in benzer paktlarının tamamının, 2008 Çin Olimpiyatlarının sloganı "**Tek dünya tek rüya**" amacına uygun olarak ve "**DÜNYADA VE AHRETTE CENNET İÇİN DÜNYA RABİA DEVLETİ MODELİ**"temelinde **(S-186)** birleştirilmesi gerekir.

Bu kitapta verilen bütün bilgilerin amacı; insanlara yol gösterecek bir evrensel mesaj aramaktı. Amaca ne ölçüde ulaşıldığını, okuyucuların takdiri belirleyecektir. Bugün Amerika'da bildiğim kadarıyla 10 üniversiteden bir iki tanesinde **kozmoloji kürsüsü** var. Sümer, **Babil** ve Mısır Rahiplerinden, **Vedalardan, Brahmanlardan, Yunan filozoflarından** alıp geliştirdikleri bilgilerle Avrupa Rönesans'ını yaratan, yüzden fazla İslam aliminin ortak özelliği, çağlarının bütün bilimlerine vâkıf olmalarıydı. Türkiyede bugün hiçbir üniversitede **maalesef** kozmoloji kürsüsü yok. İslam mutasavvuflarının mezarlarında kemikleri sızlıyordur. Amerika'daki kozmoloji fakültelerinde, insanın madde ile ilgili, onların **müsbet ilim** dedikleri konuları bizden iyi biliyor olabilirler. **Manevi ilimler** menfi ilim midir? Batı dünyasının insanı manâ ile ilgili, **manevi, ahlâki, vicdani, insani** konuları bizim kadar anlamaları zor olur çünkü bu konularda bizim kadar sosyal ve tarihi birikime sahip değiller. Bu birikim bize tarihi bir sorumlulukta yüklüyor, bu birikimi batıya aktarmak zorundayız. Batının kurallara uygun yaşama kültürü, bizdeki tarihi birikimi çağdaş yaşama bizden iyi uygulamalarını da sağlayabilir. **İndogermenlerin de kuzey batı hindistandan yani Sümerlerinde, Türklerinde anadoluya geldiği bölgelerden Avrupaya gitmiş olmaları, bugün maalesef Türkiyede bizim büyük ölçüde unuttuğumuz, kurallara uygun yaşama kültürünün kaynağı olabilir.** İslâmdaki **Edeb** kavramının **"kurallar"** anlamına gelmesi, bugün kurallara uymamamayı üstünlük görenleride edebli hale getirebilir. Yapılması gereken; Hem islâm üniversiteleri hem batı üniversitelerinde kurulacak kozmoloji fakültelerinin, **hem maddi hem manevi (insani) ilimlerle İslâm mutasavvufları gibi Evrensel hakikat'i bulmaya çalışmalarıdır.** Bu arada **RABİA**'yıda onaylarlarsa belki birlikte **Altınçağı** başlatabiliriz. Böylece buraya kadar amatörce yapılan çalışma, Dünyada filozof vasfına sahip bilim insanları ile **kozmoloji fakültelerinde,** süreklilik kazanabilir. Keza kozmoloji mecmuası yayınlanabilir. **Esperanto**'dan daha iyi ve kolay bir Dünya dili araştırması yapılabilir. Çalışılan bütün konular Dünyadaki kozmoloji enstütülerinden seçilmiş en yetkili filozoflar tarafından oluşan bir üst kurul tarafından zaman, zaman güncellenebilir. İlkokullar, ortaokullar, liseler ve üniversiteler için Rabia Barışı, Ahlâkı, Edebi ve Kozmoloji ders kitapları hazırlanabilir. **Üstün yetenekli çocuklar erken yaşlarda fark edilip, kozmoloji fakültelerindeki filozoflar tarafından eğitilebilir.**

Esasen "Üniversite" kelimesinin anlamı da bir bakıma temelde üniversitelerin **Evren**'le yani **Kozmos**'la (üniverse) ilgili bütün bilimlerle uğraşması gereğini ifade etmektedir. Günümüz üniversiteleri, bünyelerindeki çeşitli fakültelerde, bütün bilimlerle ayrı ayrı uğraşıyorlar, uğraşmadıkları; İslâm mutasavvufları gibi bütün bilimleri Kozmoloji tanımı altında toplayıp büyük resmi ortaya koymak, en azından batıda bazı üniversiteler artık kozmoloji kürsüleriyle bu yola girmeye başlıyor.

Teşbihte hata olmaz; bir Anadolu deyişine göre "Koyunun olmadığı yerde, keçiye Abdurrahman Çelebi derler". Bu kitap akademik vasfı olmayan bir kişinin, haddine düşmediği halde, yaşadığımız çağın bütün önemli bilgilerini toplayıp, evrensel bir senteze ulaşmak için ve belki, koyunları harekete geçirir umuduyla hazırlandı. **Büyük resmi gerçek manada ortaya çıkarmak için, kozmoloji fakültelerinde aşağıdaki konuları bütünleştirmek gerekmektedir:**

"Sayılar, geometriler, müzik, elektron yörüngelerinin kuantumsal yorumu (Louise de Broglie'nin atom modeli), sanal rombik prizmalar, Pisagor üçgeninin üçgen piramidi (Pisagor üçgeni üç noktalı haliyle üç boyutlu hale getitirilince, toplam nokta sayısı gene 10 oluyor), gluonlar, kuantumlar, rezonanslar, atomun 4 kuvveti, zamanla birlikte 4 boyut ve diğer boyutlar, genişleyen evrende kinetik (hareket) enerjisinin iletiminde ışık hızı kısıtlaması varken, kütle çekim kuvvetinin hem genişleyen hem toplanan evrende, evrenin en dışındaki bir graviton ile içindeki bütün gravitonlar arasında; Evrenin Big-Bang öncesi sırf enerji halinin içindeki "Nazım plân"a göre (Nur-u kadim) sürekli anlık etkileşim ve kontrol olması. Süper simetri, kuantumsal Bose-Einstein yoğunlaşması, "M-kuramı", uzay-zaman, instanton, her şey kuramları, kuantumsal kütle çekim teorisi, trigonometri, Platon'un düzgün yüzlüleri, altın oranlar, müzikte geometri, yapay zekâ, kübit ve kuantum bilgisayarları, dolanıklık ve ilgili diğer konuların, bu kitabın ekinde verilen tabloların özellikle: "evrenlerin kuantumları" ve "evrenlerin kalkülüs denklemleri" içinde gerektiği yerde senkretik bir anlayışla birleştirilip, bilgisayarlara bir "otomaton programı" olarak kalkülüs denklemleri halinde ve görüntülü olarak yüklenmesi ve böylece evrenin bilinenlerinden, henüz bilinmeyenlerinin bütününün Kuantum bilgisayarlarıyla aydınlatılmaya çalışılması, EK-IVa'daki devlet yapılanmasının, belki kuantum bilgisayarlarıyla yapay zekalı e-devlet modeline dönüştürülmesi".

Artık kıyamet alametlerinden bahseder duruma geldiğimiz dünyamızda bütün kozmologların Dünya barışı adına, toplumların Rabia Ahlâkı adına bir araya gelmeleri umut verici olacaktır. Aksi halde, adım adım İsrail'le, Amerika'yla, Suriye'yle başlayan hareket sonucu, Amerika ve Avrupa'yla, Rusya, Çin ve İran arasında çıkacak bir nükleer savaş dünyayı yaşanmaz hale getirebilir. 2020 yılının nisan ayındayız, bütün dünya donanmaları doğu Akdenizde toplandı. Allah'ın yarattığı en mükemmel varlık olan insanı Allah c.c. bunun için mi yarattı. Buraya kadar anlatılmaya çalışılan bilgiler, bu horoz dövüşünü önleyebilir. Virüs sonrası ABD'nin, Doları ve petrolü kurtarmak için, kazanma garantisi de olmayan bir savaş çıkarma ihtimali ortaya çıktı. ABD'yide, Dünya'yıda kurtarmanın tek yolu artık "Dünya Birleşik Devletleri" ni kurmak olmalıdır. Çünkü tarihte olduğu gibi günümüzde de doğrular tam anlatılmadığı için insanlar yanlış yapıyor. Evrensel doğrularla dünyayı cennete çevirmek varken, akıl dışı çılgınlıklar devam ediyor. **Edeb;** Kurallar, **biat;** Tasdik etme, onay verme anlamında buna göre **Edebiyat** kelimesi; "Kurallara uymanın, kabul etmenin, tasdik etmenin, onay vermenin yani kurallara teslim olmanın gerektiğini anlatma sanatı" Olarak tanımlanabilir. Mısır tapınak rahiplerine kadar giden bu tanımlar doğru yapılmadığı için bugün Dünyada edebsiz, kuralsız halde virüslere kadar geldik, Dünya nüfusu 500 milyona indirilse bile eğer insanlar birleşmiş Dünya bayrağındaki **(Sayfa 188)** geometriye göre yaşamazlarsa çok kısa sürede o toplumda aynı aile fertleri dahil birbirini yok eder. Oysa Çin'dede, Amerika'da da olan 5G teknolojisiyle her insanın bedenine takılacak chıp (belki bir döğme), o insanın olaylar karşısındaki biyolojik değişimlerini, düşüncelerini kaydedince, artık insanların ahlâklı yaşamaktan başka alternatifi kalmaz. 8 Milyar insanın her biri anlık kayıt altında, ancak merkezde Dünya halklarının seçtiği "Aksakallılar" olmak zorunda.

Sayfa 185-189'daki "Dünyada ve ahrette cennet için Rabia senbolü" temelinde "DÜNYA BİRLEŞİK RABİA DEVLETLERİ" kurulduktan sonra inşallah doğu akdenizde ve dünyada ne kadar savaş gemisi ve silah varsa eritip, hızlı tren rayları veya petrol ve doğal gaz boruları yaparız.

Allah'tan ümit kesilmezmiş, son olarak hem Sümerlere hem **Mayalara** göre, **2012'de altın** çağ'ın başlama tarihinin nasıl hesap edildiğini aşağıdaki tablo üzerinde açıklayalım: Dünyamızın ekseni, yaklaşık **26 bin yılda bir** (25 bin 760 yıl) **presesyon** denen tam bir devir yapıyor. **Presesyon** kuzey ve güney küre kutuplarında dünya ekseni birer koni çiziyor. **26 bin yıl** dörde bölününce, aşağıda görüldüğü gibi **6500** yıllık **4 çağ** oluşuyor. Aşağıda **Sümerlerin 7, Mayaların 5** çağı'nın tarihleri verildi. Maya ve Sümer takvimlerinin günümüzde kullanılan takvime çevrilmesinin zorluğu sebebiyle 2012 tarihi yanlış hesaplanmış olabilir, inşallah doğrusu halen yaşadığımız yıllar olur.

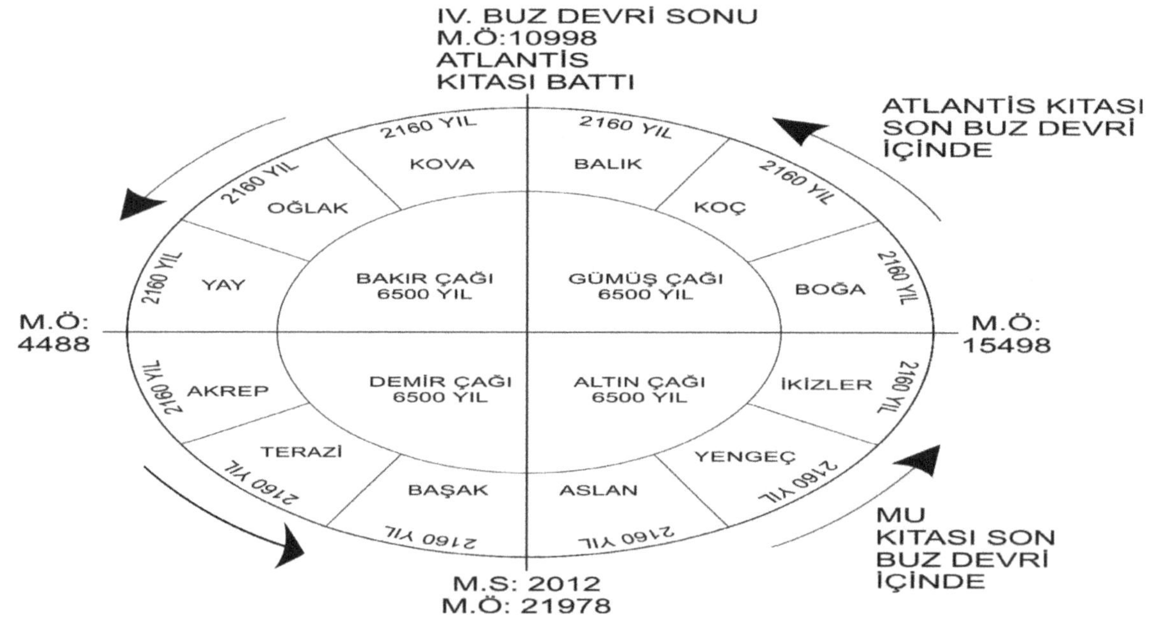

<table>
<tr><th colspan="3">SÜMERLERE GÖRE
3661 YILDA
BİR ÇAĞ (7 ÇAĞ)</th><th colspan="3">MAYALARA GÖRE 5125 YILDA
BİR ÇAĞ (5 ÇAĞ)</th><th>HAYATIN
4 UNSURU</th></tr>
<tr><td colspan="2">3661x7=25627</td><td>(7 ÇAĞ)</td><td colspan="2">5125x5=25625</td><td>(5 ÇAĞ)</td><td></td></tr>
<tr><td>M.Ö.</td><td>12632
+
3661</td><td>1. ÇAĞ
SONU</td><td>M.Ö.</td><td>18475
+5125</td><td>1. ÇAĞ BAŞI
ATEŞLE
BİTECEK</td><td>ATEŞ</td></tr>
<tr><td>M.Ö.</td><td>8971+
3661</td><td>2. ÇAĞ
SONU</td><td>M.Ö.</td><td>13350
+5125</td><td>2. ÇAĞ BAŞI
RÜZGARLA
BİTECEK</td><td>HAVA</td></tr>
<tr><td>M.Ö.</td><td>5310+
3661</td><td>3. ÇAĞ
SONU</td><td>M.Ö.</td><td>8225
+5125</td><td>3. ÇAĞ BAŞI
SUYLA
BİTECEK</td><td>SU</td></tr>
<tr><td>M.Ö.</td><td>1649+
3661</td><td>4. ÇAĞ
SONU</td><td>M.Ö.</td><td>3113
+5125</td><td>4. ÇAĞ BAŞI
DEPREMLE
BİTECEK</td><td>TOPRAK</td></tr>
<tr><td>M.S.</td><td>2012+
3661</td><td>5.ÇAĞ
SONU
(ALTIN
ÇAĞ)</td><td>M.S.</td><td>2012
23 ARALIK</td><td>5. ÇAĞ BAŞI
(ALTIN ÇAĞ)</td><td></td></tr>
<tr><td>M.S.</td><td>5673+
3661</td><td>6. ÇAĞ
SONU</td><td></td><td></td><td></td><td></td></tr>
<tr><td>M.S.</td><td>9334</td><td>7. ÇAĞ
SONU</td><td></td><td></td><td></td><td></td></tr>
</table>

Avatar efsaneleriyle dünyayı kıyamete yani üçüncü dünya harbine hazırlayanlara, çok geç kalmadan Sümer ve Mayaların altın çağını anlatabilmeliyiz. Aksi halde mehdi geldiğinde dünyada kimseyi bulamayabilir. Yaşamakta olduğumuz 2020 yılında temennimiz, Dünyamızın kaderi; M.Ö:250'de israil'de Lut gölüne batan Sodom ve Gomora şehirlerinin kaderi gibi değil, Sümerlerin ve Mayaların haber verdiği gibi Altın çağın başlamasıyla sonuçlanır.

Türkiyedeki "Türkiye Bilimsel Araştırma Kurumu"nu; Uygun görürlerse benim bu kitabta topladığım verileri, bilimsel bir kontrole, güncellemeye tabi tuttuktan sonra, kendi bünyesinde ve İstanbul'da eski Rami kışlasındaki kütüphanenin arkasındaki tarihi alanda, keza doğu Anadolu'da Erzurum'da, Erzurumlu İbrahim Hakkı **(S-90)** adına, Van'da Said'i Nursi **(S-96)** adına, Türkiye'de kozmoloji konusunda söz sahibi olabilecek akademisyenlerin çalışmalar yapabilecekleri ve sempozyumlar düzenleyebilecekleri **"Kozmoloji enstütüleri, fakülteleri"** kurmaya davet edelim. Eski İslam mutasavvuflarının medreselerde hakikati bulmak için çağlarının bütün bilimlerini bilmeleri gibi, bugün dünya Üniversitelerindeki kozmoloji enstütüleri ve fakültelerinde; Evrenin **madde** ve **enerji** dengesindeki ilâhi mükemmelliğe yakışan, **maddi** ve **manevi** değerler arasındaki dengeyi kurabilen bir **"Dünya Rabia toplumu ve düzeni"** kurmak için çalışmalar yapılabilir. Sümer, Babil ve Mısır tapınaklarından günümüze bu kitapta anlatılan bütün düşünürlerin, bilim insanlarının hattâ peygamberlerin çabalarının gerçek amacına ulaşması ancak böyle sağlanabilir. Bu fakültenin bir örneğide İspanya'da bir İspanyol üniversitesine bağlı olarak Madrid'de Yunus Emre Enstütümüz ve İspanya hükümetiyle birlikte, eski Endülüs'ün Granada ve Kurtuba medreselerinin bulunduğu bölgede oluşturulabilir.

Ayrıca İstanbul'da Taksim meydanında yapılmakta olan Opera binasında veya Atatürk hava limanında yapılacak fuar alanı yanında, Mevlâna haftaları sırasında **"Sema ayini"** yapmaya uygun, kubbesinin tavanına ayin sırasında yıldızlar ve galaksiler aksettirilen, iç çevre duvarlarında Dünya tarihindeki en önemli kültürlere ait semboller ve Atomal evrene ait resimler görülebilen ve ortadaki sahnenin üç tarafında anfitiyatrolarda ki gibi, yükselen basamaklarda seyircilerin oturduğu çok amaçlı bir bina yapılabilir Sema ayini bittikten sonra, dünya'nın bütün ülkelerinden seçilip gelen, anne, baba, çocuklardan oluşan örnek aile gurupları, kendi mahalli kıyafetleriyle, kâh anne etrafında baba ve çocuklar, kâh baba etrafında anne ve çucuklar, aynı zamanda kendi etraflarında da dönerek farklı bir ayin yapabilirler. Ayinden sonra Mevlâna haftası boyunca fuar alanında düzenlenecek yarı turistik "**Dünya kültürleri fuarı**"nda ve şehir içinde, bu guruplar, "**Cihanda barış, Dünyada barış**" sloganlarıyla şenlik havasında, gösterilerine devam edebilirler. Böylece dünya insanlarının bir aile gibi olması gereği kadar, dünya toplumlarında ailenin önemide vurgulanmış olur. Mevlâna salonunda dünyada kozmoloji konusunda söz sahibi yerli ve yabancı bilim insanları sempozyumlar düzenleyebilirler. **İstanbul Atatürk hava limanında kurulacak fuar alanında, keza Dünya halk müziği festivalleri ve yarışmalarıda yapılabilir.**

Haddimize düşmesede, Dünya'yı yönetmeye çalışan, büyük sermaye sahiplerinden de dileğimiz; eğer gelecekte kurulacak "**Dünya birleşik devletleri**"nde, sermayedarlar olarak söz sahibi olmak ve Dünyayı olası bir nükleer savaşla **veya virüslerle, biyolojik silahlarla** yok olmaktan kurtarmak istiyorlarsa, bugün orta doğuda ve Dünya'da şehirleri **bombalanan,** yıkılan, yakılan, yurtlarından göç etmek zorunda kalan insanlara yatırım yaparak kalplerini kazanıp, kendi hayatlarındaki **Madde, Manâ** dengesini, şimdiden kurmaya çalışmalarıdır. **Artık Dünya ırklara göre parsellenmiş değil, "Dünya birleşik devletleri" olarak birleşmiş coğrafi bölgelere göre isimler almış devletlerden oluşan herkese ait AHLÂK, ADALET VE BARIŞ Dünyası olmalıdır. Sayfa 176'de Rabia'ların tarihçesi bölümünde, artık neden Tanrı'yı kıyamete zorlamaya gerek kalmadığı ve Dünya'da barışın ve cennetin nasıl oluşturulabileceği naçizane anlatılmıştı. Mescidi aksayı yıkmadan, yanına, Süleyman tapınağını da tekrar yapıp, alttan mescidi aksanın altına bağlanıp, her iki tapınağıda turistler ziyaret edebilse. Ayrıca her sene mevlâna haftalarında münavebeyle bu tapınaklarda Müslümanlar, Museviler, Hristiyanlar ve her dinden insanlar Sema ayini yapsalar fenamı olur?**

Artık bu kitabın birinci bölümünde anlatılan EVREN'in, ikinci bölümünde anlatılan İNSAN'ın ve MATEMATİĞİN'de ÖZ BİLGİ'si olan RABİALAR sayesinde AHLÂK'a, ADALET'e, dayalı DÜNYA'DA BARIŞ'ı ve ALTIN ÇAĞ'ı **başlatmak,** Allah'ın cc. yarattığı en mükemmel varlık olan **insanın Dünya üzerinde varlığını sürdürebilmesinin son şansı ve yaratıcısına karşı sorumluluğudur.** Çünkü Astral ve Atomal ölçekte Evrenimizdeki İLÂHİ BARIŞ; Denge, düzen, ahenk, uyum, matamatikte **denklem**, geometride **simetri**, müzikte kulağa hoş gelen **melodi** ve **harmoni**, sanatta göze hoş gelen **güzellik, altın oranlar**, sosyolojide **Ahlâk, Edeb**, hukukta **Adalet**tir. Dünyanın kirlettiğimiz **TOPRAK**'larını, **SU**'larını, **HAVA**'sını ancak **AHLÂK (Edeb), ADALET** ve **BARIŞ**'ın hakim olduğu bir kozmopolit bir Dünya toplumunun insanlarıyla temizleyebiliriz. Aksi halde hayatın dördüncü unsuru **ATEŞ** bir şekilde bizden hesap soracaktır. Başka Dünya yok artık Dünyamızı geç kalmadan temizlemek zorundayız.

K) SONSÖZ:

Buraya kadar bu kitabın ikinci bölümünde anlatılan **İNSAN**'a dair bilgilerin sentezinin **RABİA** olduğu anlatılmıştı. Artık bu kitabın birinci bölümünde anlatrılan **EVREN**'e dait bilgilerin sentezinin, çağdaş fiziğe göre neden **ÇİFT RABİA** olduğunu anlatmaya başlayalım:

ÖNCEKİ EVRENDEN KALAN \ P_E / POTANSİYEL ENERJİ = 1

PLANK ZAMANINDAN ÖNCE 4'ÜDE 0 DEĞERDE, 4 ZAMAN BOYUTU VAR. ARTIK PE 'DE KE 'DE YOK. SON FOTON (γ), GRAVITON ($\odot$), GLUON (g), HIGS (h) TANECİKLERİ HEM PARÇACIK, HEMDE ANTİ PARÇACIK. OLARAK ZAMAN BOYUTUNA DÖNÜŞÜYOR VE GEÇMİŞ GELECEK BİRLEŞİYOR.

EVRENLERİN AKLI (NUR-U KADİM, RABİA, 4'LÜ TEKLİK)

BIG BANG — **SÜPER SİMETRİ:** $\dfrac{P_E}{K_E} = \dfrac{1}{40}$

BİZİM EVRENİN / K_E \ KİNETİK ENERJİSİ = 40

BIG-BANG'DEN SONRA 4 ZAMAN BOYUTUNUN 3'Ü UZAM (MEKAN) BOYUTUNA DÖNÜŞTÜ.

ZAMAN	KÜTLE	ÖLÇEK	ENERJİ	ISI	HACİM	
10^{-43} sn (PLANK ZAMANI)	10^{19} GeV $\oplus$ (PLANK KÜTLESİ)	$< 10^{-5}$ m (PLANK ÖLÇEĞİ)	10^{19} GeV (KİNETİK ENERJİ) (K_E)	10^{23} K˙	o	PLANK KÜTLELİ KARA DELİKLER, SÜPER SİCİMLER
10^{-21} sn	ÖRGÜLER	10^{20} cm	10^{15} GeV			ÖRGÜLER BBY OLABİLİR
10^{-10} sn	ATOMUN 4 KUVVETİ BİRBİRİNDEN AYRILIYOR					
10^{-5} sn	2 KUARKLI MEZONLAR OLUŞTU.					
10^{-4} sn	3 KUARKLI BARYONLAR OLUŞTU.					
1. DAKİKA	TEMEL PARÇALIK YARATILMASI DURDU.					
300-7000 YIL	ATOMLAR OLUŞMAYA BAŞLADI.					
10^{10} MİLYAR YIL	(13.7 MİLYAR YIL SONRA) BUGÜN:		$\dfrac{P_E}{K_E} = \dfrac{1}{40}$ SÜPER SİMETRİ			+ YÜKLÜ SAĞDAN SOLA SARMAL ASTRAL EVRENİMİZDE TOPLAM PARÇACIK SAYISI: $10^{40} + 10^{40} = 10^{80} = \left(\dfrac{EM}{KÇ}\right)^2$
10^{40} MİLYAR YIL	(54.8 MİLYAR YIL SONRA) BİG-CRUNCH:		$\dfrac{P_E}{K_E} = \dfrac{40}{1}$			- YÜKLÜ SOLDAN SAĞA SARMAL ASTRAL EVRENİMİZDE ZAMANIN GEÇME HIZI DURMA NOKTASINDA
10^{80} MİLYAR YIL	(109 MİLYAR YIL SONRA) II. BİG-BANG:		$\dfrac{P_E}{K_E} = \dfrac{1}{40}$			+ YÜKLÜ SAĞDAN SOLA SARMAL ASTRAL EVRENİMİZDE ZAMANIN GEÇME HIZI TEKRAR IŞIK HIZINDA

a) BİG-BANG ÖNCESİ VE SONRASINDAKİ ÇİFT ÜÇGEN PİRAMİT:

Ek-IIe'deki tablonun en üstünde ortada sağda görülen önceki evrene ait son 4 antibozon taneciğinin, yukarda da görüldüğü gibi Higs taneciğinin çok yüksek kütlesnin yüksek çekim basıncıyla 4 zaman boyutuna dönüşüp **"Evrenlerin aklı"** nı oluşturmasından başlamak isabetli olur. Bu sayfanın üstünde de görüldüğü gibi, O anda geçmiş ve gelecekte birleştiği için bu akıl hem önceki hem sonraki evrenlerin aklıdır **(EK-IIg)** Burada akla gelen soru, Bose ve Einstein **(S-137)** acaba buldukları kuantum yoğunlaşmasının, 4 Kuantumluk bir yoğunlaşma yani **Rabia** olduğunu anlamışlarmıydı?

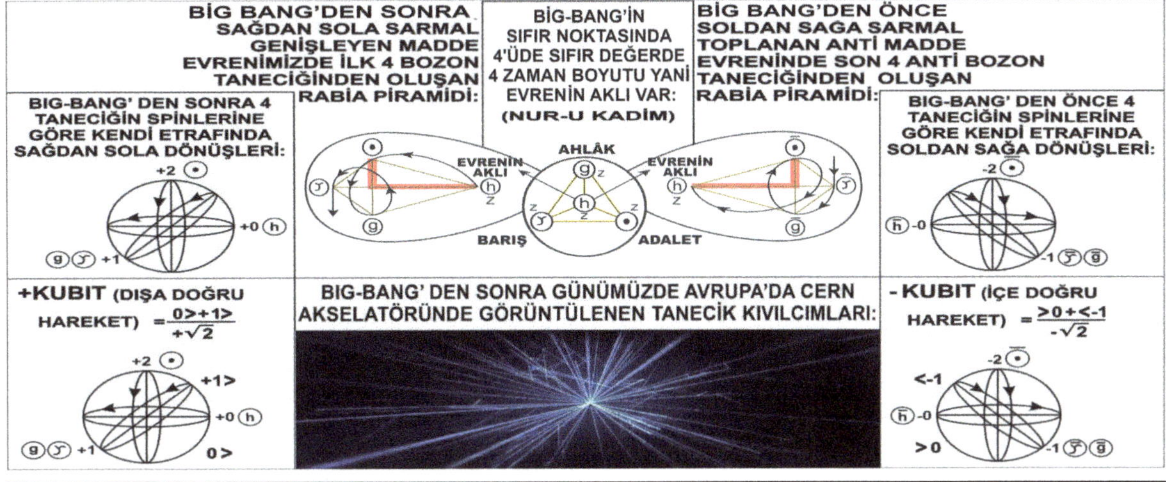

Yukarda sağda önceki evrenin son 4 anti-madde taneciğinin big-bang'in sıfır noktasında 4 zaman boyutuna dönüşmesinden sonra, solda Higs taneciğiyle beraber 3 taneciğin bizim evrende uzam (mekân) boyutuna dönüşmesiyle oluşan **Bozon üçgen piramidi** (Rabia piramidi) görülmektedir. Bu piramitlerin köşelerindeki bozon ve anti-bozonların herbiri atomun içindeki 4 kuvvetten birini temsil etmektedir. Böylece burada atomun içindeki 4 kuvvet birleştirilmiş ve "Herşey kuramı" da nihayet ilk defa ispatlanmış oldu.

Evrenimizde maddelerin 3 uzam boyutlarından biri olan $Z°$ boyutundan Gluon (g), X boyutundan Graviton (Θ), Y boyutundan Foton ($\mathcal{y}$) sorumludur. Yani gördüğümüz maddelerin 3 boyutunu algılamamızı sağlayan beynimizdeki ve maddelerdeki Gluon (g), Graviton (Θ), Foton ($\mathcal{y}$) tanecikleridir (EK-Ia, Ia1). Böylece EK-IIe'nin üstünde ortada görülen ilk 10 tanecikten $Z°$ taneciği maddenin 4'üncü, W^+ taneciği 5'nci, W^- taneciği 6'ncı, elektron (e) taneciği 7'nci, μ (muon) taneciği 8'nci, T(tau) taneceğinin 9'uncu boyuttan sorumlu olduğu düşünülebilir.

Yani gördüğümüz maddelerin 3 boyutunu algılamamızı sağlayan beynimizdeki ve maddelerdeki **Foton, Graviton, Gluon** Bozonları olduğu anlaşılmaktadır (EK-Ia, Ia1). Bu 3 boyut önceki toplanan anti-madde evreninde ise belki 3 anti-Bozon taneciği olmuştu.

(GÜ) Güçlü çekirdek kuvvetinin bozonu : (h)Higs
    Taşıyıcısı Gluon (g) Temel taneciklerin ve kuarkların birbirini çekmesini sağlayan atom çekirdeklerini ((+)(X)) oluşturur.

(ZA) Zayıf çekirdek kuvvetinin bozonları : (g)**Gluon** (g̅) Anti-Gluon (Maddenin Z boyutu)
    Taşıyıcısı (W) ve (Z) tanecikleri. Atom-altı parçacıkları oluşturur.
    Kuark ve leptonları bozundurup başka parçacıklara dönüştürür.

(KÇ) Kütle çekim kuvvetinin bozonları : (•) **Graviton** (•)Anti-Graviton (Maddenin X boyutu)
    Taşıyıcısı Gravitonlardır. ((•)) Galaksileri, Yıldızları, Gezegenleri, Dünya'yı oluşturur.

(EM) Elektro manyetik kuvvetin bozonları : (y)**Foton** (y)Anti-Foton).(Maddenin Y boyutu)
    Taşıyıcısı Fotonlar ((y)) Atom çekirdekleriyle ((+)(X)) elektronları (e) birleştirip Atomları, molekülleri, katı-sıvı maddeleri oluşturur.

Ayrıca genişleyen astral evrenimizdeki büyük ölçekli varlıklar, Newton'un kütle çekim kanununa göre bilgisayarlarda ikili (0,1) BIT sistemine göre hesaplanabilmektedir. Ancak bu hesaplamalar, bizim sağdan sola sarmal genişleyen madde evrenimizde: Atomun çekirdeği içindeki tanecikler (kuantumlar) için ise Kuantum Mekaniğine göre bilgisayarlarda yukarıda solda görülen **+KUBIT** (+Kuantum Bit) sistemine göre yapılabilmektedir. Bizim evrenden önceki soldan sağa sarmal içe doğru toplanan Anti-madde evreninde ise, yine Kuantum mekaniğine göre bilgisayarlarda yukarıda sağda görülen **−KUBIT** (-Kuantum Bit) sistemine göre hesaplamalar yapılabilmektedir.

Yukarıdaki tabloya ek, Big-bang öncesi ve sonrasında atomun çekirdeği içindeki bozonlara ve çekirdeği dışındaki bozonlara ait kuvvetlerin Big-bang öncesi ve sonrası etkileşimleri:

Sayfa 8'de verilen körler ve **fil** örneğinde, filin farklı yerlerine dokunup fil olduğunu anlayamıyan körlerden bahis edilmişti. Fil'i **Evren** olarak kabûl edersek, bu güne kadar tam açıklanamayan Evreni yukarda görülen tablolara ve sayfa 163"de verilen Tesla'nın 3.6.9 (veya 1,2,3) sayılarıyla altın oran tablosuna, EKIa ve Ia1 ve diğer tablolara ve bilgilere göre bir ölçüde açıklamayı deneyebiliriz. Önceki sayfada görülen big-bang'in MERKABA YILDIZI: sıfır noktasının sağında solunda ortaya çıkan çift üçgen piramit, sayfa 59'da verilen islamiyetten önce Kabeyi ziyaret eden Merkaba inancına sahip olanların yanda görülen sembolündeki "Merkaba yıldızı" yla örtüşmesi çok ilginç bir sürpiriz oldu. Keza bu kitabda verilen bilgilerin 2005 yılında Science dergisinin yayınladığı, doga bilimlerrinin henüz çözülmemiş 125 probleminin çözülmesine yardımcı olacağına da inanıyorum. Osmanlı devletini 600 yıl ayakta tutan, **VAHDET (Birlik)**, **ADALET (denge)**, **BARIŞ** kavramlarının Evrende de olduğunu görüyoruz. Bu kitabın arka kapağında görülen, hem dünyada hem ahrette bize cenneti kazandıracak "Rabia geometrisi" Dünya insanlarını Evrenle bütünleştirecek tek bir dünya devleti kurmamızı sağlayabilir. Buna Roma imparatoru Stoacı Marcus Aurelius'un **"Ulus olarak insanlığı, vatan olarak Evren'i tanıyan"** ögretisinin 2023 yorumu da denebilir.

Burada Big-bang'den sonra Higs taneciğinin tekrar zaman boyutu olarak bizim genişleyen Evrene geçmiş olması, bence bizim evrendeki Karadeliklerin merkezinde, bu yüksek kütleli Higs tanecikleri olabilecegini akla getiriyor. Hattâ bizim evrendeki karadelikler Big-crunch'dan sonra içinde topladığı maddeleri anti-madde olarak bir sonraki evrene boşaltıktan sonra orada oluşacak anti-Karadelik'lerin merkezinde de Anti-highs tanecikleri olabilir. İkinci Bıg-bang öncesi son kalan anti-Foton, anti-graviton, anti-Gluon tanecikleride, anti-Higs'in yüksek çekim gücüyle anti-higs'le beraber 4 zaman boyutuna, yani tekrar **"Evrenlerin aklı"**na dönüşüp evrimi tamamlamış olabilirler.

Sayfa 144'de verilen "Rabia piramitleri" tablosunun en üstündeki 3 piramidin toplam nokta sayısı sağda 20, solda 20 olmak üzere 40'dır.

EK-IIe'nin en üstünde ortada sağda Big-Bang'den önce toplanan evrenden son kalan 10 ANTI-BOZON taneciğinin her biri sol tarafta 10 BOZON taneciğini doğurdu sonra bu toplam 20 Bozon ve Anti-Bozon taneciğinin herbiri 1 NÖTRİNO taneciği oluşturunca toplam 40 yeni tanecik ortaya çıkmış oldu. Bu 40 taneciğin herbiri de 1 Kuark olmak üzere 40 KUARK oluşturacaktır. EK-IIe'de görülen 40 Kuark ise tablonun solunda altda verilen 3'lü GULUON renklerinin etkisiyle önce 120 BARYON (EK-IIId) sonra yıldızların içinde, 120 ELEMENT atomlarını oluşturacaktır (40x3=120) (EK-IIIa,c). Sonra atomların birleşmesinden MOLEKÜLLER, Moleküllerin birleşmesinden BİLEŞİKLER oluşacak. Nihayet Güneşin gezegeni olan Dünyada suların içindeki Bileşiklere, yıldırımların elektrik etkisiyle önce TEK HÜCRELİ CANLILAR sonra ÇOK HÜCRELİ CANLILAR, BİTKİLER, HAYVANLAR VE İNSANLAR oluştu. EK-IIc'de KUARK ve LEPTONLAR'ın bir kısmıyla oluşturulan 64 tanecikli SÜPER KÜP'te belki canlıların DNA ve RNA'larının **(S-148)** şifresi olabilir. Böylece 20. Asırda Werner Heisenberg'in **(S-98)** "Modern Kuantum Teorisi"nde, atomun temel parçacıklarının en sonunda matamatiksel biçimler alacağını, ama bunların Pisagor tarafından varsayılandan çok daha karmaşık bir yapıya bürüneceği iddiasının doğru olmadığı anlaşılmış oldu. Sadece evrensel şifrenin iki boyutlu pisagor üçgeni yerine burada üç boyutlu Çift **Rabia piramiti** olduğu ortaya çıktı.

Keza EK-Ia ve Ia1'de ve Ig'de patlayıp genişleyen sonra toplanıp tekrar patlayan evrenlerin, Big-bng'in sıfır noktasında **"Evrenin aklı"**nın kontrolünde, atomaltı parçacıkların kuantumlarından galaksi kümelerine kadar 500 milyar ışık yılı dış sınıra kadar bütün unsurları sürekli birbiri ile etkileşen ve değişim halinde olan, genişlerken ve toplanırken 10^{80} toplam parçacık sayısına sahip olan ve her insan gibi kendi benliğinin bilincinde, muhteşem tek bir canlı organizma gibi olduğu anlaşılıyor.

Günümüzde Rabia ile ilgili matematik ve fizik çalışmaları **tetraloji** tanımı altında yapılmaktadır.

b) EİNSTEİN'A GÖRE PLANK ZAMANINDAN ÖNCE: Einstein'da **"Birleşik Alan Kuramı"** adını verdiği kuramı denklemlerle ispatlamak amacıyla Plank zamanından önceye gitmek istemiş ancak 30 sene kuramını ispatlayamamıştı. Güneşin kütlesinin Dünyadan çok fazla olması sebebiyle Güneşte 1 saniye geçerken Dünyada 11,5 gün geçiyor. Bu yüzden Einstein atomun boyutlarını, zaman boyutu da dahil, atomun 4 kuvvetini geometrik özelliklerine göre birleştirmek istemişti. Bence Einstein, sadece denklemlerle bu teoriyi ispatlamaya başlamadan önce, mevcut çağdaş ispatlanmış bilgilerin ve de Rabia'nın geometrisinin göze hitap eder şekilde, benim bu kitapta ortaya koyduğum tabloları görseydi, teorisini ispatlayabilirdi. Haddime düşmesede bu konuyu çağdaş fizikçilere ilham verebilir umuduyla aşağıda açıklıyorum.

1930 Yıllarında ingiliz fizikçiler sir A. Eddıngton ve Paul Dirac **(S-98)** 10^{40} sayısının atomun mikro dünyasını kozmik yapıya baglayan kapsamlı bir ilişkinin şifresi olduğuna inanmışlardı. **Sayfa 201**'deki tabloda ve EK-Ig'de 10^{40} sayıları kırmızı yazıyla belirtildi. **Sayfa 166**'de verilen "**Yaratılış Monokortu**"nda Evrenin en alt sınırı kuantum dalgasından, Evrenin en üst sınırı 10^{40}'a kadar üstlü nitelikler olarak verilmişti. Keza yukarıda ve EK-Ig'nin üstünde bahis konusu edilen sağdan sola + yüklü, soldan sağa − yüklü sarmal yapıları ortaya çıkaran atomun çekirdeğindeki Zayıf çekirdek kuvvetidir (ZA) ve parçacığı Gluon'dur (g).

Eğer Einstein "**Birleşikalan Kuramı**"nı ispat edebilseydi, oda bizi Evrenln sahibine **(Evrenin Aklına)** götürebilecekti. EK-Ig'nin altındaki tabloya göre **PE**'ye ait **KÇ** ve **ZA**, **KE**'ye ait **EM** ve **GÜ** kuvvetler bizi temelde **PE** ve **KE** dualitesine götürüyor. Daha Plank zamanında Atomun 4 kuvvetinin şiddetleri farklı ölçeklerde değişmesine rağmen, Plank ölçeği civarında aynıya yaklaşması keza geçmiş ve geleceğin birleşmesi ve Teklik gibi bilgiler bizi Plank zamanı'ndan önceki **PE ve KE**'ninde birleştiği bir Bose-Einstein Kuantum yoğunlaşmasına yani tek yaratıcıya, Evrenin sahibine götürebileğini gösteriyordu. Çünkü Big-bang'de de ve insan beyninde de olan ve her insana kendi benliğinin bilincine varmasını sağlayan "**Bose-Einstein Kuantum Yoğunlaşması**"nın (evrenin aklı) evrenin sahibine de kendi bilincine varmasını sağlamış olduğu ispatlanmış olacaktı. Böylece Kur-an'ı kerimde "Ben kendi aklımdan bir katre de size verdim" ifadesi çağdaş bilimle de örtüşecekti.

Yukarda bahis edilen "Evrenin Sahibi" (**Evrenin aklı**); Geçmiş ve gelecek birleştiği için hem genişlemekte olan bizim Evrenin hem toplanıp sürekli kendini yok etmiş olan önceki Evrenlerin sahibi olduğu ortaya çıkıyor. Eğer onun varlığı bilimsel olarak denklemlerle ispatlanmadan kalırsa yani toplanan evrenin **PE** (Potansiyel enerjisi) ve genişleyen evrenimizin **KE** (Kinetik enerjisi) dualitesi Dünyada insanlara çatışma örneği olabiliyor. Yani zaten toplanan ve genişleyen evrenlerde çatışma halindeyse Dünyada insanlar içinde çatışma kaçınılmaz olarak algılanabiliyor. Demekki yasen, ya ben, nasıl olsa bu hayatta ne yaparsan yanına kalacak, arayan soran yok, düşüncesi artık bizi 3. Dünya savaşına yaklaştırıyor. Atom bombasına sahip devletlerin depolarındaki bütün atom bombaların hepsi patlasa, Dünyamızı birkaç yüz defa yok edecek güçte olduğunu biliyoruz. Çok daha az hidrojen bombasının buna yeterli olacağı da açık. Dünyayı yönetenler farkında değillermi, bilmiyorlarmı?

Birleşik Alan Kuramı'nın denklemlerle ispatı artık sadece bir fizik sorunu değil, 3. Dünya savaşı uçurumunun kenarına kadar gelmiş olan Dünyanın daha geç kalmazsak kurtuluşu sorunudur. Fizikçileri, bu kitapta verdiğim tabloların ışığında Einstein'ın "**Birleşik Alan Kuramı**"nı denklemlerle ispatlayıp Big-bang'in 10^{-43} saniyesinden yani Plank zamanından öncesini aydınlatmaya tekrar davet edelim.

İslâm Tasavvufuna göre: Kur-an'ı kerimde 4 kapı olduğu 4'üncü Kapı olan **HAKİKAT** kapısına ancak**; Ricalullah** (Allah'ın henüz bilinmeyen sırlarına yani İlâhi hakikat'e ulaşanlar) mertebesindeki İlâhi **asalet** sahibi en seçkin insanların **(Encab)** ulaşabileceği kabul edilir. Eğer başarılı olurlarsa sadece fizikçiler değil bütün Dünya insanları da artık **Ricalullah** ve **Encab** mertebesine ulaşmış İRFAN sahibi (Evrenin sırlarını bilen) insanlar haline gelebilir. Böylece Musevilerinde, Hristiyanlarında, Müslümanların da inandığı, Evrenin tek sahibi bilimle ispatlanmış olur.

Bugün dünyada yaşadığımız Kaos'un temel sebebi, arabça **Akale** yani **birleştirme** anlamına gelen **AKIL** kelimesidir. Yani Akıl isim veya sıfat değil fiildir ve bize beynimizdeki bilgileri birleştirme görevi verir. Mu kıtasından (S-206), Taoizme (S-62), Brahmanlara (S-57), Budislere (S-55), Hindulara (S-58-59), Musevilere (S-60), Hristiyanlara (S-62), İslâma (S-63) bütün inaçları kucaklayan çağdaş bir birleştirme yani **sentez** yapmak görevimizdir. Yukardaki bilgilere göre önemli bir sentezi kadın erkek ilişkisi üzerine yapmak sorumluluğumuz oldu. Hristiyanlığın bir yanlış tefsirine göre bu ilişki ailede ana baba arasında bile lânetlenmiş büyük günah olarak görülmüştür. Hinduizmin Yoga inancına göre ise kutsal sayılmıştır. Çağdaş fiziğe göre Evren'in varlık sebebi Aşk'tır. Evren'de her şey Big-Bang öncesi soldan sağa sarmal toplanan (−) yüklü Evren'in Big-Bang sonrası sağdan sola sarmal genişleyen (+) yüklü Evren'in birlikteliğinden doğmuştur. Evren'de yaratılan ilk Atom-altı taneciklerinin kendi etrafında dönüş açıları (Spinleri) Big-Bang öncesi soldan sağa dönen (−) yüklü, Big-Bang sonrası sağdan sola dönen (+) yüklü olmuştur. Aile kurumu çatısı altında anne ve baba arasındaki ilişkinin mahremiyeti, islâma göre tartışılmaz. Bu ilişki hem ana babanın hem çocukların sağlığı ve mutluluğu için ve neslin devamı için gerekli ve kutsaldır, bu sebepten tanrı buyruğu sayılmış yani töre olmuştur.. Hattâ ailenin çevreye örnek olması açısından toplum sağlığı, mutluluğu ve aklâkını da olumlu etkiler.

Evrenimizi oluşturan atomların yapısındaki artı (+) yüklü protonların Babayı, eksi (-) yüklü elektronların Anneyi, sıfır (0) yüklü nötronların Çocukları temsil etmesi aile kurumuna akla uygun bir evrensellik ve kutsallık kazandırır. Ayrıca Türkçe'de babaya dağ anlamında "koca", anneye dağın üzerindeki kar anlamında "karı" denir. Böylece çocuklarda kardelen çiçekleri olabilir.

Son olarak bu kitabın birinci bölümünde verilen Evrenle ve ikinci bölümünde verilen İnsanla ilgili bölümler, yazıldıkları tarihte bilinen kısmen eski bilgiler olabilir. Ancak Sonsöz bölümünde ve EK-Ia ve Ia1 tablolarındaki son sentezde ispatladığıma inandığım yeni teoriler eğer bilim camiası tarafından kabûl görürse, benim teorilerimin ışığında dünya literatüründeki bugün mevcut çağdaş bilgilerin yeniden değerlendirilmesi gerekecektir.

L) SON OLARAK KİTABIN ARKA KAPAĞINDA QR KODU İLE VERDİĞİMİZ SES KAYDININ METİN OLARAK TEKRARI:

60 yılda topladığım bilgileri, her şeyi kapsayacak şekilde birleştirdim. Bulduğum dünyada ve ahrette cennet sembolü yukarıda sağ üst köşede görülmektedir.

Bu sembolün üst köşesinde "Allah", tabandaki üçgenin karşı köşesinde "Ahlâk" vardır. Toplumda ahlâk ancak Allah'ı bilen adam arif'ler, Allah'ı bilen hanım arife'ler sayesinde vardır. İnsanlar Allah'ı bilirse ona karşı sorumluluk taşır ve ahlâklı olur.

Ahlâk'ın arabçası "Edeb", islâm tasavvufuna göre, Kur-an'da ki 6666 ayetin tek kelimeyle özetidir. Kur-an' da olan binlerce kelimeden bazılarının 50 tane anlamı vardır. Böylece artık Kur-an' ı kerimi anlamak için onu tefsir edebilecek hoca aramaya gerek kalmaz.

Alttaki üçgenin sağ köşesinde "adalet" vardır. Çünkü ahlâk olmadan adalet olmaz. Adalet arabça "Herşeyi yerli yerine koyma" anlamındadır, yani sadece hakimlerin adaleti değildir. Nihayet alttaki üçgenin solundaki köşede "Barış"a ulaşılır. İslâm arabça barış anlamındadır.

Allah, ahlâk, adalet, barış olarak bu 4 tanım "Rabia sembolü" nde belli bir sıraya göre birleştirildi, çünkü ayrı, ayrı anlatılıyor ve tam anlaşılamıyor. Böylece "Hem dünyayı cennete dönüştürmek hem ahirette cenneti kazanmak" artık yaşadığımız iletişim çağında çok zor olmayacak.

Museviler, hristiyanlar, müslümanlar tek tanrıya inanıyor. Yaşadığımız 21. asırda, senin tanrın başka, benim tanrım başka olabilirmi? Taş devrindemi yaşıyoruz?

Bugün İspanyada Toledo kentinde endülüsten kalma, kapıları aynı avluya açılan havra, kilise ve cami İstanbul'da Kuzguncuk semtinde ve Antalya Belek'te benzer durumdadır. Bu ibadethanelerde insanlar, ona farklı isimler verselerde ayni Allah'a yöneldikleri için birbirini kucaklaması gerekir.

Asyada Töre "Tanrı buyruğu" idi. Orta doğuda islâma göre, Tevrat'ta, İncil'de, Kur-an'da "Kelimetullah" yani "Allahın sözü" oldu. Burada big-bang'e göre ise, Allah'ın sözü Rabia oldu dersek, Rabia bizi bering boğazından amerikaya göç etmiş olan asyalı kızıl derililere, inkalara, asteklere ve mayalar kanalıyla pasifikte batmış olan Mu kıtasına kadar götürür. Bugün batılıların hürriyet, özgürlük, eşitlik gibi kavramları ancak "Devletlerin sözü" olabilir. dünyada her insana Allaha karşı özgürlük olamayacağı ana okullarından itibaren bütün egitim kurumlarında anlatılmalıdır.

Sağ üst köşede görülen dünya ve ahirette cennet sembolü rabia, bu sayfanın altındaki big-bang'in sıfır noktasındada görülmektedir.

Yaşadığımız günlerde, ikinci dünya harbi öncesinde olduğu gibi dünya milletleri iki düşman guruba ayrılıp adım adım üçüncü dünya harbi cehennemine yaklaşirken, bir çözüm ortaya koyan yok.

Çözüm: Bu kitabta verilen Evren'e dair bilgilerin sentezinde big-bang öncesindeki son 4 taneciğin birleşip "Evrenin aklını"oluşturması ve Beyaz ışığın tayfında gördüğümüz binlerce rengin "Beyaz ışığı" oluşturması gibi; Bu kitabta verdiğimiz İnsan'a dair bilgilerin sentezinin de; Dünyada yaşayan farklı Irk, Dil ve Din'lerde insanları "Dünya Birleşik Rabia Devletleri" çatısı altında toplamaktır.

Rabia geometrisiyle sadece matematiğin ve evrenin özü değil, bir bakıma "Bütün dinlerin ortak anayasası" da ortaya konmuş oldu.

Böylece bütün dinlerin genel olarak ortak olan öğütlerine göre, her dinin mensubu artık başka dinlerin mensuplarıyla kavga etmeye gerek kalmadan, özgürce hem Rabia aklına hem de kendi dininin kurallarına uygun yaşayabilecektir.

Artık Musevi–Müslüman, Hindu–Müslüman düşmanlığı da ortadan kalkar ve bütün insanlığa hem dünyada hem ahirette cennetin kapıları açılabilir.

Dünya henüz hiç atom harbi yaşamadı 250 atom bombası dünyayı yok etmeye yetiyor. sadece ruslarda 600 tane, diğerlerinde de, enaz o kadar var. Henüz patlatmadan etkisiz hale getirme teknolojisi olmadığı için, dünya yok olacak. Utanmıyacakmıyız?

DÖRDÜNCÜ BÖLÜME EK RESİM VE ÇİZİMLER:
A) İNSANLIĞIN DÜŞÜNCE VE İNANÇ TARİHİ VE
ENBAŞINDAN GÜNÜMÜZE KUTSAL GEOMETRİLER:

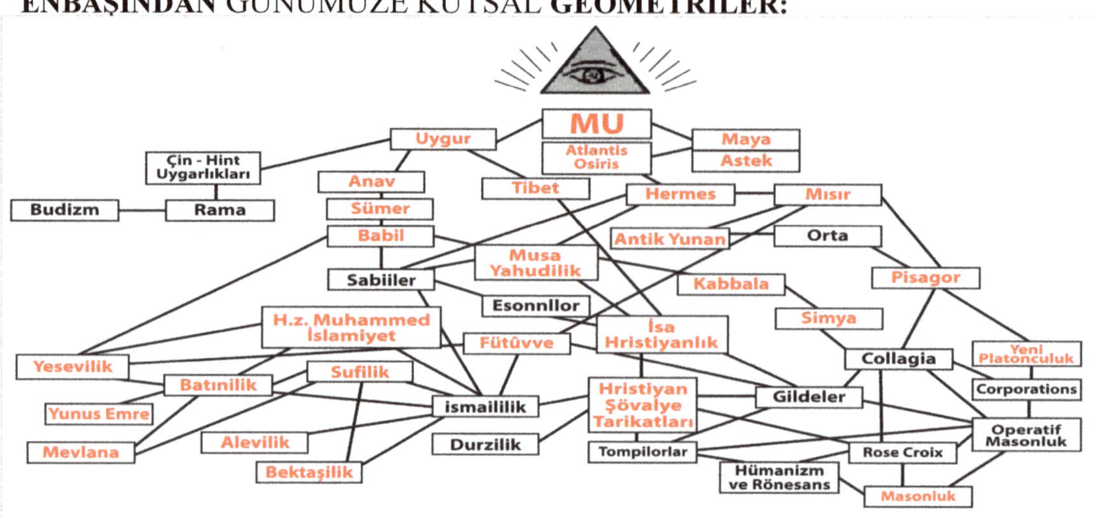

B) MU KOZMİK DİYAGRAMI :
(Batı Tibette Bulunan 15.000 Yıllık

Naacal Tabletlerine Göre)

C) MU KRALİYET ARMASI :
(MU güneş imparatorluğu anlamında. Bu sembol Hintlilerde, Maorilerde,

Nevada ve Meksika yerlilerinde, Guatemalalılarda görülmektedir.)

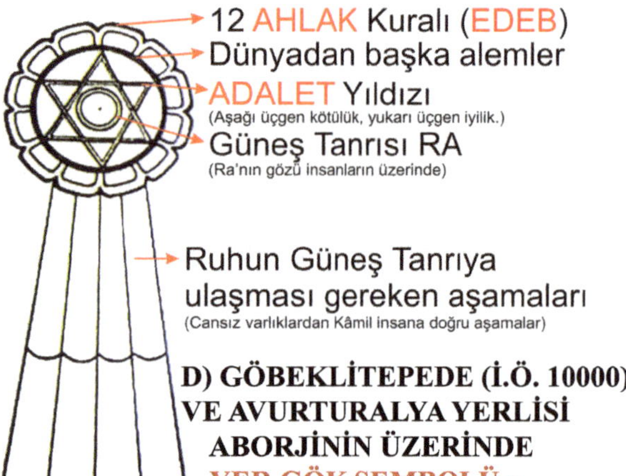

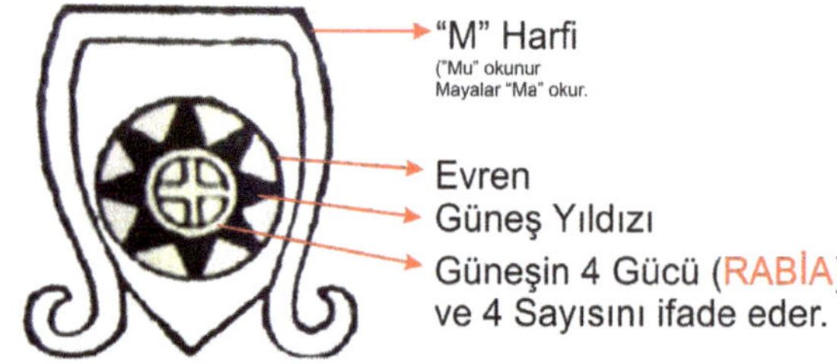

D) GÖBEKLİTEPEDE (İ.Ö. 10000)
VE AVURTURALYA YERLİSİ
ABORJİNİN ÜZERİNDE
YER GÖK SEMBOLÜ :
"MU" daki yukarı ve aşağı üçgenler burada yay şeklinde

E) ATLANTİS SEMBOLÜNDEKİ ÜÇLEME:
İ.Ö.~15.000 ?

F) NAACAL TABLETLERİ

G) FRANDA'DA GLOZER'DE BULUNAN ETRÜSK MEZARI (İ.Ö. IV. y.y.)
DÖRT KÖŞE ÇÖMLEKLERDEN OLUŞAN ÇİFT PİSAGOR ÜÇGENİ: BUGÜN ANADOLU KİLİM DESENLERİNDE GÖZ ANLAMINDADIR. YANİ ÇİNTOMANİ VE NAZAR BONCUĞUNDAKİ GÖZ GİBİ İNSANI KÖTÜ RUHLARDAN KORUR. AŞAĞIDA İSKİT PRENSESİNİN ÇİZMESİNİN ALTINDA AYNI GEOMETRİ GÖRÜLMEKTEDİR.

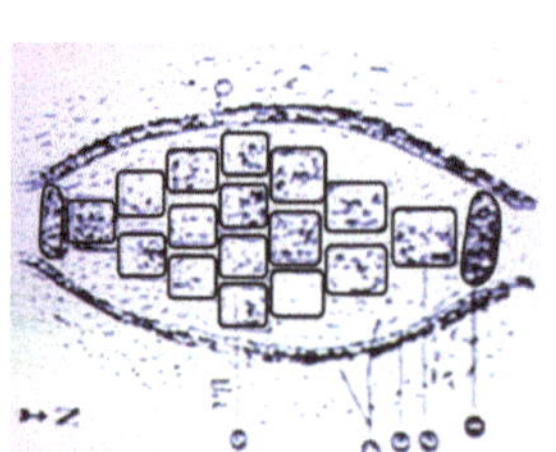

J) KAZAKİSTANDA BULUNAN İSKİT MEZARINDAKİ PRENSESİN ELBİSESİNDEKİ ÇİFT ÜÇGENLER VE ÇİZMESİNİN ALTINDA ÇİFT PİSAGOR ÜÇGENLERİ.
İ.Ö. V. y.y.

H)MAYA TAKVİMİ:
İ.Ö. 15 000

I) ASTEK TAKVİMİ
İ.S. 14-16 yy

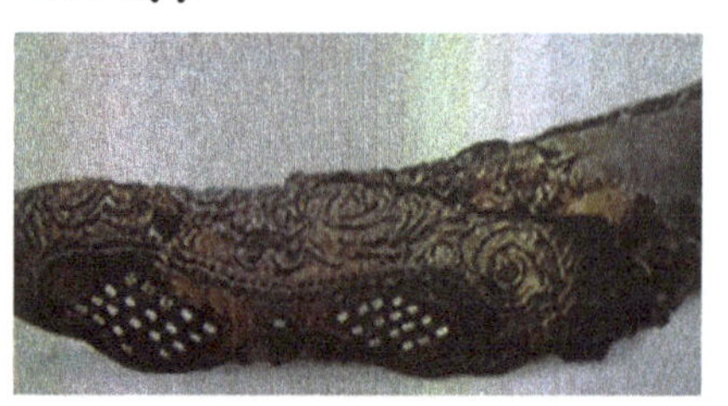

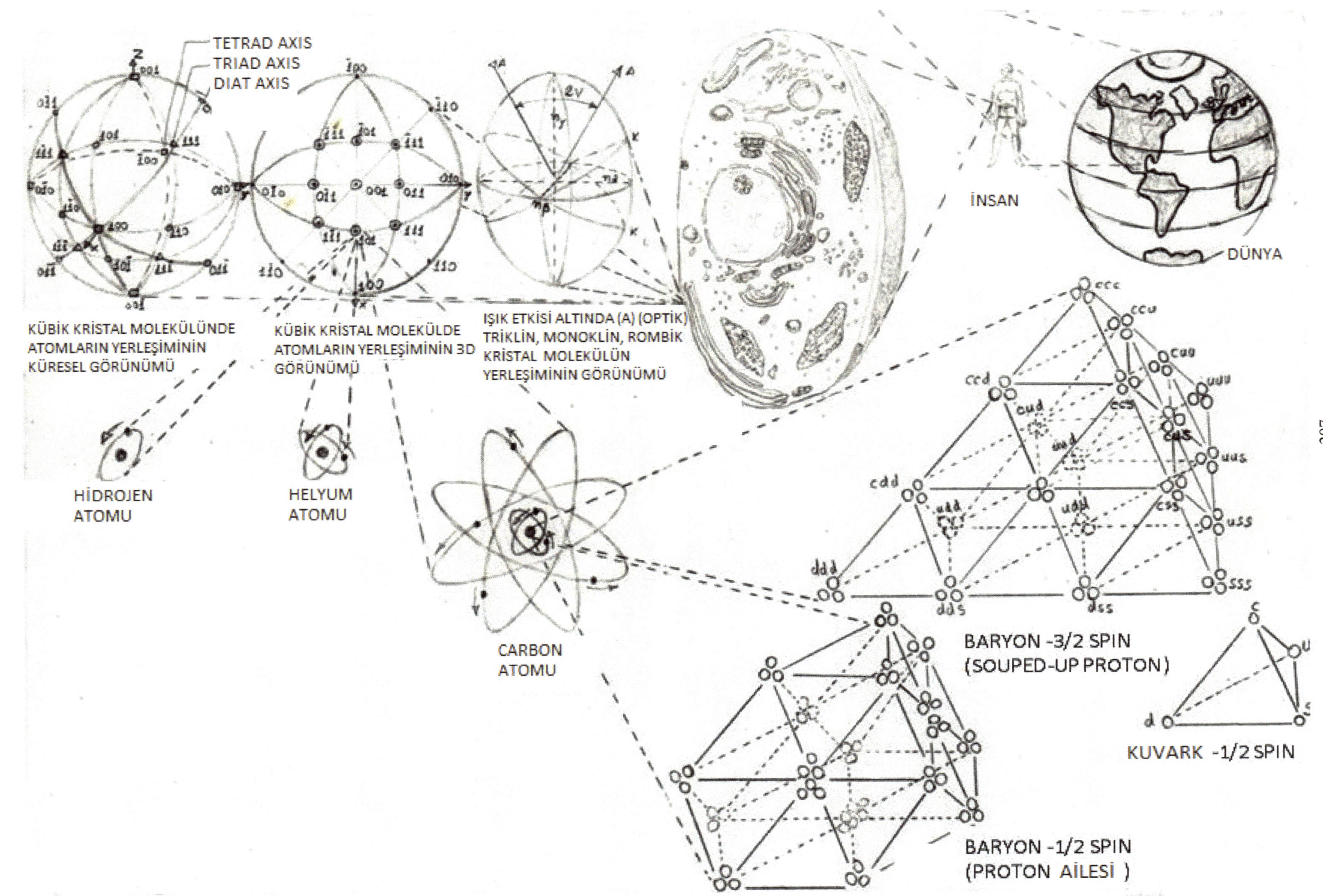

TETRAD AXIS
TRIAD AXIS
DIAT AXIS
KÜBİK KRİSTAL MOLEKÜLÜNDE ATOMLARIN YERLEŞİMİNİN KÜRESEL GÖRÜNÜMÜ
KÜBİK KRİSTAL MOLEKÜLDE ATOMLARIN YERLEŞİMİNİN 3D GÖRÜNÜMÜ
IŞIK ETKİSİ ALTINDA (A) (OPTİK) TRİKLİN, MONOKLİN, ROMBİK KRİSTAL MOLEKÜLÜN YERLEŞİMİNİN GÖRÜNÜMÜ
İNSAN
DÜNYA
HİDROJEN ATOMU
HELYUM ATOMU
CARBON ATOMU
BARYON -3/2 SPIN (SOUPED-UP PROTON)
BARYON -1/2 SPIN (PROTON AİLESİ)
KUVARK -1/2 SPIN

TETRAHEDRON:

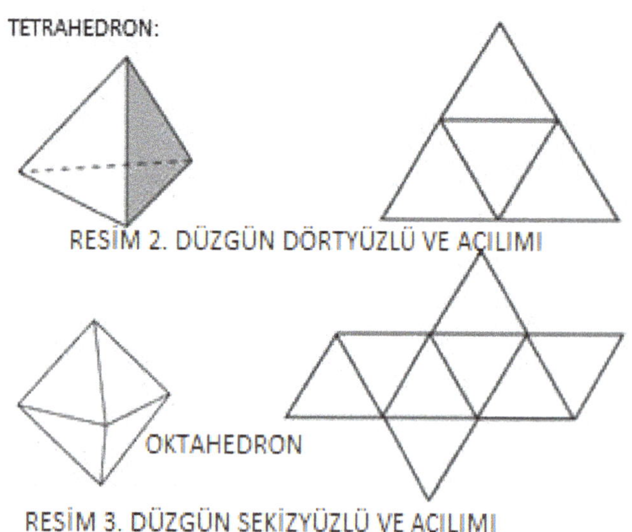

RESİM 2. DÜZGÜN DÖRTYÜZLÜ VE AÇILIMI

OKTAHEDRON

RESİM 3. DÜZGÜN SEKİZYÜZLÜ VE AÇILIMI

KÜP

RESİM 4. DÜZGÜN ALTIYÜZLÜ VE AÇILIMI

DODEKAHEDRON

RESİM 5. DÜZGÜN ONİKİYÜZLÜ VE AÇILIMI

İKOZAHEDRON

RESİM 6. DÜZGÜN YİRMİYÜZLÜ YÜZLÜ VE AÇILIMI

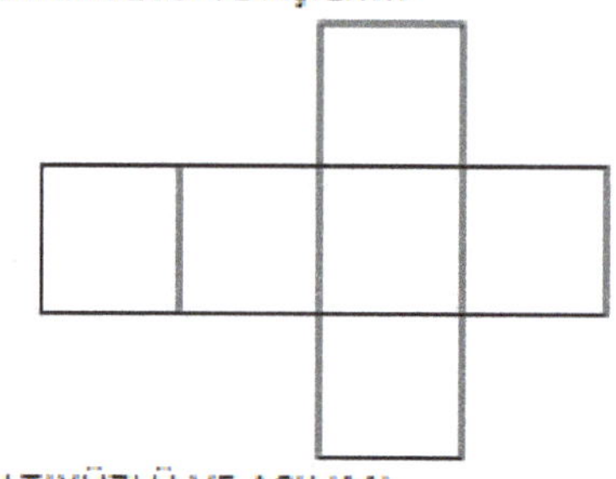

ASTRONOM KEPLER (1571-1630):
GÜNEŞİN GEZEGENLERİNİN BİR MÜZİĞİ OLDUĞUNU VE HER GEZEGENİN NOTALARINI TESPİT ETTİ. ("WELT HARMONIE" - DÜNYA HARMONİSİ)

RESİM 1. ASTRONOM KEPLER'İN "DÜNYA HARMONİSİ" HER GEZEGENİN MELODİSİ

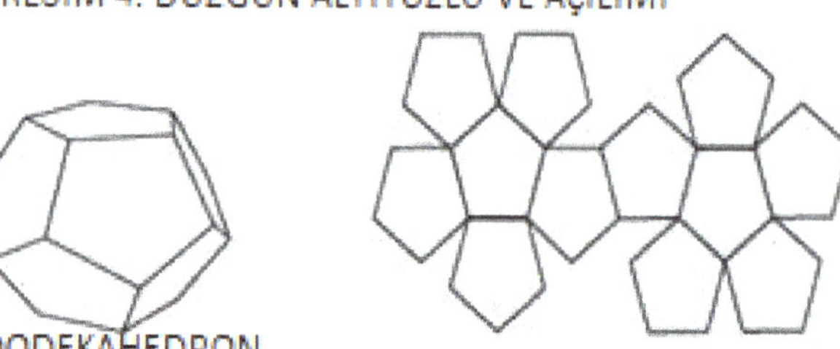

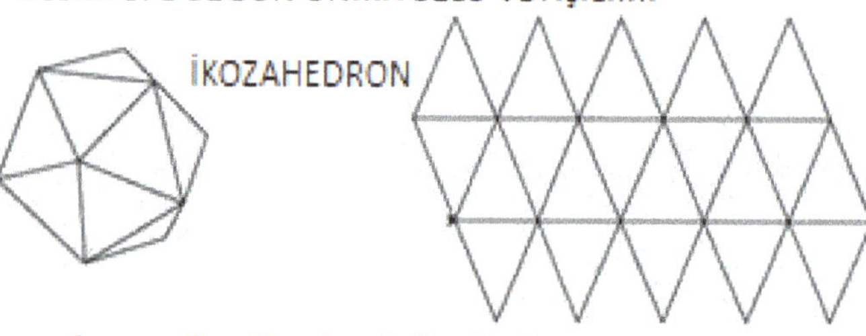

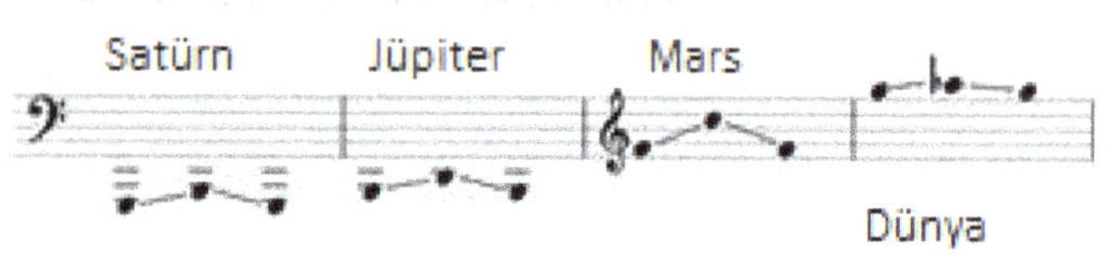

RESİM 10. GEZEGENLERİN ESKİ MISI'DA NOTALARLA İFADESİ

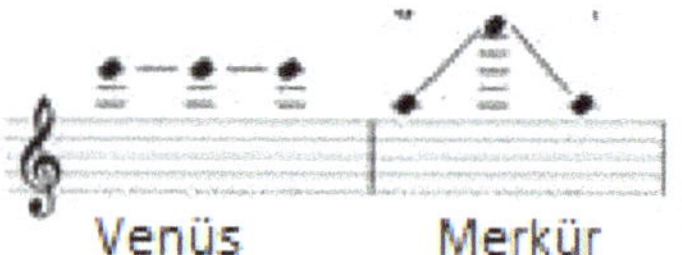

RESİM 11- KEPLER'E GÖRE GEZEGENLERİN MÜZİĞİ (YUKARIDA RESİM 1'DEKİ DÜNYA HARMONİSİNİN BİR BAŞKA YAZILIMI

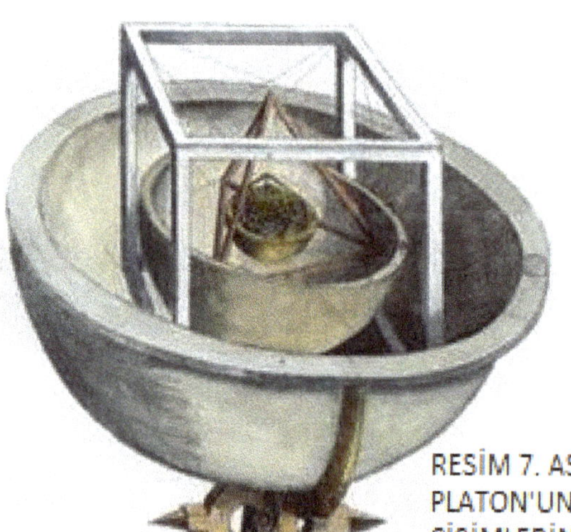

RESİM 7. ASTRONOM KEPLER PLATON'UN ÇOKYÜZLÜ CİSİMLERİNİ İÇ İÇE YUKARIDA GÖRÜLDÜĞÜ GİBİ, 6 GEZEGENİN KÜRELERİNİN İÇİNE YERLEŞTİRMİŞTİ.

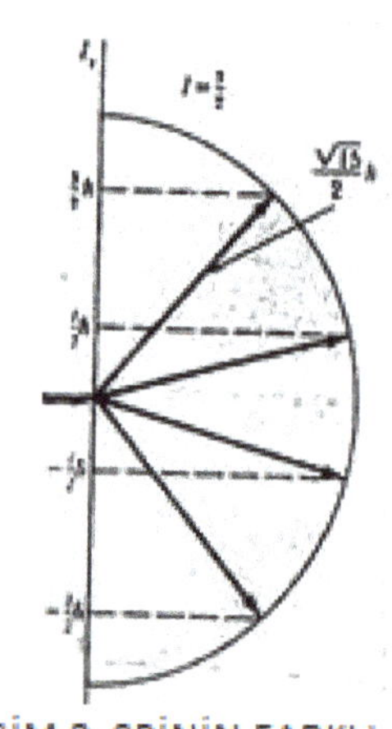

RESİM 8. SPİNİN FARKLI DURUMLARI (EK-1C)

RESİM 9. PARÇACIK ÇARPIŞTIRICILARDA ÇARPIŞTIRMADAN SONRA GÖZLENEN BİR GÖRÜNTÜ

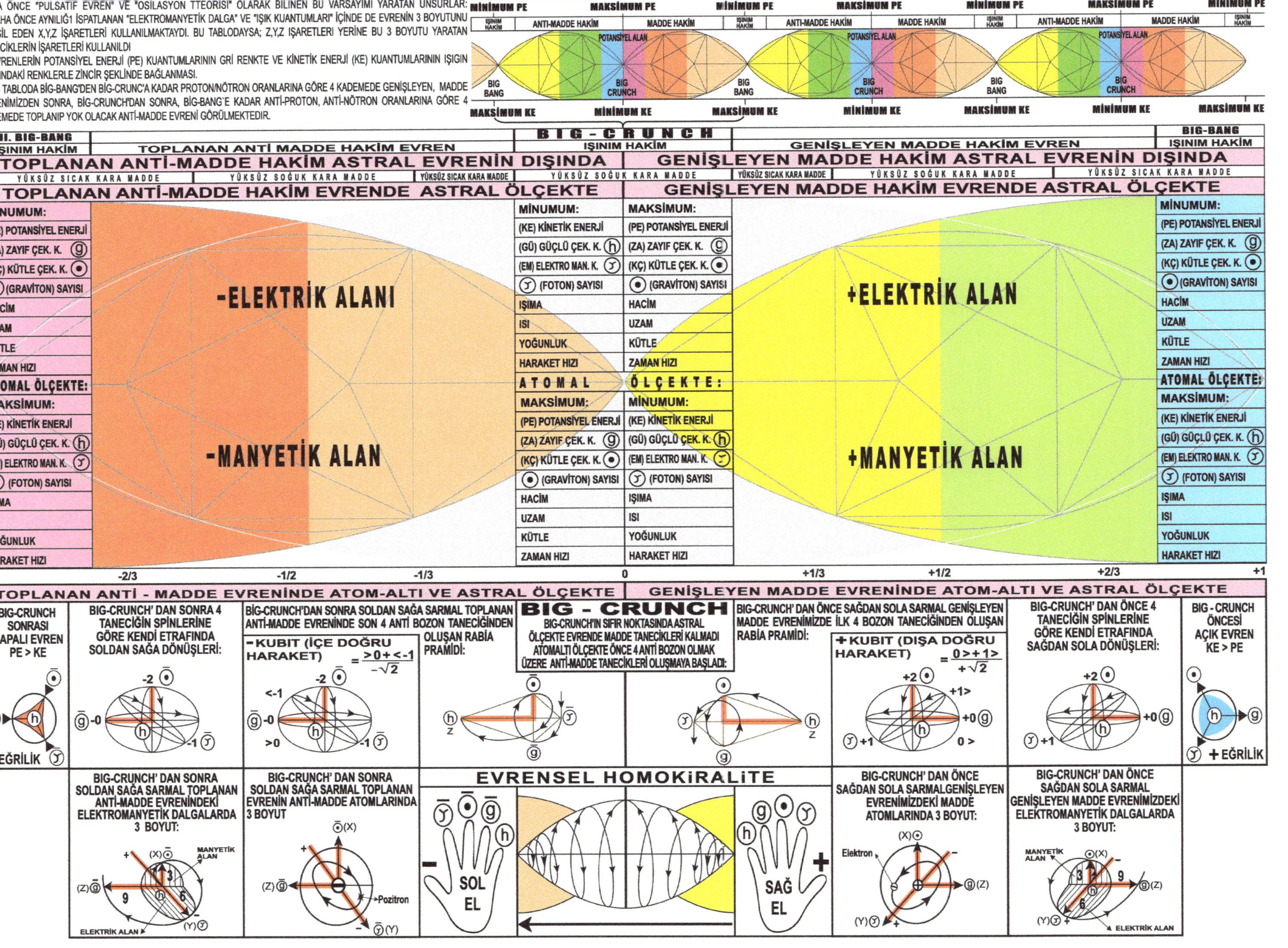
DAHA ÖNCE "PULSATİF EVREN" VE "OSİLASYON TTEORISI" OLARAK BİLİNEN BU VARSAYIMI YARATAN UNSURLAR:
1- DAHA ÖNCE AYNILIĞI İSPATLANAN "ELEKTROMANYETİK DALGA" VE "IŞIK KUANTUMLARI" İÇİNDE DE EVRENİN 3 BOYUTUNU TEMSİL EDEN X,Y,Z İŞARETLERİ KULLANILMAKTAYDI. BU TABLODAYSA; Z,Y,Z İŞARETLERİ YERİNE BU 3 BOYUTU YARATAN TANECİKLERİN İŞARETLERİ KULLANILDI
2- EVRENLERİN POTANSİYEL ENERJİ (PE) KUANTUMLARININ GRİ RENKTE VE KİNETİK ENERJİ (KE) KUANTUMLARININ IŞIĞIN TAYFINDAKİ RENKLERLE ZİNCİR ŞEKLİNDE BAĞLANMASI.
3- BU TABLODA BİG-BANG'DEN BİG-CRUNC'A KADAR PROTON/NÖTRON ORANLARINA GÖRE 4 KADEMEDE GENİŞLEYEN, MADDE EVRENİMİZDEN SONRA, BİG-CRUNCH'DAN SONRA, BİG-BANG'E KADAR ANTİ-PROTON, ANTİ-NÖTRON ORANLARINA GÖRE 4 KADEMEDE TOPLANIP YOK OLACAK ANTİ-MADDE EVRENİ GÖRÜLMEKTEDİR.

MİNİMUM PE   MAKSİMUM PE   MİNİMUM PE   MAKSİMUM PE   MİNİMUM PE   MAKSİMUM PE   MİNİMUM PE
IŞINIM HAKİM ANTİ-MADDE HAKİM MADDE HAKİM IŞINIM HAKİM ANTİ-MADDE HAKİM MADDE HAKİM IŞINIM HAKİM ANTİ-MADDE HAKİM MADDE HAKİM IŞINIM HAKİM
POTANSİYEL ALAN
BIG BANG BIG CRUNCH BIG BANG BIG CRUNCH BIG BANG BIG CRUNCH
MAKSİMUM KE   MİNİMUM KE   MAKSİMUM KE   MİNİMUM KE   MAKSİMUM KE   MİNİMUM KE   MAKSİMUM KE

II. BIG-BANG   BIG - CRUNCH   BIG-BANG
IŞINIM HAKİM   TOPLANAN ANTİ MADDE HAKİM EVREN   IŞINIM HAKİM   GENİŞLEYEN MADDE HAKİM EVREN   IŞINIM HAKİM
TOPLANAN ANTİ-MADDE HAKİM ASTRAL EVRENİN DIŞINDA   GENİŞLEYEN MADDE HAKİM ASTRAL EVRENİN DIŞINDA
YÜKSÜZ SICAK KARA MADDE YÜKSÜZ SOĞUK KARA MADDE YÜKSÜZ SICAK KARA MADDE YÜKSÜZ SOĞUK KARA MADDE YÜKSÜZ SICAK KARA MADDE YÜKSÜZ SOĞUK KARA MADDE YÜKSÜZ SICAK KARA MADDE
TOPLANAN ANTİ-MADDE HAKİM EVRENDE ASTRAL ÖLÇEKTE   GENİŞLEYEN MADDE HAKİM EVRENDE ASTRAL ÖLÇEKTE

MİNUMUM:
(PE) POTANSİYEL ENERJİ
(ZA) ZAYIF ÇEK. K. (g)
(KÇ) KÜTLE ÇEK. K. (•)
(•) (GRAVİTON) SAYISI
HACİM
UZAM
KÜTLE
ZAMAN HIZI
ATOMAL ÖLÇEKTE:
MAKSİMUM:
(KE) KİNETİK ENERJİ
(GÜ) GÜÇLÜ ÇEK. K. (h)
(EM) ELEKTRO MAN. K. (Y)
(Y) (FOTON) SAYISI
IŞIMA
ISI
YOĞUNLUK
HARAKET HIZI

-ELEKTRİK ALANI
-MANYETİK ALAN

MİNUMUM:
(KE) KİNETİK ENERJİ
(GÜ) GÜÇLÜ ÇEK. K. (h)
(EM) ELEKTRO MAN. K. (Y)
(Y) (FOTON) SAYISI
IŞIMA
ISI
YOĞUNLUK
HARAKET HIZI
ATOMAL ÖLÇEKTE:
MAKSİMUM:
(PE) POTANSİYEL ENERJİ
(ZA) ZAYIF ÇEK. K. (g)
(KÇ) KÜTLE ÇEK. K. (•)
(•) (GRAVİTON) SAYISI
HACİM
UZAM
KÜTLE
ZAMAN HIZI

MAKSİMUM:
(PE) POTANSİYEL ENERJİ
(ZA) ZAYIF ÇEK. K. (g)
(KÇ) KÜTLE ÇEK. K. (•)
(•) (GRAVİTON) SAYISI
HACİM
UZAM
KÜTLE
ZAMAN HIZI
ATOMAL ÖLÇEKTE:
MİNUMUM:
(KE) KİNETİK ENERJİ
(GÜ) GÜÇLÜ ÇEK. K. (h)
(EM) ELEKTRO MAN. K. (Y)
(Y) (FOTON) SAYISI
IŞIMA
ISI
YOĞUNLUK
HARAKET HIZI

+ELEKTRİK ALAN
+MANYETİK ALAN

MİNUMUM:
(PE) POTANSİYEL ENERJİ
(ZA) ZAYIF ÇEK. K. (g)
(KÇ) KÜTLE ÇEK. K. (•)
(•) (GRAVİTON) SAYISI
HACİM
UZAM
KÜTLE
ZAMAN HIZI
ATOMAL ÖLÇEKTE:
MAKSİMUM:
(KE) KİNETİK ENERJİ
(GÜ) GÜÇLÜ ÇEK. K. (h)
(EM) ELEKTRO MAN. K. (Y)
(Y) (FOTON) SAYISI
IŞIMA
ISI
YOĞUNLUK
HARAKET HIZI

-1   -2/3   -1/2   -1/3   0   +1/3   +1/2   +2/3   +1

TOPLANAN ANTİ - MADDE EVRENİNDE ATOM-ALTI VE ASTRAL ÖLÇEKTE   GENİŞLEYEN MADDE EVRENİNDE ATOM-ALTI VE ASTRAL ÖLÇEKTE

BIG-CRUNCH SONRASI KAPALI EVREN PE > KE
- EĞRİLİK
BIG-CRUNCH' DAN SONRA 4 TANECİĞİN SPİNLERİNE GÖRE KENDİ ETRAFINDA SOLDAN SAĞA DÖNÜŞLERİ:
-2   <-1   >0   -1
BİG-CRUNCH'DAN SONRA SOLDAN SAĞA SARMAL TOPLANAN ANTİ-MADDE EVRENİNDE SON 4 ANTİ BOZON TANECİĞİNDEN OLUŞAN RABİA PRAMİDİ:
-KUBİT (İÇE DOĞRU HARAKET) = (>0+ <-1) / -√2
BIG - CRUNCH
BIG-CRUNCH'İN SIFIR NOKTASINDA ASTRAL ÖLÇEKTE EVRENDE MADDE TANECİKLERİ KALMADI ATOMALTI ÖLÇEKTE ÖNCE 4 ANTİ BOZON OLMAK ÜZERE ANTİ-MADDE TANECİKLERİ OLUŞMAYA BAŞLADI:
BIG-CRUNCH' DAN ÖNCE SAĞDAN SOLA SARMAL GENİŞLEYEN MADDE EVRENİMİZDE İLK 4 BOZON TANECİĞİNDEN OLUŞAN RABİA PRAMİDİ:
+KUBİT (DIŞA DOĞRU HARAKET) = (0>+1>) / +√2
+2   +1>   +0(g)   0>
BIG-CRUNCH' DAN ÖNCE 4 TANECİĞİN SPİNLERİNE GÖRE KENDİ ETRAFINDA SAĞDAN SOLA DÖNÜŞLERİ:
+2
BIG - CRUNCH ÖNCESİ AÇIK EVREN KE > PE
+ EĞRİLİK

BIG-CRUNCH' DAN SONRA SOLDAN SAĞA SARMAL TOPLANAN ANTİ-MADDE EVRENİNDEKİ ELEKTROMANYETİK DALGALARDA 3 BOYUT:
MANYETİK ALAN
ELEKTRİK ALAN
BIG-CRUNCH' DAN SONRA SOLDAN SAĞA SARMAL TOPLANAN EVRENİN ANTİ-MADDE ATOMLARINDA 3 BOYUT
Pozitron
EVRENSEL HOMOKİRALİTE
SOL EL
SAĞ EL
Elektron
BIG-CRUNCH' DAN ÖNCE SAĞDAN SOLA SARMALGENİŞLEYEN EVRENİMİZDEKİ MADDE ATOMLARINDA 3 BOYUT:
BIG-CRUNCH' DAN ÖNCE SAĞDAN SOLA SARMAL GENİŞLEYEN MADDE EVRENİMİZDEKİ ELEKTROMANYETİK DALGALARDA 3 BOYUT:
MANYETİK ALAN
ELEKTRİK ALAN

209

KUANTUMLU EVRENİMİZ'DE BIG-BANG TABLOSU:

DAHA ÖNCE "PULSATİF EVREN" VE "OSİLASYON TTEORİSİ" OLARAK BİLİNEN BU VARSAYIMI YARATAN UNSURLAR:

1- DAHA ÖNCE AYNILIĞ1 İSPATLANAN "ELEKTROMANYETİK DALGA" VE "IŞIK KUANTUMLARI" İÇİNDE DE EVRENİN 3 BOYUTUNU TEMSİL EDEN X,Y,Z İŞARETLERİ KULLANILMAKTAYDI. BU TABLODAYSA; Z,Y,Z İŞARETLERİ YERİNE BU 3 BOYUTU YARATAN TANECİKLERİN İŞARETLERİ KULLANILDI

2- EVRENLERİN POTANSİYEL ENERJİ (PE) KUANTUMLARININ GRİ RENKTE VE KİNETİK ENERJİ (KE) KUANTUMLARININ IŞIĞIN TAYFINDAKİ RENKLERLE ZİNCİR ŞEKLİNDE BAĞLANMASI.

3- BU TABLODA BIG-BANG'DEN BIG-CRUNC'A KADAR PROTON/NÖTRON ORANLARINA GÖRE 4 KADEMEDE GENİŞLEYEN, MADDE EVRENİMİZDEN SONRA, BIG-CRUNCH'DAN SONRA, BIG-BANG'E KADAR ANTİ-PROTON, ANTİ-NÖTRON ORANLARINA GÖRE 4 KADEMEDE TOPLANIP YOK OLACAK ANTİ-MADDE EVRENİ GÖRÜLMEKTEDİR.

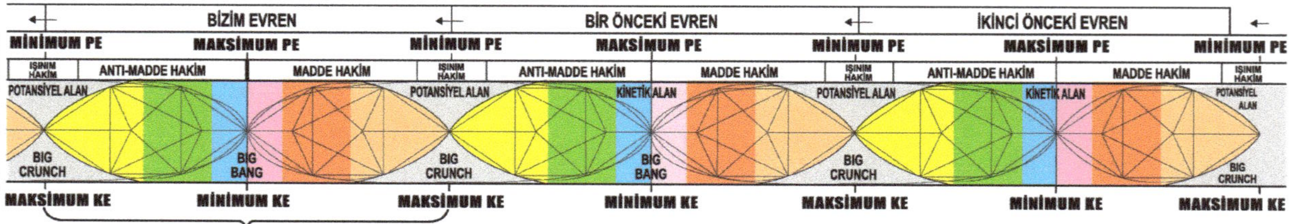

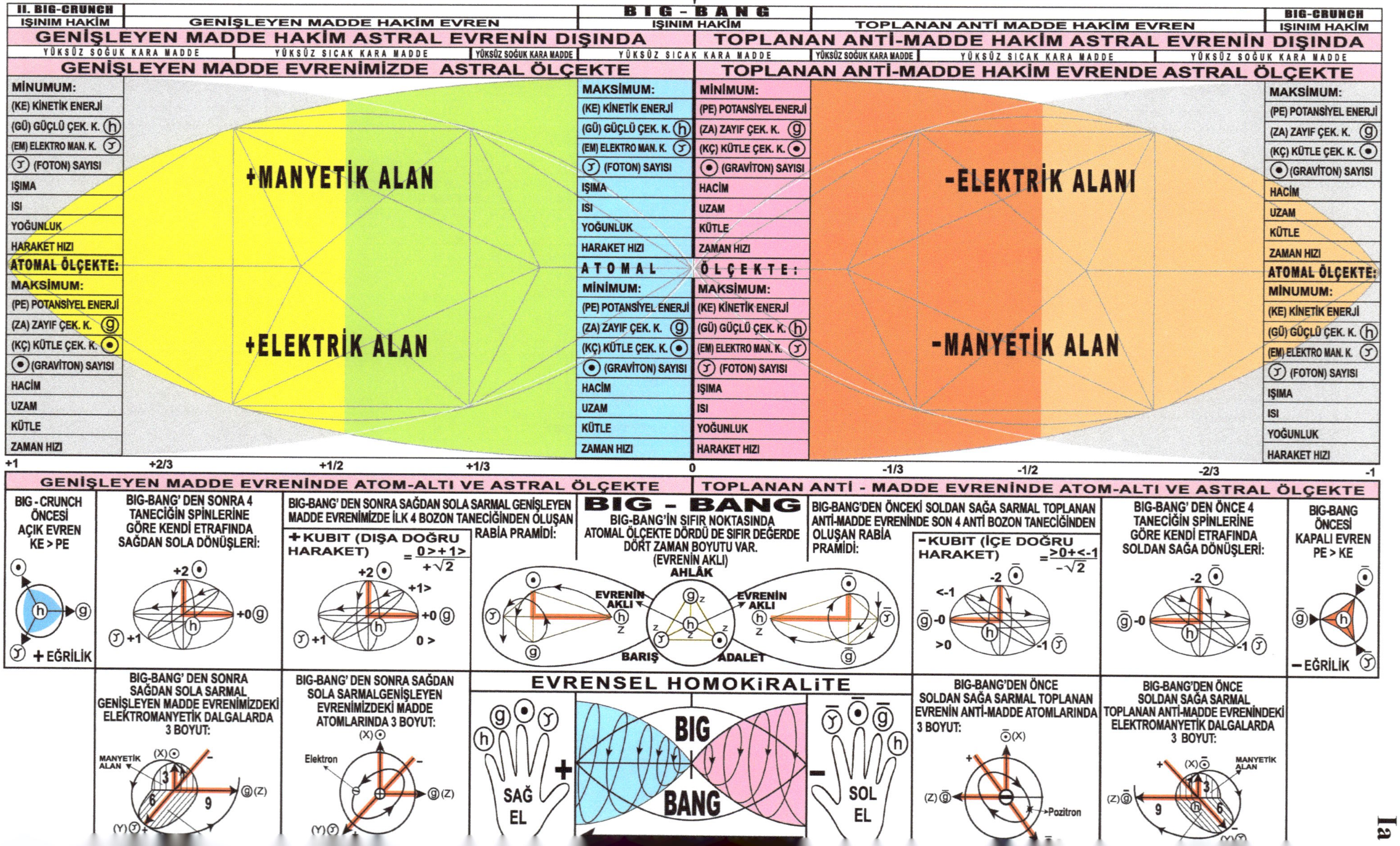

Osilasyon tablosu (üst şerit)

	BİZİM EVREN		BİR ÖNCEKİ EVREN		İKİNCİ ÖNCEKİ EVREN	
MİNİMUM PE	MAKSİMUM PE	MİNİMUM PE	MAKSİMUM PE	MİNİMUM PE	MAKSİMUM PE	MİNİMUM PE
IŞINIM HAKİM	ANTİ-MADDE HAKİM	MADDE HAKİM	IŞINIM HAKİM	ANTİ-MADDE HAKİM	MADDE HAKİM	IŞINIM HAKİM ...
POTANSİYEL ALAN		POTANSİYEL ALAN	KİNETİK ALAN	POTANSİYEL ALAN	KİNETİK ALAN	POTANSİYEL ALAN
BIG CRUNCH	BIG BANG	BIG CRUNCH	BIG BANG	BIG CRUNCH	BIG BANG	BIG CRUNCH
MAKSİMUM KE	MİNİMUM KE	MAKSİMUM KE	MİNİMUM KE	MAKSİMUM KE	MİNİMUM KE	MAKSİMUM KE

Ana ölçek tablosu

II. BIG-CRUNCH	BIG - BANG		II. BIG-CRUNCH
IŞINIM HAKİM	IŞINIM HAKİM		IŞINIM HAKİM
GENİŞLEYEN MADDE HAKİM EVREN		TOPLANAN ANTİ MADDE HAKİM EVREN	
GENİŞLEYEN MADDE HAKİM ASTRAL EVRENİN DIŞINDA		TOPLANAN ANTİ-MADDE HAKİM ASTRAL EVRENİN DIŞINDA	
YÜKSÜZ SOĞUK KARA MADDE — YÜKSÜZ SICAK KARA MADDE — YÜKSÜZ SOĞUK KARA MADDE		YÜKSÜZ SOĞUK KARA MADDE — YÜKSÜZ SICAK KARA MADDE — YÜKSÜZ SOĞUK KARA MADDE	
GENİŞLEYEN MADDE EVRENİMİZDE ASTRAL ÖLÇEKTE		TOPLANAN ANTİ-MADDE HAKİM EVRENDE ASTRAL ÖLÇEKTE	

Sol sütun (GENİŞLEYEN MADDE EVRENİMİZDE):

MINUMUM:
- (KE) KİNETİK ENERJİ
- (GÜ) GÜÇLÜ ÇEK. K. (h)
- (EM) ELEKTRO MAN. K. (γ)
- (γ) (FOTON) SAYISI
- IŞIMA
- ISI
- YOĞUNLUK
- HAREKET HIZI

ATOMAL ÖLÇEKTE:

MAKSİMUM:
- (PE) POTANSİYEL ENERJİ
- (ZA) ZAYIF ÇEK. K. (g)
- (KÇ) KÜTLE ÇEK. K. (●)
- (●) (GRAVİTON) SAYISI
- HACİM
- UZAM
- KÜTLE
- ZAMAN HIZI

+MANYETİK ALAN

+ELEKTRİK ALAN

Orta sol sütun:

MAKSİMUM:
- (KE) KİNETİK ENERJİ
- (GÜ) GÜÇLÜ ÇEK. K. (h)
- (EM) ELEKTRO MAN. K. (γ)
- (γ) (FOTON) SAYISI
- IŞIMA
- ISI
- YOĞUNLUK
- HAREKET HIZI

ATOMAL ÖLÇEKTE:

MİNİMUM:
- (PE) POTANSİYEL ENERJİ
- (ZA) ZAYIF ÇEK. K. (g)
- (KÇ) KÜTLE ÇEK. K. (●)
- (●) (GRAVİTON) SAYISI
- HACİM
- UZAM
- KÜTLE
- ZAMAN HIZI

Orta sağ sütun:

MİNİMUM:
- (PE) POTANSİYEL ENERJİ
- (ZA) ZAYIF ÇEK. K. (g)
- (KÇ) KÜTLE ÇEK. K. (●)
- (●) (GRAVİTON) SAYISI
- HACİM
- UZAM
- KÜTLE
- ZAMAN HIZI

ATOMAL ÖLÇEKTE:

MAKSİMUM:
- (KE) KİNETİK ENERJİ
- (GÜ) GÜÇLÜ ÇEK. K. (h)
- (EM) ELEKTRO MAN. K. (γ)
- (γ) (FOTON) SAYISI
- IŞIMA
- ISI
- YOĞUNLUK
- HAREKET HIZI

−ELEKTRİK ALANI

−MANYETİK ALAN

Sağ sütun (TOPLANAN ANTİ-MADDE HAKİM EVRENDE):

MAKSİMUM:
- (PE) POTANSİYEL ENERJİ
- (ZA) ZAYIF ÇEK. K. (g)
- (KÇ) KÜTLE ÇEK. K. (●)
- (●) (GRAVİTON) SAYISI
- HACİM
- UZAM
- KÜTLE
- ZAMAN HIZI

ATOMAL ÖLÇEKTE:

MİNUMUM:
- (KE) KİNETİK ENERJİ
- (GÜ) GÜÇLÜ ÇEK. K. (h)
- (EM) ELEKTRO MAN. K. (γ)
- (γ) (FOTON) SAYISI
- IŞIMA
- ISI
- YOĞUNLUK
- HAREKET HIZI

Ölçek değerleri: +1 | +2/3 | +1/2 | +1/3 | 0 | -1/3 | -1/2 | -2/3 | -1

Alt şerit

GENİŞLEYEN MADDE EVRENİNDE ATOM-ALTI VE ASTRAL ÖLÇEKTE | TOPLANAN ANTİ - MADDE EVRENİNDE ATOM-ALTI VE ASTRAL ÖLÇEKTE

BIG - CRUNCH ÖNCESİ AÇIK EVREN KE > PE

BIG-BANG' DEN SONRA 4 TANECİĞİN SPİNLERİNE GÖRE KENDİ ETRAFINDA SAĞDAN SOLA DÖNÜŞLERİ:

+ KUBIT (DIŞA DOĞRU HARAKET) $= \dfrac{0 > +1>}{+\sqrt{2}}$

BIG-BANG' DEN SONRA SAĞDAN SOLA SARMAL GENİŞLEYEN MADDE EVRENİMİZDE İLK 4 BOZON TANECİĞİNDEN OLUŞAN RABİA PRAMİDİ:

BIG - BANG

BIG-BANG'İN SIFIR NOKTASINDA ATOMAL ÖLÇEKTE DÖRDÜ DE SIFIR DEĞERDE DÖRT ZAMAN BOYUTU VAR. (EVRENİN AKLI)

BIG-BANG'DEN ÖNCEKİ SOLDAN SAĞA SARMAL TOPLANAN ANTİ-MADDE EVRENİNDE SON 4 ANTİ BOZON TANECİĞİNDEN OLUŞAN RABİA PRAMİDİ:

− KUBIT (İÇE DOĞRU HARAKET) $= \dfrac{\geq 0 + < -1}{-\sqrt{2}}$

BIG-BANG' DEN ÖNCE 4 TANECİĞİN SPİNLERİNE GÖRE KENDİ ETRAFINDA SOLDAN SAĞA DÖNÜŞLERİ:

BIG-BANG ÖNCESİ KAPALI EVREN PE > KE

BIG-BANG' DEN SONRA SAĞDAN SOLA SARMAL GENİŞLEYEN MADDE EVRENİMİZDEKİ ELEKTROMANYETİK DALGALARDA 3 BOYUT:

BIG-BANG' DEN SONRA SAĞDAN SOLA SARMALGENİŞLEYEN EVRENİMİZDEKİ MADDE ATOMLARINDA 3 BOYUT:

EVRENSEL HOMOKİRALİTE

BIG-BANG'DEN ÖNCE SOLDAN SAĞA SARMAL TOPLANAN EVRENİN ANTİ-MADDE ATOMLARINDA 3 BOYUT:

BIG-BANG'DEN ÖNCE SOLDAN SAĞA SARMAL TOPLANAN ANTİ-MADDE EVRENİNDEKİ ELEKTROMANYETİK DALGALARDA 3 BOYUT:

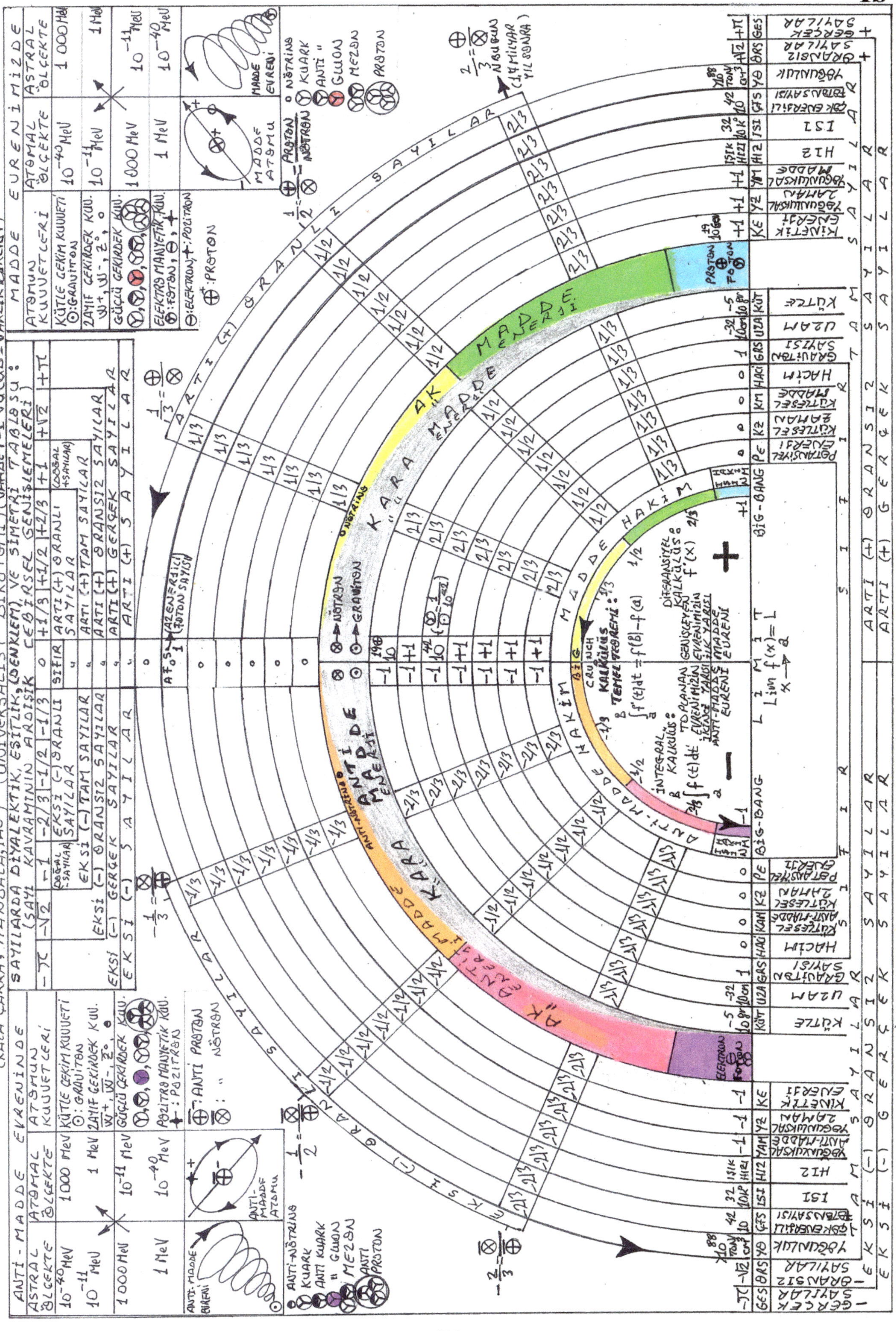

HERŞEY KURAMININ TEMEL DAYANAĞI OLAN, İKİ BİG-BANS ARASINDAKİ EVRENİMİZİN GENEL
KALKÜLÜS DENKLEMİ (KALA ÇAKRA, MANDALA, TAO)

SAYILARDA DİYALEKTİK, EŞİTLİK, DENKLEM VE SİMETRİ TABLOSU)
(SAYI KAVRAMININ ARDIŞIK CEBİRSEL GENİŞLEMELERİ)

MADDE EVRENİMİZDE

	ASTRAL ÖLÇEKTE	ATOMİK ÖLÇEKTE
KÜTLE ÇEKİM KUVVETİ ☉: GRAVİTON	10^{-40} MeV	10^{-40} MeV
ZAYIF ÇEKİRDEK KUV. $W^+, W^-, Z^0, \otimes$	10^{-11} MeV	10^{-11} MeV
GÜÇLÜ ÇEKİRDEK KUV.	1 000 MeV	1000 MeV
ELEKTRO MANYETİK KUV. ⊕: FOTON	1 MeV	1 MeV

⊕: PROTON   ⊕: ELEKTRON + : POZİTRON

MADDE EVRENİ

○ NÖTRİNO
⊗ KUARK
ANTİ "
GLUON
MEZON
PROTON

ANTİ-MADDE EVRENİNDE

	ASTRAL ÖLÇEKTE	ATOMİK ÖLÇEKTE
KÜTLE ÇEKİM KUVVETİ ☉: GRAVİTON	10^{-40} MeV	10^{-40} MeV
ZAYIF ÇEKİRDEK KUV. $W^+, W^-, Z^0, \otimes$	10^{-11} MeV	10^{-11} MeV
GÜÇLÜ ÇEKİRDEK KUV.	1 000 MeV	1000 MeV
POZİTRO MANYETİK KUV. ⊕: POZİTRON	1 MeV	1 MeV

⊝: ANTİ PROTON

ANTİ-MADDE EVRENİ

ANTİ-NÖTRİNO
ANTİ KUARK
ANTİ KUARK "
GLUON
MEZON
ANTİ PROTON

KALKÜLÜS ∫ TEMEL TEOREMİ

$$\int_a^b f'(t)\,dt = f(b) - f(a)$$

DİFERANSİYEL KALKÜLÜS:
$$\lim f'(x)$$

İNTEGRAL KALKÜLÜS:
$$\int_a^b f(t)\,dt$$

$$\lim_{x \to a} f(x) = L$$

BIG-BANG

MADDE "AK" ENERJİ
KARA MADDE
ANTİ-MADDE "KARA" ENERJİ
MADDE HAKİM
ANTİ-MADDE HAKİM

ARTI (+) ORANSIZ SAYILAR
ARTI (+) GERÇEK SAYILAR
EKSİ (−) ORANSIZ SAYILAR
EKSİ (−) GERÇEK SAYILAR

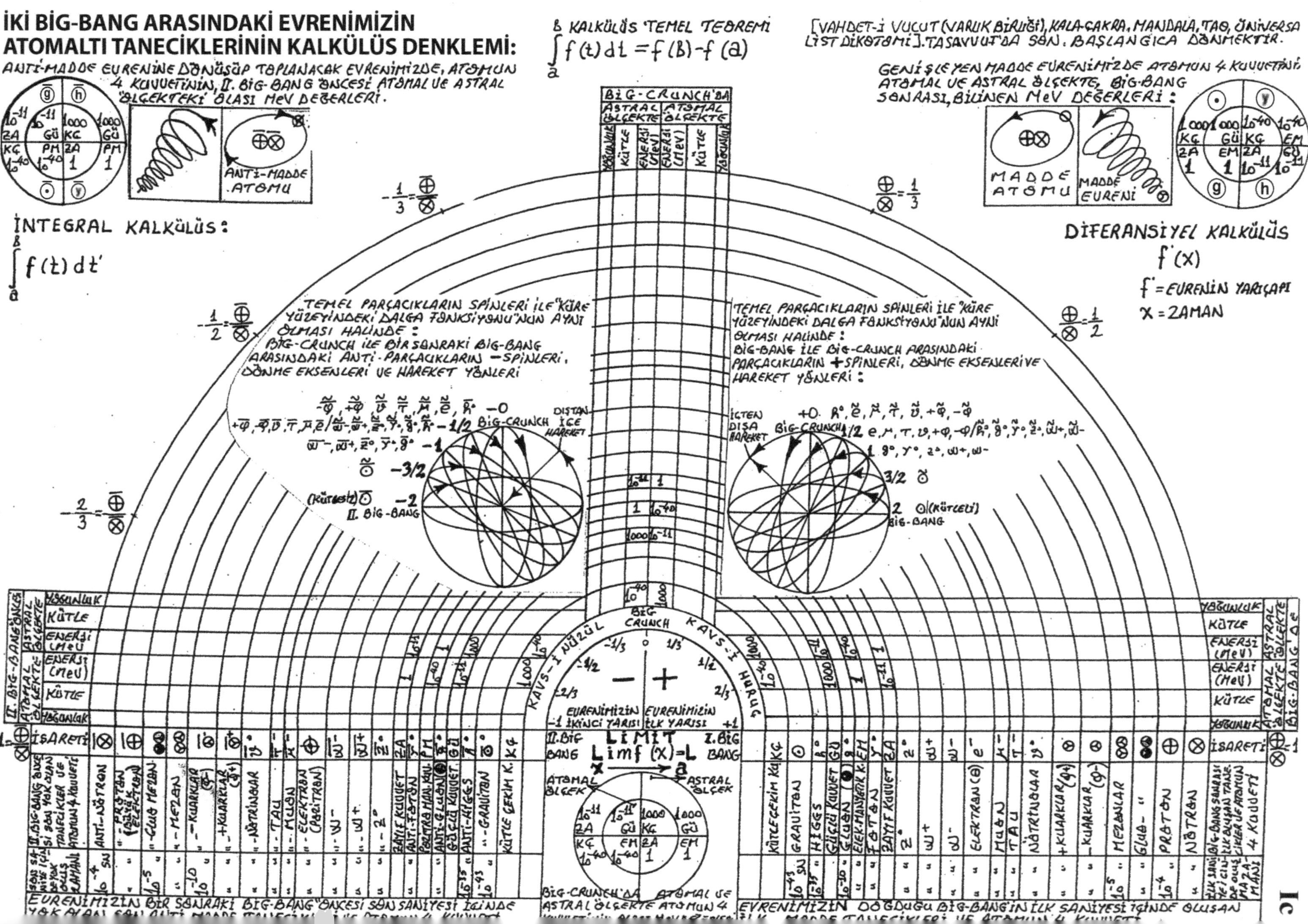
İKİ BİG-BANG ARASINDAKİ EVRENİMİZİN
ATOMALTI TANECİKLERİNİN KALKÜLÜS DENKLEMİ:
ANTİ-MADDE EVRENİNE DÖNÜŞÜP TOPLANACAK EVRENİMİZDE, ATOMUN
4 KUVVETİNİN, II. BİG-BANG ÖNCESİ ATOMAL VE ASTRAL
ÖLÇEKTEKİ OLASI MeV DEĞERLERİ.
β KALKÜLÜS TEMEL TEOREMİ
[VAHDET-İ VUCUT (VARLIK BİRLİĞİ), KALA-ÇAKRA, MANDALA, TAO, ÜNİVERSA
LİST DİKOTOMİ]. TASAVVUF'DA SON, BAŞLANGICA DÖNMEKTİR.
GENİŞLEYEN MADDE EVRENİMİZDE ATOMUN 4 KUVVETİNİ
ATOMAL VE ASTRAL ÖLÇEKTE, BİG-BANG
SONRASI, BİLİNEN MeV DEĞERLERİ:
MADDE ATOMU
MADDE EVRENİ
ANTİ-MADDE ATOMU
İNTEGRAL KALKÜLÜS:
DİFERANSİYEL KALKÜLÜS
f'(x)
f' = EVRENİN YARIÇAPI
x = ZAMAN
TEMEL PARÇACIKLARIN SPİNLERİ İLE "KÜRE
YÜZEYİNDEKİ DALGA FONKSİYONU"NUN AYNI
OLMASI HALİNDE:
BİG-CRUNCH İLE BİR SONRAKİ BİG-BANG
ARASINDAKİ ANTİ-PARÇACIKLARIN −SPİNLERİ,
DÖNME EKSENLERİ VE HAREKET YÖNLERİ
TEMEL PARÇACIKLARIN SPİNLERİ İLE "KÜRE
YÜZEYİNDEKİ DALGA FONKSİYONU"NUN AYNI
OLMASI HALİNDE:
BİG-BANG İLE BİG-CRUNCH ARASINDAKİ
PARÇACIKLARIN +SPİNLERİ, DÖNME EKSENLERİVE
HAREKET YÖNLERİ:
DIŞTAN İÇE HAREKET
BİG-CRUNCH
II. BİG-BANG
İÇTEN DIŞA HAREKET
BİG-BANG
BİG-CRUNCH'DA
ASTRAL ÖLÇEKTE
ATOMAL ÖLÇEKTE
KAVS-I NÜZÜL
KAVS-I HURUÇ
BİG-CRUNCH
EVRENİMİZİN İKİNCİ YARISI
EVRENİMİZİN İLK YARISI
LİMİT
Lim f(x) = L
II. BİG-BANG
I. BİG-BANG
ATOMAL ÖLÇEK
ASTRAL ÖLÇEK
BİG-CRUNCH'DA ATOMAL VE
ASTRAL ÖLÇEKTE ATOMUN 4
YOĞUNLUK
KÜTLE
ENERJİ (MeV)
ENERJİ (MeV)
KÜTLE
İŞARETİ
ANTİ-NÖTRON
GLUB MEZANLAR
MEZANLAR
KUARKLAR
+KUARKLAR
NÖTRİNOLAR
TAU
MÜON
ELEKTRON (PROTON)
W−
W+
ZAYIF KUVVET
ANTİ-FOTON
ANTİ-GLUON
GÜÇLÜ KUVVET
ANTİ-HİGGS
KÜTLE ÇEKİM K.
KÜTLE ÇEKİM KAKÇ
GRAVİTON
HİGGS
GÜÇLÜ KUVVET
GLUON
ELEK-MANYETİK K.
FOTON
ZAYIF KUVVET
W+
W−
ELEKTRAN (e)
MÜON
TAU
NÖTRİNOLAR
+KUARKLAR
−KUARKLAR
MEZANLAR
GLUB−
PROTON
NÖTRON
ANTİ-NÖTRON
SU
İŞARETİ

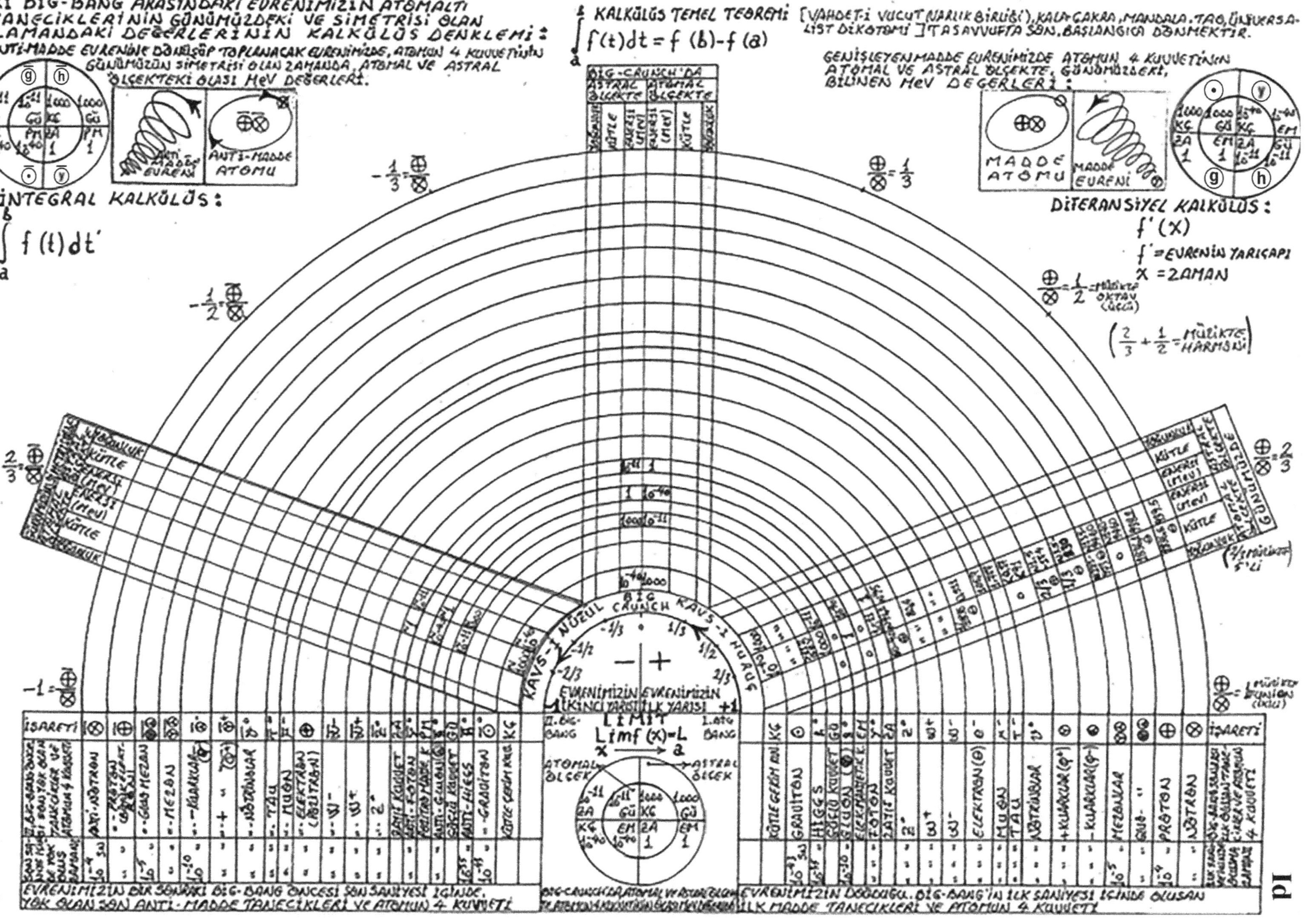
İKİ BİG-BANG ARASINDAKİ EVRENİMİZİN ATOMALTI TANECİKLERİNİN GÜNÜMÜZDEKİ VE SİMETRİSİ OLAN ZAMANDAKİ DEĞERLERİNİN KALKÜLÜS DENKLEMİ :
ANTİ-MADDE EVRENİNE DÖNÜŞÜP TOPLANACAK EVRENİMİZDE, ATOMUN 4 KUVVETİNİN GÜNÜMÜZÜN SİMETRİSİ OLAN ZAMANDA, ATOMAL VE ASTRAL ÖLÇEKTEKİ OLASI MEV DEĞERLERİ.
İNTEGRAL KALKÜLÜS :
ANTİ-MADDE EVRENİ
ANTİ-MADDE ATOMU
KALKÜLÜS TEMEL TEOREMİ : [VAHDET-İ VUCUT (VARLIK BİRLİĞİ), KALA-ÇAKRA, MANDALA, TAO, ÜNİVERSALİST DİKOTOMİ] TASAVVUFTA SON, BAŞLANGICA DÖNMEKTİR.
BIG-CRUNCH'DA ASTRAL ÖLÇEKTE — ATOMAL ÖLÇEKTE
GENİŞLEYEN MADDE EVRENİMİZDE ATOMUN 4 KUVVETİNİN ATOMAL VE ASTRAL ÖLÇEKTE, GÜNÜMÜZDEKİ, BİLİNEN MEV DEĞERLERİ.
MADDE ATOMU — MADDE EVRENİ
DİFERANSİYEL KALKÜLÜS :
f' (X)
f' = EVRENİN YARIÇAPI
X = ZAMAN
= MÜZİKTE OKTAV (ÜÇGÜ)
= MÜZİKTE HARMONİ
BIG — CRUNCH KAVS -1 HURUÇ
KAVS -1 NÜZUL
EVRENİMİZİN İKİNCİ YARISI — EVRENİMİZİN İLK YARISI
LİMİT
Limf (X) = L
ATOMAL ÖLÇEK — ASTRAL ÖLÇEK
II. BIG-BANG — I. BIG-BANG
KÜTLE ÇEKİM MK KG
GRAVİTON
HİGGS
ANTİ-HİGGS
SÖZDE KUVVET
SİCON
ELEKTROMANYETİK EM
FOTON
ZATİF KUVVET
ELEKTRON (θ)
MUON
TAU
NÖTRONLAR
KUARKLAR
MEZONLAR
PROTON
ABTARON
ANTİ-ABTARON
GRAVİTON
ZATİF-HİGGS
SÖZÜ KUVVET
ANTİ-FOTON
ANTİ-GLUON
NÖTRON
NÖTRİNO
TAU
MUON
ELEKTRON
KUARKLAR
MEZONLAR
İŞARETİ

EVRENİMİZİN TARİHİ

EVREN	UZAM (m)	DALGA BOYU (m)	ISI K°	KÜTLE	ZAMAN	EVRENİMİZİN TARİHİ
IŞINIM HAKİM EVREN	10^{-35}	10^{-35}	10^{23}	($10^{19}\ \oplus$) 10^{19} GeV	BIG-BANG ÖNCESİ / BIG-BANG DEN 10^{-45} SN. SONRA	ÖNCEKİ EVRENE AİT HER YOK EDİLEN ANTİMADDE KÜTLESİNE KARŞILIK (M=E/C²) RADYASYON YARATILIRKEN (f=E/h) SIRAYLA: ANTİBARYONLARIN VE ANTİMEZONLARIN TEMSİL ETTİĞİ GÜÇLÜ ÇEKİRDEK KUVVETİ VE ANTİBOZONLARIN TEMSİL ETTİĞİ ZAYIF ÇEKİRDEK KUVVETİ ZAYIFLARKEN ANTİ ELEKTRONLARIN TEMSİL ETTİĞİ POZİTROMANYETİK KUVVET GÜÇLENİR VE ÖNCE BU ÜÇ KUVVET BİRLEŞİR.
				(10^{-5} gr)		**PLANK DÖNEMİ VE BIG-BANG:** SIFIRLANAN HACİM, UZAM, ZAMAN (TEKİLLİK, KURT DELİKLERİ) KÜTLE (GRAVÜTON SAYISI) VE KÜTLE ÇEKİM POTANSİYEL ENERJİSİNE KARŞI MAKSİMUM ISI, IŞIMA, YOĞUNLUK, ZAMAN HIZI, HAREKET HIZI, KİNETİK HAREKET ENERJİSİ (-1) OLDUĞUNDA DÖRT KUVVET BİRLEŞTİ. VE CASIMIR ETKİSİ İLE DE BIG-BANG GERÇEKLEŞTİ. KİNETİK ENERJİ ANTİMADDENİN -1 YÜKLÜ SICAK RADYASYONUNDAN (IŞINIMINDAN) MADDE EVRENİMİZİN +1 YÜKLÜ SICAK RASYASYONUNA (IŞINIMINA) DÖNÜŞTÜ. (ARTIK KİNETİK ENERJİYE AİT HER YOK EDİLEN RASYASYONA KARŞILIK POTANSİYEL ENERJİYE AİT KÜTLE YARATILMA EVRESİNE GİRİLMİŞ OLDU. VAR EDİLEN MADDELER DE EVRENİMİZİN GENİŞLEMESİ DURANA KADAR ENERJİLERİNİ YAKIP EVRENİN EN DIŞINDA SIFIR YÜKLÜ KARA MADDE OLARAK BİRİKMEYE DEVAM EDECEKTİR.
	~20 cm		10^{10}	$10^{15}\ \oplus$	10^{-35} SN. SONRA	**BÜYÜK BİRLEŞME DÖNEMİ:** WIMP'LER (KARARSIZ, ZAYIF ETKİLEŞİMLİ BÜYÜK KÜTLELİ TANECİKLER) BAŞKA EVRENLERE (ÖNCEKİ EVRENE) AÇILAN ZAYIF VE GÜÇLÜ ÇEKİRDEK KUVVETLERİNİN YAKINLAŞMASIDIR. SÜPER SİMETRİ HALİNDE (SUSY) VAR OLURLAR. BU AŞAMADA EVRENDE BARYON KADAR FOTON VAR (ENTROPİ=0) EVRENDE SUSY EVRESİNDE ZAYIF VE KUVVETLİ ÇEKİRDEK KUVVETİ İLE ELEKTROMANYETİK KUVVET BİRLEŞİR. EVRENDE SOĞUK KARANLIK MADDE VAR.
	10^{13} cm			~200 GeV	10^{-11} SN. SONRA	**ÖRGÜLER:** KÜRESEL KABUL EDİLEN 3 BOYUTLU DÜĞÜMLER BÜYÜK BİRLEŞME DÖNEMİNİN YAŞAYAN KALINTILARIDIR. (EK IIa,b DEKİ OLABİLİR) BU EVREDE ÖRGÜ ÇÖKTÜ VE GOLD STONE BOZONLARI YAYMAYA BAŞLADI. (ZAYIF ETKİLEŞİMLİ KÜTLESİZ BOZONLAR) ORTAYA ÇIKAN DALGALANMALAR DAHA SONRA GALAKSİ VE KÜMELERİNİ OLUŞTURUP GERİYE BUGÜNKÜ GOLD STONE BOZON DENİZİ KALDI.
	(W) 10^{35} cm					**SİCİMLER:** ENİ 10^{-35} cm, BOYU SONSUZ TEK BOYUTLU YÜKSEK ENERJİ SİCİMLERİ. ÖRGÜ VE SİCİMLERİN OLMADIĞI BOŞLUKLARDA POTANSİYEL ENERJİ YOĞUNLUĞUNA SAHİP HIGGS ALANLARI OLUŞUR.
	~10^{20}	~10^{20}	10^{13}	<200 GeV	10^{-10} SN. SONRA	**ATOMUN DÖRT KUVVETİNİN BİRBİRİNDEN AYRILMA DÖNEMİ:** ELEKTRON, POZİTRON, KUARK, ANTİKUARK ÇORBASI (MUHTEMELEN BBY'YE AİT 160 TANE TEKLİ TANECİK.)
				<300 GeV	10^{-5} SN. SONRA	**İKİ TANECİKLİ MEZON VE ANTİ MEZONLAR YARATILDI**
			10^{10}	1 MeV	10^{-4} SN. SONRA	**ÜÇ TANECİKLİ BARYON VE ANTİBARYONLAR YARATILDI. (NÜKLEONLAR)**
			10^{10}	< 1 MeV	1 SN. SONRA	ELEKTRONLAR VE POZİTRONLAR YOK OLDU.
					1 DAKİKA SONRA	**PARÇACIK YARATILMASI DURDU:** EVRENDE 10 PROTONA 1 HELYUM ÇEKİRDEĞİ VAR.
				~100 KeV	3 DAKİKA SONRA	**NÜKLEER FÜZYON (BİRLEŞME) DEVRİ**
					1 SAAT SONRA	EVRENDE %75 HİDROJEN, %25 HELYUM VE ELEKTRONLAR VAR.
					1 AY SONRA	DALGALANMALAR BÜYÜMEYE BAŞLADI.
			2,73°		1 YIL SONRA (Y.S.)	**TERMALİZASYON DÖNEMİ:** X IŞINLARI ŞEKLİNDE "KOZMİK MİKRODALGA FONU" IŞINIMLARI (KARA CİSİM IŞINLARI) HİDROJEN PLAZMASI, FOTONLAR SOĞUK NOKTALAR, MADDE DAĞILIMINDAKİ BOŞLUKLAR SICAK NOKTALAR HALİNDE.
MADDE HAKİM EVREN					100.000 Y.S.	**ISI VE YOĞUNLUK DALGALANMALARI DÖNEMİ BAŞLADI:** EVRENDE IŞINIM HAKİM DÖNEM SONA ERDİ. MADDENİN EGEMEN OLDUĞU DÖNEM BAŞLADI. GALAKSİLERDEN ÖNCE YOĞUNLAŞAN BARYON KÖKENLİ MACHO'LAR (TOPAKLANMALAR) BÜYÜK KÜTLELİ SIKI HALE CİSİMLERİDİR. (ASTROFİZİKSEL KARANLIK MADDE) DAHA ÖNCE ADİABATİK (HEM MADDE HEM IŞINIM İÇEREN) OLDUĞUNDAN BÜYÜYEMEMİŞ OLAN DALGALANMALAR BÜYÜMEYE BAŞLADI.
	10^{-9} cm	10^{-9} cm	3000	<1 eV	300.000 Y.S.	**BİRLEŞME DÖNEMİ:** ELEKTRONLARLA HELYUM ÇEKİRDEKLERİ BİRLEŞİP İLK ATOMLARI OLUŞTURUYOR. MADDE YOĞUNLUĞU VE ISININ AZALMASIYLA IŞINIMLARDA AYRIŞMA "SON SAÇILMA DÖNEMİ" NE GİRİLDİ. FOTONLAR SERBEST KALDI. MADDE ÖNCEKİ PLAZMA HALİNDEN ATOM HALİNE GELDİ. HİDROJEN ATOMLARI OLUŞMAYA BAŞLADI. BU DEVREDE EVREN BUGÜNKÜNDEN 1.000 KAT DAHA KÜÇÜKTÜ. 1 MİLYON GÜNEŞ KÜTLESİNE SAHİP İLK KÜÇÜK YAPILAR OLUŞURKEN EVREN IŞINIMA GEÇİRGEN HALE GELİP HİDROJEN GAZI KÜMESİ OLARAK AYDINLANDI.
					1 MİLYON Y.S.	**TAM HOMOJEN YOĞUNLUK DALGALANMALARI BÜYÜMEYE BAŞLADI.**
					1 MİLYAR Y.S.	**İLEK GALAKSİLER:** EVRENDEKİ GAZIN KÜTLE ÇEKİM GÜCÜ GALAKSİLERİ OLUŞTURUYOR.
		10^{17}			2 MİLYAR Y.S.	GALAKSİLERDE VE SAMANYOLU YILDIZLARINDA AĞIR ELEMENTLERİN OLUŞMAYA BAŞLAMASI.
		10^{17}			3 MİLYAR Y.S.	GALAKSİLERDE VE SAMANYOLUNUN MERKEZİNDE AUROLAR DIŞINDA İSE HALELER OLUŞTU.
					4-5 MİLYAR Y.S.	GALAKSİLERDE VE SAMANYOLUNUN MERKEZİ ETRAFINDA DİSKLER OLUŞTU.
		10^{12}			6-7 MİLYAR Y.S.	EVRENDE SIRF HİDROJEN GAZINDAN OLUŞAN GAZ KÜMESİ (NEBULA)
		10^{12}			9-10 MİLYAR Y.S.	CÜCE GALAKSİLER, YILDIZLAR, GÜNEŞ SİSTEMİ VE DÜNYA OLUŞTU.
					10,7 MİLYAR Y.Ö. (YIL ÖNCE)	DÜNYADA GÜNEYDOĞU AFRİKADA İLK CANLI BİTKİ TEK HÜCRELİ YOSUN KÖMÜRDEN OLUŞTU. (ALGLER)
					565 MİLYON Y.Ö.	DÜNYADA İLK HAREKET EDEN DENİZ HAYVANI
					300 MİLYON Y.Ö.	DÜNYADA İLK KARA BİTKİLERİ.
					260-180 MİLYON Y.Ö.	DÜNYADA ÖNCE BİTİŞİK OLAN AVRUPA İLE AMERİKA AYRILIYOR.
					225-75 MİLYON Y.Ö.	DÜNYADA DİNAZORLARIN YAŞAM SÜRESİ
					100 MİLYON Y.Ö.	DÜNYADA İLK BÖCEKLER
					80 MİLYON Y.Ö.	DÜNYADA GÜNEY KUTUPTA PALMİYE AĞAÇLARI. ATMOSFERİN %30'U OKSİJEN.
					60 MİLYON Y.Ö.	DÜNYADA BUGÜNKÜNE BENZER KARA COĞRAFYASI OLUŞTU.
					55-30 MİLYON Y.Ö.	DÜNYADA ATLARIN ATASI "MAYAHIPIS"
					30 MİLYON Y.Ö.	DÜNYADA KAHİRE'DE FAYYUM ÇUKURUNDA İNSANA BENZEYEN ŞEMPANZE
					10 MİLYON Y.Ö.	DÜNYADA SELANİKTE İLK İNSAN İSKELETİ.
					8 MİLYON Y.Ö.	DÜNYADA ÇİNDE BİR İNSAN KAFATASI.
					7 MİLYON Y.Ö.	DÜNYADA AFRİKA'NIN ORTAGÜNEYİNDEN SURİYE VE HATAY'A KADAR RIF ÇÖKÜNTÜSÜ VE TANGANİKA GÖLÜ (4.000 m DERİNLİK) OLUŞTU.
					5 MİLYON Y.Ö.	DÜNYADA ORTA AFRİKA'DA "AUSTRALOPITHECUS" İNSAN TİPİ. BEYİN HACMİ 500 cc.
					3,2 MİLYON Y.Ö.	DÜNYADA DAĞLAR OLUŞMAYA BAŞLADI. ORTA ASYADA İNSAN KAFATASI "KONSÜL".
					3 MİLYON Y.Ö.	DÜNYADA GÜNEYDOĞU AFRİKA' DA BİR İNSAN İSKELETİ "LUSİ" I. İNSAN TİPİ. "RAMAPITHEKUS"
					2 MİLYON Y.Ö.	DÜNYADA ORTA GÜNEY AFRİKA'DA "HOMO-HİBİLİS" İNSAN TİPİ.
					1,5 MİLYON Y.Ö.	DÜNYADA ORTA GÜNEY AFRİKA'DA "HOMO-EREKTUS" İNSAN TİPİ. BEYİN HACMİ 900 cc I. İNSAN TİPİ.
					1 MİLYON Y.Ö.	DÜNYADA EN ESKİ BUZ DEVRİ BAŞLADI. NİL VADİSİ GÖLLE KAPLI.
					600.000 Y.Ö.	DÜNYADA EN ESKİ BUZ DEVRİ BİTTİ.
					600.00-540.000 Y.Ö.	DÜNYADA I. BUZ DEVRİ. NİL VADİSİ GÖLÜ KURUDU.
					600.000-150.000 Y.Ö.	DÜNYADA AVRUPADA HEIDELBERGER İNSANI.
					540.000-480.000 Y.Ö.	DÜNYADA SICAK DEVİR. İLK YABANİ AT.
					500.000 Y.Ö.	DÜNYADA JAVA ADASI'NDA "JAVA ADAMI" (PİTOKONTROPUS)
					480.000-430.000 Y.Ö.	DÜNYADA II. BUZ DEVRİ.
					400.000-240.000 Y.Ö.	DÜNYADA SICAK DEVİR.
					370.000-240.000 Y.Ö.	DÜNYADA II. ARA BUZ DEVRİ.
					350.000 Y.Ö.	DÜNYADA ORTAASYA'DA ATEŞ YAKMANIN ÖĞRENİLMESİ.
					250.000 Y.Ö.	DÜNYADA ANADOLU'DA MANİSA'DA İNSAN İZLERİ.
					240.000-180.000 Y.Ö.	DÜNYADA III. BUZ DEVRİ.
					180.000-120.000 Y.Ö.	DÜNYADA SICAK DEVİR.
					150.000 Y.Ö.	DÜNYADA ASYA-AVRUPA VE AFRİKA'DA "NEANDERTHALER" III. İNSAN TİPİ
					120.000-12.000 Y.Ö.	DÜNYADA IV. BUZ DEVRİ.
					60.000-12.000 Y.Ö.	DÜNYADA SON ARA BUZ DEVRİ. KUZEY YARI KÜRE BUZLARLA KAPLI. GÜNEY YARI KÜRE ÇOK SICAK. YAŞAMA ELVERİŞLİ OLAN ORTA ASYA'DA BUGÜNKÜ İNSAN TİPİ "HOMOSAPİEN"İLK DÜŞÜNEN VE KONUŞAN İNSAN TİPİ. IV. İNSAN TİPİ.
					16.000 Y.Ö.	DÜNYADA ASYA'DAN BERING BOĞAZI YOLUYLA AMERİKA'YA GÖÇ.
					15.000 Y.Ö.	ASYA'DAN AKDENİZ BÖLGESİNE GÖÇ. IRAK'TA EN ESKİ KÖY.
					14.000 Y.Ö.	ANADOLU'DA KONYA'DA "ÇATALHÖYÜK"
					12.000 Y.Ö.	KUZEY YARIKÜREDE BUZLAR ERİYOR. DENİZLER 80m YÜKSELİYOR. BUGÜNKÜ DENİZ COĞRAFYASI OLUŞUYOR. (TUFAN, NUH'UN GEMİSİ) YAŞADIĞIMIZ SICAK DEVİR BAŞLIYOR
					11.600 Y.Ö.	DÜNYADA ANADOLU'DA URFA' YA YAKIN "GÖBEKLİTEPE" DE EN ESKİ TAPINAK.
					9.000 Y.Ö.	DÜNYADA ANADOLU'DA DİYARBAKIR'DA "ÇAYÖNÜ TEPESİ", İSRAİLDE JERİKO KÖYÜ
					8.000 Y.Ö.	ASYA ORTAASYA'DAN ORTADOĞU VE AVRUPA'YA HİNT AVRUPA IRKI GELİYOR
	10^{20}	10^{20}				BUGÜN 13.7 MİLYAR YAŞINDAKİ EVRENİN YOĞUNLUĞU YAKLAŞIK ~10^{-29} gr/cm²) DÜNYA ATMOSFERİNDEKİ OKSİJEN ORANI %21
						50 BİN İLA 1 MİLYON YIL SONRA DÜNYADA KUTUPLAR YER DEĞİŞTİRECEK.
						50 MİLYON YIL SONRA DÜNYADAN AY UZAKLAŞACAK. KITALAR YER DEĞİŞTİRECEK. YAŞAMA UYGUN İKLİM BOZULACAK.
						EVREN ~45 MİLYAR YAŞINA GELİNCE EVRENDE GENİŞLEME DURACAK, EVREN TEKRAR TOPLANMAYA BAŞLAYACAK. (BIG-CRUNCH)
						EVREN ~90 MİLYAR YAŞINA GELİNCE TEKRAR BIG-BANG İLE BİZDEN SONRAKİ EVREN BAŞLAYACAK.

EVRENİN SINIRLARI

HERZ OLARAK FREKANSLAR → | 1 | 10^1 | 10^2 | 10^3 | 10^4 | 10^5 | 10^6 | 10^7 | 10^8 | 10^9 | 10^{10} | 10^{11} | 10^{12} | 10^{13} | 10^{14} | 10^{15} | 10^{16} | 10^{17} | 10^{18} | 10^{19} | 10^{20} | 10^2 | 10^{22} | 10^{23} | 10^{24} | 10^{25} | 10^{26}

METRE OLARAK EVREN TABLOSU VE ELEKTROMANYETİK DALGA BOYLARI

10^{22} | 10^{21} | 10^{20} | 10^{19} | 10^{18} | 10^{17} | 10^{16} | 10^{15} | 10^{14} | 10^{13} | 10^{12} | 10^{11} | 10^{10} | 10^9 | 10^8 | 10^7 | 10^6 | 10^5 | 10^4 | 10^3 | 10^2 | 10^1 | 1 | 10^{-1} | 10^{-2} | 10^{-3} | 10^{-4} | 10^{-5} | 10^{-6} | 10^{-7} | 10^{-8} | 10^{-9} | 10^{-10} | 10^{-11} | 10^{-12} | 10^{-13} | 10^{-14} | 10^{-15} | 10^{-16} | 10^{-17} | 10^{-18} | 10^{-19} | 10^{-20} | 10^{-21} | 10^{-22}

← EN UZAK GALAKSİLER VE KUASARLAR .... 94 500 000 000 000 000 000 000 m — (10 000 000 000 IŞIK YILI)
 ← EN YAKIN GALAKSİ ANDROMEDA' NIN UZAKLIĞI .... 7 087 500 000 000 000 000 m — (750 000 IŞIK YILI)
  ← SAMANYOLU GALAKSİMİZİN YARI ÇAPI .... 462 598 755 000 000 000 m — 15 000 PARSEC)
   ← KUYRUKLU YILDIZLARIN AZAMİ SINIRI .... 15 000 000 000 000 000 m
    ← EN YAKIN YILDIZIN UZAKLIĞI .... 40 635 000 000 000 m — (4,3 IŞIK YILI)
     ← EN DIŞ GEZEGEN PLUTON'UN GÜNEŞE UZAKLIĞI .... 5 910 000 000 000 m
      ← DÜNYANIN GÜNEŞE UZAKLIĞI .... 149 565 800 000 m
       ← DÜNYANIN YARI ÇAPI .... 6 373 000 m

← BİTKİ, HAYVAN VE İNSANLARIN BOYLARI
 ← BİR HÜCRELİ HAYVANLARIN BOYLARI
  ← HAYVANSAL VE BİTKİSEL HÜCRELERİN BOYLARI
   ← BAKTERİ VE SİNİR HÜCRELERİNİN BOYLARI
    ← HÜCRE ORTALAMA GENİŞLİĞİ
     ← ATOMLARIN ELEKTRON YÖRÜNGELERİ
      ← MOLEKÜLLERİN BÜYÜKLÜĞÜ
       ← URANYUM ATOMUNUN ÇEKİRDEK ÇAPI
        ← ATOMLARIN ORTALAMA YARI ÇAPI
         ← ATOM ÇEKİRDEĞİNİN YARI ÇAPI

ATAM ÇEKİRDEĞİNİN ÜÇLÜ PARÇACIĞI - HİPERON KÜTLESİ	~ 2181-2583 ⊖		← ~ HİPERON
ATAM ÇEKİRDEĞİNİN ÜÇLÜ PARÇACIĞI - NÖTRON KÜTLESİ	~ 1838,6 ⊖		← ~ NÖTRON
ATAM ÇEKİRDEĞİNİN ÜÇLÜ PARÇACIĞI - ⊕ PROTON KÜTLESİ	~ 1838,1 ⊖		← ~ PROTON
ATAM ÇEKİRDEĞİNİN İKİLİ PARÇACIĞI - KAMEZON KÜTLESİ	968 ⊖		← ~ K-MEZON
ATAM ÇEKİRDEĞİNİN İKİLİ PARÇACIĞI - PİMEZON+ KÜTLESİ	273 ⊖		← ~ Pİ-MEZON +
ATAM ÇEKİRDEĞİNİN İKİLİ PARÇACIĞI - PİMEZON- KÜTLESİ	273 ⊖		← ~ Pİ-MEZON -
ATAM ÇEKİRDEĞİNİN İKİLİ PARÇACIĞI - MuMEZON KÜTLESİ	207 ⊖		← ~ Mu-MEZON
ATAM ÇEKİRDEĞİNİN TEKLİ PARÇACIĞI - NÖTRİNOLARIN KÜTLESİ	YOK		
ATAM ÇEKİRDEĞİNİN TEKLİ PARÇACIĞI - + KUARSKLARIN KÜTLESİ	+2/3 ⊕		← ~ +KUARKLAR
ATAM ÇEKİRDEĞİNİN TEKLİ PARÇACIĞI - - KUARSKLARIN KÜTLESİ	-1/3 ⊖		← ~ -KUARKLAR
ATAM ÇEKİRDEĞİNİN İKİLİ PARÇACIĞI - GLUONLAR KÜTLESİ	YOK		
ATAM ÇEKİRDEĞİNİN TEKLİ PARÇACIĞI - ⊖ELEKTRON KÜTLESİ	1/1836 ⊕		← ~ ELEKTRON FOTON→
ATAM ÇEKİRDEĞİNİN TEKLİ PARÇACIĞI - FOTON KÜTLESİ	YOK		
ATAM ÇEKİRDEĞİNİN TEKLİ PARÇACIĞI - +W TANECİĞİ KÜTLESİ	~50-90 ⊕		← ~ -W TANECİĞİ
ATAM ÇEKİRDEĞİNİN TEKLİ PARÇACIĞI - -W TANECİĞİ KÜTLESİ	~50-90 ⊕		← ~ +W TANECİĞİ
ATAM ÇEKİRDEĞİNİN TEKLİ PARÇACIĞI - 0 Z TANECİĞİ KÜTLESİ	~50-91,2 ⊕		
ATAM ÇEKİRDEĞİNİN TEKLİ PARÇACIĞI - GRAVÜTON TANECİĞİ KÜTLESİ	YOK		GRAVİTON→

← RADYO DALGALARI (300 000 Hz)
 ← İONOSFERDE EMİLEN DALGALAR
← HİDROJEN ATOMUNUN IŞINIMI (1 420 000 Hz)

← (VHF) →←(UHF)→
← ULTRA SES →← DUYULAN SES →← INFRA SES →
DALGALARI   D. (7 NOTA)   D.
(Dakikada 20-20 000 Hz arası)

← HABERLEŞME DALGALARI →
← ELEKTRİK DALG. →

← ORTA DALGA →← RADAR →
(FM)   DALGALARI

← TV →   MİKRO →
DALGALARI   DALGALAR

GÖRÜNEN IŞIK D.	DALGA BOYU	ISI IŞINIMI DALGALARI	DALGA BOYU
KIRMIZI	0,8(0,75) μ	KIRMIZI	0,75 μ
		ORTA KIRMIZI	0,65 μ
TURUNCU	0,63 (0,65) μ	TURUNCU	0,60 μ
SARI	0,59 (0,55) μ	SARI	0,55 μ
YEŞİL	0,5 (0,5) μ	YEŞİL	0,51 μ
MAVİ	0,45 (0,45) μ	MAVİ	0,47 μ
		LACİVERT	0,44 μ
MOR	0,4 (0,42) μ	MOR	0,42 μ

METRE / SANİYE OLARAK EVRENDE HIZ TABLOSU

← UZAYDA PULSAR VE KARADELİKLERİN HIZLARI	1 060 000 000 m/sn	(10^9 m/sn)
← ELEKTROMANYETİK DALGA (FOTON) NÖTRİNO HIZLARI	299 793 000 m/sn	(10^8 m/sn)
← ELEKTRONLARIN HIZI	147 000 000 m/sn	(50 000 000 m/sn)
← GALAKSİMİZ SAMANYOLU'NUN UZAYDA GİDİŞ HIZI	700 000 m/sn	(600 000 m/sn)
← GÜNEŞ SİSTEMİNİN GALAKSİMİZ İÇİNDE GİDİŞ HIZI	216 000 m/sn	400 000 m/sn)
← DÜNYANIN GÜNEŞ ÇEVRESİNDE DÖNÜŞ HIZI	29 760 m/sn	
← DÜNYANIN KENDİ ETRAFINDA DÖNÜŞ HIZI	465 m/sn	(1 674 k/saat)

SANİYE OLARAK EVRENDE ZAMAN TABLOSU

BÜYÜK PATLAMA (BIG BANG)	473 040 000 000 000 000	→ (13,7 MİLYAR YIL ÖNCE)
GÜNEŞ SİSTEMİNİN OLUŞUMU	145 065 600 000 000 000	→
DÜNYADA İLK CANLILAR		→ (3 MİLYAR YIL ÖNCE)
DÜNYADA İLK HAYVANLAR		→ (400 MİLYON YIL ÖNCE)
İLK İNSANA BENZER ŞENPANZE		→ 30 MİLYON YIL ÖNCE)
DÜNYANIN BUGÜNKÜNE BENZER HARİTASI		→ 60 MİLYON YIL ÖNCE)
← → EN KISA CANLI ÖMRÜ		BİR KAÇ SN
← EN KISA LEPTON TANECİĞİ ÖMRÜ		$2,2 \times 10^{-6}$ sn
← EN KISA MEZON TANECİĞİ ÖMRÜ		$2,2 \times 10^{-8}$ sn
← EN KISA BARYON TANECİĞİ ÖMRÜ		$>10^{-11}$ sn

82 800 SN (25Sa 56Dk 4Sn) ← DÜNYANIN KENDİ ETRAFINDA DÖNÜŞÜ
31 536 000 Sn (365 gün, 5Sa 48Dk 46Sn) ← DÜNYANIN GÜNEŞ ETRAFINDA DÖNÜŞÜ
1 892 160 000 Sn (60 Yıl) ← ORTALAMA İNSAN ÖMRÜ
BİRKAÇ YÜZ YIL ← EN UZUN BİTKİ-HAYVAN ÖMRÜ
← GÜNEŞ SİSTEMİNİN SONU (4-5 MİLYAR YIL SONRA)
← EVRENİN SONU (~86-100 MİLYAR YIL SONRA)

SANTİGRAT DERECE (°C) OLARAK EVRENDE ISI TABLOSU

← EVRENİ OLUŞTURAN BÜYÜK PATLAMANIN (BIG-BANG) İLK SANİYESİNDEKİ ISI		100 000 000 000 °C (10^{11} °C)
← YILDIZLARIN MERKEZİNDEKİ ISI		15 000 000 000 °C (10^{10} °C)
← DÜNYANIN 60 km ALTINDAN AŞAĞIDAKİ ISI		2 ↔ 3 000 °C (10^3 °C)
← HAYAT İÇİN ISI SINIRI →		-200 ↔ 600 °C
(10^2 °C - 10^{-2} °C)		

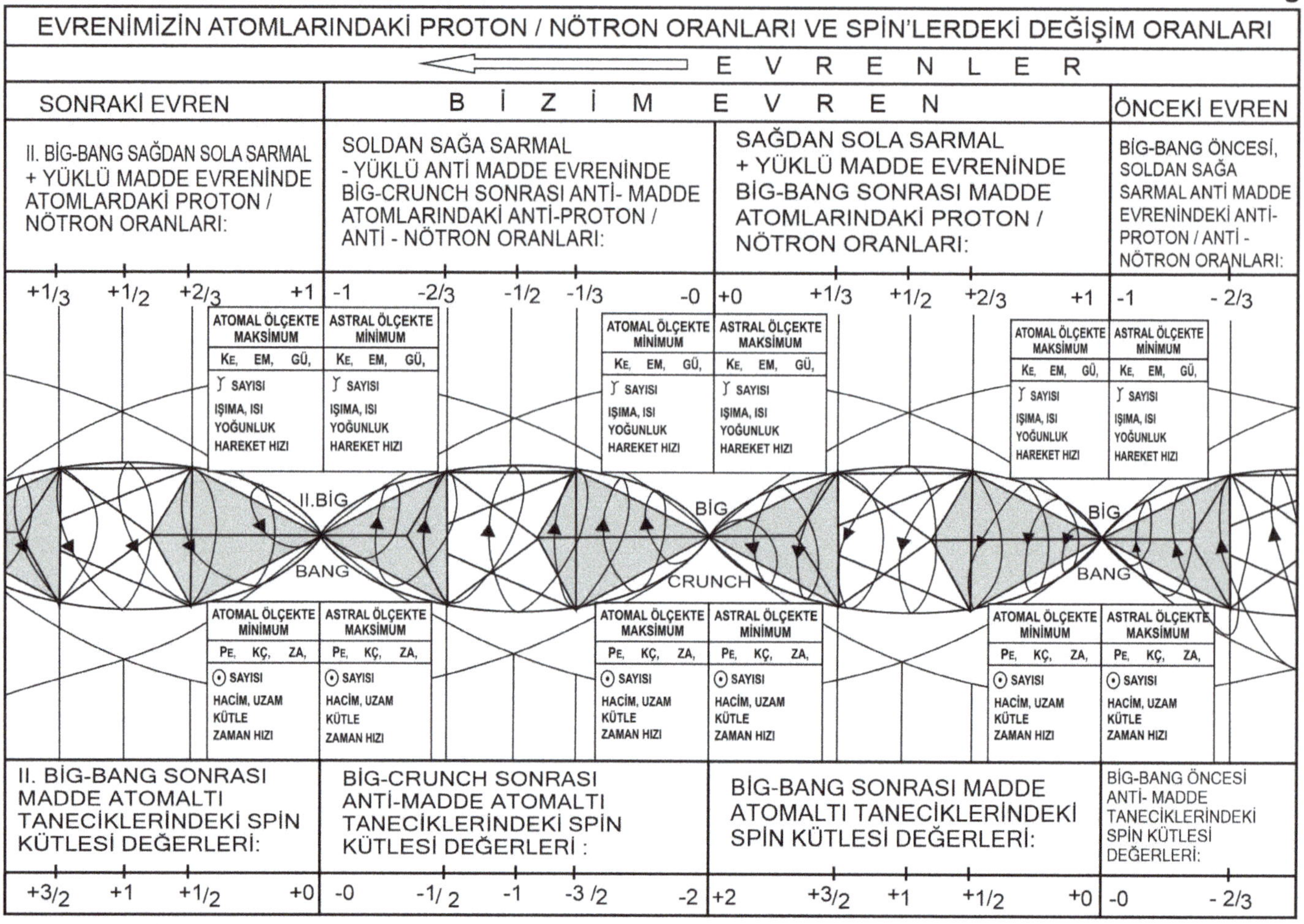

EVRENİMİZİN ATOMLARINDAKİ PROTON / NÖTRON ORANLARI VE SPİN'LERDEKİ DEĞİŞİM ORANLARI

← E V R E N L E R

SONRAKİ EVREN	B İ Z İ M E V R E N		ÖNCEKİ EVREN
II. BİG-BANG SAĞDAN SOLA SARMAL + YÜKLÜ MADDE EVRENİNDE ATOMLARDAKİ PROTON / NÖTRON ORANLARI:	SOLDAN SAĞA SARMAL - YÜKLÜ ANTİ MADDE EVRENİNDE BİG-CRUNCH SONRASI ANTİ- MADDE ATOMLARINDAKİ ANTİ-PROTON / ANTİ - NÖTRON ORANLARI:	SAĞDAN SOLA SARMAL + YÜKLÜ MADDE EVRENİNDE BİG-BANG SONRASI MADDE ATOMLARINDAKİ PROTON / NÖTRON ORANLARI:	BİG-BANG ÖNCESİ, SOLDAN SAĞA SARMAL ANTİ MADDE EVRENİNDEKİ ANTİ- PROTON / ANTİ - NÖTRON ORANLARI:

$+1/3$ $+1/2$ $+2/3$ $+1$ -1 $-2/3$ $-1/2$ $-1/3$ -0 $+0$ $+1/3$ $+1/2$ $+2/3$ $+1$ -1 $-2/3$

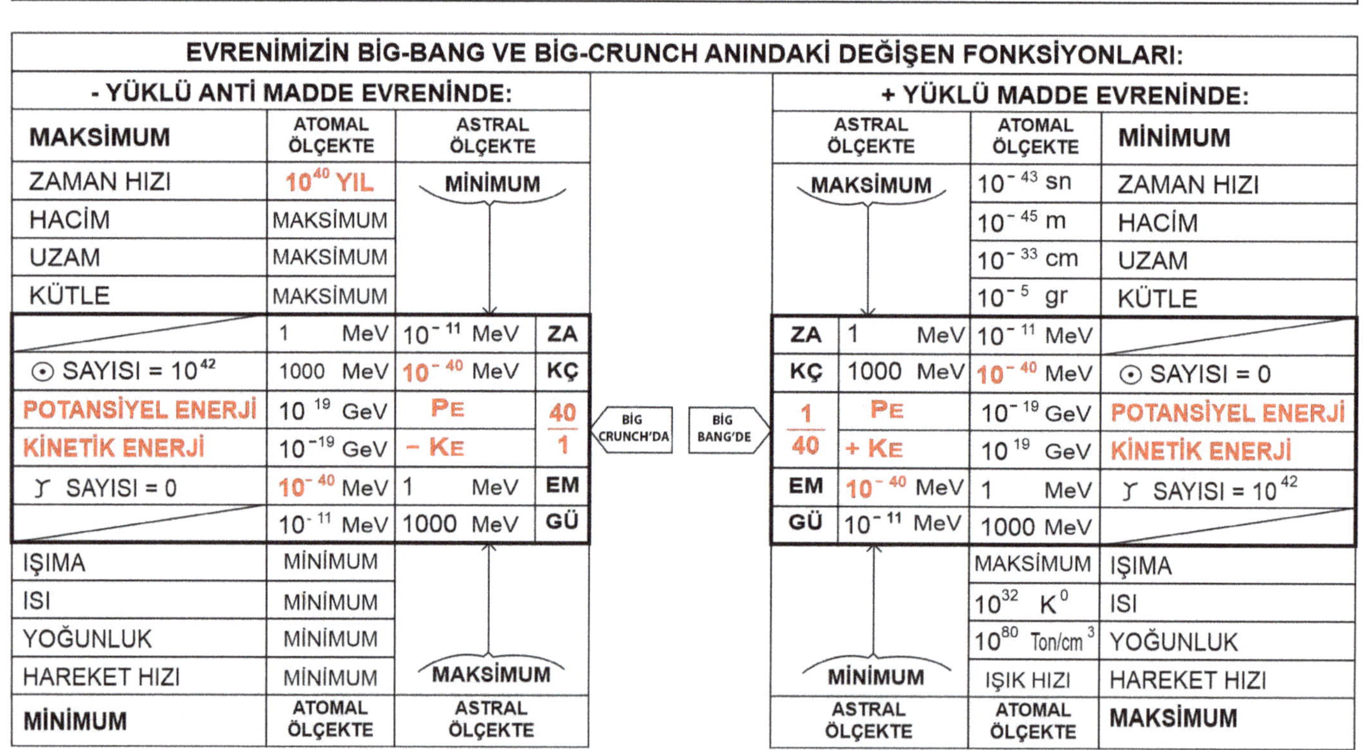

Merkez diyagramındaki kutu etiketleri:

ATOMAL ÖLÇEKTE MAKSİMUM — KE, EM, GÜ, ϒ SAYISI, IŞIMA, ISI, YOĞUNLUK, HAREKET HIZI

ASTRAL ÖLÇEKTE MİNİMUM — KE, EM, GÜ, ϒ SAYISI, IŞIMA, ISI, YOĞUNLUK, HAREKET HIZI

II.BİG BANG — BİG CRUNCH — BİG BANG

ATOMAL ÖLÇEKTE MİNİMUM — PE, KÇ, ZA, ⊙ SAYISI, HACİM, UZAM, KÜTLE, ZAMAN HIZI

ASTRAL ÖLÇEKTE MAKSİMUM — PE, KÇ, ZA, ⊙ SAYISI, HACİM, UZAM, KÜTLE, ZAMAN HIZI

II. BİG-BANG SONRASI MADDE ATOMALTI TANECİKLERİNDEKİ SPİN KÜTLESİ DEĞERLERİ:	BİG-CRUNCH SONRASI ANTİ-MADDE ATOMALTI TANECİKLERİNDEKİ SPİN KÜTLESİ DEĞERLERİ :	BİG-BANG SONRASI MADDE ATOMALTI TANECİKLERİNDEKİ SPİN KÜTLESİ DEĞERLERİ:	BİG-BANG ÖNCESİ ANTİ- MADDE TANECİKLERİNDEKİ SPİN KÜTLESİ DEĞERLERİ:

$+3/2$ $+1$ $+1/2$ $+0$ -0 $-1/2$ -1 $-3/2$ -2 $+2$ $+3/2$ $+1$ $+1/2$ $+0$ -0 $-2/3$

PARÇACIKLAR	II. BIG - BANG				BIG - CRUNCH'DA				BIG - BANG'DE			
	ASTRAL ÖLÇEKTE		ATOMAL ÖLÇEKTE		ASTRAL ÖLÇEKTE		ATOMAL ÖLÇEKTE		ASTRAL ÖLÇEKTE		ATOMAL ÖLÇEKTE	
g , ϒ , ϒϒ , ♧	GÜ	1000 MeV	GÜ	10^{-11} MeV	GÜ	1000 MeV	GÜ	10^{-11} MeV	GÜ	10^{-11} MeV	GÜ	1000 MeV
+ , ϒ , ⊖	EM	1 MeV	EM	10^{-40} MeV	EM	1 MeV	EM	10^{-40} MeV	EM	10^{-40} MeV	EM	1 MeV
W^+, W^-, Z°, ○	ZA	10^{-11} MeV	ZA	1 MeV	ZA	10^{-11} MeV	ZA	1 MeV	ZA	1 MeV	ZA	10^{-11} MeV
⊙	KÇ	10^{-40} MeV	KÇ	1000 MeV	KÇ	10^{-40} MeV	KÇ	1000 MeV	KÇ	1000 MeV	KÇ	10^{-40} MeV

GÜ: GÜÇLÜ ÇEKİRDEK KUVVETİ / **EM:** ELEKTROMANYETİK KUVVET / **ZA:** ZAYIF ÇEKİRDEK KUVVETİ / **KÇ:** KÜTLE ÇEKİM KUVVETİ

EVRENİMİZİN BİG-BANG VE BİG-CRUNCH ANINDAKİ DEĞİŞEN FONKSİYONLARI:

- YÜKLÜ ANTİ MADDE EVRENİNDE:

MAKSİMUM	ATOMAL ÖLÇEKTE	ASTRAL ÖLÇEKTE				ASTRAL ÖLÇEKTE	ATOMAL ÖLÇEKTE	MİNİMUM
ZAMAN HIZI	10^{40} YIL	MİNİMUM				MAKSİMUM	10^{-43} sn	ZAMAN HIZI
HACİM	MAKSİMUM						10^{-45} m	HACİM
UZAM	MAKSİMUM						10^{-33} cm	UZAM
KÜTLE	MAKSİMUM						10^{-5} gr	KÜTLE
	1 MeV	10^{-11} MeV	ZA		ZA	1 MeV	10^{-11} MeV	
⊙ SAYISI = 10^{42}	1000 MeV	10^{-40} MeV	KÇ		KÇ	1000 MeV	10^{-40} MeV	⊙ SAYISI = 0
POTANSİYEL ENERJİ	10^{19} GeV	PE	40	BİG CRUNCH'DA / BİG BANG'DE	1	PE	10^{-19} GeV	**POTANSİYEL ENERJİ**
KİNETİK ENERJİ	10^{-19} GeV	– KE	1		40	+ KE	10^{19} GeV	**KİNETİK ENERJİ**
ϒ SAYISI = 0	10^{-40} MeV	1 MeV	EM		EM	10^{-40} MeV	1 MeV	ϒ SAYISI = 10^{42}
	10^{-11} MeV	1000 MeV	GÜ		GÜ	10^{-11} MeV	1000 MeV	
IŞIMA	MİNİMUM						MAKSİMUM	IŞIMA
ISI	MİNİMUM						10^{32} K^0	ISI
YOĞUNLUK	MİNİMUM						10^{80} Ton/cm^3	YOĞUNLUK
HAREKET HIZI	MİNİMUM	MAKSİMUM				MİNİMUM	IŞIK HIZI	HAREKET HIZI
MİNİMUM	ATOMAL ÖLÇEKTE	ASTRAL ÖLÇEKTE				ASTRAL ÖLÇEKTE	ATOMAL ÖLÇEKTE	**MAKSİMUM**

+ YÜKLÜ MADDE EVRENİNDE:

ANTI-MADDE TANECİKLERİ

$\tilde{\bar{G}}^{\circ}$	ANTİ GRAVİTON SÜPER EŞİ
$\tilde{\bar{h}}^{\circ}$	ANTİ HİGGS SÜPER EŞİ
$\tilde{\bar{g}}^{\circ}$	ANTİ GLUON SÜPER EŞİ
$\tilde{\bar{\gamma}}^{\circ}$	ANTİ FOTON SÜPER EŞİ
$\tilde{\bar{Z}}^{\circ}$	ANTİ Z° SÜPER EŞİ
$\tilde{\bar{W}}^{+}$	ANTİ W⁺ SÜPER EŞİ
$\tilde{\bar{W}}^{-}$	ANTİ W⁻ SÜPER EŞİ
$\tilde{\bar{e}}$	ANTİ ELEKTRON SÜPER EŞİ
$\tilde{\bar{\mu}}$	ANTİ MUON Süper Eşi
$\tilde{\bar{\tau}}$	ANTİ TAU SÜPER EŞİ
$\bar{\nu}\,\tilde{\bar{G}}^{\circ}$	ANTİ GRAVİTON NÖTRİNOSU SÜPER EŞİ
$\bar{\nu}\,\tilde{\bar{h}}^{\circ}$	ANTİ HİGGS NÖTRİNOSU SÜPER EŞİ
$\bar{\nu}\,\tilde{\bar{g}}^{\circ}$	ANTİ GLUON NÖTRİNOSU SÜPER EŞİ
$\bar{\nu}\,\tilde{\bar{\gamma}}^{\circ}$	ANTİ FOTON NÖTRİNOSU SÜPER EŞİ
$\bar{\nu}\,\tilde{\bar{Z}}^{\circ}$	ANTİ Z° NÖTRİNOSU SÜPER EŞİ
$\bar{\nu}\,\tilde{\bar{W}}^{+}$	ANTİ W⁺ NÖTRİNOSU SÜPER EŞİ
$\bar{\nu}\,\tilde{\bar{W}}^{-}$	ANTİ W⁻ NÖTRİNOSU SÜPER EŞİ
$\bar{\nu}\,\tilde{\bar{e}}$	ANTİ ELEKTRON NÖTRİNOSU SÜPER EŞİ
$\bar{\nu}\,\tilde{\bar{\mu}}$	ANTİ MUON NÖTRİNOSU SÜPER EŞİ
$\bar{\nu}\,\tilde{\bar{\tau}}$	ANTİ TAU NÖTRİNOSU SÜPER EŞİ
$\bar{\varphi}\,\tilde{\bar{G}}^{\circ}$	ANTİ - YÜKLÜ ⊙° KUARKI SÜPER EŞİ
$\bar{\varphi}\,\tilde{\bar{h}}^{\circ}$	ANTİ - YÜKLÜ h° KUARKI SÜPER EŞİ
$\bar{\varphi}\,\tilde{\bar{g}}^{\circ}$	ANTİ - YÜKLÜ g° KUARKI SÜPER EŞİ
$\bar{\varphi}\,\tilde{\bar{\gamma}}^{\circ}$	ANTİ - YÜKLÜ γ° KUARKI SÜPER EŞİ
$\bar{\varphi}\,\tilde{\bar{Z}}^{\circ}$	ANTİ - YÜKLÜ z° KUARKI SÜPER EŞİ
$\bar{\varphi}\,\tilde{\bar{W}}^{+}$	ANTİ - YÜKLÜ W° KUARKI SÜPER EŞİ
$\bar{\varphi}\,\tilde{\bar{W}}^{-}$	ANTİ - YÜKLÜ W° KUARKI SÜPER EŞİ
$\bar{\varphi}\,\tilde{\bar{e}}$	ANTİ - YÜKLÜ e KUARKI SÜPER EŞİ
$\bar{\varphi}\,\tilde{\bar{\mu}}$	ANTİ - YÜKLÜ μ KUARKI SÜPER EŞİ
$\bar{\varphi}\,\tilde{\bar{\tau}}$	ANTİ - YÜKLÜ τ KUARKI SÜPER EŞİ

MADDE TANECİKLERİ

$\tilde{G}^{\circ}$	GRAVİTON SÜPER EŞİ
$\tilde{h}^{\circ}$	HİGGS SÜPER EŞİ
$\tilde{g}^{\circ}$	GLUON SÜPER EŞİ
$\tilde{\gamma}^{\circ}$	FOTON SÜPER EŞİ
$\tilde{Z}^{\circ}$	Z° SÜPER EŞİ
$\tilde{W}^{+}$	W⁺ SÜPER EŞİ
$\tilde{W}^{-}$	W⁻ SÜPER EŞİ
$\tilde{e}$	ELEKTRON SÜPER EŞİ
$\tilde{\mu}$	MUON Süper Eşi
$\tilde{\tau}$	TAU SÜPER EŞİ
$\nu\,\tilde{G}^{\circ}$	GRAVİTON SÜPER EŞİ NÖTRİNOSU
$\nu\,\tilde{h}^{\circ}$	HİGGS SÜPER EŞİ NÖTRİNOSU
$\nu\,\tilde{g}^{\circ}$	GLUON SÜPER EŞİ NÖTRİNOSU
$\nu\,\tilde{\gamma}^{\circ}$	FOTON SÜPER EŞİ NÖTRİNOSU
$\nu\,\tilde{Z}^{\circ}$	Z° SÜPER EŞİ NÖTRİNOSU
$\nu\,\tilde{W}^{+}$	W⁺ SÜPER EŞİ NÖTRİNOSU
$\nu\,\tilde{W}^{-}$	W⁻ SÜPER EŞİ NÖTRİNOSU
$\nu\,\tilde{e}$	ELEKTRON SÜPER EŞİ NÖTRİNOSU
$\nu\,\tilde{\mu}$	MUON Süper Eşi NÖTRİNOSU
$\nu\,\tilde{\tau}$	TAU SÜPER EŞİ NÖTRİNOSU
$\varphi\,\tilde{G}^{\circ}$	- YÜKLÜ ⊙° KUARKI SÜPER EŞİ
$\varphi\,\tilde{h}^{\circ}$	- YÜKLÜ h° KUARKI SÜPER EŞİ
$\varphi\,\tilde{g}^{\circ}$	- YÜKLÜ g° KUARKI SÜPER EŞİ
$\varphi\,\tilde{\gamma}^{\circ}$	- YÜKLÜ γ° KUARKI SÜPER EŞİ
$\varphi\,\tilde{Z}^{\circ}$	- YÜKLÜ z° KUARKI SÜPER EŞİ
$\varphi\,\tilde{W}^{+}$	- YÜKLÜ W° KUARKI SÜPER EŞİ
$\varphi\,\tilde{W}^{-}$	- YÜKLÜ W° KUARKI SÜPER EŞİ
$\varphi\,\tilde{e}$	- YÜKLÜ e KUARKI SÜPER EŞİ
$\varphi\,\tilde{\mu}$	- YÜKLÜ μ KUARKI SÜPER EŞİ
$\varphi\,\tilde{\tau}$	- YÜKLÜ τ KUARKI SÜPER EŞİ

1. BIG-BANG YILDIZI (1. BBS) (SÜPEREŞLER YILDIZI): ÇAĞIMIZ FİZİKÇİLERİNİN "STANDART MODEL" OLARAK TANIMLADIĞI BIG-BANG SONRASINDAKİ TEKLİ MADDE VE ANTİ-MADDE TANECİKLERİNDEN ÖNCE YARATILAN BU TANECİKLERİNİN SÜPEREŞLERİNDEN 10 EKSENDE SANAL OLARAK OLUŞTURULAN 20 KÖŞELİ YILDIZ.

BU YILDIZIN DIŞ YÜZÜNDEKİ 20 DÜZGÜN DÖRTYÜZLÜ KOLAY ANLAŞILMASI İÇİN GÖSTERİLMEYİP SADECE YILDIZIN MERKEZİNDEKİ 20 DÜZGÜN DÖRTYÜZLÜDEN OLUŞAN VE 20 DÜZGÜN DÖRTYÜZLÜNÜN (İKOZAHEDRON) ÜÇGENLERİNİN MERKEZLERİNDEN GEÇEN 10 EKSEN TANIMLANMAKTADIR

YILDIZIN MERKEZİNİN ÜST YARISINDA ANTİ MADDE TANECİKLERİNİN OLUŞTURDUĞU 10 DÜZGÜN DÖRTYÜZLÜ GRİ TON VERİLEREK GÖSTERİLMİŞTİR.

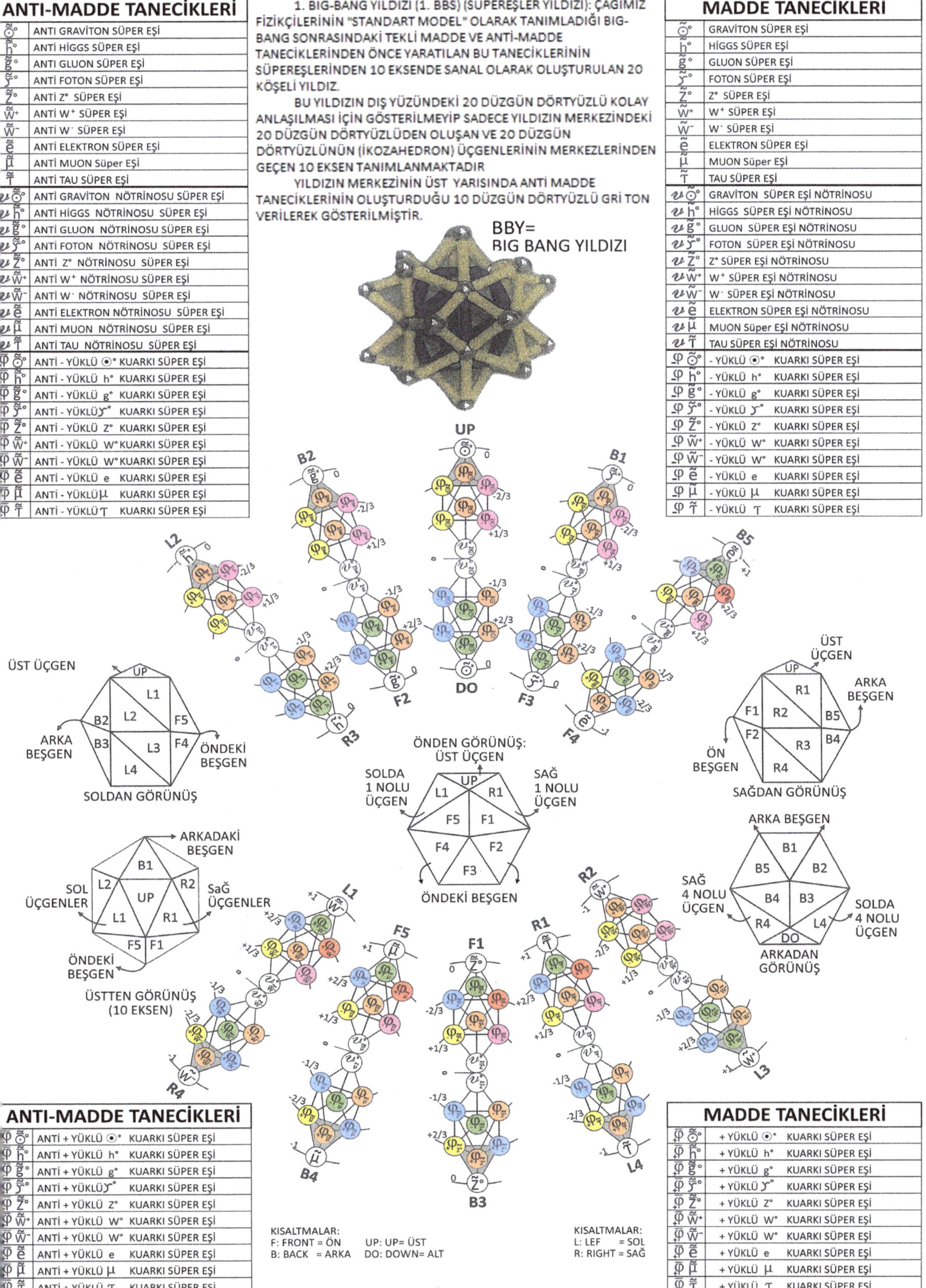

ANTI-MADDE TANECİKLERİ

$\bar{\varphi}\,\tilde{\bar{G}}^{\circ}$	ANTİ + YÜKLÜ ⊙° KUARKI SÜPER EŞİ
$\bar{\varphi}\,\tilde{\bar{h}}^{\circ}$	ANTİ + YÜKLÜ h° KUARKI SÜPER EŞİ
$\bar{\varphi}\,\tilde{\bar{g}}^{\circ}$	ANTİ + YÜKLÜ g° KUARKI SÜPER EŞİ
$\bar{\varphi}\,\tilde{\bar{\gamma}}^{\circ}$	ANTİ + YÜKLÜ γ° KUARKI SÜPER EŞİ
$\bar{\varphi}\,\tilde{\bar{Z}}^{\circ}$	ANTİ + YÜKLÜ z° KUARKI SÜPER EŞİ
$\bar{\varphi}\,\tilde{\bar{W}}^{+}$	ANTİ + YÜKLÜ W° KUARKI SÜPER EŞİ
$\bar{\varphi}\,\tilde{\bar{W}}^{-}$	ANTİ + YÜKLÜ W° KUARKI SÜPER EŞİ
$\bar{\varphi}\,\tilde{\bar{e}}$	ANTİ + YÜKLÜ e KUARKI SÜPER EŞİ
$\bar{\varphi}\,\tilde{\bar{\mu}}$	ANTİ + YÜKLÜ μ KUARKI SÜPER EŞİ
$\bar{\varphi}\,\tilde{\bar{\tau}}$	ANTİ + YÜKLÜ τ KUARKI SÜPER EŞİ

MADDE TANECİKLERİ

$\varphi\,\tilde{G}^{\circ}$	+ YÜKLÜ ⊙° KUARKI SÜPER EŞİ
$\varphi\,\tilde{h}^{\circ}$	+ YÜKLÜ h° KUARKI SÜPER EŞİ
$\varphi\,\tilde{g}^{\circ}$	+ YÜKLÜ g° KUARKI SÜPER EŞİ
$\varphi\,\tilde{\gamma}^{\circ}$	+ YÜKLÜ γ° KUARKI SÜPER EŞİ
$\varphi\,\tilde{Z}^{\circ}$	+ YÜKLÜ z° KUARKI SÜPER EŞİ
$\varphi\,\tilde{W}^{+}$	+ YÜKLÜ W° KUARKI SÜPER EŞİ
$\varphi\,\tilde{W}^{-}$	+ YÜKLÜ W° KUARKI SÜPER EŞİ
$\varphi\,\tilde{e}$	+ YÜKLÜ e KUARKI SÜPER EŞİ
$\varphi\,\tilde{\mu}$	+ YÜKLÜ μ KUARKI SÜPER EŞİ
$\varphi\,\tilde{\tau}$	+ YÜKLÜ τ KUARKI SÜPER EŞİ

ANTI-MADDE TANECİKLERİ

$\bar{\odot}°$	ANTI GRAVİTON
$\bar{h}°$	ANTI HİGGS
$\bar{g}°$	ANTI GLUON
$\bar{\gamma}°$	ANTI FOTON
$\bar{z}°$	ANTI Z°
$\tilde{w}^+$	ANTI W⁺
$\tilde{w}^-$	ANTI W⁻
$\tilde{\bar{e}}$	ANTI ELEKTRON
$\bar{\mu}$	ANTI MUON
$\bar{\tau}$	ANTI TAU
$\mathcal{v}\bar{\odot}°$	ANTI GRAVİTON NÖTRİNOSU
$\mathcal{v}\bar{h}°$	ANTI HİGGS NÖTRİNOSU
$\mathcal{v}\bar{g}°$	ANTI GLUON NÖTRİNOSU
$\mathcal{v}\bar{\gamma}°$	ANTI FOTON NÖTRİNOSU
$\mathcal{v}\bar{z}°$	ANTI Z° NÖTRİNOSU
$\mathcal{v}\bar{w}^+$	ANTI W⁺ NÖTRİNOSU
$\mathcal{v}\bar{w}^-$	ANTI W⁻ NÖTRİNOSU
$\mathcal{v}\bar{e}$	ANTI ELEKTRON NÖTRİNOSU
$\mathcal{v}\bar{\mu}$	ANTI MUON NÖTRİNOSU
$\mathcal{v}\bar{\tau}$	ANTI TAU NÖTRİNOSU
$\varphi\,\bar{\odot}°$	ANTI - YÜKLÜ ⊙° KUARKI
$\varphi\,\bar{h}°$	ANTI - YÜKLÜ h° KUARKI
$\varphi\,\bar{g}°$	ANTI - YÜKLÜ g° KUARKI
$\varphi\,\bar{\gamma}°$	ANTI - YÜKLÜ γ° KUARKI
$\varphi\,\bar{z}°$	ANTI - YÜKLÜ z° KUARKI
$\varphi\,\bar{w}^+$	ANTI - YÜKLÜ W° KUARKI
$\varphi\,\bar{w}^-$	ANTI - YÜKLÜ W° KUARKI
$\varphi\,\bar{e}$	ANTI - YÜKLÜ e KUARKI
$\varphi\,\bar{\mu}$	ANTI - YÜKLÜ μ KUARKI
$\varphi\,\bar{\tau}$	ANTI - YÜKLÜ τ KUARKI

II. BIG-BANG YILDIZI (II. BBY) (STANDART TANECİKLER YILDIZI): BIG-BANG'DEN SONRA OLUŞAN İLK TANECİKLER, SONRADAN OLUŞACAK STANDART TANECİKLERİN SÜPEREŞLERİ OLDU.

AŞAĞIDA STANDART TANECİKLERDEN 10 EKSENDE SANAL OLARAK OLUŞTURULAN 20 KÖŞELİ DÜZGÜN YILDIZ AÇIKLANMAKTADIR.

KRİSTAL ATOMLARI GİBİ, TANECİKLER 10 ÇİFT ROMBİK PRİZMANIN KÖŞELERİNE YERLEŞTİRİLMİŞTİR.

KOLAY ANLAŞILMASI İÇİN, YILDIZIN GÖRÜNTÜSÜ YERİNE, ORTA KISIMDA YILDIZIN MERKEZİNDEKİ HER NÖTRİNONUN 3 KUVARKI İLE OLUŞTURDUĞU 20 DÜZGÜN DÖRTYÜZLÜNÜN (İKOZAHEDRON) ÖNDEN, ARKADAN, SAĞDAN VE SOLDAN GÖRÜNTÜSÜ GÖRÜLMEKTEDİR. BÖYLECE İKOZAHEDRONUN BİRBİRİNE PARALEL, KARŞILIKLI EŞKENAR ÜÇGENLERİNİN ORTASINDAN GEÇEN 10 EKSEN TANIMLANMAKTADIR. İKOZAHEDRONUN VE ÇİFT ROMBİK PRİZMALARIN ÜST KISIMLARINDAKİ ANTI-MADDE TANECİKLERİNDEN OLUŞAN DÜZGÜN DÖRTYÜZLÜLER GRİ FON VERİLEREK BELİRTİLMİŞTİR.

II. BBY=
II. BIG BANG YILDIZI

MADDE TANECİKLERİ

$\odot°$	GRAVİTON
$h°$	HİGGS
$g°$	GLUON
$\gamma°$	FOTON
$z°$	Z°
w^+	W⁺
w^-	W⁻
e	ELEKTRON
μ	MUON
τ	TAU
$\mathcal{v}\odot°$	GRAVİTON NÖTRİNOSU
$\mathcal{v}h°$	HİGGS NÖTRİNOSU
$\mathcal{v}g°$	GLUON NÖTRİNOSU
$\mathcal{v}\gamma°$	FOTON NÖTRİNOSU
$\mathcal{v}z°$	Z° NÖTRİNOSU
$\mathcal{v}w^+$	W⁺ NÖTRİNOSU
$\mathcal{v}w^-$	W⁻ NÖTRİNOSU
$\mathcal{v}e$	ELEKTRON NÖTRİNOSU
$\mathcal{v}\mu$	MUON NÖTRİNOSU
$\mathcal{v}\tau$	TAU NÖTRİNOSU
$\varphi\,\odot°$	- YÜKLÜ ⊙° KUARKI
$\varphi\,h°$	- YÜKLÜ h° KUARKI
$\varphi\,g°$	- YÜKLÜ g° KUARKI
$\varphi\,\gamma°$	- YÜKLÜ γ° KUARKI
$\varphi\,z°$	- YÜKLÜ z° KUARKI
$\varphi\,w^+$	- YÜKLÜ W° KUARKI
$\varphi\,w^-$	- YÜKLÜ W° KUARKI
$\varphi\,e$	- YÜKLÜ e KUARKI
$\varphi\,\mu$	- YÜKLÜ μ KUARKI
$\varphi\,\tau$	- YÜKLÜ τ KUARKI

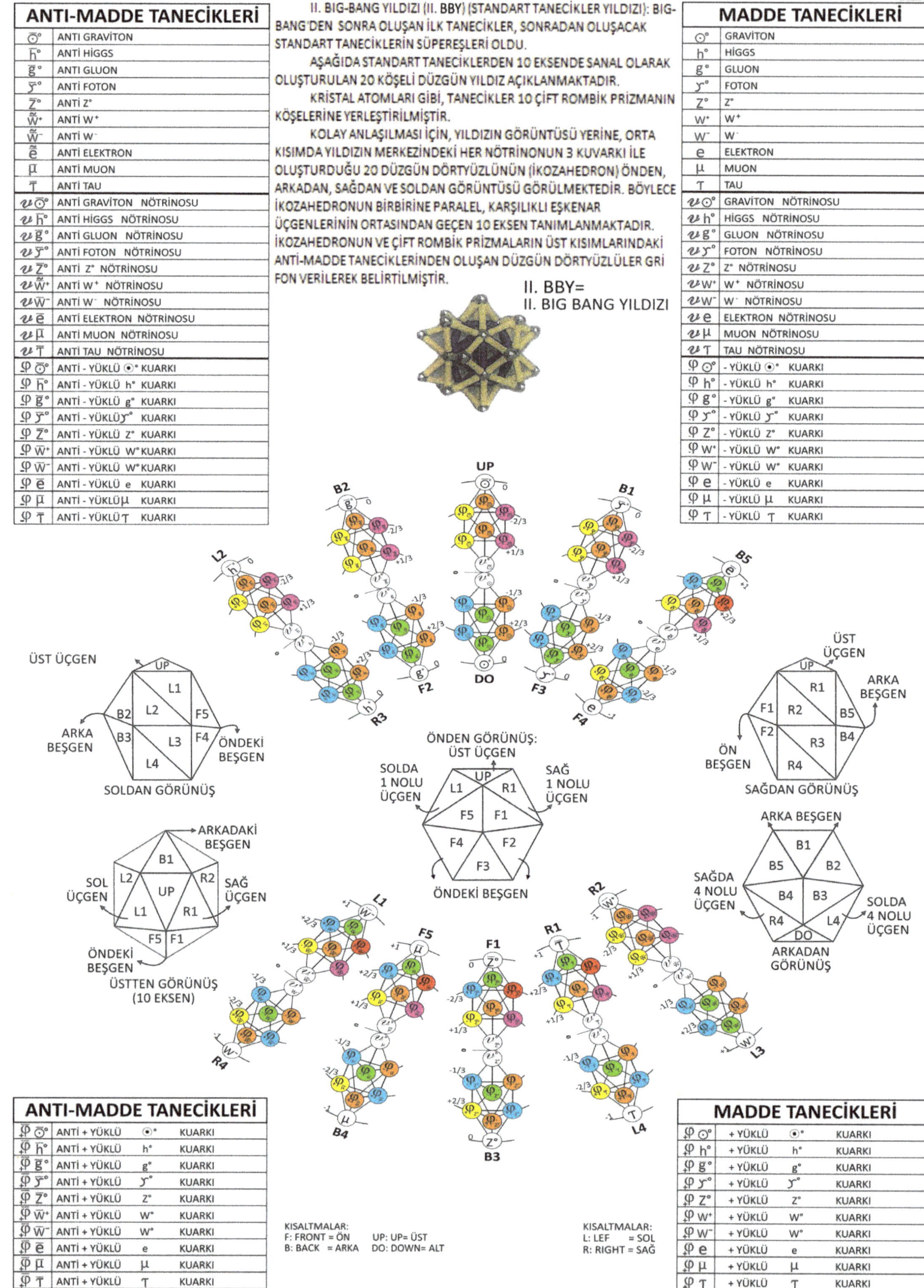

ANTI-MADDE TANECİKLERİ

$\varphi\,\bar{\odot}°$	ANTI + YÜKLÜ ⊙° KUARKI
$\varphi\,\bar{h}°$	ANTI + YÜKLÜ h° KUARKI
$\varphi\,\bar{g}°$	ANTI + YÜKLÜ g° KUARKI
$\varphi\,\bar{\gamma}°$	ANTI + YÜKLÜ γ° KUARKI
$\varphi\,\bar{z}°$	ANTI + YÜKLÜ z° KUARKI
$\varphi\,\bar{w}^+$	ANTI + YÜKLÜ W° KUARKI
$\varphi\,\bar{w}^-$	ANTI + YÜKLÜ W° KUARKI
$\varphi\,\bar{e}$	ANTI + YÜKLÜ e KUARKI
$\varphi\,\bar{\mu}$	ANTI + YÜKLÜ μ KUARKI
$\varphi\,\bar{\tau}$	ANTI + YÜKLÜ τ KUARKI

MADDE TANECİKLERİ

$\varphi\,\odot°$	+ YÜKLÜ ⊙° KUARKI
$\varphi\,h°$	+ YÜKLÜ h° KUARKI
$\varphi\,g°$	+ YÜKLÜ g° KUARKI
$\varphi\,\gamma°$	+ YÜKLÜ γ° KUARKI
$\varphi\,z°$	+ YÜKLÜ z° KUARKI
$\varphi\,w^+$	+ YÜKLÜ W° KUARKI
$\varphi\,w^-$	+ YÜKLÜ W° KUARKI
$\varphi\,e$	+ YÜKLÜ e KUARKI
$\varphi\,\mu$	+ YÜKLÜ μ KUARKI
$\varphi\,\tau$	+ YÜKLÜ τ KUARKI

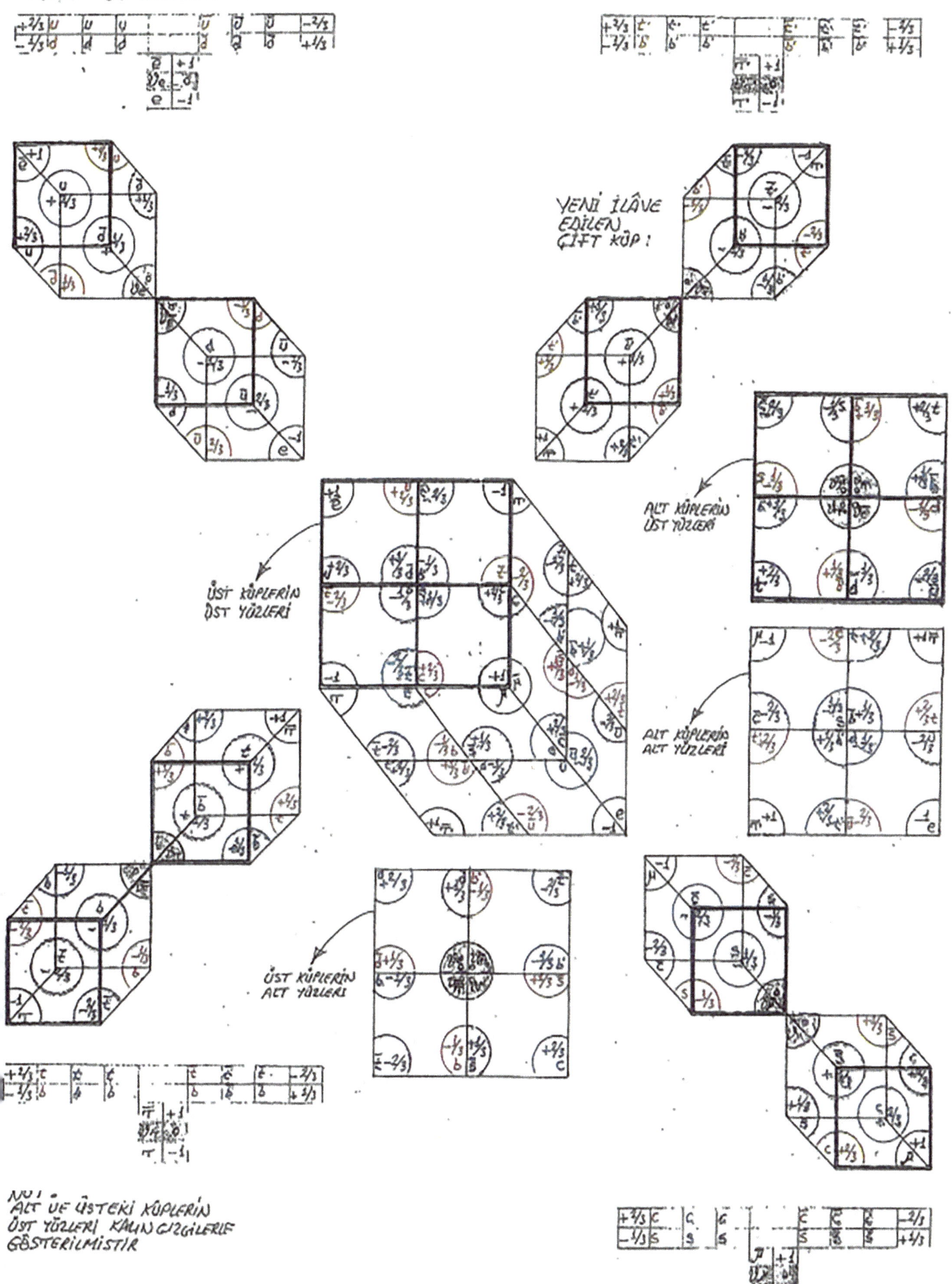
KUARK-LEPTON AİLESİNİN BİR KISMI İLE OLUŞAN:
SEKİZ KÜPLÜ, BÜYÜK KÜP KOMPLEKSİ (SÜPER KÜP):
TOPLAM 64 TANECİKLİ SÜPER KÜP
YENİ İLÂVE EDİLEN ÇİFT KÜP!
ÜST KÜPLERİN ÜST YÜZLERİ
ALT KÜPLERİN ÜST YÜZLERİ
ALT KÜPLERİN ALT YÜZLERİ
ÜST KÜPLERİN ALT YÜZLERİ
NOT:
ALT VE ÜSTEKİ KÜPLERİN
ÜST YÜZLERİ KALIN ÇİZGİLERLE
GÖSTERİLMİŞTİR

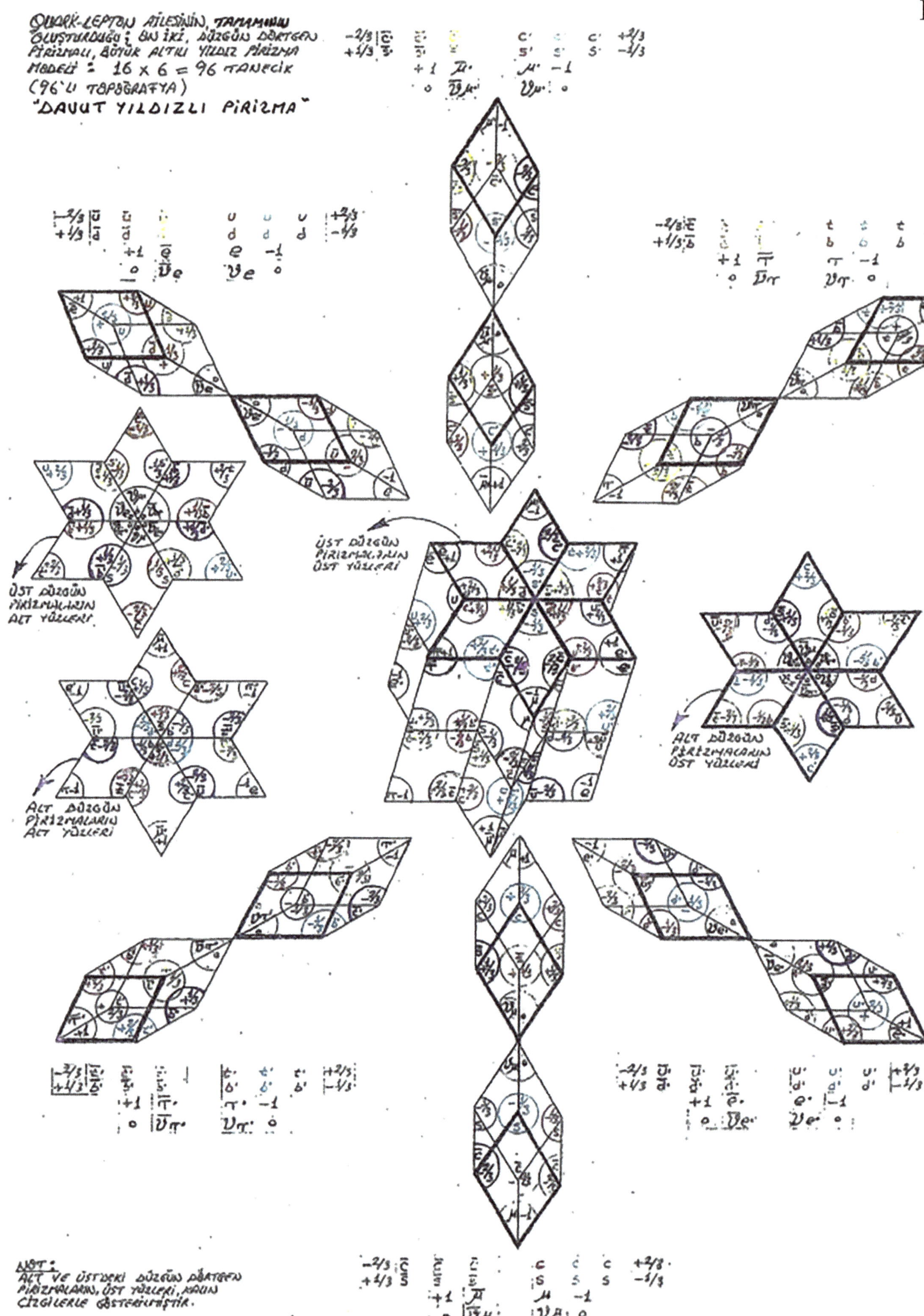

QUARK-LEPTON AİLESİNİN TAMAMINI
OLUŞTURDUĞU; ON İKİ, DÜZGÜN DÖRTGEN
PRİZMALI, BÜYÜK ALTILI YILDIZ PRİZMA
MODELİ = 16 × 6 = 96 TANECİK
(96'LI TOPOGRAFYA)
"DAVUT YILDIZLI PRİZMA"
ÜST DÜZGÜN PRİZMALARIN ÜST YÜZLERİ
ÜST DÜZGÜN PRİZMALARIN ALT YÜZLERİ
ALT DÜZGÜN PRİZMALARIN ÜST YÜZLERİ
ALT DÜZGÜN PRİZMALARIN ALT YÜZLERİ
NOT:
ALT VE ÜSTTEKİ DÜZGÜN DÖRTGEN
PRİZMALARIN, ÜST YÜZLERİ, KALIN
ÇİZGİLERLE GÖSTERİLMİŞTİR.

ATOMUN 160 ÇEŞİT TEKLİ TANECİKLERİ (KUANTUMLARI)

Left portion — **SÜPER EŞLER** and **MADDELER**:

GURUBU	S.EŞ SEMBOLÜ SANAL	REEL	S.EŞ ADI	YÜKÜ	SİPİN	MAD. SEMBOLÜ SANAL	REEL	MAD. ADI	YÜKÜ	SİPİNİ	KÜTLESİ	ENERJİSİ	ÖMRÜ/Sn.	NO
BOZONLAR	h̃°	H̃°	HIGGS SÜPEREŞİ (HIGGSINO)	0	1/2	h°	H°	HIGGS	0	0	60000 MeV / 1.000.000	>112 GeV	?	2
BOZONLAR	θ̃°	G̃°	GRAVITON SÜPEREŞİ	0	3/2	θ°	G°	GRAVITON	0	2	0	<10⁻⁴⁰ MeV	KARARLI	1
BOZONLAR	g̃°	g̃°	GLUON SÜPEREŞİ (GLUINO)	0	1/2	g°	g°	GLUON	0	1	0	0	KARARLI	3
BOZONLAR	Ỹ°	Ỹ°	FOTON SÜPEREŞİ (PHOTINO)	0	1/2	Y°	Y°	FOTON	0	1	0	0	KARARLI	4
BOZONLAR	Z̃°	Z̃°	Z° SÜPEREŞİ (ZINO)	0	1/2	Z°	Z°	Z°	0	1	~91,2 MeV	~91,2 MeV	?	5
BOZONLAR	W̃⁺	W̃⁺	W⁺ SÜPEREŞİ (WINO⁺)	1	1/2	W⁺	W⁺	W⁺	1	1	~50-90 ⊕	80,4 MeV	?	6
BOZONLAR	W̃⁻	W̃⁻	W⁻ SÜPEREŞİ (WINO⁻)	-1	1/2	W⁻	W⁻	W⁻	-1	1	~50-90 ⊕	80,4 MeV	?	7
LEPTONLAR	ẽ	ẽ	ELEKTRON SÜPEREŞİ (SELECTRON)	-1	0	e	e	ELEKTRON	-1	1/2	1/1836 ⊕	0,511 MeV	KARARLI	8
LEPTONLAR	μ̃	μ̃	MUON SÜPEREŞİ (SMUON)	-1	0	μ	μ	MUON	-1	1/2		105,7 MeV	2,2x10⁻⁶	9
LEPTONLAR	τ̃	τ̃	TAU SÜPEREŞİ (STAU)	-1	0	τ	τ	TAU	-1	1/2		1,777 MeV	2,2x10⁻⁶	10
LEPTONLAR	ϑ̃θ°		θ° NÖTRİNOSU SÜPEREŞİ (SNÖTRİNO)	0	0	ϑθ°		θ° NÖTRİNOSU	0	1/2		? MeV	KARARLI	1
LEPTONLAR	ϑ̃h°		h° NÖTRİNOSU SÜPEREŞİ (SNÖTRİNO)	0	0	ϑh°		h° NÖTRİNOSU	0	1/2		? MeV	KARARLI	2
LEPTONLAR	ϑ̃g°		g° NÖTRİNOSU SÜPEREŞİ (SNÖTRİNO)	0	0	ϑg°		g° NÖTRİNOSU	0	1/2		? MeV	KARARLI	3
LEPTONLAR	ϑ̃Y°		Y° NÖTRİNOSU SÜPEREŞİ (SNÖTRİNO)	0	0	ϑY°		Y° NÖTRİNOSU	0	1/2	10-100 ⊕	0 MeV	KARARLI	4
LEPTONLAR	ϑ̃Z°		Z° NÖTRİNOSU SÜPEREŞİ (SNÖTRİNO)	0	0	ϑZ°		Z° NÖTRİNOSU	0	1/2		~91 MeV	KARARLI	5
LEPTONLAR	ϑ̃W⁺		W⁺ NÖTRİNOSU SÜPEREŞİ (SNÖTRİNO⁺)	0	0	ϑW⁺		W⁺ NÖTRİNOSU	0	1/2		~91 MeV	KARARLI	6
LEPTONLAR	ϑ̃W⁻		W⁻ NÖTRİNOSU SÜPEREŞİ (SNÖTRİNO⁻)	0	0	ϑW⁻		W⁻ NÖTRİNOSU	0	1/2		~91 MeV	KARARLI	7
LEPTONLAR	ϑ̃e	ϑ̃ẽ	e NÖTRİNOSU SÜPEREŞİ (SNÖTRİNO)	0	0	ϑe	ϑẽ	e NÖTRİNOSU	0	1/2		? MeV	KARARLI	8
LEPTONLAR	ϑ̃μ	ϑ̃μ̃	μ NÖTRİNOSU SÜPEREŞİ (SNÖTRİNO)	0	0	ϑμ	ϑμ̃	μ NÖTRİNOSU	0	1/2		<0.17 MeV	KARARLI	9
LEPTONLAR	ϑ̃τ	ϑ̃τ̃	τ NÖTRİNOSU SÜPEREŞİ (SNÖTRİNO)	0	0	ϑτ	ϑτ̃	τ NÖTRİNOSU	0	1/2		<15.5 MeV	KARARLI	10
KUARKLAR (-YÜKLÜ)	-Q̃θ°		-YÜKLÜ θ° KUARKI SÜPEREŞİ (SKUARK)	-1/3	0	-Qθ°		-YÜKLÜ θ° KUARKI	-1/3	1/2	-1/3 ⊖		KARARLI	1
KUARKLAR (-YÜKLÜ)	-Q̃h°		-YÜKLÜ h° KUARKI SÜPEREŞİ (SKUARK)	-1/3	0	-Qh°		-YÜKLÜ h° KUARKI	-1/3	1/2	-1/3 ⊖		?	2
KUARKLAR (-YÜKLÜ)	-Q̃g°		-YÜKLÜ g° KUARKI SÜPEREŞİ (SKUARK)	-1/3	0	-Qg°	d	-YÜKLÜ g° KUARKI	-1/3	1/2	-1/3 ⊖	4,13-4,37 MeV	KARARLI	3
KUARKLAR (-YÜKLÜ)	-Q̃Y°		-YÜKLÜ Y° KUARKI SÜPEREŞİ (SKUARK)	-1/3	0	-QY°		-YÜKLÜ Y° KUARKI	-1/3	1/2	-1/3 ⊖	3.5-6.0 MeV	KARARLI	4
KUARKLAR (-YÜKLÜ)	-Q̃Z°		-YÜKLÜ Z° KUARKI SÜPEREŞİ (SKUARK)	-1/3	0	-QZ°		-YÜKLÜ Z° KUARKI	-1/3	1/2	-1/3 ⊖		?	5
KUARKLAR (-YÜKLÜ)	-Q̃W⁺		-YÜKLÜ W⁺ KUARKI SÜPEREŞİ (SKUARK)	-1/3	0	-QW⁺		-YÜKLÜ W⁺ KUARKI	-1/3	1/2	-1/3 ⊖		?	6
KUARKLAR (-YÜKLÜ)	-Q̃W⁻	s̃	-YÜKLÜ W⁻ KUARKI SÜPEREŞİ (SKUARK)	-1/3	0	-QW⁻	s	-YÜKLÜ W⁻ KUARKI	-1/3	1/2	-1/3 ⊖	70-130 MeV	?	7
KUARKLAR (-YÜKLÜ)	-Q̃e		-YÜKLÜ e KUARKI SÜPEREŞİ (SKUARK)	-1/3	0	-Qe		-YÜKLÜ e KUARKI	-1/3	1/2	-1/3 ⊖		KARARLI	8
KUARKLAR (-YÜKLÜ)	-Q̃μ		-YÜKLÜ μ KUARKI SÜPEREŞİ (SKUARK)	-1/3	0	-Qμ		-YÜKLÜ μ KUARKI	-1/3	1/2	-1/3 ⊖		2,2x10⁻⁶	9
KUARKLAR (-YÜKLÜ)	-Q̃T		-YÜKLÜ T KUARKI SÜPEREŞİ (SKUARK)	-1/3	0	-QT		-YÜKLÜ T KUARKI	-1/3	1/2	-1/3 ⊖		2,2x10⁻⁶	10
KUARKLAR (+YÜKLÜ)	+Q̃θ°		+YÜKLÜ θ° KUARKI SÜPEREŞİ (SKUARK)	2/3	0	+Qθ°		+YÜKLÜ θ° KUARKI	2/3	1/2	2/3 ⊕		KARARLI	1
KUARKLAR (+YÜKLÜ)	+Q̃h°		+YÜKLÜ h° KUARKI SÜPEREŞİ (SKUARK)	2/3	0	+Qh°		+YÜKLÜ h° KUARKI	2/3	1/2	2/3 ⊕		?	2
KUARKLAR (+YÜKLÜ)	+Q̃g°	t̃	+YÜKLÜ g° KUARKI SÜPEREŞİ (SKUARK)	2/3	0	+Qg°	t	+YÜKLÜ g° KUARKI	2/3	1/2	2/3 ⊕	169,1-173,3 MeV	KARARLI	3
KUARKLAR (+YÜKLÜ)	+Q̃Y°	ũ	+YÜKLÜ Y° KUARKI SÜPEREŞİ (SKUARK)	2/3	0	+QY°	u	+YÜKLÜ Y° KUARKI	2/3	1/2	2/3 ⊕	1,5-3,3 MeV	KARARLI	4
KUARKLAR (+YÜKLÜ)	+Q̃Z°		+YÜKLÜ Z° KUARKI SÜPEREŞİ (SKUARK)	2/3	0	+QZ°		+YÜKLÜ Z° KUARKI	2/3	1/2	2/3 ⊕		?	5
KUARKLAR (+YÜKLÜ)	+Q̃W⁺	c̃	+YÜKLÜ W⁺ KUARKI SÜPEREŞİ (SKUARK)	2/3	0	+QW⁺	c	+YÜKLÜ W⁺ KUARKI	2/3	1/2	2/3 ⊕	1,16-1,34 MeV	?	6
KUARKLAR (+YÜKLÜ)	+Q̃W⁻		+YÜKLÜ W⁻ KUARKI SÜPEREŞİ (SKUARK)	2/3	0	+QW⁻		+YÜKLÜ W⁻ KUARKI	2/3	1/2	2/3 ⊕		?	7
KUARKLAR (+YÜKLÜ)	+Q̃e		+YÜKLÜ e KUARKI SÜPEREŞİ (SKUARK)	2/3	0	+Qe		+YÜKLÜ e KUARKI	2/3	1/2	2/3 ⊕		KARARLI	8
KUARKLAR (+YÜKLÜ)	+Q̃μ		+YÜKLÜ μ KUARKI SÜPEREŞİ (SKUARK)	2/3	0	+Qμ		+YÜKLÜ μ KUARKI	2/3	1/2	2/3 ⊕		2,2x10⁻⁶	9
KUARKLAR (+YÜKLÜ)	+Q̃T		+YÜKLÜ T KUARKI SÜPEREŞİ (SKUARK)	2/3	0	+QT		+YÜKLÜ T KUARKI	2/3	1/2	2/3 ⊕		2,2x10⁻⁶	10
TEKLİ GLUONLAR	M̃	M̃	MAVİ GLUON SÜPEREŞİ	0	1/2	M	M	MAVİ GLUON	0	1	0	0	KARARLI	1
TEKLİ GLUONLAR	Ỹ	Ỹ	YEŞİL GLUON SÜPEREŞİ	0	1/2	Y	Y	YEŞİL GLUON	0	1	0	0	KARARLI	2
TEKLİ GLUONLAR	K̃	K̃	KIRMIZI GLUON SÜPEREŞİ	0	1/2	K	K	KIRMIZI GLUON	0	1	0	0	KARARLI	3
MESO GLUONLAR (İKİLİ GLUONLAR)	M̃M	M̃M	MM GLUON SÜPEREŞİ	0	1/2	MM̄	MM̄	MM̄ GLUON	0	1	0	0	KARARLI	1
MESO GLUONLAR (İKİLİ GLUONLAR)	M̃Y	M̃Y	MY GLUON SÜPEREŞİ	0	1/2	MȲ	MȲ	MȲ GLUON	0	1	0	0	KARARLI	2
MESO GLUONLAR (İKİLİ GLUONLAR)	M̃K	M̃K	MK GLUON SÜPEREŞİ	0	1/2	MK̄	MK̄	MK̄ GLUON	0	1	0	0	KARARLI	3
MESO GLUONLAR (İKİLİ GLUONLAR)	ỸM	ỸM	YM GLUON SÜPEREŞİ	0	1/2	YM̄	YM̄	YM̄ GLUON	0	1	0	0	KARARLI	4
MESO GLUONLAR (İKİLİ GLUONLAR)	ỸY	ỸY	YY GLUON SÜPEREŞİ	0	1/2	YȲ	YȲ	YȲ GLUON	0	1	0	0	KARARLI	5
MESO GLUONLAR (İKİLİ GLUONLAR)	ỸK	ỸK	YK GLUON SÜPEREŞİ	0	1/2	YK̄	YK̄	YK̄ GLUON	0	1	0	0	KARARLI	6
MESO GLUONLAR (İKİLİ GLUONLAR)	K̃M	K̃M	KM GLUON SÜPEREŞİ	0	1/2	KM̄	KM̄	KM̄ GLUON	0	1	0	0	KARARLI	7
MESO GLUONLAR (İKİLİ GLUONLAR)	K̃Y	K̃Y	KY GLUON SÜPEREŞİ	0	1/2	KȲ	KȲ	KȲ GLUON	0	1	0	0	KARARLI	8
MESO GLUONLAR (İKİLİ GLUONLAR)	K̃K	K̃K	KK GLUON SÜPEREŞİ	0	1/2	KK̄	KK̄	KK̄ GLUON	0	1	0	0	KARARLI	9

Right portion — **ANTİ MADDELER**, **ANTİ SÜPEREŞLER** and force columns (keyed by MADDE ADI / NO):

NO	MADDE	A.MAD. SANAL	REEL	ANTİ MADDE ADI	YÜKÜ	SİPİNİ	A.SÜP. SANAL	REEL	ANTİ SÜPEREŞ ADI	YÜKÜ	SİPİN	ETKİ UZAKLIĞI (m)	HİSSETTİĞİ ATOM KUVVETİ	İLETTİĞİ ATOM KUVVETİ
2	HIGGS	h̄°	H̄°	ANTİ HIGGS	0	0	h̃̄°	H̃̄°	ANTİ h° SÜPEREŞİ	0	-1/2	SONSUZ	ZA,KÇ,EM	KÇ
1	GRAVITON	θ̄°	Ḡ°	ANTİ GRAVITON	0	2	θ̃̄°	G̃̄°	ANTİ θ° SÜPEREŞİ	0	-3/2	SONSUZ	KÇ	KÇ
3	GLUON	ḡ°	ḡ°	ANTİ GLUON	0	1	g̃̄°	g̃̄°	ANTİ g° SÜPEREŞİ	0	-1/2	10⁻¹⁵	GÜ	GÜ
4	FOTON	Ȳ°	Ȳ°	ANTİ FOTON	0	1	Ỹ̄°	Ỹ̄°	ANTİ Y° SÜPEREŞİ	0	-1/2	SONSUZ	KÇ,EM	EM
5	Z°	Z̄°	Z̄°	ANTİ Z°	0	1	Z̃̄°	Z̃̄°	ANTİ Z° SÜPEREŞİ	0	-1/2	10⁻¹⁸	ZA,EM	ZA
6	W⁺	W̄⁺	W̄⁺	ANTİ W⁺	-1	1	W̃̄⁺	W̃̄⁺	ANTİ W⁺ SÜPEREŞİ	-1	-1/2	10⁻¹⁸	ZA,EM	ZA
7	W⁻	W̄⁻	W̄⁻	ANTİ W⁻	1	1	W̃̄⁻	W̃̄⁻	ANTİ W⁻ SÜPEREŞİ	1	-1/2	10⁻¹⁸	ZA,EM	ZA
8	ELEKTRON	ē	ē	ANTİ ELEKTRON	1	1/2	ẽ̄	ẽ̄	ANTİ e SÜPEREŞİ	1	0	SONSUZ	ZA,EM	
9	MUON	μ̄	μ̄	ANTİ MUON	1	1/2	μ̃̄	μ̃̄	ANTİ μ SÜPEREŞİ	1	0	SONSUZ	ZA,EM	
10	TAU	τ̄	τ̄	ANTİ TAU	1	1/2	τ̃̄	τ̃̄	ANTİ τ SÜPEREŞİ	1	0	SONSUZ	ZA,EM	
1	θ° NÖTRİNOSU	ϑ̄θ°		ANTİ θ° NÖTRİNOSU	0	1/2	ϑ̃̄θ°		ANTİ θ° NÖTRİNOSU SÜPEREŞİ	0	0	SONSUZ	ZA	
2	h° NÖTRİNOSU	ϑ̄h°		ANTİ h° NÖTRİNOSU	0	1/2	ϑ̃̄h°		ANTİ h° NÖTRİNOSU SÜPEREŞİ	0	0	SONSUZ	ZA	
3	g° NÖTRİNOSU	ϑ̄g°		ANTİ g° NÖTRİNOSU	0	1/2	ϑ̃̄g°		ANTİ g° NÖTRİNOSU SÜPEREŞİ	0	0	SONSUZ	ZA	
4	Y° NÖTRİNOSU	ϑ̄Y°		ANTİ Y° NÖTRİNOSU	0	1/2	ϑ̃̄Y°		ANTİ Y° NÖTRİNOSU SÜPEREŞİ	0	0	SONSUZ	ZA	
5	Z° NÖTRİNOSU	ϑ̄Z°		ANTİ Z° NÖTRİNOSU	0	1/2	ϑ̃̄Z°		ANTİ Z° NÖTRİNOSU SÜPEREŞİ	0	0	SONSUZ	ZA	
6	W⁺ NÖTRİNOSU	ϑ̄W⁺		ANTİ W⁺ NÖTRİNOSU	0	1/2	ϑ̃̄W⁺		ANTİ W⁺ NÖTRİNOSU SÜPEREŞİ	0	0	SONSUZ	ZA	
7	W⁻ NÖTRİNOSU	ϑ̄W⁻		ANTİ W⁻ NÖTRİNOSU	0	1/2	ϑ̃̄W⁻		ANTİ W⁻ NÖTRİNOSU SÜPEREŞİ	0	0	SONSUZ	ZA	
8	e NÖTRİNOSU	ϑ̄e	ϑ̄ē	ANTİ e NÖTRİNOSU	0	1/2	ϑ̃̄e	ϑ̃̄ē	ANTİ e NÖTRİNOSU SÜPEREŞİ	0	0	SONSUZ	ZA	
9	μ NÖTRİNOSU	ϑ̄μ	ϑ̄μ̄	ANTİ μ NÖTRİNOSU	0	1/2	ϑ̃̄μ	ϑ̃̄μ̄	ANTİ μ NÖTRİNOSU SÜPEREŞİ	0	0	SONSUZ	ZA	
10	τ NÖTRİNOSU	ϑ̄τ	ϑ̄τ̄	ANTİ τ NÖTRİNOSU	0	1/2	ϑ̃̄τ	ϑ̃̄τ̄	ANTİ τ NÖTRİNOSU SÜPEREŞİ	0	0	SONSUZ	ZA	
1	-YÜKLÜ θ° KUARKI	-Q̄θ°		ANTİ -YÜKLÜ θ° KUARKI	1/3	1/2	-Q̃̄θ°		ANTİ -YÜKLÜ θ° KUARKI SÜPEREŞİ	1/3	0	10⁻¹⁵	GÜ,ZA,EM	
2	-YÜKLÜ h° KUARKI	-Q̄h°		ANTİ -YÜKLÜ h° KUARKI	1/3	1/2	-Q̃̄h°		ANTİ -YÜKLÜ h° KUARKI SÜPEREŞİ	1/3	0	10⁻¹⁵	GÜ,ZA,EM	
3	-YÜKLÜ g° KUARKI	-Q̄g°	d̄	ANTİ -YÜKLÜ g° KUARKI	1/3	1/2	-Q̃̄g°	d̃̄	ANTİ -YÜKLÜ g° KUARKI SÜPEREŞİ	1/3	0	10⁻¹⁵	GÜ,ZA,EM	
4	-YÜKLÜ Y° KUARKI	-Q̄Y°		ANTİ -YÜKLÜ Y° KUARKI	1/3	1/2	-Q̃̄Y°		ANTİ -YÜKLÜ Y° KUARKI SÜPEREŞİ	1/3	0	10⁻¹⁵	GÜ,ZA,EM	
5	-YÜKLÜ Z° KUARKI	-Q̄Z°		ANTİ -YÜKLÜ Z° KUARKI	1/3	1/2	-Q̃̄Z°		ANTİ -YÜKLÜ Z° KUARKI SÜPEREŞİ	1/3	0	10⁻¹⁵	GÜ,ZA,EM	
6	-YÜKLÜ W⁺ KUARKI	-Q̄W⁺		ANTİ -YÜKLÜ W⁺ KUARKI	1/3	1/2	-Q̃̄W⁺		ANTİ -YÜKLÜ W⁺ KUARKI SÜPEREŞİ	1/3	0	10⁻¹⁵	GÜ,ZA,EM	
7	-YÜKLÜ W⁻ KUARKI	-Q̄W⁻	s̄	ANTİ -YÜKLÜ W⁻ KUARKI	1/3	1/2	-Q̃̄W⁻	s̃̄	ANTİ -YÜKLÜ W⁻ KUARKI SÜPEREŞİ	1/3	0	10⁻¹⁵	GÜ,ZA,EM	
8	-YÜKLÜ e KUARKI	-Q̄e		ANTİ -YÜKLÜ e KUARKI	1/3	1/2	-Q̃̄e		ANTİ -YÜKLÜ e KUARKI SÜPEREŞİ	1/3	0	10⁻¹⁵	GÜ,ZA,EM	
9	-YÜKLÜ μ KUARKI	-Q̄μ		ANTİ -YÜKLÜ μ KUARKI	1/3	1/2	-Q̃̄μ		ANTİ -YÜKLÜ μ KUARKI SÜPEREŞİ	1/3	0	10⁻¹⁵	GÜ,ZA,EM	
10	-YÜKLÜ T KUARKI	-Q̄T		ANTİ -YÜKLÜ T KUARKI	1/3	1/2	-Q̃̄T		ANTİ -YÜKLÜ T KUARKI SÜPEREŞİ	1/3	0	10⁻¹⁵	GÜ,ZA,EM	
1	+YÜKLÜ θ° KUARKI	+Q̄θ°		ANTİ +YÜKLÜ θ° KUARKI	-2/3	1/2	+Q̃̄θ°		ANTİ +YÜKLÜ θ° KUARKI SÜPEREŞİ	-2/3	0	10⁻¹⁵	GÜ,ZA,EM	
2	+YÜKLÜ h° KUARKI	+Q̄h°		ANTİ +YÜKLÜ h° KUARKI	-2/3	1/2	+Q̃̄h°		ANTİ +YÜKLÜ h° KUARKI SÜPEREŞİ	-2/3	0	10⁻¹⁵	GÜ,ZA,EM	
3	+YÜKLÜ g° KUARKI	+Q̄g°	t̄	ANTİ +YÜKLÜ g° KUARKI	-2/3	1/2	+Q̃̄g°	t̃̄	ANTİ +YÜKLÜ g° KUARKI SÜPEREŞİ	-2/3	0	10⁻¹⁵	GÜ,ZA,EM	
4	+YÜKLÜ Y° KUARKI	+Q̄Y°	ū	ANTİ +YÜKLÜ Y° KUARKI	-2/3	1/2	+Q̃̄Y°	ũ̄	ANTİ +YÜKLÜ Y° KUARKI SÜPEREŞİ	-2/3	0	10⁻¹⁵	GÜ,ZA,EM	
5	+YÜKLÜ Z° KUARKI	+Q̄Z°		ANTİ +YÜKLÜ Z° KUARKI	-2/3	1/2	+Q̃̄Z°		ANTİ +YÜKLÜ Z° KUARKI SÜPEREŞİ	-2/3	0	10⁻¹⁵	GÜ,ZA,EM	
6	+YÜKLÜ W⁺ KUARKI	+Q̄W⁺	c̄	ANTİ +YÜKLÜ W⁺ KUARKI	-2/3	1/2	+Q̃̄W⁺	c̃̄	ANTİ +YÜKLÜ W⁺ KUARKI SÜPEREŞİ	-2/3	0	10⁻¹⁵	GÜ,ZA,EM	
7	+YÜKLÜ W⁻ KUARKI	+Q̄W⁻		ANTİ +YÜKLÜ W⁻ KUARKI	-2/3	1/2	+Q̃̄W⁻		ANTİ +YÜKLÜ W⁻ KUARKI SÜPEREŞİ	-2/3	0	10⁻¹⁵	GÜ,ZA,EM	
8	+YÜKLÜ e KUARKI	+Q̄e		ANTİ +YÜKLÜ e KUARKI	-2/3	1/2	+Q̃̄e		ANTİ +YÜKLÜ e KUARKI SÜPEREŞİ	-2/3	0	10⁻¹⁵	GÜ,ZA,EM	
9	+YÜKLÜ μ KUARKI	+Q̄μ		ANTİ +YÜKLÜ μ KUARKI	-2/3	1/2	+Q̃̄μ		ANTİ +YÜKLÜ μ KUARKI SÜPEREŞİ	-2/3	0	10⁻¹⁵	GÜ,ZA,EM	
10	+YÜKLÜ T KUARKI	+Q̄T		ANTİ +YÜKLÜ T KUARKI	-2/3	1/2	+Q̃̄T		ANTİ +YÜKLÜ T KUARKI SÜPEREŞİ	-2/3	0	10⁻¹⁵	GÜ,ZA,EM	
1	MAVİ GLUON	M̄	M̄	ANTİ MAVİ GLUON (SARI)	0	1	M̃̄	M̃̄	ANTİ MAVİ GLUON SÜPEREŞİ	0	-1/2	10⁻¹⁵	GÜ	GÜ
2	YEŞİL GLUON	Ȳ	Ȳ	ANTİ YEŞİL GLUON (TURUNCU)	0	1	Ỹ̄	Ỹ̄	ANTİ YEŞİL GLUON SÜPEREŞİ	0	-1/2	10⁻¹⁵	GÜ	GÜ
3	KIRMIZI GLUON	K̄	K̄	ANTİ KIRMIZI GLUON (MOR)	0	1	K̃̄	K̃̄	ANTİ KIRMIZI GLUON SÜPEREŞİ	0	-1/2	10⁻¹⁵	GÜ	GÜ
1	MM̄ GLUON	M̄M̄	M̄M̄	ANTİ M̄M̄ GLUON	0	1	M̃̄M̄	M̃̄M̄	ANTİ M̄M̄ GLUON SÜPEREŞİ	0	-1/2	10⁻¹⁵	GÜ	GÜ
2	MȲ GLUON	M̄Ȳ	M̄Ȳ	ANTİ M̄Ȳ GLUON	0	1	M̃̄Ȳ	M̃̄Ȳ	ANTİ M̄Ȳ GLUON SÜPEREŞİ	0	-1/2	10⁻¹⁵	GÜ	GÜ
3	MK̄ GLUON	M̄K̄	M̄K̄	ANTİ M̄K̄ GLUON	0	1	M̃̄K̄	M̃̄K̄	ANTİ M̄K̄ GLUON SÜPEREŞİ	0	-1/2	10⁻¹⁵	GÜ	GÜ
4	YM̄ GLUON	ȲM̄	ȲM̄	ANTİ ȲM̄ GLUON	0	1	Ỹ̄M̄	Ỹ̄M̄	ANTİ ȲM̄ GLUON SÜPEREŞİ	0	-1/2	10⁻¹⁵	GÜ	GÜ
5	YȲ GLUON	ȲȲ	ȲȲ	ANTİ ȲȲ GLUON	0	1	Ỹ̄Ȳ	Ỹ̄Ȳ	ANTİ ȲȲ GLUON SÜPEREŞİ	0	-1/2	10⁻¹⁵	GÜ	GÜ
6	YK̄ GLUON	ȲK̄	ȲK̄	ANTİ ȲK̄ GLUON	0	1	Ỹ̄K̄	Ỹ̄K̄	ANTİ ȲK̄ GLUON SÜPEREŞİ	0	-1/2	10⁻¹⁵	GÜ	GÜ
7	KM̄ GLUON	K̄M̄	K̄M̄	ANTİ K̄M̄ GLUON	0	1	K̃̄M̄	K̃̄M̄	ANTİ K̄M̄ GLUON SÜPEREŞİ	0	-1/2	10⁻¹⁵	GÜ	GÜ
8	KȲ GLUON	K̄Ȳ	K̄Ȳ	ANTİ K̄Ȳ GLUON	0	1	K̃̄Ȳ	K̃̄Ȳ	ANTİ K̄Ȳ GLUON SÜPEREŞİ	0	-1/2	10⁻¹⁵	GÜ	GÜ
9	KK̄ GLUON	K̄K̄	K̄K̄	ANTİ K̄K̄ GLUON	0	1	K̃̄K̄	K̃̄K̄	ANTİ K̄K̄ GLUON SÜPEREŞİ	0	-1/2	10⁻¹⁵	GÜ	GÜ

EK-IIa ve IIb' DEKİ SANAL BİG-BANG YILDIZINA (BBY) GÖRE 120 ÇEŞİT TEKLİ (FERMİ) GLUON

YÖNÜ	UP	B1	B5	R2	R1	F1	F5	L1	L2	B2	CHARGE
ANTİ -GLUON	[illegible]	[illegible]	[illegible]	[illegible]	[illegible]	[illegible]	[illegible]	[illegible]	[illegible]	[illegible]	-2/3
ANTİ -GLUON	[illegible]	[illegible]	[illegible]	[illegible]	[illegible]	[illegible]	[illegible]	[illegible]	[illegible]	[illegible]	1/3
GLUON	[illegible]	[illegible]	[illegible]	[illegible]	[illegible]	[illegible]	[illegible]	[illegible]	[illegible]	[illegible]	-1/3
GLUON	[illegible]	[illegible]	[illegible]	[illegible]	[illegible]	[illegible]	[illegible]	[illegible]	[illegible]	[illegible]	2/3
YÖNÜ	DO	F3	F4	L3	L4	B3	B4	R4	R3	F2	

Legend — **YUKARIDA GÖRÜLEN BAZI REEL KUARKLAR VE KISALTMALARI**:

	YÜKÜ
S*: STRANGE (YABANCI)	0, 2/3, 1,-1
C: CHARM (TILSIMLI)	+2/3
B: BOTTOM (ALT)	-1/3
t: TOP (ÜST)	+2/3
d: DOWN (AŞAĞI)	-1/3
u: UP (YUKARI)	+2/3

⊕ : PROTON   ⊖ : ELEKTRON

Legend — **YUKARIDA GÖRÜLEN ATOMUN 4 KUVVETİ VE SEMBOLLERİ**:

SEMBOLÜ		ETKİ SÜRESİ (Sn.)
KÇ	KÜTLE ÇEKİM KUVVETİ	0
GÜ	GÜÇLÜ ÇEKİRDEK KUVVETİ	10⁻²³ · 10⁻²²
EM	ELEKTROMANYETİK KUVVET	10⁻²⁰ · 10⁻¹⁸
ZA	ZAYIF ÇEKİRDEK KUVVETİ	10⁻¹⁰ · 10⁻⁸

HER ŞEY KURAMI RABİA 2025:

Türkçede **"akıl"** kelimesi, arabça akale kökünden birleştirme anlamına gelmektedir. Bende 60 yılda topladığı evrene ve insana dair bilgileri bu kitapta birleştirdim. Topladığım bilgilerin ve hazırladığım tabloların analizi sonu ortaya çıkan evrensel sentezi burada amatörcede olsa Her şey kuramı olarak özetliyorum.

Farabi'ye göre "İlk var olan tüm var olanların nedenidir. İlk var olanın maddesi olmadığı için, tözü bakımından AKIL' Sayın teorik fizik profesörlerimiz Metin Arık ve Emirhan Rızaoğlu hocalarımızda ilk var olanı, Big-bang' in sıfır noktasın EVRENİN AKLI olarak ortaya koydular. Big-bang'in ilk saniyesinin on üzeri 43 sıfırda birine denklemlerle ulaşan alm profesör Max Plank'ı bugün sağır sultan bile bilirken hocalarımızdan kimse söz etmiyor.

Hocalarımıza göre önceki soldan sağa sarmal toplanarak kendini yok eden evrenin son kalan 3 uzam anti-taneciği ola Anti-graviton (⊚), Anti-foton (⊘), Anti-gluon (⊚), zaman taneciği olan Higs'in (ℏ) yüksek kütlesinin çekim kuvvetiy dördü birden zaman boyutuna dönüşüp "EVRENİN AKLI"nı yani Farabi'ye göre ilk var olanı oluşturmuştur. Big-Bang Evrenin aklı'ndan bizim sağdan sola sarmal genişleyen evrenimizin madde tanecikleri Graviton (⊚), Foton (⊘),Gluon (ve zaman taneciği olan Higs (ℏ) tekrar oluştu.

Bir Bozon taneciğinin iki boyutta çizdiği eğriyi anlatmak için yüzlerce sayfa denklemle ve haftalarca uğr gerekmektedir. Yaşadığımız karmaşa çağında artık evrenimizi herkesin anlayacağı şekilde anlatmak ancak geometriy olacaktır. Dayanağımız ise, atomların köşelere yerleştiği kristallerin geometrik yapıları gibi, atomaltı taneciklerin köşelere yerleştiği sanal geometriler olmasıdır. Buna göre EVRENİN AKLI'da bana göre, köşelerinde önceki evrer ait son 4 tanecik olan üçgen piramidin (Rabia piramidi) ortasındaki Higs (ℏ) taneciğinin içinde oluşmuşt **(EK-Ia,Ia1,Ic,d,f,IIe,g,IIId.**

Böylece **EVRENİN AKLI**'ndan sonraki aşamada yaratılan ilk madde tanecikleri olan Atomaltı tanecikler hakkında model 1973'de **"Standart model"** adıyla ortaya kondu ancak Higs taneciği hızlandırıcılarda bulunamadığı için isp edilmemiş sayıldı. Oysa Higs kütlesi en büyük tanecek olduğu için evrendeki karadeliklerin dibinde olabilir. Ben fizik "Standart model" olarak bilinen tüm temel tanecikleri **EK-IIe** tablosunda geliştirdim. Bu tablonun sol yarısında önce evrene ait anti-madde tanecikleri, sağ yarısında bizim evrene ait bütün madde tanecikleri verildi.

EK-IIe tablosunun üst ortasında Big-bang'den önce solda 10 Anti-bozon, sonra sağda big-bangden sonra yaratıl Sağda 10 Bazon'un altında 10 Nötrino, solda 10 Anti-bozon'un altında 10 Anti-nötrino görülmektedir. Üst iki sıra oluşan toplam 40 taneciğinde her biri için alt iki sırada solda 20 anti-Kuark , sonra sağda 20 kuark olmak üzere topla 40 taneciğin **GEOMETRİK MODELİ** sayfa 203'de verildi. **EK-IIe** tablosunda üst iki sırada toplam 40 Bozon-Nötri tanecikleri altındaki iki sıradaysa 40 kuark tanecikleri olmak üzere toplam 80 tanecik oluştu.Tablonun en altında Gluonların 3'lü yapısı sayesinde, yukarda soldaki, Anti-bozon, Anti-nötrino, Anti-kuark olarak toplam 40 tanecikt 40x3=120 Anti-fermi ve sağda 120 Fermigluon yaratılmış oldu.

Bana göre **EVRENİN AKLI**'ndan sonraki aşamamada, sayfa 165'de **Tesla'nın 3,6,9 (veya 1,2,3)** sayılarına göre **altın o** tablosu ve sayfa 164'de verilen **kristallerin birim hücresine** göre; sağdan sola genişleyen evrenin dış sınırında, **X boyutu**

<table>
<tr><td>

0. EVRENİN AKLI
1. BİG-BANG
   BİG-CRUNCH
   EK-IA,IA1,
   Ib,c,d,e,f,g.
   IIe,a,b,c,d,f,h,i,
   IIId
2. TEKLİ
   TANECİKLER
   Ie,IIa,b,d,e,f
   S-14
3. İKİLİ
   TANECİKLER
   IIh,g,IIId
4. ÜÇLÜ
   TANECİKLER
   Ig,f,IIi,g,IIId
5. ELEMENTLER
   (Atomlar)
   Ibc,d,g,f,
   IIIa,b,c,
   S-24,45
6. MOLEKÜLLER
   S-33
7. BİLEŞİKLER
   S-35
8. TEK HÜCRELİ
   CANLILAR
   S-46
9. ÇOK HÜCRELİ
   CANLILAR
   S-47
10. BİTKİLER
   IE, S-46
11. HAYVANLAR
   Ie, S-47
12. İNSANLAR
   (akıllı canlılar)
   IVa,b, S-48-75

</td><td>

doğru Higs'ten bir ölçü uzakta **Graviton** (⊚), **Y boyutuna** doğru 2 ölçü uzakta **Foton** (⊘), **Z boyutuna** doğru, **Higs**'ten 3 ölçü uzakta **Gluon** (⊚) taneciği yaratıldı. Artık sağdan sola sarmal genişleyen evrenimizde atomal ve astral ölçekte var olacak bütün maddelerin 3 boyutlu geometrisinde, X boyutundan Graviton, Y boyutundan Foton, Z boyutundan Gluon sorumlu olacaktır.

Bence **teslanın 3,6,9 (veya 1,2,3)** sayılarına göre **altın oranlar** evrenimizde astral ölçekte galaksilerden, yıldızlara, gezegenlerin çapları ve yörüngeleri arasındaki oranlara, atomal ve görsel ölçekte dünyadaki okyanus dalgalarına, hortumlara, Torosların dağ kıvrımlarına, kabuklu deniz hayvanlarının, çam kozalaklarının, örümcek ağlarının, yaşam moleküllerinin kimyasal yapılarında görüldüğü bugün bilinen bir gerçektir.

Bu sayfanın altında sağ tarafta görülen **Fibonaci** sayılarında her sayının kendinden önce gelen iki sayının toplamına eşit olma özelliği **Tesla'nın 3,6,9 (veya 1,2,3)** sayılarında da görülmektedir. **Higs**'ten sonra evrenin ilk 10 taneciğinden ikinci, üçüncü, dördüncü tanecikleri ⊚,⊚,⊘ nasıl evrenin 3 boyutundan birinden sorumlu ise kalan 7 taneiğinde evrenin 10 boyutundan birinden sorumlu olabileceği ihtimalini akla getiriyor. Eğer bu varsayım doğruysa o zaman Kristal birim hücresinin ve çağdaş kuantum teknolojileri, kuantum bilgisayarları, yapay zekâ çalışmalarında − **Kübit ve + Kübit** yapılarınında değişmesi gerekecektir. Zaten Tesla'da Evrenin ancak 10 boyutlu hesaplanacağını öne sürmüştür. Bence bu ilk 10 taneciğin işaretleri aşağıdaki gibi değiştirilirse (+) ve (-) kübitlerede uyum sağlanmış olur.

</td><td>

F I B O N A C I S A Y I L A R I	0 1 2 3 5 8 13 21 34 55

</td></tr>
</table>

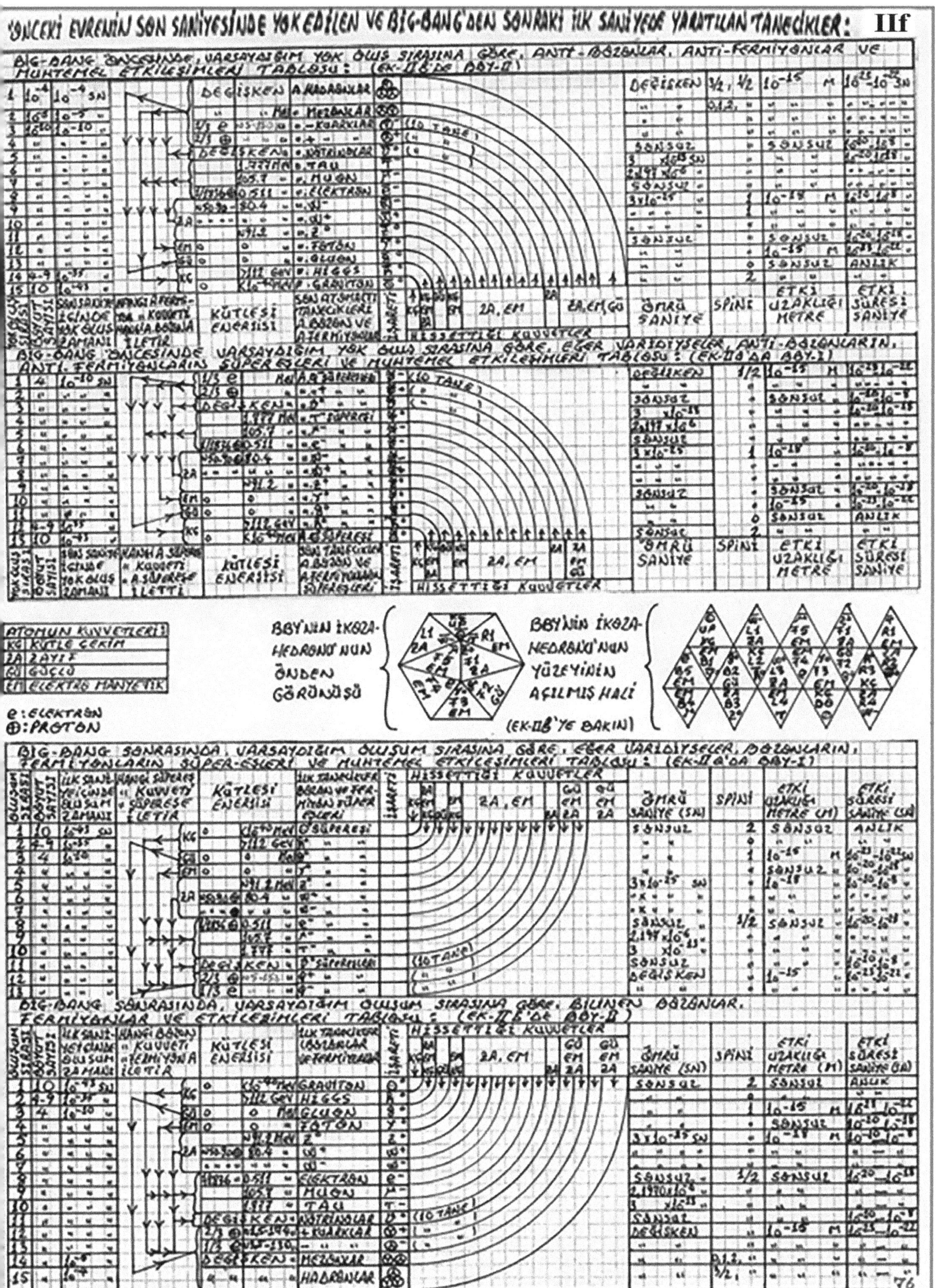

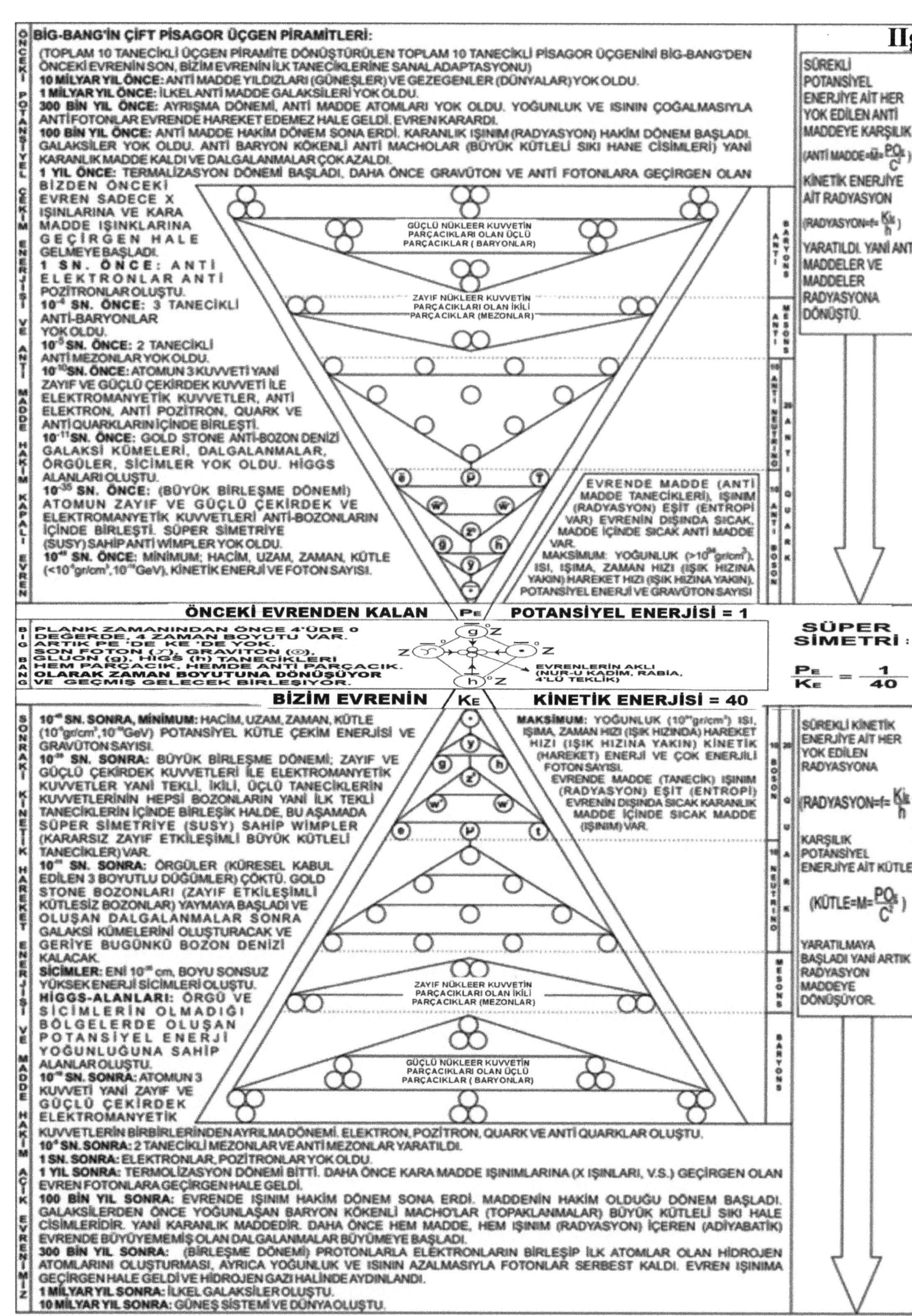

BİG-BANG'İN ÇİFT PİSAGOR ÜÇGEN PİRAMİTLERİ:

IIg

ÖNCEKİ POTANSİYEL ÇEKİM ENERJİSİ VE ANTİ MADDE HAKİM KAPALI EVREN

(TOPLAM 10 TANECİKLİ ÜÇGEN PİRAMİTE DÖNÜŞTÜRÜLEN TOPLAM 10 TANECİKLİ PİSAGOR ÜÇGENİNİ BİG-BANG'DEN ÖNCEKİ EVRENİN SON, BİZİM EVRENİN İLK TANECİKLERİNE SANAL ADAPTASYONU)
10 MİLYAR YIL ÖNCE: ANTİ MADDE YILDIZLARI (GÜNEŞLER) VE GEZEGENLER (DÜNYALAR) YOK OLDU.
1 MİLYAR YIL ÖNCE: İLKEL ANTİ MADDE GALAKSİLERİ YOK OLDU.
300 BİN YIL ÖNCE: AYRIŞMA DÖNEMİ. ANTİ MADDE ATOMLARI YOK OLDU. YOĞUNLUK VE ISININ ÇOĞALMASIYLA ANTİFOTONLAR EVRENDE HAREKET EDEMEZ HALE GELDİ. EVREN KARARDI.
100 BİN YIL ÖNCE: ANTİ MADDE HAKİM DÖNEM SONA ERDİ. KARANLIK IŞINIM (RADYASYON) HAKİM DÖNEM BAŞLADI. GALAKSİLER YOK OLDU. ANTİ BARYON KÖKENLİ ANTİ MACHOLAR (BÜYÜK KÜTLELİ SIKI HANE CİSİMLERİ) YANİ KARANLIK MADDE KALDI VE DALGALANMALAR ÇOK AZALDI.
1 YIL ÖNCE: TERMALİZASYON DÖNEMİ BAŞLADI. DAHA ÖNCE GRAVÜTON VE ANTİ FOTONLARA GEÇİRGEN OLAN BİZDEN ÖNCEKİ EVREN SADECE X IŞINLARINA VE KARA MADDE IŞINLARINA GEÇİRGEN HALE GELMEYE BAŞLADI.
1 SN. ÖNCE: ANTİ ELEKTRONLAR ANTİ POZİTRONLAR OLUŞTU.
10^{-4} SN. ÖNCE: 3 TANECİKLİ ANTİ-BARYONLAR YOK OLDU.
10^{-5} SN. ÖNCE: 2 TANECİKLİ ANTİ MEZONLAR YOK OLDU.
10^{-10} SN. ÖNCE: ATOMUN 3 KUVVETİ YANİ ZAYIF VE GÜÇLÜ ÇEKİRDEK KUVVETİ İLE ELEKTROMANYETİK KUVVETLER, ANTİ ELEKTRON, ANTİ POZİTRON, QUARK VE ANTİ QUARKLARIN İÇİNDE BİRLEŞTİ.
10^{-11} SN. ÖNCE: GOLD STONE ANTİ-BOZON DENİZİ GALAKSİ KÜMELERİ, DALGALANMALAR, ÖRGÜLER, SİCİMLER YOK OLDU. HİGGS ALANLARI OLUŞTU.
10^{-35} SN. ÖNCE: (BÜYÜK BİRLEŞME DÖNEMİ) ATOMUN ZAYIF VE GÜÇLÜ ÇEKİRDEK VE ELEKTROMANYETİK KUVVETLERİ ANTİ-BOZONLARIN İÇİNDE BİRLEŞTİ. SÜPER SİMETRİYE (SUSY) SAHİP ANTİ WIMPLER YOK OLDU.
10^{-43} SN. ÖNCE: MİNİMUM: HACİM, UZAM, ZAMAN, KÜTLE ($<10^{4}$ gr/cm³, 10^{19} GeV), KİNETİK ENERJİ VE FOTON SAYISI.

GÜÇLÜ NÜKLEER KUVVETİN PARÇACIKLARI OLAN ÜÇLÜ PARÇACIKLAR (BARYONLAR)
ZAYIF NÜKLEER KUVVETİN PARÇACIKLARI OLAN İKİLİ PARÇACIKLAR (MEZONLAR)

EVRENDE MADDE (ANTİ MADDE TANECİKLERİ), IŞINIM (RADYASYON) EŞİT (ENTROPİ VAR) EVRENİN DIŞINDA SICAK, MADDE İÇİNDE SICAK ANTİ MADDE VAR.
MAKSİMUM: YOĞUNLUK ($>10^{94}$ gr/cm³), ISI, IŞIMA, ZAMAN HIZI (IŞIK HIZINA YAKIN) HAREKET HIZI (IŞIK HIZINA YAKIN), POTANSİYEL ENERJİ VE GRAVÜTON SAYISI

ANTİ BARYONS ANTİ MESONS ANTİ NEUTRINO ANTİ QUARK ANTİ BOSON

SÜREKLİ POTANSİYEL ENERJİYE AİT HER YOK EDİLEN ANTİ MADDEYE KARŞILIK
(ANTİ MADDE=$\bar{M}$=$\dfrac{PQx}{c^2}$)
KİNETİK ENERJİYE AİT RADYASYON
(RADYASYON=f=$\dfrac{Kık}{h}$)
YARATILDI. YANİ ANTİ MADDELER VE MADDELER RADYASYONA DÖNÜŞTÜ.

ÖNCEKİ EVRENDEN KALAN   Pe   POTANSİYEL ENERJİSİ = 1

BİG BANG
PLANK ZAMANINDAN ÖNCE 4'ÜDE 0 DEĞERDE, 4 ZAMAN BOYUTU VAR. ARTIK PE'DE KE'DE YOK. SON FOTON (γ), GRAVİTON (⊙), GLUON (g), HİGS (h) TANECİKLERİ HEM PARÇACIK, HEMDE ANTİ PARÇACIK. OLARAK ZAMAN BOYUTUNA DÖNÜŞÜYOR VE GEÇMİŞ GELECEK BİRLEŞİYOR.

g°Z   γ   ⊙   Z   h°Z

EVRENLERİN AKLI (NUR-U KADİM, RABİA, 4'LÜ TEKLİK)

SÜPER SİMETRİ :
$\dfrac{Pe}{Ke} = \dfrac{1}{40}$

BİZİM EVRENİN   Ke   KİNETİK ENERJİSİ = 40

SONRAKİ KİNETİK HAREKET ENERJİSİ VE MADDE HAKİM AÇIK EVRENİMİZ

10^{-43} SN. SONRA, MİNİMUM: HACİM, UZAM, ZAMAN, KÜTLE (10^{4} gr/cm³, 10^{19} GeV) POTANSİYEL KÜTLE ÇEKİM ENERJİSİ VE GRAVÜTON SAYISI.
10^{-35} SN. SONRA: BÜYÜK BİRLEŞME DÖNEMİ; ZAYIF VE GÜÇLÜ ÇEKİRDEK KUVVETLERİ İLE ELEKTROMANYETİK KUVVETLER YANİ TEKLİ, İKİLİ, ÜÇLÜ TANECİKLERİN KUVVETLERİNİN HEPSİ BOZONLARIN YANİ İLK TEKLİ TANECİKLERİN İÇİNDE BİRLEŞİK HALDE, BU AŞAMADA SÜPER SİMETRİYE (SUSY) SAHİP WIMPLER (KARARSIZ ZAYIF ETKİLEŞİMLİ BÜYÜK KÜTLELİ TANECİKLER) VAR.
10^{-11} SN. SONRA: ÖRGÜLER (KÜRESEL KABUL EDİLEN 3 BOYUTLU DÜĞÜMLER) ÇÖKTÜ, GOLD STONE BOZONLARI (ZAYIF ETKİLEŞİMLİ KÜTLESİZ BOZONLAR) YAYMAYA BAŞLADI VE OLUŞAN DALGALANMALAR SONRA GALAKSİ KÜMELERİNİ OLUŞTURACAK VE GERİYE BUGÜNKÜ BOZON DENİZİ KALACAK.
SİCİMLER: ENİ 10^{-33} cm, BOYU SONSUZ YÜKSEK ENERJİ SİCİMLERİ OLUŞTU.
HİGGS-ALANLARI: ÖRGÜ VE SİCİMLERİN OLMADIĞI BÖLGELERDE OLUŞAN POTANSİYEL ENERJİ YOĞUNLUĞUNA SAHİP ALANLAR OLUŞTU.
10^{-10} SN. SONRA: ATOMUN 3 KUVVETİ YANİ ZAYIF VE GÜÇLÜ ÇEKİRDEK ELEKTROMANYETİK KUVVETLERİN BİRBİRLERİNDEN AYRILMA DÖNEMİ. ELEKTRON, POZİTRON, QUARK VE ANTİ QUARKLAR OLUŞTU.
10^{-4} SN. SONRA: 2 TANECİKLİ MEZONLAR VE ANTİ MEZONLAR YARATILDI.
1 SN. SONRA: ELEKTRONLAR, POZİTRONLAR YOK OLDU.
1 YIL SONRA: TERMOLİZASYON DÖNEMİ BİTTİ. DAHA ÖNCE KARA MADDE IŞINIMLARINA (X IŞINLARI, V.S.) GEÇİRGEN OLAN EVREN FOTONLARA GEÇİRGEN HALE GELDİ.
100 BİN YIL SONRA: EVRENDE IŞINIM HAKİM DÖNEM SONA ERDİ. MADDENİN HAKİM OLDUĞU DÖNEM BAŞLADI. GALAKSİLERDEN ÖNCE YOĞUNLAŞAN BARYON KÖKENLİ MACHO'LAR (TOPAKLANMALAR) BÜYÜK KÜTLELİ SIKI HALE CİSİMLERİDİR. YANİ KARANLIK MADDEDİR. DAHA ÖNCE HEM MADDE, HEM IŞINIM (RADYASYON) İÇEREN (ADİYABATİK) EVRENDE BÜYÜYEMEMİŞ OLAN DALGALANMALAR BÜYÜMEYE BAŞLADI.
300 BİN YIL SONRA: (BİRLEŞME DÖNEMİ) PROTONLARLA ELEKTRONLARIN BİRLEŞİP İLK ATOMLAR OLAN HİDROJEN ATOMLARINI OLUŞTURMASI, AYRICA YOĞUNLUK VE ISININ AZALMASIYLA FOTONLAR SERBEST KALDI. EVREN IŞINIMA GEÇİRGEN HALE GELDİ VE HİDROJEN GAZI HALİNDE AYDINLANDI.
1 MİLYAR YIL SONRA: İLKEL GALAKSİLER OLUŞTU.
10 MİLYAR YIL SONRA: GÜNEŞ SİSTEMİ VE DÜNYA OLUŞTU.

MAKSİMUM: YOĞUNLUK (10^{94} gr/cm³) ISI, IŞIMA, ZAMAN HIZI (IŞIK HIZINDA) HAREKET HIZI (IŞIK HIZINA YAKIN) KİNETİK (HAREKET) ENERJİ VE ÇOK ENERJİLİ FOTON SAYISI.
EVRENDE MADDE (TANECİK) IŞINIM (RADYASYON) EŞİT (ENTROPİ) EVRENİN DIŞINDA SICAK KARANLIK MADDE İÇİNDE SICAK MADDE (IŞINIM) VAR.

BOSON QUARK NEUTRINO MESONS BARYONS

ZAYIF NÜKLEER KUVVETİN PARÇACIKLARI OLAN İKİLİ PARÇACIKLAR (MEZONLAR)
GÜÇLÜ NÜKLEER KUVVETİN PARÇACIKLARI OLAN ÜÇLÜ PARÇACIKLAR (BARYONLAR)

SÜREKLİ KİNETİK ENERJİYE AİT HER YOK EDİLEN RADYASYONA
(RADYASYON=f=$\dfrac{Kık}{h}$)
KARŞILIK POTANSİYEL ENERJİYE AİT KÜTLE
(KÜTLE=M=$\dfrac{PQx}{c^2}$)
YARATILMAYA BAŞLADI YANİ ARTIK RADYASYON MADDEYE DÖNÜŞÜYOR.

ATOMUN BİLİNEN İKİLİ TEMEL TANECİKLERİ (MEZONLAR) TABLOSU:

ANTİ MADDE						MADDE										
ADI	D	I	SEMBOLÜ			ADI	D	I	SEMBOLÜ	YÜKÜ	SPİN	KÜTLESİ	ENERJİSİ	ÖMRÜ	ÖZELLİK	KUVVETİ
ANTİ d' KUARK	d'		d'			d' KUARK		d'		-1/3	1/2	-1/3	θ 350 MeV		10⁻¹⁸ m	GÜÇLÜ
u S'	S'		S'			S'	u	y	S'				540			ÇEKİRDEK
u b'	b'		b'			b'	u	u	b'				5			KUVVETİ
MAVİ (SARI)	M		M		o	MAVİ u u	M			o			0			(ETKİ SÜRESİ
u YEŞİL (Taban)	Y		Y		o	YEŞİL u u	Y			o			0			10⁻²³ – 10⁻²²
u KIRMIZI (MOR)	K		K		o	KIRMIZI u u	K			o			0			SANİYE)
u-MM GLUON	MM		MM		o	MM GLUON	MM			o	1					
u-MY	MY		MY		o	MY	MY			o						
u-MK	MK		MK		o	MK	MK			o						
u-YM	YM		YM		o	YM	YM			o						
u-YY	YY		YY		o	YY	YY			o						
u-YK	YK		YK		o	YK	YK			o						
u-KM	KM		KM		o	KM	KM			o						
u-KY	KY		KY		o	KY	KY			o						
u-KK	KK		KK		o	KK	KK			1			0			
Pİ – MEZON	π̄	d ū	π̄		-1	Pİ – MEZON(π⁺)	π	u d̄		1	o	273	θ 140	256×10⁻⁶		
u ETA		s̄ s			-1	ETA	u (η)	s s̄		1			547			
u ETA'					-1	ETA'	u (η')			1						
u B	b̄ u			-1	B	u	b u		1						
u Bc	b̄ c			-1	Bc	u	c b		1					15	
u D	d̄			-1	D	u	c d		1	o		1869			
u D*(2010)	D*			-1	D*(2010)	u			1			2010			
u Ds	Ds	s c		-1	Ds	c s			1			1767			
u Ds*	Ds*			-1	Ds*				1			2112			
u D2(2460)	D2			-1	D2(2460)				1			2459			
u K	s̄ u			-1	K	u s̄			1	o	968	θ 494	1.2×10⁻⁸		
u K*(1410)	K*			-1	K*(1410)							892			
u K*(892)	K*			-1	K*(892)							892			
u RHO	d̄ u			-1	RHO	R u d			1	1		770			
ANTİ Pİ MEZON	π̄			1		Pİ – MEZON(π⁻)	π	u d̄		-1	o	273	θ 140 MeV	256×10⁻⁸	10⁻¹⁵ m	GÜÇLÜ
u ETA				1		ETA u (η)	η			-1						ÇEKİRDEK
u ETA'				1		ETA' u (η')	η			-1						KUVVETİ
u B	u b̄			1		B	u b		-1						(ETKİ SÜRESİ
u Bc	c b̄			1		Bc	c b		-1						10⁻²³ 10⁻²²
u D	c̄			1		D	c d		-1			1869			SANİYE)
u D*(2010)		c̄		1		D*(2010)	d			-1			2010			
u Ds		c̄ s		1		Ds	s			-1			1968			
u Ds*				1		Ds*				-1			2112			
u D2(2460)				1		D2(2460)				-1			2459			12
u K*	K*			1		K	s̄ u		-1	o		494	1.22×10⁻⁸		
u K(892)	K			1		K(892)	K			-1			892			
ANTİ Pİ MEZON	π̄	d ū		o		Pİ MEZON	π	u d̄		o	o	264	θ 135 MeV	22×10⁻²⁰		
u ETA				o		ETA u (η)	ηc	c		o	o		2980			
u B				o		B	c d			o			5279			
u Bs				o		Bs	s			o			5370			
u D				o		D	c d			o			1864			
u D*(2007)				o		D*(2007)	d			o			2007			11
u D2(2460)				o		D2(2460)				o			2459			
u KL				o		KL	d s			o		975	θ 498	1×10⁻¹⁰		
u KS				o		KS				o				6×10⁻⁸		
u K*				o		K*				o			896			
u T(1S)	b̄ b			o		T(1S)	b b̄			o			9460			
						W		s								
						W										
						W		u ū								

ATOMUN BİLİNEN ÜÇLÜ TEMEL TANECİKLERİ (BARYONLAR) TABLOSU :

ANTİMADDE ADI	Sembol	İçerik	Yük	MADDE ADI	Sembol	İçerik	Yük	SPİNİ	KÜTLESİ	ENERJİSİ	ÖMRÜ/sn	KUVVETİ
ANTİ PROTON (⊖)	P̄	ūūd̄	-1	PROTON (⊕)	P	uud	+1	½	1836,1	938,2 MeV	KARARLI	GÜÇLÜ ÇEKİRDEK KUVVETİ (ETKİ SÜRESİ 10⁻²³-10⁻²² SANİYE)
« üss (⊖)	P̄'	ūc̄d̄	-1	« üss (⊕)	P'	ucd	+1					
ANTİ NÖTRON (⊖)	N̄	ūd̄d̄	0	NÖTRON (⊕)	N⁰	udd	0	½	1838,6	939,5	1,12×10³ (15 dk)	
« üss (⊖)	N̄'	s̄c̄d̄	0	« üss (⊕)	N'	scd	0					
« SİGMA	Σ̄	ūūū	-2	SİGMA	Σ⁺	uuu	+2	3/2				
«	Σ̄	ūūs̄	-1		Σ⁺	uus	+1	«	2327	1189	0,9×10⁻¹⁰	
« /c	Σ̄c	ūūc̄	-2	/c	Σc⁺⁺	uuc	+2	«				
« /c	Σ̄c	ūd̄c̄	-1	/c	Σc⁺	udc	+1	«				
« Xİ	Ξ̄	ūūc̄	-2	Xİ	Ξ⁺⁺	uuc	+2	«				
«	Ξ̄	ūc̄s̄	-1		Ξ⁺	ucs	+1	«				
« /c	Ξ̄c	ūs̄c̄	-1	/c	Ξc⁺	usc	+1	«		2466		
« OMEGA	Ω̄	c̄c̄c̄	-2	OMEGA	Ω⁺⁺	ccc	+2	«				
«	Ω̄	c̄c̄s̄	-1		Ω⁺	ccs	+1	«				
« LAMDA	Λ̄	c̄c̄ū	-2	LAMDA	Λ⁺⁺	ccu	+2	«				
«	Λ̄	c̄c̄d̄	-1		Λ⁺	ccd	+1	«				
« /c	Λ̄c	ūd̄c̄	-1	/c	Λc⁺	udc	+1	«		2285		
ANTİ SİGMA	Σ̄	s̄d̄d̄	+1	SİGMA	Σ⁻	sdd	-1	3/2	2342	1197 MeV	1,34×10⁻¹⁰	GÜÇLÜ ÇEKİRDEK KUVVETİ (ETKİ SÜRESİ 10⁻²³-10⁻²² SANİYE)
« Xİ	Ξ̄	d̄s̄s̄	+1	Xİ	Ξ⁻	dss	-1	«	2583	1321	1,8×10⁻¹⁰	
« /b	Ξ̄b	d̄s̄b̄	+1	/b	Ξb⁻	dsb	-1	«		5624		
« OMEGA	Ω̄	s̄s̄s̄	+1	OMEGA	Ω⁻	sss	-1	«		1672		
« SİGMA	Σ̄	ūd̄s̄	0	SİGMA	Σ⁰	ucs	0	3/2	2327	1193	>10¹¹	
« /c	Ξ̄c	d̄d̄c̄	0	/c	Ξc⁰	ddc	0	«				
« Xİ	Ξ̄	ūs̄s̄	0	Xİ	Ξ⁰	uss	0	«	2577	1315	1,9×10⁻¹⁰	
« /b	Ξ̄b	ūs̄b̄	0	/b	Ξb⁰	usb	0	«		5624		
« /c	Ξ̄c	d̄s̄c̄	0	/c	Ξc⁰	dsc	0	«		2472		
« OMEGA/c	Ω̄c	c̄s̄s̄	0	OMEGA/c	Ωc⁰	css	0	«		2698		
« LAMDA	Λ̄	ūd̄s̄	0	LAMDA	Λ⁰	ucs	0	«	2181	1115	3,03×10⁻¹⁰	
« /b	Λ̄b	ūd̄b̄	0	/b	Λb⁰	udb	0	«		5624		

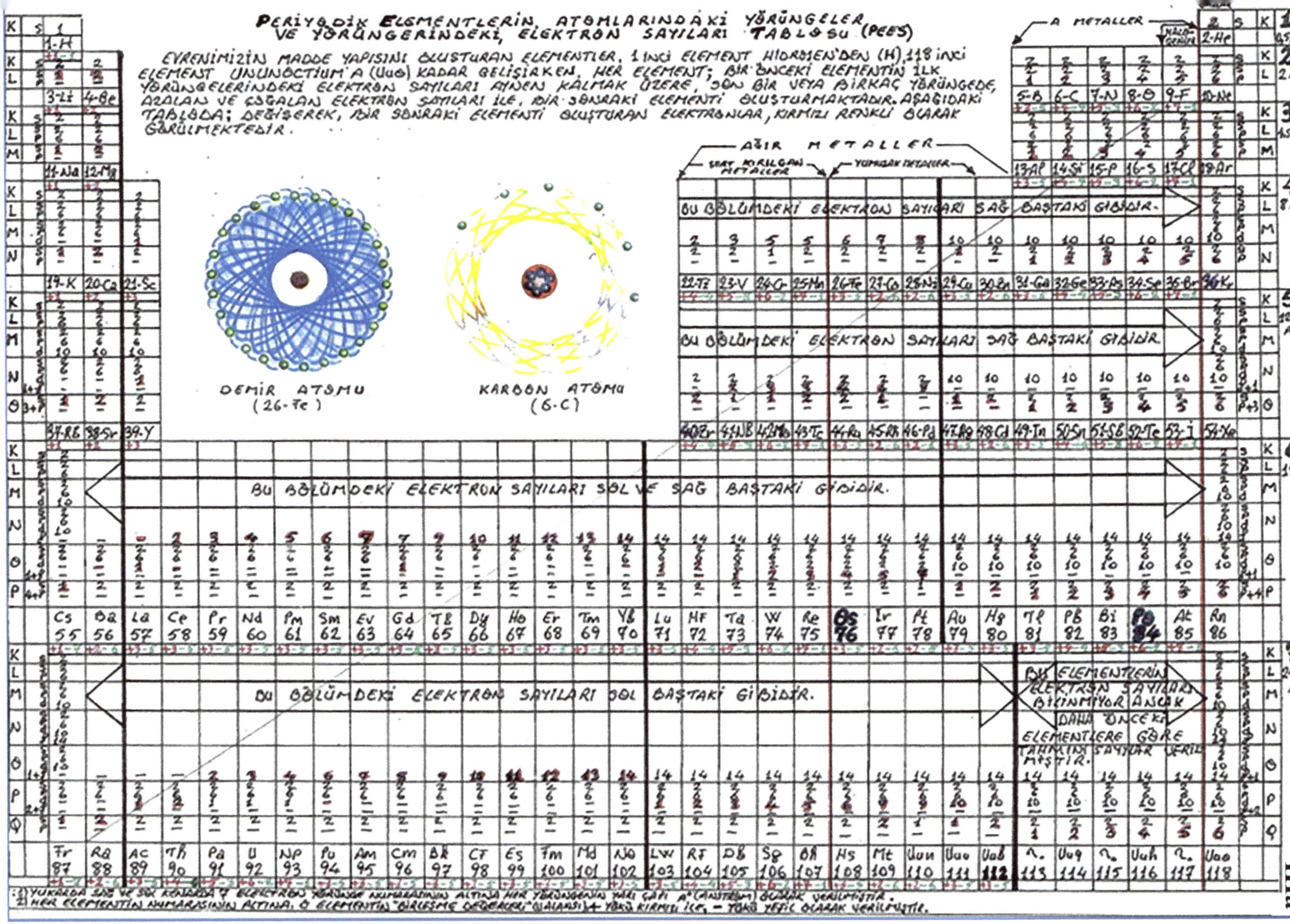

PERİYODİK ELEMENTLERİN ATOMLARINDAKİ YÖRÜNGELER VE YÖRÜNGERİNDEKİ ELEKTRON SAYILARI TABLOSU (PEES)

EVRENİMİZİN MADDE YAPISINI OLUŞTURAN ELEMENTLER, 1 İNCİ ELEMENT HİDROJEN'DEN (H) 118 İNCİ ELEMENT UNUNOCTİUM'A (Uuo) KADAR GELİŞİRKEN, HER ELEMENT; BİR ÖNCEKİ ELEMENTİN İLK YÖRÜNGELERİNDEKİ ELEKTRON SAYILARI AYNEN KALMAK ÜZERE, SON BİR VEYA BİRKAÇ YÖRÜNGEDE, AZALAN VE ÇOĞALAN ELEKTRON SAYILARI İLE, BİR SONRAKİ ELEMENTİ OLUŞTURMAKTADIR. AŞAĞIDAKİ TABLODA; DEĞİŞEREK, BİR SONRAKİ ELEMENTİ OLUŞTURAN ELEKTRONLAR, KIRMIZI RENKLİ OLARAK GÖRÜLMEKTEDİR.

Element symbols and atomic numbers (as printed across the table):

1-H, 2-He, 3-Li, 4-Be, 5-B, 6-C, 7-N, 8-O, 9-F, 10-Ne, 11-Na, 12-Mg, 13-Al, 14-Si, 15-P, 16-S, 17-Cl, 18-Ar, 19-K, 20-Ca, 21-Sc, 22-Ti, 23-V, 24-Cr, 25-Mn, 26-Fe, 27-Co, 28-Ni, 29-Cu, 30-Zn, 31-Ga, 32-Ge, 33-As, 34-Se, 35-Br, 36-Kr, 37-Rb, 38-Sr, 39-Y, 40-Zr, 41-Nb, 42-Mo, 43-Tc, 44-Ru, 45-Rh, 46-Pd, 47-Ag, 48-Cd, 49-In, 50-Sn, 51-Sb, 52-Te, 53-I, 54-Xe

Cs	Ba	La	Ce	Pr	Nd	Pm	Sm	Ev	Gd	Tb	Dy	Ho	Er	Tm	Yb	Lu	Hf	Ta	W	Re	Os	Ir	Pt	Au	Hg	Tl	Pb	Bi	Po	At	Rn
55	56	57	58	59	60	61	62	63	64	65	66	67	68	69	70	71	72	73	74	75	76	77	78	79	80	81	82	83	84	85	86

Fr	Ra	Ac	Th	Pa	U	Np	Pu	Am	Cm	Bk	Cf	Es	Fm	Md	No	Lw	Rf	Db	Sg	Bh	Hs	Mt	Uun	Uuu	Uub		Uuq		Uuh		Uuo
87	88	89	90	91	92	93	94	95	96	97	98	99	100	101	102	103	104	105	106	107	108	109	110	111	112	113	114	115	116	117	118

Orbit/shell row labels (left and right margins): K, L, M, N, O, P, Q — with group/period markers 1 (1A), 2 (2A), 3, 4 (8A), 5, 6 (18A), 7.

1) YUKARIDA SOL VE SAĞ KENARDA Y ELEKTRON YÖRÜNGE NUMARASININ ALTINA HER YÖRÜNGENİN TAKİ ÇAPI A° (ANGSTROM) OLARAK VERİLMİŞTİR.

2) HER ELEMENTİN NUMARASININ ALTINA, O ELEMENTİN "ÖRGESME DEĞERLERİ" (VALANSI) + YÖRÜ KIRMIZI İLE, – YÖRÜ YEŞİL OLARAK VERİLMİŞTİR.

PROTON (⊕) VE NÖTRON (⊗) SAYILARINA GÖRE PERİYODİK ELEMENTLER VE İZOTOPLARI

Sütun başlıkları (her grup için): **Proton sayısı (P⊕)** | **Nötron sayısı (N⊗)** | **Σ (P+N)** | **Kısaltması** | **Adı**

1. Grup

P⊕	N⊗	Σ	Kısaltması	Adı
1	−	1	H	HİDROJEN
1	1	2	«	DÖTERYUM
1	2	3	«	TRİTYUM
2	1	3	He	HELYUM
2	2	4	«	HELYUM 4
3	3	6	Li	LİTYUM
3	4	7	«	7
4	5	9	Be	BERİLYUM
5	5	10	B	BOR
5	6	11	«	11
6	6	12	C	KARBON
6	7	13	«	13
7	7	14	N	AZOT
7	8	15	«	15
8	8	16	O	OKSİJEN
8	9	17	«	17
8	10	18	«	18
9	10	19	F	FLOR
10	10	20	Ne	NEON
10	11	21	«	21
10	12	22	«	22
11	12	23	Na	SODYUM
12	12	24	Mg	MAGNEZYUM
12	13	25	«	25
12	14	26	«	26
13	14	27	Al	ALÜMİNYUM
14	14	28	Si	SİLİSYUM
14	15	29	«	29
14	16	30	«	30
15	16	31	P	FOSFOR
16	16	32	S	KÜKÜRT
16	17	33	«	33
16	18	34	«	34
16	19	35	«	35
17	18	35	Cl	KLOR
17	20	37	«	37
18	18	36	Ar	ARGON
18	20	38	«	38
18	22	40	«	40
19	20	39	K	POTASYUM
19	21	40	«	40
19	22	41	«	41
20	20	40	Ca	KALSİYUM
20	22	42	«	42
20	23	43	«	43
20	24	44	«	44
20	26	46	«	46
20	28	48	«	48
21	24	45	Sc	SKANDİYUM
22	24	46	Ti	TİTANYUM
22	25	47	«	47
22	26	48	«	48
22	27	49	«	49
22	28	50	«	50
23	28	51	V	VANADİN
24	26	50	Cr	KROM
24	28	52	«	52
24	29	53	«	53
24	30	54	«	54
25	30	55	Mn	MANGANEZ
26	28	54	Fe	DEMİR
26	30	56	«	56
26	31	57	«	57
26	32	58	«	58
27	32	59	Co	KOBALT
28	30	58	Ni	NİKEL
28	32	60	«	60
28	33	61	«	61
28	34	62	«	62
28	36	64	«	64
29	34	63	Cu	BAKIR
29	36	65	«	65
30	34	64	Zn	ÇİNKO
30	36	66	«	66
30	37	67	«	67
30	38	68	«	68
30	40	70	«	70

2. Grup

P⊕	N⊗	Σ	Kısaltması	Adı
31	38	69	Ga	GALYUM
31	40	71	«	71
32	38	70	Ge	GERMANYUM
32	40	72	«	72
32	41	73	«	73
32	42	74	«	74
32	44	76	«	76
33	42	75	As	ARSENİK
34	40	74	Se	SELENYUM
34	42	76	«	76
34	43	77	«	77
34	44	78	«	78
34	46	80	«	80
34	48	82	«	82
35	44	79	Br	BROM
35	46	81	«	81
36	42	78	Kr	KRİPTON
36	44	80	«	80
36	46	82	«	82
36	47	83	«	83
36	48	84	«	84
36	50	86	«	86
37	48	85	Rb	RUBİTYUM
37	50	87	«	87
38	46	84	Sr	STRONSİYUM
38	48	86	«	86
38	49	87	«	87
38	50	88	«	88
39	50	89	Y	YİTRİYUM
40	50	90	Zr	ZİRKONYUM
40	51	91	«	91
40	52	92	«	92
40	54	94	«	94
40	56	96	«	96
41	52	93	Nb	NİOBYUM
42	50	92	Mo	MOLİBDEN
42	52	94	«	94
42	53	95	«	95
42	54	96	«	96
42	55	97	«	97
42	56	98	«	98
42	58	100	«	100
43			Tc	TEKNİSYUM
44	52	96	Ru	RUTENYUM
44	54	98	«	98
44	55	99	«	99
44	56	100	«	100
44	57	101	«	101
44	58	102	«	102
44	60	104	«	104
45	58	103	Rh	RODYUM
46	56	102	Pd	PALADYUM
46	58	104	«	104
46	59	105	«	105
46	60	106	«	106
46	62	108	«	108
46	64	110	«	110
47	60	107	Ag	GÜMÜŞ
47	62	109	«	109
48	58	106	Cd	KADMİYUM
48	60	108	«	108
48	62	110	«	110
48	63	111	«	111
48	64	112	«	112
48	65	113	«	113
48	66	114	«	114
48	68	116	«	116
49	64	113	In	İNDİYUM
49	66	115	«	115
50	62	112	Sn	KALAY
50	64	114	«	114
50	65	115	«	115
50	66	116	«	116
50	67	117	«	117
50	68	118	«	118
50	69	119	«	119
50	70	120	«	120

3. Grup

P⊕	N⊗	Σ	Kısaltması	Adı
50	72	122	Sn	KALAY 122
51	70	121	Sb	ANTİMON
51	72	123	«	123
52	70	122	Te	TELÜR
52	71	123	«	123
52	72	124	«	124
52	73	125	«	125
52	74	126	«	126
52	76	128	«	128
52	78	130	«	130
53	74	127	I	İYOT
54	70	124	Xe	KSENON
54	72	126	«	126
54	74	128	«	128
54	75	129	«	129
54	76	130	«	130
54	77	131	«	131
54	78	132	«	132
54	80	134	«	134
54	82	136	«	136
55	78	133	Cs	SEZYUM
56	74	130	Ba	BARYUM
56	76	132	«	132
56	78	134	«	134
56	79	135	«	135
56	80	136	«	136
56	81	137	«	137
56	82	138	«	138
57	82	139	La	LANTANYUM
58	78	136	Ce	SERYUM
58	80	138	«	138
58	82	140	«	140
58	84	142	«	142
59	82	141	Pr	PRASEODYUM
60	82	142	Nd	NEODYUM
60	83	143	«	143
60	84	144	«	144
60	85	145	«	145
60	86	146	«	146
60	88	148	«	148
60	90	150	«	150
61			Pm	PROMEDYUM
62	88	150	Sm	SAMARİYUM
62	85	147	«	147
62	86	148	«	148
62	87	149	«	149
62	88	150	«	150
62	90	152	«	152
62	92	154	«	154
63	88	151	Eu	EUROPYUM
63	90	153	«	153
64	88	152	Gd	GADOLİNYUM
64	90	154	«	154
64	91	155	«	155
64	92	156	«	156
64	93	157	«	157
64	94	158	«	158
64	96	160	«	160
65	94	159	Tb	TERBİYUM
66	92	158	Dy	DİSPROSYUM
66	94	160	«	160
66	95	161	«	161
66	96	162	«	162
66	97	163	«	163
66	98	164	«	164
67	98	165	Ho	HOLMİYUM
68	94	162	Er	ERBİYUM
68	96	164	«	164
68	98	166	«	166
68	99	167	«	167
68	100	168	«	168
69	100	169	Tm	TULYUM
70	98	168	Yb	İTERBİYUM
70	100	170	«	170
70	101	171	«	171

4. Grup

P⊕	N⊗	Σ	Kısaltması	Adı
70	102	172	Yb	YİTERBİYUM 172
70	103	173	«	173
70	104	174	«	174
70	106	176	«	176
71	104	175	Lu	LUTESİYUM
71	105	176	«	176
72	102	174	Hf	HAFNİYUM
72	104	176	«	176
72	105	177	«	177
72	106	178	«	178
72	107	179	«	179
72	108	180	«	180
73	108	181	Ta	TANTAL
74	106	180	W	TUNGSTEN
74	108	182	«	182
74	109	183	«	183
74	110	184	«	184
74	112	186	«	186
75	110	185	Re	RHENYUM
75	112	187	«	187
76	108	184	Os	OSMİYUM
76	110	186	«	186
76	111	187	«	187
76	112	188	«	188
76	113	189	«	189
76	114	190	«	190
76	116	192	«	192
77	114	191	Ir	İRİDYUM
77	116	193	«	193
78	114	192	Pt	PLATİN
78	116	194	«	194
78	117	195	«	195
78	118	196	«	196
78	120	198	«	198
79	118	197	Au	ALTIN
80	116	196	Hg	CIVA
80	118	198	«	198
80	119	199	«	199
80	120	200	«	200
80	121	201	«	201
80	122	202	«	202
80	124	204	«	204
81	122	203	Tl	TALYUM
81	124	205	«	205
82	122	204	Pb	KURŞUN
82	124	206	«	206
82	125	207	«	207
82	126	208	«	208
83	126	209	Bi	BİZMÜT
84	126	210	Po	POLONYUM
«	127	211	«	Ac C
«	128	212	«	Th C'
«	130	214	«	Ra C'
«	131	215	«	Ac A
«	132	216	«	Th A
«	134	218	«	Ra A
85	135	220	At	ASTATİN
86	136	222	Rn	RADON
«		220	«	THORON
«		219	«	AKTİNON
87	137	224	Fr	FRANSİYUM
88	138	226	Ra	RADYUM
«		224	«	ThX
«		223	«	AcX
89	138	227	Ac	AKTİNYUM
«		224	«	RdAc
«		228	«	RdTh
«		230	«	Io
90	142	232	Th	TORYUM
91	140	231	Pa	PROTAKTİNYUM
92	142	234	U	URANYUM (II)
«	143	235	«	(Ac)
«	146	238	«	(I)
93	144	237	Np	NEPTÜNYUM
94	150	244	Pu	PLUTONYUM
95	148	243	Am	AMERİKYUM

5. Grup

P⊕	N⊗	Σ	Kısaltması	Adı
96	151	247	Cm	KÜRYUM
97	150	247	Bk	BERKELYUM
98	153	251	Cf	KALİFORNİYUM
99	153	252	Es	EİNSTEİNYUM
100	157	257	Fm	FERMİYUM
101	157	258	Md	MENDELYUM
102	«	259	No	NOBELYUM
103	159	262	Lw	LAVRENSİYUM
104	157	261	Rf	RUDERFORDİYUM
105	«	262	Db	DUBNİYUM
106	«	263	Sg	SEABORGİYUM
107	155	262	Bh	BOHRYUM
108	157	265	Hs	HASSİYUM
109	«	266	Mt	MAITNERYUM
110	159	269	Uun	UNUNNİLYUM
111	161	272	Uuu	UNUNUNİYUM
112	165	277	Uub	UNUNBİYUM
113	∿	∿	∿	∿
114	171	285	Uuq	UNUNQUADİYUM
115	172	287	∿	∿
116	173	289	Uuh	UNUNHEXİYUM
117	174	291	∿	∿
118	175	293	Uuo	UNUNOKTİYUM
119	176	295	∿	∿
120	177	297	∿	∿
121	178	299	∿	∿
122	179	301	∿	∿
123	180	303	∿	∿

NOT: 120 PROTONLU ELEMENT İTİBARİYLE, İZOTOPLARI İLE BERABER, TOPLAM 333 ELEMENT.

NOT: PROTON, NÖTRON ORANLARI: KIRMIZILAR : 1 ⊕/1 ⊗ — YEŞİLLER : 2 ⊗/3 ⊕

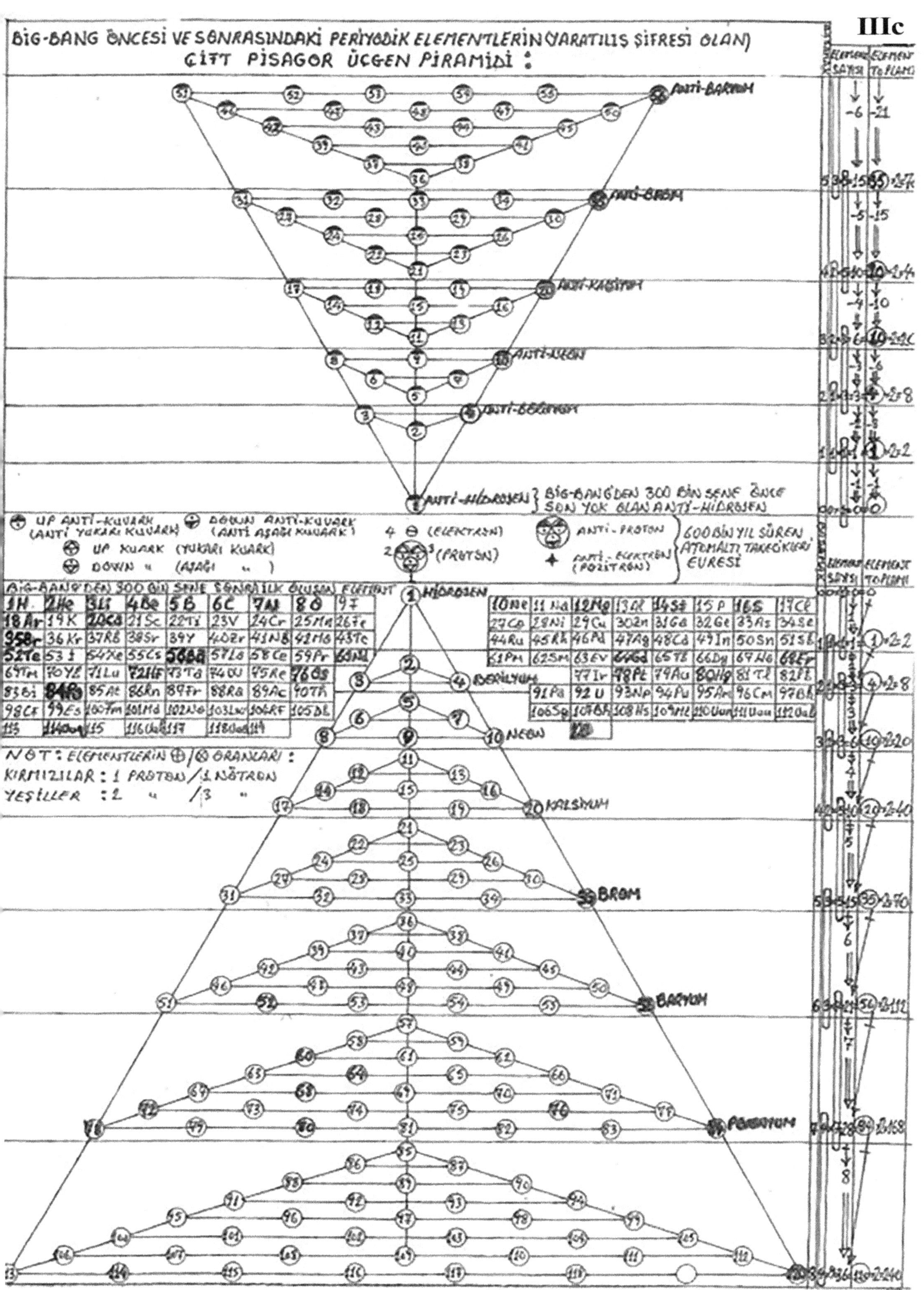
BİG-BANG ÖNCESİ VE SONRASINDAKİ PERİYODİK ELEMENTLERİN (YARATILIŞ ŞİFRESİ OLAN)
ÇİFT PİSAGOR ÜÇGEN PİRAMİDİ:
ANTİ-BARYUM
ANTİ-CESIU
ANTİ-KALSIYUM
ANTİ-NEON
ANTİ-BERİLYUM
ANTİ-HİDROJEN
BİG-BANG'DEN 300 BİN SENE ÖNCE SON YOK OLAN ANTİ-HİDROJEN
UP ANTİ-KUARK (ANTİ YUKARI KUARK)
DOWN ANTİ-KUARK (ANTİ AŞAĞI KUARK)
(ELEKTRON)
(PROTON)
ANTİ-PROTON
ANTİ-ELEKTRON (POZİTRON)
UP KUARK (YUKARI KUARK)
DOWN " (AŞAĞI ")
600 BİN YIL SÜREN ATOMALTI TANECİKLERİ DEVRESİ
BİG-BANG'DEN 300 BİN SENE SONRA İLK OLUŞAN ELEMENT
HİDROJEN
BERİLYUM
NEON
KALSIYUM
BROM
BARYUM
POLONYUM
NOT: ELEMENTLERİN ⊕/⊗ ORANLARI:
KIRMIZILAR: 1 PROTON / 1 NÖTRON
YEŞİLLER : 2 " / 3 "

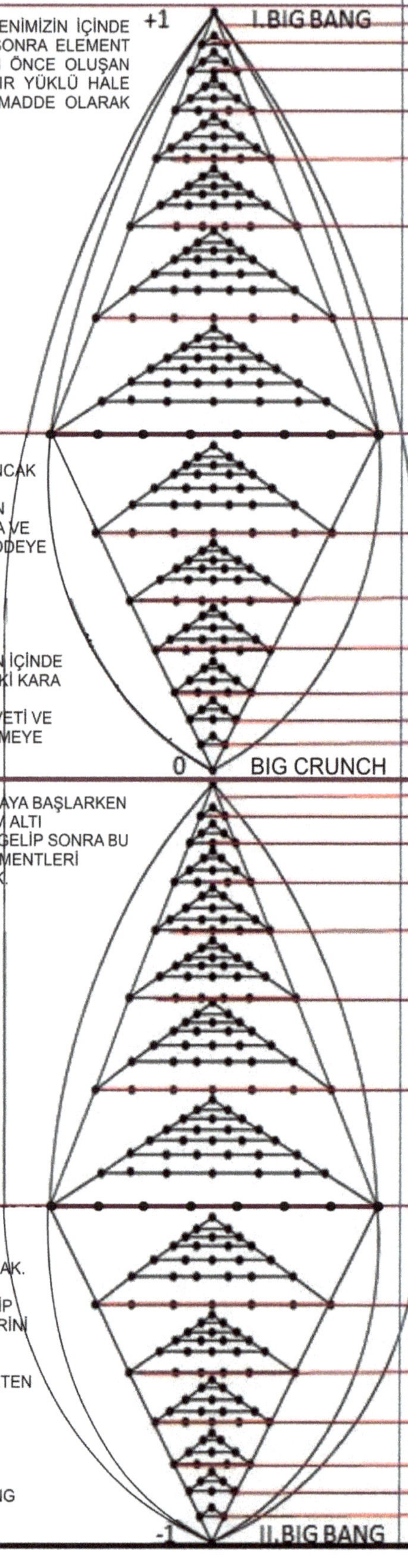

EVRENLERİN KUANTUMLARI İÇİNDE ATOM ALTI TANECİKLERİNİN YARADILIŞ ŞİFRESİ OLAN ÇİFT PİSAGOR ÜÇGEN PİRAMİTLERİ

BIG-BANG SONRASI MADDE EVRENİMİZİN İÇİNDE ÖNCE ATOM ALTI TANECİKLERİ SONRA ELEMENT ATOMLARI OLUŞUP ÇOĞALIRKEN ÖNCE OLUŞAN ATOM ALTI TANECİKLER DE SIFIR YÜKLÜ HALE GELİP EVRENİN DIŞINDA KARA MADDE OLARAK TOPLANMAYA BAŞLIYOR.

120 ELEMENTTEN SONRA FARKLI ELEMENT GELİŞMESİ DURACAK ANCAK EVRENİN GENİŞLEMESİ DEVAM EDERKEN MEVCUT 120 ELEMENTİN PROTONLARI DA NÖTRONLAŞMAYA VE EVRENİMİZİN DIŞINDAKİ KARA MADDEYE KATILMAYA BAŞLAYACAK.

SONUNDA EVRENİN İÇİNDEKİ ELEMENTLERİN HEPSİ YILDIZLARIN İÇİNDE YANIP BİTTİĞİNDE EVREN DIŞINDAKİ KARA MADDE BİRİKEN SIFIR YÜKLÜ TANECİKLERİN KÜTLE ÇEKİM KUVVETİ VE BIG CRUNCH İLE KENDİ İÇİNE ÇÖKMEYE BAŞLAYACAK.

BIG CRUNCH İLE EVREN TOPLANMAYA BAŞLARKEN ÖNCE KARA MADDE İÇİNDEKİ ATOM ALTI TANECİKLER ANTİ MADDE HALİNE GELİP SONRA BU TANECİKLERDEN ANTİ MADDE ELEMENTLERİ OLUŞUP ÇOĞALMAYA BAŞLAYACAK.

120 ANTİ MADDE ELEMENTİ OLUŞTUKTAN SONRA FARKLI ANTİ MADDE ELEMENT GELİŞİMİ DURACAK. VE EVREN TOPLANMAYA DEVAM EDERKEN KARADELİK HALİNE GELİP MEVCUT ANTİ MADDE ELEMENTLERİNİ GİTTİKÇE HIZLANARAK VE GÜÇLENEREK YOK ETMEYE BAŞLAYACAK. ELEMENTLER BİTTİKTEN SONRA ANTİ MADDE ATOM ALTI TANECİKLERİ YOK EDİLMEYE BAŞLAYACAK. SON ANTİ MADDE TANECİĞİ OLAN GRAVİTON DA IŞIK HIZINI GEÇTİĞİ İÇİN ENERJİYE DÖNÜŞÜP YOK OLUNCA II. BIG-BANG GERÇEKLEŞECEK.

+1 — I. BIG BANG

BASAMAKLAR VE NOKTA SAYILARI	YARATILIŞ VE YOK OLUŞ SIRASI	TANECİK SAYISI	TOPLAM TANECİK SAYILARI VE TANECİK ÇEŞİTLERİ		EVRENİMİZİN YAŞI MİLYAR YIL
1	I	4	BOZON		SIFIR
2					
3	II	6	LEPTON		
4	III	10	NÖTRİNO	IV	
5	V	15	MEZON	120 QUARK	
6		21	36 VE MEZO-GLUON	VII	10^{10} (13,7)
7	VI	28	BARYON	120 ELEMENT ÇEŞİDİ OLUŞACAK	
8		36 + / 120 TOPLAM			10^{20}

0 — BIG CRUNCH

BASAMAKLAR VE NOKTA SAYILARI	YARATILIŞ VE YOK OLUŞ SIRASI	TANECİK SAYISI	TOPLAM TANECİK SAYILARI	VE TANECİK ÇEŞİTLERİ	EVRENİMİZİN YAŞI MİLYAR YIL
7	VI	28	BARYON	IV	(27,4)
6	V	21	MEZON	120 QUARK	
5		15	36 VE MEZO-GLUON	VII	10^{30} (43,1)
4	III	10	NEUTRINO	120 ELEMENT ÇEŞİDİ	
3	II	6	LEPTON	YOK OLACAK	
2	I	4	BOZON		
1					10^{40}

BIG CRUNCH (Anti Madde)

BASAMAKLAR VE NOKTA SAYILARI	YARATILIŞ VE YOK OLUŞ SIRASI	TANECİK SAYISI	TOPLAM TANECİK SAYILARI	VE TANECİK ÇEŞİTLERİ	EVRENİMİZİN YAŞI MİLYAR YIL
2	I	4	ANTİ BOZON		(54,8)
3	II	6	ANTİ LEPTON		
4	III	10	ANTİ NÖTRİNO	IV	
5	V	15	ANTİ MEZON	120 ANTİ-QUARK	
6		21	36 VE ANTİ MEZO-GLUON	VII	10^{50} (68,5)
7	VI	28	ANTİ BARYON	120 ANTİ-ELEMENT ÇEŞİDİ OLUŞACAK	
8		36 + / 120 TOPLAM			10^{60}

-1 — II. BIG BANG

BASAMAKLAR VE NOKTA SAYILARI	YARATILIŞ VE YOK OLUŞ SIRASI	TANECİK SAYISI	TOPLAM TANECİK SAYILARI	VE TANECİK ÇEŞİTLERİ	EVRENİMİZİN YAŞI MİLYAR YIL
7	VI	28	ANTİ BARYON	IV	(82,2)
6		21	ANTİ MEZON	120 ANTİ-QUARK	
5	V	15	36 VE ANTİ MEZO-GLUON	VII	10^{70} (95,9)
4	III	10	ANTİ NÖTRİNO	120 ANTİ-ELEMENT ÇEŞİDİ	
3	II	6	ANTİ LEPTON	YOK OLACAK	
2	I	4	ANTİ BOZON		10^{80} (109,6)
1					

DÜNYADA AHİRETTE CENNET İÇİN KURULACAK BİRLEŞİK RABİA DEVLETLERİ MODELİ:

MEVLEVİ DERVİŞİNİN SAĞ TARAFINDA MANÂ VEYA BİLGİ, SOL TARAFINDA MADDE OLARAK VERDİĞİ MESAJ : İNSAN EDİNDİĞİ BİLGİ SAYESİNDE MADDE'Yİ İŞLEYİP ÜRÜN VEYA HİZMET ÜRETMESİDİR. YANDAKİ TABLODA GÖRÜLEN YÖNETİM MODELİNDEYSE, İNSAN'IN YERİNİ "DEVLET" ALMIŞ OLUP, SOL TARAFTA "YAPANLAR" (MESLEK SAHİPLERİ, ÜRETENLER), SAĞ TARAFINDA "BİLENLER" (OKULLAR, ÜNİVERSİTELER) VARDIR. DEVLETİN GÖREVİ TOPLUMDA "BİLENLER"İN, "YAPANLAR"A MESLEKLERİNDEKİ EN SON ÇAĞDAŞ GELİŞMELER HAKKINDA BİLGİ VERMESİNİ SAĞLAMAKTIR.

DAHA ÖNCE BİLİMLERİN TASNİFİNİ YAPMIŞ BİLİM İNSANLARI VE KURUMLAR:
I) MISIR TAPINAKLARINDA RAHİPLERİN BİNLERCE SENE ÇALIŞTIĞI 7 BİLİM DALI: 1-ASTRONOMİ 2-MÜZİK 3-HENDESE
   4-MATAMATİK 5-BELAGAT 6-MANTIK 7-GRAMER
II) R.DECARTES FRS. (1596-1650) GENEL BİR BİLİM VE İŞARET DİLİ HAZIRLADI (SCİENTİA GENERALİS).
III) JOHN LOCKE İNG.(1632-1704) BÜTÜN BİLİMLERİ SEMİYOTİK OLARAK TASNİF ETTİ.
IV) G.W. LEİBNİZ ALM. FİLOZOF (1646-1716) MATAMATİĞİ FELSEFEYE UYGULAYIP, UNİVERSAL BİR BİLİM, FELSEFE
   VE İŞARETLER DİLİ "KARAKTERİSTİCA UNİVERSALİS" OLUŞTURDU.
V) AUGUSTE COMTE FRS. FLOZOF (1798-1857) BİLİMLERİ 7 GURUPTA TASNİF ETTİ: 1-MATAMATİK 2-ASTRONOMİ
   3-FİZİK 4-KİMYA 5"BİYOLOJİ 6-AHLÂK. AYRICA TOPLUMUN BİLİMLE TEŞKİLATLANMASI GEREKTİĞİNİ İLERİ SÜRDÜ
   VE BİLİMİ ÇEŞİTLİ ÜÇLEMELER ÜZERİNE KURMAYA ÇALIŞTI. BÜTÜN BİLİMLERİ FELSEFEDE TOPLADI.
VI) MELOİL DEWEY 1895'DE BRÜKSEL'DE "DESİMAL KLASSİFİCATİON" ADIYLA BİLİMLERİ SINIFLADI BU SINIFLAMA
   "İNTERNATİONAL BİBLİYOGRAFİSHE İNSTİTUT" TARAFINDAN KABUL EDİLDİ. BUGÜN DÜNYA KÜTÜPHANELERİNDE
   UYGULANMAKTA OLUP MERKEZİ HOLLANDA DA OLAN "İNTERNATİONAL AUSCHUB FÜR UNİVERSAL KLASİFİKASYON
   İM HAAG" TARAFINDAN DA KABUL EDİLDİ.
VII) ANKARA DA İHRACATI GELİŞTİRME MERKEZİ (İGEME) TÜRKİYE İHRACAT REHBERİNDEKİ TASNİF.
VIII) BRÜKSEL TARİFE NOMANKLATÜRÜ (BTN)'NİN STANDART VE ULUSLARARASI TİCARET SINIFLANDIRMASI (SİTC).
IX) İSTANBUL TİCARET ODASI REHBERİ: BİRLEŞMİŞ MİLLETLERİN HAZIRLADIĞI BÜTÜN EKONOMİK FAALİYETLERİN ULUSLARARASI ENDÜSTRİYEL STANDARTLAR SINIFLAMASINA GÖRE TASNİF EDİLDİ.
X) İNTERNATİONAL PATENT KLASİFİKASYONU.
   NOT: FAŞİZM'DE BURADA OLDUĞU GİBİ MESLEKLERİ TEMSİL ESASINA DAYANIR, ANCAK FAŞİZM'DE ÖZGÜRLÜK YOKTUR, IRKÇILIK, İNANMAK, İTAAT ETMEK VE SAVAŞMAK ESASTIR. BURADA MEVLEVİ DERVİŞİNİ ÖRNEK ALDIĞIMIZ MODELDE İSE; HER MESLEK GURUBU ÖZGÜRCE, DEMOKRATİK OLARAK KENDİ LİDERİNİ SEÇEBİLİR. BİLENLERİN SEÇİLMİŞ LİDERLERİ DE, KENDİ ARALARINDAN "BİLENLERİN BAŞKANI"NI, "YAPANLAR"IN SEÇİLMİŞ LİDERLERİDE KENDİ ARALARINDAN "YAPANLARIN BAŞKANI"NI SEÇEBİLİR, "DEVLET BAŞKANI"NIYSA TOPLUM HEP BİRLİKTE SEÇEBİLİR. BÖYLECE ADALET'E VE BİLGİ'YE DAYALI BİR YÖNETİM MODELİYLE DÜNYA'DA BİRLİK, BERABERLİK, BARIŞ VE REFAHIN ÖTESİNDE CENNET MİSALİ BİR YAŞAM SAĞLANABİLİR ÇÜNKÜ HER İNSAN KENDİ KÖKENİNDEN, DİNİNDEN, MESHEBİNDEN ÖNCE MENSUP OLDUĞU MESLEK GURUBUNU DÜŞÜNÜR, ÇÜNKÜ GEÇİMİNİ O MESLEKTEN SAĞLIYOR OLACAKTIR.

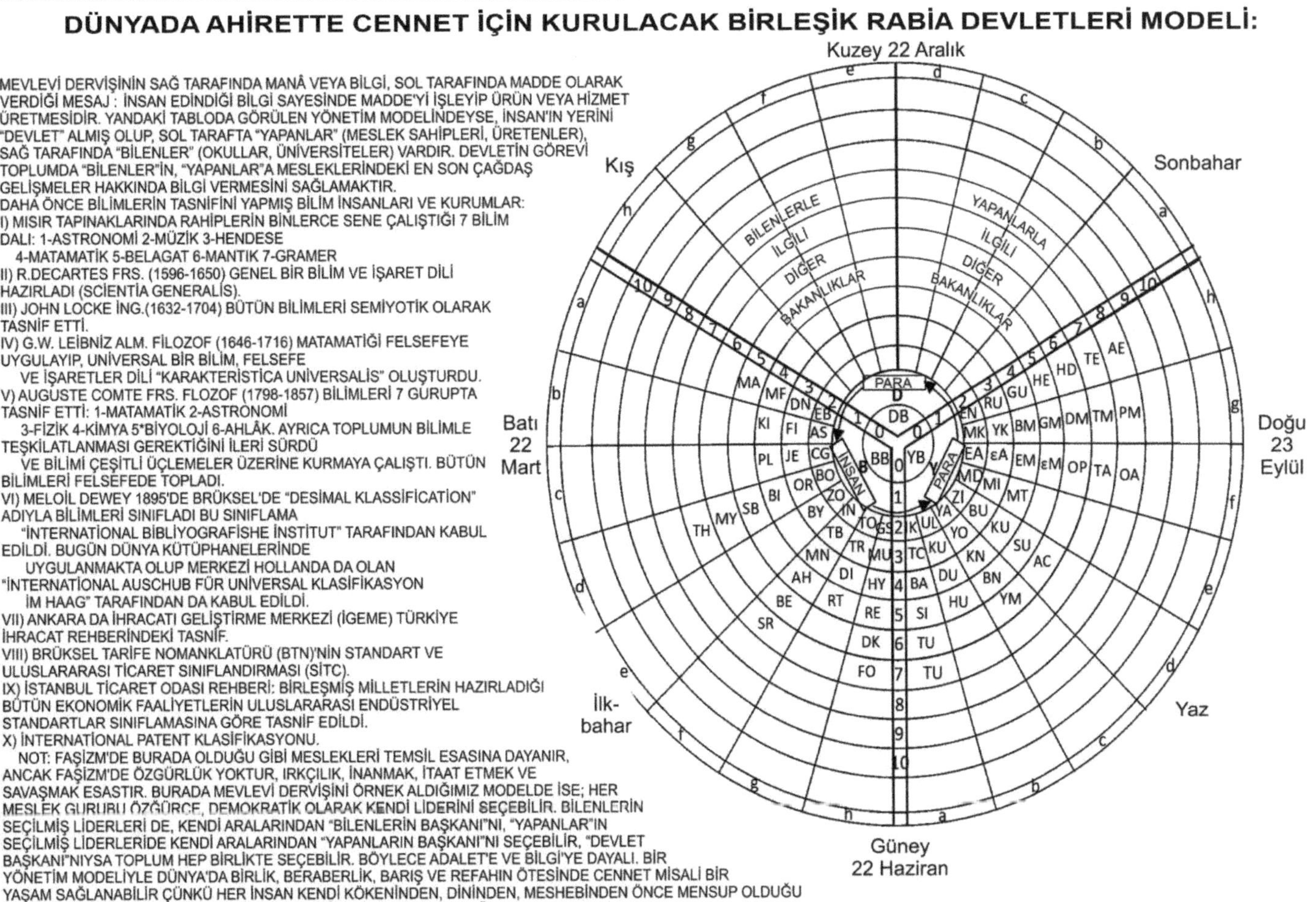

YUKARDAKİ TABLODA KISACA VERİLEN ÖRNEK BİLİMLERİN KISALTMALARI VE KARŞILIKLARI:

BİLENLERİN BAŞKANI (BB) (Ba) — 0
BİLENLER (B) (B1) — 1

a	b	c	d	e		f	g	h
EB B2a	AS B2b	CG B2c	BO B2d	ZO B2e	2	IN B2f	TO B2g	GS B2h
DN B3a	Fi B3b	JE B3c	OR B3d	BY B3e	3	TB B3f	TR B3g	Mu B3h
MF B4a	Ki B4b	PL B4c	Bi B4d		4	MN B4f	Di B4g	HY B4h
MA B5a		SB B5d			5	AH B5f	RT B5g	RE B5h
		MY B6d			6	BE B6f		DK B6h
		TH B7d			7	SR B7f		FO B7h

DEVLET BAŞKANI (DB) (Da) — 0
DEVLET (D) (D1) — 1

h	g	f	e		d	c	b	a
IT D2h	IH D2g	IS D2f	IG D2e	2	DG D2d	DS D2c	DH D2b	DT D2a

BİLENLERLE İLGİLİ DİĞER BAKANLIKLAR — YAPANLARLA İLGİLİ DİĞER BAKANLIKLAR

YAPANLARIN BAŞKANI (YB) (Ya) — 0
YAPANLAR (Y) (Y1) — 1

a	b	c	d	e	f	g	h
IK Y2a	UL Y2b	YA Y2c	ZI Y2d	MD Y2e	EA Y2f	MK Y2g	EN Y2h
TC Y3a	KU Y3b	YO Y3c	Bu Y3d	Mi Y3e	ZA Y3f	YM Y2g	Ru Y3h
BA Y4a	DU Y4b	KN Y4c	Ku Y4d	MT Y4e	EM Y4f	BM Y4g	Gu Y4h
Si Y5a	HU Y5b	BN Y5c	Su Y5d		ZM Y5f	GM Y5g	HE Y5h
TU Y6a		YM Y6c	AC Y6d		OP Y6f	DM Y6g	HD Y6h
KE Y7a					TA Y7f	TM Y7g	TE Y7h
					OA Y8f	PM Y8g	AE Y8h

NO	KOD	BİLİMLER
A		
1	AH	AHLAK
2	AS	ASTRONOMİ
3	AE	ATOM ENERJİSİ
4	AC	ARICILIK
B		
5	B	BİLENLER (VE ÖĞRENCİLER)
6	BB	BİLENLERİN BAŞKANI
7	BA	BANKACILIK
8	BM	BASIM
9	BN	İNŞAAT
10	BE	BESLENME
11	BU	BÜYÜKBAŞ HAYVANCILIK
12	BO	BOTANİK
13	BY	BİYOLOJİ
14	BI	BI
C		
15	CG	COĞRAFYA
D		
16	D	DEVLET (MALİYE BAKANLIĞI)
17	DB	DEVLET BAŞKANI
18	DT	DIŞ TİCARET
19	DH	DIŞ HUKUK
20	DS	DIŞ SİYASET
21	DG	DIŞ GÜVENLİK
22	DN	DİN
23	DI	DİL
24	DK	DEKORASYON
25	DU	DENİZ ULAŞIMI
26	DM	DİKİŞ MAKİNALARI
E		
27	EB	EVREN BİLİMİ (KOZMOLOJİ)
28	EN	ENERJİ
29	EM	ELEKTRİK MALZEMELERİ
30	EA	ELEKTRİKLİ ALET
31	EA	ELEKTRONİK ALET
32	EM	ELEKTRONİK MALZEME
F		
33	FI	FİZİK
34	FO	FOTOĞRAFÇILIK
G		
35	GÜ	GÜNEŞ ENERJİSİ
36	GS	GÜZEL SANATLAR
37	GM	GIDA MAKİNALARI
H		
38	HY	HEYKEL
39	HU	HAVA ULAŞIMI
40	HD	HİDROJEN ENERJİSİ
41	HE	HİDROELEKTRİK ENERJİSİ
I		
42	IN	İNSAN
43	IK	İKTİSAT
44	IG	İÇ GÜVENLİK
45	IS	İÇ SİYASET
46	IH	İÇ HUKUK
47	IT	İÇ TİCARET
J		
48	JE	JEOLOJİ
K		
49	KI	KİMYA
50	KE	KÜLTÜR
51	KU	KÜÇÜKBAŞ HAYVAN
52	KU	KARA ULAŞIMI
53	KN	KENTSEL YAPI
M		
54	MN	MANTIK
55	MA	MATEMATİK
56	MU	MÜZİK
57	MY	MEYVECİLİK
58	MK	MAKİNE
59	MT	METALURJİ
60	MD	MADEN
61	MF	METAFİZİK
62	MI	MİNERALLER
O		
63	OP	OPTİK
64	OR	ORMAN
O		
65	OA	ÖLÇÜ ALETLERİ
P		
66	PM	PAKETLEME MAKİNALARI
67	PL	PALEANTOLOJİ
R		
68	RU	RÜZGAR ENERJİSİ
69	RE	RESİM
70	RT	RETORİK
S		
71	SB	SEBZECİLİK
72	SR	SPOR
73	SU	SU ÜRÜNLERİ
74	SN	SANAYİ
75	SI	SİGORTACILIK
T		
76	TR	TARİH
77	TM	TEKSTİL MAKİNALARI
78	TH	TAHIL
79	TB	TİP
80	TO	TOPLUM
81	TC	TİCARET
82	TA	TIBBİ ALET
83	TU	TURİZM
84	TE	TERMAL ENERJİ
U		
85	UL	ULAŞIM
Y		
86	Y	YAPANLAR
87	YB	YAPANLARIN BAŞKANI
88	YA	YAPI
89	YK	YAPI MAKİNALARI
90	YM	YAPI MALZEMELERİ
Z		
91	ZO	ZOOLOJİ
92	ZI	ZİRAAT

* YUKARIDAKİ TABLODA KABACA VERİLEN ÖRNEK BİLİMLERİN KISALTMALARI VE KARŞILIKLARI.

DÜNYA ÜZERİNDE BUGÜNKÜ İNSANLARIN TARİHİ TABLOSU

IRKLAR: UA : URAL ALTAY · HA : HİND AVRUPALI · SA : SAMİ · HM : HAMİ · OA : ORTA ASYALI · M : MOĞUL · T : TÜRK · SOH : SA+OA+HA · E : EUROPEOİT

YER İSİMLERİ: MZ : MEZOPOTAMYA · ASM : AS, AM · MEK : MEKSİKA · AME : AMERİKA · ASY : ASYA · AV : AURUPA · AVU : AVUSTURALYA · AF : AFRİKA · ASVF : AS-AV-AF · FR : FRANSA · AN : ANADOLU

DİNLER: MAB : MAGARA, AV, FETİŞİZM, BÜYÜ · AtÇ : ANA TANRIÇA · ŞA : ŞAMANİZM · ÇT : ÇOK TANRILI · TT : TEK TANRILI · RU : RUH · EF : EFSANE · ET : EFSANE TEMASI · V : VEYA

Numaralı sütunlar (TANRI/TANRIÇA ÖZELLİKLERİ): 1 AY (TA, TÇ VE RUH) · 2 GÜNEŞ · 3 ATEŞ · 4 OCAK · 5 DAĞ · 6 TOPRAK · 7 SU · 8 AĞAÇ · 9 RÜZGAR · 10 FIRTINA · 11 ZİRAAT · 12 BEREKET · 13 AŞK-GÜZELLİK · 14 KADER · 15 AVCILIK · 16 ÇOBANLAR · 17 HASTALIK · 18 SAVAŞ · 19 BARIŞ · 20 ŞEHİR · 21 BİLGELİK-AKIL · 22 YER ALTI · 23 ZAMAN VE ÖLÜM · 24 MELEKLER (TANRI ELÇİSİ) · 25 EV KAPISI KUTSAL · 26 KURT EFSANESİ · 27 IRMAĞA ATILAN BEBEK EF. · 28 TUFAN EFSANESİ · 29 YARATILIŞ EFSANESİ · 30 DENİZ

M.Ö./M.S.	TARİH	İNSANLAR - TOPLUMLAR	IRKLAR	YER	DİN	GÖK TANRI (TA)	YER TANRIÇA (TÇ)	DİĞER TANRI VE TANRIÇALAR
M.Ö.		RAMAPİTEKUS İNSANI						
M.Ö.		HOMO EREKTUS "						
M.Ö.	150 - 50.000	NEANDERTALER "						
M.Ö.	50.000	" " " " "						
M.Ö.	40.000→	HOMOSAPİEN (BİZLER)		AS	MAĞ			
M.Ö.	30.000	AVRUPADA GÜNEYE GÖÇ		AV	"			
M.Ö.	28.000	ERGANİ - AN		ASM	"			
M.Ö.	16.000	BERİNG YOLUYLA AME. GÖÇ		"	"			
M.Ö.	15.000	ASYADAN AVRUPAYA GÖÇ		AS.AV	"			
M.Ö.	10.000	ZAHO - KUZEY IRAK		MZ				
M.Ö.	10.000	GÖBEKLİTEPE-URFA-AN.		AN				
M.Ö.	12.000 - 6.500	LA MANDELAİNE - FR		AV.FR	MAĞ.ATÇ			
M.Ö.	9.000	ALPİNLER - AS	UA	OA	ÇT			
M.Ö.	7.000	" " " - AV.		AV				
M.Ö.	7.000	ÇATALHÖYÜK(KONYA)		AN	ATÇ			
M.Ö.	6.000	ÇAYÖNÜ TEPESİ DİYARBAKIR		AN	ATÇ			
M.Ö.	←6.000	HİND AVRUPALILAR	HA	AS.AV	ŞA			
M.Ö.	5.000	SUBARİLER (HURRİLER)		AN	ÇT			
M.Ö.	←5.000	İNDÜSKÜLTÜ(DRAVİTLER)		HİND	"		ANA TÇ.	
M.Ö.	5.000	JERİCO		ÖA	ATÇ			
M.Ö.	←5.000 - 4.000	ANAV KÜLTÜ		AS				
M.Ö.	←5.000	MİNUSİNSK KÜLTÜ	E.M	"	AT.ÇT			
M.Ö.	←4.500 - 3.000	SÜMER, ELAM (GUTİLER)	UA	İRAN	"	ANU (ANSAR)	KİSAR (MAYADA)	
M.Ö.	←4.000 - 2.200	" " " " " (YAZI)	UA	ÖZ	"			
M.Ö.	4.000 - 525	MISIRLILAR	HA.M	AF	"	HORUS	OZİRİS TA	PHTHA
M.Ö.	4.000 - 1200	GİRİT	-	EGE	ATÇ	BESE (BOĞA)	REHEA	
M.Ö.	4.000 - 2750	AKATLAR	SA	"	ÇT	ANU		
M.Ö.	←3.500 - 2.000→	JAPONLAR	JAPON	AS	"	İDJA NAGİ	İDZA NAMİ	
M.Ö.	3.000	ESKİ İRANLILAR	HA	İRAM	"	AHURA (AŞURA)	ANA HİTA	
M.Ö.	3.000 - 1.200	TRUVA	-	AN	ATÇ			
M.Ö.	3.000	URAL ALTAY	UA	AS	ŞA	BAYÜLGEN (KUDAY)		
M.Ö.	3.000 - 1.800	BABİL	SA	MZ	ÇT	AN	İŞTAR	MARDUK TA.
M.Ö.	3.000	ETİLER,LELEGLER,KARLAR	HA.OA	AN.AV	"			
M.Ö.	3.000	PELASKLAR " "	"	YUNAN	"			
M.Ö.	3.000	SAMİLER	SA	AN	"			
M.Ö.	3.000 - 1.200	İTALİKLER	HA	İT.AV	"			
M.Ö.	3.000 - 2.000	HURRİLER(SUBARİLER)	UA	AN	"	TEŞUP (FIRTINA)	HEPAT (BEREKET)	
M.Ö.	3.000	" " (" " ")	"	İRAN	"			
M.Ö.	3.000	PELASKALAR	"	AV.AN	"			
M.Ö.	3.000	ELAMLAR (GUTİLER)	"	İRAN	"	BAAL		
M.Ö.	3.000 - 1.200	FİLİSTİNLİLER	SA	ÖA	"			
M.Ö.	3.000	PARTLAR		İRAN	"			
M.Ö.	3.000	SELEFKİLER		"	"			
M.Ö.	3.000	ARAMLAR	SA	ÖA	"	TEŞUP (HURRİŞ)	HEPAT (BEREKET)	
M.Ö.	2.600 - 640	ELAMLAR (GUTİLER)	UA	ÖA	"	HURBAN	PİNENKUR (" ")	
M.Ö.	2.000 - 612	ASURLULAR	S.O.H	"	"	ADAT (YILDIRIM)	İŞTAR TÇ	ASUR TA.
M.Ö.	2.000 - IV. YY.	PERSLER	HA	İRAN	AT. ÇT.	AHURA (HÜRMÜS)	ANAHİTA	ARINNA TC
M.Ö.	2.000	YUNANLILAR	"	AV	" "	ZEUS (URANUS)	DEMETER	
M.Ö.	2.000 - VIII. YY.	FENİKELİLER	"	ÖA	" "	BAAL (GÜNEŞ TA.)	BAALAT(ASTARTE)	
M.Ö.	2.000 - 600	HİND (VEDİZM)	HA	AS	" "	DİAUS PİTAR	PİRİTİRA MATAR	ADİTA TÇ.
M.Ö.	2.000	ARİLER (HİND AVRUPALI)	"	AS	" "	MİTRA (GÜNDÜZ GÖĞÜ)	İNDRA(GECE GÖĞÜ	VARUNA TÇ.
M.Ö.	2.000	GERMENLER	"	AV	" "	DONAR (THOR)		ODİN (WOTAN)
M.Ö.	2.000	KELTLER	"	"	" "	TARANİS	MATRES	DRUDE TAŞLARI
M.Ö.	1.800 - 1.200	HİTİTLER	"	AN	" "	KUPAPA HEPA)	ARİNNA	TEŞUP(FIRTINA)
M.Ö.	1.800 - 1.200	AKALAR (HİNDO GERMEN)	"	AV	"			
M.Ö.	1.800 - 1.580	HİKSOSLAR(HURRİ,SAMİ)	S.O.H	ÖA				
M.Ö.	1.700 - 522	SOGDLAR(SUGİT,MASAGET)	HA	AS				
M.Ö.	1.680 - 1.160	KASİTLER	"	ÖA		SURİAS (GÜNEŞ)		
M.Ö.	1.600 - 1.200	MİTANNİLER	OA	AN.MZ		KUMARVE TA.	HEPAT (BEREKET)	TEŞUP(FIRTINA)
M.Ö.	1.600 - XIII. YY.	İBRANİLER(MUSEVİLER)	SA	ÖA	TT	YAHUVA		
M.Ö.	1.200	DORLAR(SLAV)	HA	AV.YU				
M.Ö.	1.200 - IV. YY.	İSKİTLER(SAKA,KİMER)	HA.UA	ÖA				
M.Ö.	1.200 - VIII. YY.	URARTULAR	UA	AN		HALDİ (SAVAŞ TA.)		
M.Ö.	1.200 - 676	FİRİGLER(VENÜS)	"	AT.ÇT		ATTİS	KYBELE	FRİG(VENUS TÇ)
M.Ö.	1.200 - 546	LİDYALILAR	"			LETO (SAVAŞ)		SANTAŞ TA.
M.Ö.	XII. Y.. - VIII. YY.	ASTEKLER		AM	ÇT	KUKULKAN		
M.Ö.	1.000 - 295	ETRÜSKLER (TUSKALAR)	OA	İTALY	"	TİNİA	TURAN(JUNO)	
M.Ö.	1.000 - 245	HUNLAR	T.	AS.AV	ŞA	BAYÜLGEN	YERSUI HATUN	
M.Ö.	X. YY.→	GERMENLER	HA	AV	ÇT	DONAR (THOR)		
M.Ö.	1059 - 249→	PROTO TÜRKLER	T.	ÇİN	"	GÖK TANRI		
M.Ö.	←1.000 - XI. YY.→	ÇİNLİLER	ÇİN	"		YANG (ERKEK)	YING (DİŞİ)	
M.Ö.		TİBETLİLER	OA	OA				
M.Ö. ←	→	AVUSTURALYALILAR		AVUS				
M.Ö.		KIZILDERİLİLER(SİYULAR)	M.OA					VAKAN
M.Ö.	X. YY. - MS:476	ROMALILAR	ETRÜSK.HA	AV	ÇT	JUPİTER (GÖK TA)	YUNO (İZİS)	SATÜRNÜS
M.Ö.	IX. YY. - 550	MEDLER	HA	İRAN				
M.Ö.	VI. YY.	PERSLER	"	", AN				
M.Ö.		İNKALAR	OA	AM	ÇT			
M.Ö.	500→	GALLER(KELTLER)	HA	AV	"			
M.Ö. ←IV. YY.-MS: 106	NEBATİLER	SA	OA.	"			
M.Ö. II. YY.-MS:VI. YY.→	VİKİNGLER	HA	AV	"			ODİN (WOTAN)
M.Ö. I. YY.-MS:XII. YY.→	UYGURLAR	T	AS	ŞA			
M.Ö. ←	→	ESKİMOLAR	M	AM	"			
M.S.	II. YY. - IX.YY.	AVARLAR(CUCENLER)	T	OA	"			
M.S.	III. YY.	VİZİGOTLAR	HA	AV	ÇT			
M.S.	III. YY.	OSTROGOTLAR	"	"	"			
M.S.	III. YY.	ANGLAR-SAKSONLAR	"	"	"			
M.S.	III. YY.	FRANKLAR	"	"	"			
M.S.	III. YY.	VANDALLAR	"	"	"			
M.S.	IX. YY.	MACARLAR	"	"	"			
M.S.	960 - 1299	SELÇUKLULAR	T	ÖA.AN	İSLAM			
M.S.	552 - 659	GÖKTÜRKLER	"	" "	ÇT.ŞA	BAYÜLGEN	YERSU (İDUK)	UMAY
M.S.	VIII. YY.	YAKUTLAR	"	"	" "	TOYON AĞA	YER HANIM	SEÇEN
M.S.	X. YY. - VI. YY.	OĞUZLAR	"	", AN	İSLAM			
M.S.		KARLUKLAR	M	"		KEVALİN		TUHSİN
M.S.	1206 - 1226	MOĞOLLAR	T	AS	ÇT.ŞA.	ÜLGEN		
M.S.	1299 - 1920	OSMANLILAR		", AN	İSLAM			

Aşağıdaki ızgara, yukarıdaki satırların numaralı tanrı/tanrıça özelliği sütunlarındaki (1–30) "X" işaretlerinin en iyi okunuşudur (yalnızca işaretli satırlar verilmiştir):

	1	2	3	4	5	6	7	8	9	10	11	12	13	14	15	16	17	18	19	20	21	22	23	24	25	26	27	28	29	30
SÜMER, ELAM	X	X				X	X				X	X	X									X								
MISIRLILAR	X	X					X		X		X	X			X		X	X												
GİRİT										X																				
AKATLAR																														
JAPONLAR	X	X	X					X	X															X						
ESKİ İRANLILAR		X	X					X				X					X	X	X											
URAL ALTAY	X	X	X	X	X	X		X				X	X					X			X			X						
BABİL	X	X	X					X					X			X		X												
HURRİLER(SUBARİLER)	X	X				X							X					X		X										
ARAMLAR	X	X				X							X																	
ELAMLAR (2.600)	X	X									X							X												
ASURLULAR	X	X									X					X	X			X										
PERSLER		X	X			X							X																	
YUNANLILAR	X	X	X	X	X			X	X	X	X	X	X	X	X	X		X				X	X	X	X					X
FENİKELİLER	X	X									X									X										X
HİND (VEDİZM)		X	X	X			X		X	X			X					X				X		X						
ARİLER		X					X											X												
GERMENLER	X			X						X	X					X	X													X
KELTLER	X	X	X						X	X	X					X	X	X												
HİTİTLER	X	X	X	X			X	X	X				X			X	X			X										
MİTANNİLER													X			X		X	X											
FİRİGLER(VENÜS)		X		X									X							X										
ASTEKLER		X			X																									
ETRÜSKLER	X	X	X		X				X				X			X		X												
HUNLAR	X	X		X					X	X			X																	
ÇİNLİLER		X	X	X		X	X															X								
ROMALILAR	X	X	X	X		X			X	X	X	X	X			X	X	X		X	X	X								
İNKALAR	X	X																												
VİKİNGLER																		X				X					X			
GÖKTÜRKLER	X	X	X			X	X				X					X														X
YAKUTLAR	X	X	X	X					X		X	X	X	X	X	X	X	X		X				X						
MOĞOLLAR	X	X	X						X							X						X								

NOT: BU TABLODA; BUGÜNE KADAR YAŞAMIŞ, BÜTÜN TOPLUMLARIN, KÜLTÜRLERİN, TARİH SIRASINA GÖRE, DÜNYAMIZDA YAŞADIKLARLARI YER, IRK VE DİNLERİ EKSİK DE OLSA VERİLMEYE ÇALIŞILDI. BÜTÜN BU ESKİ VE YENİ DİNLERİN, MEZHEPLERİN, IRKLARIN MEVLANANIN "NE OLURSAN OL GEL" ÇAĞRISI İLE BÜTÜNLEŞMESİ DÜNYAMIZA HUZUR VE MUTLULUK GETİRMEZ Mİ?

BİBLİYOĞRAFYA:

[1]. Evrenin Kısa Tarihi, Joseph Silk, Tübitak Yay. 2000

[2]. Atomaltı parçacıklar, Steven Weinberg, Tübitak yayınları 2002

[3]. Kozmos evrenin ve yaşamın sırları, Carl Sagan, Altın kitaplar, 2009

[4]. Süper simetri, Gordon Kane, Tübitak Yayınları 2009

[5]. Kuantum fiziğinin ufkunda dünya gerçekten var mı? Sven Ortoli-Jean Pierre Pharabod, Dharma Yayınları, 2010

[6]. Kuantum benlik- Danah Zohar- Doruk yayınları, 2007

[7]. Entropi dünyaya yeni bir bakış, Jeremy Rifkin& Ted Howard, İz yayınları 2010

[8]. Maddenin son yapı taşları, Gerardt Hofft, Tübitak yayınları 2003

[9]. X-ışınlarından Kuarklara çağdaş fizikçiler ve buluşları, Emilio Segre, Sarmal yay. 1995

[10]. Kristalografi ders notları Prof. Işık Kumbasar, İtü maden fakültesi 1983.

[11]. Mineraloji, prof. Işık Kumbasar-Prof. Atilla Aykol, İtü Maden fakültesi 1993.

[12]. İzafiyet Teorisi, Albert Einstein, say Dağıtım ltd. Şti. 1993

[13]. Nanobilim ve Nanoteknoloji, Şakir Erkoç, ODTÜ yayınları 2007

[14]. Astronomi (lise III fen), Doç Dr. M. Dizer, MEB 1964

[15]. Astroloji, yıldızlar ve geleceğimiz, Sheila Geddes, Remzi kitabevi 1978

[16]. Modern Fizikokimya, prof. Alirıza berkem, İstanbul üni.

[17]. Fizikokimya, prof. Ali Rıza Berkem-prof.Sacide Baykut, İstanbul Ün. Müh. Fak.1984

[18]. Modern fiziğe giriş, prof. Erol Gündüz, Ege Üni.Fen Fak. Fizik bl. 1988

[19]. Crystal stuructures, Ralph W. G. Wyckoff, Usa MackPrinting co. Easton. Pa. 1963

[20]. Kristallerin esneklik özellikleri, Doç. Dr. Mustafa Dikici, 19 Mayıs Üni. Eğitim Fak Samsun 1993

[21]. Lise Biyoloji 1-Sevgi Börü-Emine Öztürk- Şermin Cavak, MEB Basımevi İstanbul 2001

[22]. Lise Biyoloji 2 Ayten Sucu- Semra Bayor- Melahat Küpeli, MEB Basımevi 1999

[23]. Lise Biyoloji 3, Özer Bulut- Davut Sağdıç- Selim Korkmaz, MEB Basımevi 2000

[24]. Yaşam Enerjisi, Prof. Ahmet Maranki-Elmas Maranki, Mozaik Yayınları 2009

[25]. Atom, Ümit Şimşek, Yeniasya Yayınları 1979

[26]. Beynimiz sinirlerimiz, prof. Ayhan Sungar, Yeniasya Yayınları 1979

[27]. Big-Bang Kâinatın doğuşu, Ümit Şimşek, Yeniasya Yayınları 1984

[28]. Yaşayan gezegen, prof. Yılmaz Muslu, Yeniasya Yayınları 1979

[29]. Atomdan Hücreye, Prof. Münip Yeğin Yeniasya yayınları 1980

[30]. Hayatın kökleri, Mahlon B. Hoagland, Tübitak yayınları 1995

[31]. Genel Matematik, Hüseyin Yıldırım, Ahmet Ergülen, Afyon Kocatepe üni. 2000

[32]. Doğada bilimde sanatta Altın Oran, Mehmet Suat Bergil, Arkeoloji ve sanat Yayınları 1993

[33]. Trigonometrinin tarihi gelişimi, Mehmet Ekmekçioğlu, MEB yayınları 1991

[34]. Matematik sanatı, Jerry P. King, Tübitak yayınları Ankara 1997

[35]. Uzak doğudan Maya ülkesine bir, iki, üç…, Georges Ifrah, Tübitak yayınları/Ankara 1996

[36]. Hind uygarlığının sayısal simgeler sözlüğü, Georges Ifrah, Tübitak yay..Ankara 1998

[37]. Sıfırın gücü, Georges Ifrah, Tübitak yayınları Ankara 1997

[38]. Sayıların gizemi, Anne Marie Schimmer, Kabalcı yayınları 2000

[39]. Bir sayı tut, Malcolme E. Lines, Tübitak yayınları Ankara 1998

[40]. Matematik tarihi, Marcel Böll, İletişim yayınları- Presses Üniversitaires de France 1991

[41]. Büyü Gizem Bilim batı uygarlığında Okült- Dan Burton-David Grandy Varlık ya. 2005

[42]. Bir, iki, üç… sonsuz, George Gamow, MEB yayınları

[43]. Kim korkar matematikten- Nazif Tepedelenlioğlu, Sarmal yayınları, İstanbul 1995

[44]. Dr. Matrix ve gizemli sayılar, Martin Gardner, Güncel yayınları 1985

[45]. Matematik sözlüğü, Kâmil İşcan, İTÜ İstanbul 1967

[46]. Matematiksel düşünce, Cemal Yıldırım, Remzi Kitabevi İstanbul 1988

[47]. Matematiğin aydınlık dünyası, Sinan Sertöz, Tübitak yayınları Ankara 1996

[48]. Pi coşkusu, David Blather, Tübitak yayınları Ankara 2003

[49]. Bilimler Bilimi Sibernetik, Toygar Akman, Milliyet yayınları 1977

[50]. Güneş Ay ve dünya, Robin Heath, Dharma yayınları İstanbul 2003

[51]. Platon'un ve Arşimet'in çok yüzlü cisimleri, Daud Sutton, Dahrma yay. İstanbul 2004

[52]. Kutsal geometri, Miranda Lundy, Dharma yayınları İstanbul 2003

[53]. Maddenin özü elementler, matt twweedi dharma yay.

[54]. Yararlı Matematik ve Fizik formülleri, Matthew Watkins, Dharma yay. İstanbul 2004

[55]. Armonograf Müzikten Matematiğin görsel bir rehberi, Anthony Ashton, Dharma yay. İstanbul 2003

[56]. Tesadüfler kitabı, John Martineau, Dharma yayınları İstanbul 2003

[57]. Müzik neyi anlatır, Sidney Finkelstein, Kaynak yayınları İstanbul 2000

[58]. Çağdaş sanat kuramı, Paul Klee, Dost kitabevi Ankara

[59]. Evrensel eşit kuyruklu canlı, Nusret Kaya, Abis yayınları Ankara 2010

[60]. Evrenin dili, Doç.Dr. Nusret Kaya, Sistem yayınları İstanbul 2004

[61]. Felsefe sözlüğü, Orhan Hançerlioğlu, Remzi kitabevi yayınları İstanbul 1979

[62]. İnsan ve kültür, Bozkurt Güvenç, Remzi kitabevi yayınları İstanbul 1979

[63]. İnanç sözlüğü dinler, mezhepler, tarikatler, efsaneler, Orhan Hançerlioğlu, Remzi kitabevi yayınları İstanbul, 1975

[64]. Müslüman ilim öncüleri ansiklopedisi, Şaban Döğen, Yeni Asya yayınları İstanbul 1987

[65]. Mısır tarihi, Ord. Prof Yusuf Ziya Özer, Türk Tarih Kurumu yayınları Ankara 1987

[66]. Hindistan tarihi, Y. Hikmet Bayur, Türk Tarih kurumu yayınları Ankara 1946

[67]. Emir Timur ve mirası, Doç. Dr. Abdulvahap Kara- Yard. Doç.Dr. Ömer İşbilir, Mimar Sinan Üniversitesi İstanbul İstanbul 2005

[68]. Tasavvuf ve tarikatlar, Prof. H. kâmil Yılmaz, Ensar Neşriyat İstanbul 2002

[69]. Tasavvuf ve tarikatlar, Selçuk Eraydın, Marifet yayınları İstanbul 1981

[70]. Sayıların gizemi ve Tasavvufun dinamikleri, Bayram Ali Çetinkaya, İnsan yayınları

[71]. Ekonomi Doktrinleri tarihi, Prof. Mahmut Koloğlu, Doğuş matbaacılık Ankara 1963

[72]. Eski Türk Dini, Prof. İ. Kafesoğlu, Kültür Bakanlığı yayınları Ankara 1980

[73]. Çakıl taşlarından Babil Kulesine, George İfrah, Tübitak yayınları 1996

[74]. Bir gölgenin peşinde, George İfrah, Tübitak yayınları 1995

[75]. İslamic spirituality Seyyed Hüssein Nasr, Scm Pres ltd.

[76]. Taschenbuch für chemiker und physiker, Dr. İng. Jean D'ans und Dr. Phil Ellen Lax Springer verlag, 1949

[77]. Grosser historisches Weltatlas, Bayerischer Schulbuch Verlag München 1964

[78]. Das bild der modernen Physik, H. Linder-Urania Verlag Leibzig, Jena, Berlin

[79]. Spektrum der Wissenchatt, Spektrum der Wissenschaft Verlag Geselschaft MbH&co Manheim

[80]. Unsere welt ein vernetztes SİSTEM, Frederic Vester, Ernst Klett Stuttgart

[81]. Mensch und Kybernetik, Gilbert Obermair, Wilhelm Heyne Verlag München

[82]. Denken, lernen, vergessen, Frederic Vester, DtV Verlag München

[83]. Im amfang war der Wasserstoff, Hoffmann und Campe Verlag Hamburg, Hoimar V.Ditfurth

[84]. Der denk prozess, Edward de Bono, Rowohlt Taschenbuch Verlag GmbH Reinbeck bei Hamburg

[85]. Lexikotek 1) Spektrum der Naturwissenschaften, 2) Panaroma der Welt Geschichte ilh. Bartelmann Verlag Guterloh

[86]. Das will ich von Natür und Technik Wissen, Axel Rex, Südwest Verlag München

[87]. Yaratıcı tekâmül, Henry Bergson, Bilim ve kültür eserleri dizisi, Milli Eğitim Basımevi / İstanbul 1986

[88]. Peygamberler Tarihi, Enver Bahman Sapolyo, Ön Asya Yayınları 1968

[89]. Dinler Tarihi, Felicien Challage, Varlık Yayınları

[90]. Dinler Tarihi araştırmaları, Dr. Hikmet Tanju, Ankara Üniversitesi İlâhiyat Fakültesi Yayınları

[91]. Büyük dünya Tarihi, Jacques Pircnnc

[92]. Büyük Filozoflar Ansiklopedisi, Cemil Sena, Nebioğlu Matbaası

[93]. Medeniyet Tarihi, Louis Frederic, Doğan kardeş Yayınları İstanbul

[94]. İlk üretimciliğe geçiş evresinde Anadolu ve Güneydoğu Avrupa, Prof.Dr. Ufuk Esin

[95]. Eski Mısır tarih ve Medeniyeti, Prof. Afet İnan

[96]. Der Mensch kam aus Sibirien, Alexey Pawlowitsch Oklodnikow, Verlag Fritz Molden

[97]. Zentral Asien, Aleksandr Belenickıy, Wilhelm Heyne Verlag München

[98]. Meine Welt in bildern, Econ Verlag Düsseldorf, Wien

[99]. Der grose kültür Fahrplan, Werner Stein, F.A. Herbig Verlag Buchhandlung Welsermühl Austria

[100]. Der Mensch auf seiner Erde, George Gerster, Atlantis Verlag Zürich

[101]. İnsan ve Kültür, Bozkurt Güvenç, Remzi Kitabevi 1979

[102]. Tarih atlası, Faik Reşit Unat, Kanaaat Yayınları

[103]. Başlangıçtan bugüne dünya tarihi, Nezihe Aras, Prof. Dr. Şehabettin Tekirdağ, Gülseren Devrim, Kaynak kitablar Basın yayın ve Tic. A.Ş.İ stanbul

[104]. Mettoden des ZF (Zukunft Forschung), Prof.Gerhard Bruckmann, Westdeutsche Verlag 1975-1976

[105]. Friden durch ein neues Weltrecht, Grenville Clark und Louis B.Lohn, Afred Metzner Verlag/Berlin, 1961

[106]. Flaggen Wappen Daten, Karl Heinz Hesner, Bertelmann Lexikon Verlag München-Wien

[107]. Yearbook of international Organizations, Eyvind S.T em, 1968-1969

[108]. Am ende unsere zukunft, Rudiger Proske, Verlag Olde Hansen Hamburg

[109]. Verzeichnes Rechner Gestützter Umwelt modelle, Erick Schmidt Verlag Berlin

[110]. Das große Bilder Lexikon der flammen, Von F.A. Nowak Vorwort von K.H. Hanisch, Bertelman lexikonVerlag

[111]. Sanskrit Alphabet "Das Kosmische Ballet", Denis Postle, Verlag Macmillan London Limited

[112]. Die idee einer SİSTEMatische Phlosophy, A.D iemer 1967

[113]. Strüktür und aufbau der Wissenschaftslische Teorien, W. Lein Fellner 1965

[114]. Einführung in die Wissenschafts theorie, H. Seiffert 1971-1972

[115] Kozmik Bilim ışığında şifalı taşlar, Ahmet & Elmas Maranki, Hayat yay. İstanbul 2010

[116] Geleceğe notlar, Eskimeyen kırk makale, Serdar H. Yıldırım 2018.

[117] Türk Musikisi nazariyatı ve usulleri, kudüm velveleleri, İsmail Hakkı Özkan 1984

[118["Costing Big-Bang" (with M. Arik and E. Rizaoglu) Phys. Lett. 321B, 329 (1995).